Affolderbach/Steinkamp (Hrsg.)
Kirchliche Jugendarbeit in Grundbegriffen

Martin Affolderbach/Hermann Steinkamp (Hrsg.)

Kirchliche Jugendarbeit in Grundbegriffen

Stichworte zu einer ökumenischen Bilanz

Unter Mitarbeit von Bernd Börger,
Hartmut Heidenreich und Thomas Schmitz

Patmos Verlag Düsseldorf
Chr. Kaiser Verlag München

CIP-Kurztitelaufnahme der Deutschen Bibliothek

Kirchliche Jugendarbeit in Grundbegriffen:
Stichworte zu e. ökumen. Bilanz / Martin Affolderbach; Hermann Steinkamp (Hrsg.). Unter Mitarb. von Bernd Börger, Hartmut Heidenreich u. Thomas Schmitz. – 1. Aufl. – Düsseldorf: Patmos Verlag; München: Kaiser, 1985
ISBN 3-491-78389-5 (Patmos)
ISBN 3-459-01623-X (Kaiser)

NE: Affolderbach, Martin [Hrsg.]; Börger, Bernd [Mitverf.]

1. Auflage 1985
Umschlaggestaltung: Peter J. Kahrl
Gesamtherstellung: F. L. Wagener GmbH, Lemgo
ISBN 3-491-78389-5 Patmos
ISBN 3-459-01623-X Chr. Kaiser

Inhalt

Welche Perspektiven hat die kirchliche Jugendarbeit?

Wer dieses Buch in die Hand nimmt, hat den Eindruck, daß es eine ganz spezielle Absicht verfolgt. Es bietet weder eine umfassende Theorie von Jugendarbeit, noch ist es ein Lexikon oder Nachschlagewerk im eigentlichen Sinn. Was ist das Konzept?
Steinkamp: Das Buch versucht eine Bilanz, wie es ja auch der Titel signalisiert. Es soll eine Standortbestimmung kirchlicher Jugendarbeit sein, die insbesondere die Diskussion der letzten zehn oder zwanzig Jahre aufnimmt - das hängt etwas von den einzelnen Aspekten ab, um die es jeweils geht. Gerade seit Mitte der 70er Jahre hat sich in der Jugendarbeit vieles verändert. Ein Datum ist auf katholischer Seite der Beschluß der Synode von 1975 zu „Zielen und Aufgaben kirchlicher Jugendarbeit". Dieser Beschluß war ein sehr wichtiger Schritt, weil er einer veränderten Praxis und veränderten Rahmenbedingungen für kirchliche Jugendarbeit gerecht zu werden versuchte. Auch die geistige Erneuerung, die sich mit dem Stichwort II. Vaticanum verbindet, kann man indirekt im Hintergrund sehen.
Zehn Jahre sind vergangen. Die Absicht dieses Bandes ist es, der Frage nachzugehen, was seitdem an neuen Denkprozessen und Entwicklungen stattgefunden hat, wo neue Konzeptionen entwickelt oder erprobt wurden, wo Einsichten weiterentwickelt wurden und wo vielleicht auch Rückschritte stattgefunden haben.
Affolderbach: Ich glaube, daß man das für den evangelischen Bereich ganz ähnlich sagen kann. 1975 wurde die sogenannte Polarisierungsdiskussion in der aej zu einem gewissen Abschluß gebracht. Man sah, daß man auf dieser Ebene nur wenig Fortschritte erzielen konnte, vielleicht aber neu zu einer gemeinsamen Praxis finden könnte. Seitdem hat sich die evangelische Jugendarbeit in vielen Bereichen deutlich verändert. Das Interesse an konzeptioneller Diskussion ließ nach, dafür gewann die sogenannte Gruppenbewegung in sehr vielschichtigen Formen eine große Bedeutung. Die Wiederentdeckung der emotionalen Dimension hat sich zum Beispiel in einem großen Zulauf zu den Kirchen- und Katholikentagen gezeigt. Dann wurde Ende der 70er Jahre das Friedensthema aktuell und führte zu einer sehr intensiven Auseinandersetzung mit Fragen von Pazifismus, Sicherheit und Abrüstung in Gruppen und Verbänden. Viele Gruppen fühlten sich zwar der kirchlichen Jugendarbeit verbunden, verspürten aber durch ihr Friedensengagement eine starke innere Identifikation mit dieser Bewegung.
Man könnte noch weitere Linien nennen, die die Jugendarbeit mit neuen Herausforderungen konfrontiert haben und deren Auswirkungen und Bedeutung noch gar nicht in ihren Zusammenhängen und Konsequenzen durchdacht sind. Deshalb scheint es sinnvoll, ein solches Durchdenken, solch eine Bilanz zu versuchen. Und das ist genau die Absicht dieses Bandes.

Es gab in der jüngsten Vergangenheit immer wieder Konzeptionen oder Praxistheorien, die auch so etwas wie Visionen von Jugendarbeit enthielten. „Bilanz“ hört sich dagegen sehr bescheiden an, ohne einen Drang nach vorn. Fehlt es der Jugendarbeit an Visionen?
Affolderbach: In dieser Beobachtung steckt ohne Zweifel etwas Richtiges. Um noch einmal das Stichwort „Frieden“ aufzunehmen: Das Engagement vieler Jugendlicher in der Friedensarbeit war einerseits aus echter Betroffenheit und Besorgnis motiviert, aber auch verbunden mit einer positiven Vision, nämlich einer Welt mit weniger militärischer Bedrohung und weniger Zerstörung von Lebenschancen. Die Erinnerung an die alttestamentlichen Visionen von einer Welt mit Pflugscharen anstelle Schwertern ist eine sehr politisch-praktische „Theologie der Hoffnung“. Es ist aber auch richtig, daß viele Jugendliche heute enttäuscht sind, weil ihr Engagement wirkungslos war. In diesem Sinn gibt es in der Tat zur Zeit vermeintlich wenig „Drang nach vorn“, aber das heißt ja noch lange nicht, daß man sich nicht ernsthaft mit den anstehenden Fragen auseinandersetzt. Um es theologisch zu sagen: Der notwendige Ruf zur Umkehr ist sicherlich nicht das, was man an Visionen von einer nachwachsenden Generation erwartet. Ich glaube auch, daß zur Zeit mehr eine Selbstüberprüfung und eine Rückbesinnung auf das, was wirklich lebensförderlich ist, an der Tagesordnung ist als kühne Visionen.
Ich vermute, daß aber hinter der Frage sich noch etwas anderes verbirgt, nämlich die grundsätzliche Infragestellung von Jugendarbeit, wie sie in der letzten Zeit zum Beispiel von Hermann Giesecke geäußert wurde: Wozu überhaupt noch Jugendarbeit?
Steinkamp: Ja, genau diesen Aspekt möchte ich gerne ansprechen. Die Frage, ob Jugendarbeit überhaupt noch sinnvoll ist, halte ich für falsch gestellt. Denn das Problem liegt nicht im „Ob“, sondern im „Wie“. Es ist klar, daß sich der „Sinn“ der Jugendphase als Vorbereitung auf ein bestimmtes Bild von Erwachsensein und auf die Arbeitswelt verändert hat. Wo Jugendtheorien den „Sinn“ der Jugendphase lange Zeit undiskutiert darin gesehen haben, daß sie Vorbereitung, Lehrjahre, Moratorium war im Blick auf die Arbeitswelt, da steht dieser Sinn angesichts drohender Massenarbeitslosigkeit in der Tat in Frage. Wer in diesem Sinn die Frage stellt, ob Jugendarbeit noch einen Sinn hat, zielt schon in die richtige Richtung. Doch auf der anderen Seite muß man auch sehen, daß viele Untersuchungen feststellen, daß sich zum Beispiel die Phase des „Jungseins“ – nicht zuletzt durch längere Ausbildungszeiten und drohende Arbeitslosigkeit – deutlich ausgedehnt hat und daß dazu noch durch die Arbeitsverkürzungen, die schon da sind oder noch kommen werden, die Bedeutung des Freizeitbereichs weiter anwachsen wird. Deshalb würde ich umgekehrt vermuten, daß wir in Zukunft – trotz Geburtenrückgang – eher mehr Jugendarbeit brauchen, aber vielleicht an-

dere. Wir müssen deshalb wohl auch „pädagogisch“ und politisch neu nachdenken und uns erst neue Konzepte erarbeiten. Um Visionen haben zu können, ist das Gelände noch zu unwegsam. Eine Bilanz ist dann eine Etappe unterwegs - ich denke dabei an Christof Bäumlers Aufsatzsammlung zur Jugendarbeit unter dem Titel „Unterwegs zu einer Praxistheorie“, die er 1977 veröffentlicht hat.

Die nächste Frage kann gut daran anknüpfen. Im Titel ist von „Stichworten“ die Rede. Heißt das, daß man dem Vorhaben einer Praxistheorie von Jugendarbeit nicht weiter nachgeht, sondern sich nur mit „Stichworten“ begnügt?
Steinkamp: Nein, diesen Gegensatz sehe ich überhaupt nicht so - im Gegenteil. Alle Versuche, so etwas wie eine Theorie von Jugendarbeit zu entfalten, orientieren sich ja an einem bestimmten Begriff oder Stichwort. Ich denke an so Stichworte wie „außerschulische Pädagogik“, „emanzipatorische Jugendarbeit“, „komplementäre Sozialisation“, „reflektierte Gruppe“, „personales Angebot“ - man könnte die Liste noch weiter fortsetzen. Dies sind Orientierungsmarken, vielleicht auch Trend-Etikette, mit denen sich ein Ansatz, ein Zugang zum Verständnis von Jugendarbeit verbindet, und auch eine ganz bestimmte Praxis. Es ist richtig, daß wir mit diesem Buch nicht nur *einen* Ansatz aufnehmen und entfalten, sondern eine Reihe von Stichworten aufgreifen und fragen, ob diese sich bewährt haben oder revidiert und neu bedacht werden müssen.
Affolderbach: Bei dem Begriff „Stichworte“ könnte man natürlich auch an die beiden Bände von Jürgen Habermas „Stichworte zur Geistigen Situation der Zeit“ denken. Das soll natürlich nicht heißen, daß wir uns daran messen wollen. Aber ich wollte damit sagen, daß solche „Stichworte“ auch etwas sagen über die geistige Situation der Jugendarbeit, also über die wichtigen Diskussionspunkte, an denen sich heute die Probleme kristallisieren. An den Stichworten kann man ablesen, welche Aspekte und Fragen den Autoren wichtig sind und wo sich derzeit die brennenden Probleme finden. Vor zehn Jahren wäre sicherlich eine Reihe von anderen Stichworten aufgenommen worden.
Aber noch ein anderer Gesichtspunkt: Ich meine, daß Stichworte auch bedeuten, daß wir nicht ein geschlossenes System präsentieren wollen, sondern ein Nachdenken über Jugendarbeit, das offen ist für das Gespräch mit verschiedenen Wissenschaften wie auch verschiedenen gesellschaftlichen Kräften und Bewegungen. Erst in diesem Kommunikations- und Austauschprozeß kann kirchliche Jugendarbeit dazulernen und auch ihre eigene Identität besser verstehen lernen. Unser Konzept für diesen Band ist also auch ein Plädoyer für eine Jugendarbeit, die im Gespräch ist und ihre theologische Identität wie ihre gesellschaftliche Rolle immer wieder neu und vielleicht auch tiefer zu verstehen sucht.

Dieses Buch ist in evangelisch-katholischer Zusammenarbeit entstanden. Ist das für Sie eher eine Selbstverständlichkeit, oder verbinden Sie damit etwas Programmatisches?

Steinkamp: Die Zusammenarbeit zwischen evangelischen und katholischen „Jugendarbeitern" ist auf manchen Ebenen heute selbstverständlich. Ich kann das für den wissenschaftlich-universitären Bereich sagen: Obwohl wir organisatorisch gesehen immer noch konfessionell getrennt sind, sind im geistigen Austausch von Ideen und Theorien kaum Barrieren da. Wir haben in den letzten Jahrzehnten vieles von den evangelischen Kollegen gelernt und der Diskussionstradition, die dort gepflegt wurde und wird. Und ich sehe, daß umgekehrt auch auf evangelischer Seite einiges von dem rezipiert ist, was bei uns entwickelt wurde; ich denke da beispielsweise an das Stichwort des „personalen Angebots". Im Dialog mit den Sozialwissenschaften und der Pädagogik ist stärker unsere gemeinsame theologische Kompetenz gefragt als die konfessionellen Unterschiede. Obwohl es konfessionell verschiedene Traditionen in Lehre und geistlicher Lebenspraxis gibt, bin ich doch sehr im Zweifel, ob es überhaupt noch eine Theorie katholischer oder eine Theorie evangelischer Jugendarbeit geben kann. Es kann eigentlich nur eine Theorie kirchlicher Jugendarbeit, oder noch präziser gesagt, eine Theorie christlicher Jugendarbeit geben, gleichwohl sich dieser Begriff noch nicht eingebürgert hat.

Affolderbach: Wir verbinden mit dem Titel zweifellos auch eine programmatische Absicht. Wenn ich recht sehe, ist dies der erste Versuch, Jugendarbeit ökumenisch zu durchdenken. Und da sich zur Zeit die konfessionellen Abschirmungstendenzen eher verstärken, ist unser Versuch auch als ein deutliches kirchenpolitisches Plädoyer zu verstehen. Gerade die Jugendarbeit hat die Chancen, über konfessionelle Grenzen hinweg zusammenzuarbeiten und sich drängenden Fragen von Jugendlichen gemeinsam zu stellen. Ökumene hat aber nicht nur die Zielrichtung der Zusammenarbeit zwischen den christlichen Konfessionen. Es geht dabei auch um die Einheit der Christenheit im weltweiten Maßstab und damit gleichzeitig um die Frage, welche Rolle wir als Christen heute wahrnehmen können oder müssen angesichts der drängenden globalen Probleme. Die Jugendarbeit war an vielen Stellen in beiden großen Kirchen mit der Motor eines solchen ökumenischen Lernprozesses, und sie sollte diese Rolle weiterhin wahrnehmen. Der Begriff „ökumenische Bilanz" im Titel heißt für mich auch, daß wir diese Erkenntnisse und Fortschritte aus der letzten Zeit nicht preisgeben dürfen, sondern weiterentwickeln und verstärken sollten.

Martin Affolderbach
Hermann Steinkamp Stuttgart/Münster im Mai 1985

Richard Münchmeier

Arbeit und Freizeit

Jugend: Freizeit zur Vorbereitung auf die Arbeit?

Fragen nach der Einstellung Jugendlicher zu Arbeit und Freizeit gehören durchaus zum traditionellen Repertoire der Jugendforschung. Kaum eine empirische Jugendstudie, die sich nicht dafür interessiert. Dabei rücken einmal eher die Freizeitorientierungen, ein anderesmal eher die Arbeitseinstellungen in den Vordergrund. In den 60er Jahren, als die Eingliederung der Jugendlichen in das Arbeitsleben problemlos zu erfolgen schien, interessierte man sich vor allem dafür, wie Jugendliche ihre Freizeit nutzen, in der Freizeit ihre Identität erproben und schrittweise die Ablösung vom Elternhaus einüben. In einer Zeit, in der Jugendarbeitslosigkeit und Ausbildungsplatzmangel für Schlagzeilen sorgen, hat dagegen das Interesse für die Arbeitsmotivation, die Leistungsbereitschaft und die Einstellungen Jugendlicher zur Technik neue Konjunktur.
Jugend scheint also zwei Gesichter zu haben. Das eine, „subkulturelle" Gesicht, bei dem es um Lebensstile, Verhaltensweisen und Selbststilisierung geht, findet sich eher in Freizeitzusammenhängen. Das andere auf den Generationenwechsel und den Übergang ins Erwachsenenleben bezogene Gesicht ist dagegen durch Lernen, Qualifikationserwerb und Vorbereitung auf die Arbeitsgesellschaft bestimmt. Warum das so ist, ergibt sich noch nicht unmittelbar aus den Befunden der Jugendforschung, sondern aus dem geschichtlichen Entstehungszusammenhang und den strukturellen Bedingungen der Jugendphase.
Jugend, wie wir sie heute kennen, ist seit ihrer Ausformung im letzten Jahrhundert eine Lebensphase, die durch Ausgrenzung und Integration gleichermaßen gekennzeichnet ist: Jugend wird aus dem Arbeits- sowie Freizeit- und Konsumleben der Erwachsenen ausgegrenzt, um mit Hilfe von Erziehungs- und Bildungsinstitutionen auf ein späteres Erwachsenen- und Arbeitsleben vorbereitet zu werden. Da Jugendliche in diesem Modell nicht arbeiten und sich deshalb die Freizeit- und Konsumgewohnheiten der Erwachsenen nicht „leisten" können, haben sie zu Arbeit wie Freizeit eine besondere Beziehung.
Die Qualifikation für (spätere) Erwerbsarbeit und der gelingende Einstieg in das Arbeitsleben wird für Jugendliche (zumindest für die männliche Jugend)

zum Schlüssel für eine gelingende soziale Zukunft. Schule und Berufsausbildung werden die zentralen Institutionen des Jugendalters, die diesen Schlüssel vermitteln sollen.
Diese Normierung der Jugendzeit als eine Vorbereitungszeit auf ein selbständiges Erwachsenenleben in der Arbeitswelt und im öffentlichen Bereich hat jedoch verschiedene Bedingungen zur Voraussetzung: insbesondere die, daß sich durch Arbeit, für die man sich qualifiziert hat, ein selbständiges Erwachsenenleben führen läßt und daß sich besondere Qualifizierungsanstrengungen und eine lange Vorbereitungszeit auch in besonders gute berufliche und soziale Zukunftschancen ummünzen lassen. Die unbefragte Selbstverständlichkeit beider Bedingungen ist jedoch heute geschwunden, was zu einschneidenden Wandlungen im Verhältnis von Jugend zu Freizeit und Arbeit geführt hat.

Strukturwandel der Jugend

Jugendliche befinden sich heute wesentlich früher, für erheblich längere Zeit und mit größeren Erwartungen in den verschiedenen Einrichtungen des Schul- und Bildungssystems. Immer mehr Jugendliche sind Schüler, so daß man sagen könnte: durch die Entwicklungen der letzten 20 Jahre erhält „Jungsein“ immer mehr die Form des „Schülerseins“.
Das Bildungswesen ist in den letzten Jahrzehnten geradezu explosionsartig ausgebaut worden, gerade auch in dem für Jugendliche besonders relevanten Bereich weiterführender Schulen (vgl. Arbeitsgruppe am Max-Planck-Institut für Bildungsforschung 1984). So hat sich die Zahl der Realschüler von 1960 bis 1980 mehr als verdreifacht. Die Zahl der Gymnasiasten ist um das Zweieinhalbfache gestiegen. Die Gesamtzahl aller Studenten lag Anfang der 80er Jahre deutlich über einer Million und hat sich damit seit 1960 vervierfacht. Dagegen verbleiben immer weniger Jugendliche auf dem „unteren Niveaubereich“ des Bildungswesens, in der Hauptschule. In den 50er Jahren war die Hauptschule die „Regelschule“, hat sie doch etwa 80% der jeweiligen Altersjahrgänge aufgenommen. Heute (1980) besuchen sie nur noch etwa 39%, was die Hauptschule zum „Leidtragenden der Bildungsexpansion“ gemacht hat. Die Expansion des Bildungswesens bedeutet also, daß immer mehr Jugendliche über einen immer höheren Bildungsabschluß verfügen.
Diese Aufwertung der Bildung im Jugendbereich bedeutet jedoch auch, daß Jugendliche heute im Durchschnitt viel länger im Bildungsbereich verbleiben. Die Ausgrenzung der Jugend aus dem ökonomisch selbständigen Erwachsenenleben, Jugendzeit als „Vorbereitungszeit“ verlängern sich. Im Jahr 1970 verdienten noch 44% der 15- bis 19jährigen ihren Lebensunterhalt durch Erwerbstätigkeit. 1980 sind dies nur noch 28% (Baethge, in: Kärtner

u. a. (Hrsg.), 1983, S. 93, Tabelle 2). Betrachtet man die Jugendlichen heute im Hinblick auf ihren Status, so ergibt sich: 1982 waren von den über drei Millionen ledigen Jugendlichen zwischen 15 und 18 Jahren 72% in Einrichtungen des Schul- und Hochschulsystems, 17,3% waren als Auszubildende in der Berufsausbildung. Aber nur noch 5,6% waren erwerbstätig (weitere 5,1% entfielen auf die Kategorie „Sonstige"). (Vgl.: Statistisches Bundesamt, 1984, S. 61) Von den ledigen Jugendlichen zwischen 18 und 21 Jahren waren immer noch über 28% in Bildungsinstitutionen und erst etwas über 40% erwerbstätig.

Die Ausdehnung des Bildungssystems hat also zu einem Strukturwandel der Jugendphase geführt, der von vielen als „Verlängerung der Jugendphase" oder „Postadoleszenz" bezeichnet wird.[1] Damit ist gemeint, daß junge Leute, obwohl sie biologisch längst „erwachsen" sind, länger als früher in einer Phase der ökonomischen Unselbständigkeit, der Abhängigkeit vor allem von der Versorgung durch die Eltern und des Lernens, der Qualifikation und der Vorbereitung verbleiben.

Natürlich hat dies weitergehende Folgen. Jugendliche verbleiben heute wesentlich länger als in früheren Generationen in altersgleichen Gemeinschaften, wie sie durch die Klassen und Stufen des Bildungssystems hergestellt werden. Die „Gesellschaft der Altersgleichen" erhält für Jugendliche in dem Maße höhere Bedeutung, als sich ihr Eintritt in altersmäßig gemischte Gruppen (wie sie für das Arbeitsleben oder die Öffentlichkeit typisch sind) hinausschiebt. Es kann also nicht verwundern, wenn die Bedeutung der altersgleichen Freundschaften und Cliquen erheblich zugenommen hat (Allerbeck/Hoag, 1985, S. 40ff.), insbesondere für die Gestaltung der Freizeit. Umgekehrt bietet dies die Möglichkeit zur stärkeren Entfaltung eigener, jugendtypischer Verhaltensweisen, kultureller Stile, jugendlicher Verkehrsformen und Moden. Die in den letzten Jahren stark beachteten Phänomene der (verschiedenen) Jugendsubkulturen haben *eine* ihrer Wurzeln in diesem genannten Wandel der Jugendphase.

Da Bildungsinstitutionen nur sehr selektive Wirklichkeitserfahrungen vermitteln können und zudem Jugendliche zumeist nur halbtags „erfassen", wird Freizeit zum zentralen Ort der Wirklichkeitssuche und Wirklichkeitserfahrung. Damit wachsen die Ansprüche an die Freizeit: sie soll Möglichkeiten zur Auseinandersetzung mit der gesellschaftlichen Realität bieten. Sie ist der Ort, an dem die Ablösung vom Elternhaus und das Selbständigwerden zuerst ausprobiert und am ehesten durchgesetzt werden (Allerbeck/Hoag, 1985, S. 41). Sie ist der Ort, an dem das eigentliche „Leben" gesucht wird, als bunter Strauß von Erlebnissen, Beziehungen, Abenteuern und Bedürfnisbe-

[1] Der Ausdruck „Postadoleszenz" wurde vor allem von der Studie „Jugend '81" des *Jugendwerks der Deutschen Shell* geprägt.

friedigungen. Der Lebens- und Erlebenshunger Jugendlicher kann sich zunächst nur auf den Freizeitbereich richten. Je erlebnisärmer und streßreicher zudem Jugendliche die Schule erfahren, desto mehr verbinden sich mit der Freizeit Wünsche nach einer „Gegenwelt“. Diskotheken, Spielhallen und andere kommerzielle Jugendangebote greifen diese Bedürfnisse auf und begünstigen den Übersteig und das Eintauchen in interessante, aufregende Gegenwelten.

Die Aufwertung der Freizeit zum „eigentlichen“ Leben kann freilich in der Jugendphase nur widersprüchlich gelingen. Sie bricht sich nämlich ihrerseits an den Bedingungen von Jugend in der modernen Gesellschaft. Jugendliche verrichten heute - wie gesagt - zu einem relativ geringen Anteil Erwerbsarbeit. Wer sich jedoch ein „Leben“ leisten können will, der muß auch arbeiten. Auch wenn Jugendliche heute im Durchschnitt über größere finanzielle Mittel (Taschengeld) verfügen[2], bleiben sie dennoch auf „billige“ Freizeit- und Konsummöglichkeiten angewiesen. Sie bleiben abhängig von Treffpunkten und Angeboten, die sie sich leisten können (wie z. B. Einrichtungen und Angebote der Jugendarbeit) und die durchaus nicht gleichmäßig verteilt sind. Weil die Einrichtungen und die Infrastruktur der Städte in dieser Hinsicht sehr viel mehr bieten, unterscheidet sich die Freizeit von Jugendlichen auf dem Land und in der Stadt immer noch erheblich (Blanc/Böhnisch, in: DJI (Hrsg.): Immer diese Jugend, 1985).

Die Vorstellung von Freizeit als „Gegenwelt“ bricht sich jedoch auch an der gewachsenen Intensität schulischer Anforderungen. Dies betrifft nicht nur die immer wieder behauptete gewachsene Fülle des Lern- und Unterrichtsstoffs, sondern vor allem die Tatsache, daß Jugendliche in stärkerem Maße von schulischen Leistungen abhängig sind, wenn sie gute Zukunftschancen erhalten wollen. Stichworte dafür sind „numerus clausus“, Konkurrenzkampf auf dem Ausbildungssektor, vertikale Verdrängung von Bildungsabschlüssen. Die zukunftsvermittelnde Bedeutung von Schule müssen Jugendliche deshalb auch in ihrer Freizeit im Blick behalten, müssen im gegebenen Moment (z. B. vor Klassenarbeiten) oder auch auf Dauer einen erheblichen Teil der freien Zeit für zusätzliche Lern- und Qualifizierungsbemühungen einsetzen. Weil die Sicherung der eigenen Zukunftsperspektiven verlangt, daß die Freizeit (tendenziell) der Schule zu- und untergeordnet wird, bleiben die Freizeitmöglichkeiten prinzipiell labil und wird ihr Charakter als „eigentliches Leben“ immer wieder zu etwas Vorläufigem und Uneigentlichem (Funk/Lösch 1980).

[2] Jugendliche verfügten 1953 im Durchschnitt über 61 DM, 1964 über 120 DM und 1975 über 327 DM im Monat (vgl. *Damm*, in: DJI [Hrsg.], Immer diese Jugend, 1985).

Strukturwandel der Arbeit

Mit der Ausweitung des Bildungssystems untrennbar verbunden sind die Verbreitung und Verallgemeinerung eines bestimmten Musters der Jugendphase, das man den „bildungsoptimistischen Lebensentwurf" genannt hat.[3] Dieses Muster folgt der Gleichung: „Je mehr Bildungsanstrengungen einer unternimmt und je höhere Bildungsabschlüsse er erreicht, desto besser sind seine beruflichen und sozialen Zukunftschancen." Gerade weil man die individuellen Zukunftschancen aus ihrer Verknüpfung mit (familiärer) Herkunft („die Kinder von Akademikern werden wieder Akademiker") oder Besitz (nur reiche Leute können sich eine gute Ausbildung für ihre Kinder leisten) lösen und nur noch abhängig von Lernen und Begabung machen wollte, sahen die Reformpolitiker in ihren Anstrengungen zur Bildungsreform gleichzeitig einen wichtigen Schritt zur Demokratisierung der Gesellschaft. Deshalb versuchte man, gleiche Bildungschancen auch solchen Gruppen von Jugendlichen zukommen zu lassen, die bisher benachteiligt waren: Mädchen und Jugendliche auf dem Land. In der Tat läßt sich heute sagen, daß Mädchen und junge Leute auf dem Land aufgeholt haben.[4]

Dennoch wird heute von einer Krise und vom Abbröckeln dieses bildungsoptimistischen jugendlichen Lebensentwurfs gesprochen. Für eine wachsende Zahl von Jugendlichen (und ihren Eltern) schwindet die Selbstverständlichkeit und Plausibilität, daß sich eine besondere Bildungsanstrengung umstandslos in besondere berufliche und gesellschaftliche Chancen umsetzen läßt. Ursächlich dafür sind die Bedingungen und Auswirkungen einer fundamentalen Krise der Arbeitsgesellschaft, wie sie sich in den fortgeschrittenen Industrienationen entwickelt hat. Diese Krise hat zwei zu unterscheidende Aspekte: Sie bedeutet einmal eine „Krise der Lohnarbeit", die sich in Arbeitslosigkeit und dem Fraglichwerden der Vollbeschäftigungsvorstellungen der 60er Jahre ausdrückt. Und sie bedeutet eine „Krise der Berufsarbeit", die sich im Verfall der bisherigen Arbeitsethik sowie der Erosion der traditionellen Berufsrolle äußert und Berufsarbeit als stabiles Fundament von Lebensplanung und Identitätsfindung in Frage stellt.

Seit dem Ende der 70er Jahre erleben wir auf dem Arbeitsmarkt eine Strukturkrise von internationalem Ausmaß. „Eine neue internationale Arbeitsteilung macht einige Beschäftigungsmöglichkeiten in der reichen Welt zunichte; diese reiche Welt muß sich daher auf neue Technologien konzentrieren, in denen wiederum das Potential steckt, die menschliche

[3] Vgl. z. B. DJI (Hrsg.), Die neue Jugenddebatte, 1983, und *L. Böhnisch/W. Schefold,* Lebensbewältigung, Weinheim und München 1985.

[4] Vgl. z. B. *G. Seidenspinner/A. Burger,* Mädchen '82, München 1982, und *U. Planck,* Die Situation der Landjugend, Münster 1982.

Arbeitskraft überflüssig zu machen, und die noch nicht ihre Fähigkeit nachgewiesen haben, Arbeitsplätze hervorzubringen." (Jahoda 1983, S. 13) Die ökonomische Wachstumskrise, die tendenzielle Entkoppelung von Produktivität und Einsatz menschlicher Arbeitskraft und - speziell in der Bundesrepublik - eine ungünstige demographische Entwicklung (starke Jahrgänge von Jugendlichen, die ins Beschäftigungssystem drängen) haben dazu geführt, daß in fast allen Industrienationen die Arbeitslosenzahlen in die Höhe schnellten. 1975 überschritt die Zahl der Arbeitslosen in der Bundesrepublik die Millionengrenze, 1983 die von zwei Millionen. Zeitweilige Arbeitslosigkeit droht zu einer gesellschaftlichen Normalerfahrung zu werden: Seit 1974 waren 12,5 Millionen verschiedene Personen und damit jeder dritte Arbeitnehmer mindestens einmal arbeitslos (Bonß/Heinze, 1984, S. 9). Unter einer repräsentativen Stichprobe 15- bis 30jähriger Jugendlicher und junger Erwachsener waren „bereits 33% unmittelbar von Arbeitslosigkeit betroffen" (SINUS-Institut, 1983, S. 94).

Die Brisanz dieser Entwicklung ist nur zu verstehen, wenn man bedenkt, daß Lohnarbeit in unserer Gesellschaft das zentrale Medium sozialer Integration ist. Arbeit fungiert als Mittel individueller Existenzsicherung, sie sorgt für Ordnung und Struktur des Alltags, sie bildet das Fundament der Lebensplanung, sorgt für soziale Kontakte und Erfahrung und ist Voraussetzung für die Teilhabe an den sozialen Sicherungssystemen.

Die große Bedeutung der Lohnarbeit für die gesellschaftliche Integration hat konsequenterweise „Vollbeschäftigung" zu einem zentralen Wert und einer erklärten Verpflichtung staatlicher Politik werden lassen (vgl. Stabilitätsgesetz von 1967) und hat dazu geführt, daß Bevölkerungsgruppen wie Behinderte oder psychisch Kranke, die bisher als arbeitsunfähig galten, durch gezielte Förderungsmaßnahmen für das Beschäftigungssystem integrierbar oder reintegrierbar gemacht werden sollten (vgl. Arbeitsförderungsgesetz von 1969): Gleiche Integrationschancen für alle durch Arbeit für alle. Die eigentliche Krise des Arbeitsmarktes liegt deshalb im Schwinden seiner sozialintegrativen Kraft, „darin, daß nicht mehr Arbeit für alle da ist und somit die Erreichbarkeit des durchschnittlichen Lebensentwurfs, der auf Vollzeitarbeit gründet, für zunehmend mehr Menschen nicht nur vorübergehend nicht mehr gegeben ist" (Böhnisch/Schefold, 1985, S. 26).

Gerade für Jugendliche liegt darin ein Paradox: Die relativ hohe Arbeitslosigkeit hat die Bedeutung der Erwerbsarbeit bislang keineswegs geschmälert. Man muß arbeiten, um zu leben. Andererseits jedoch kann man sich nicht mehr selbstverständlich darauf verlassen, daß Lohnarbeit ein Leben lang den Lebensunterhalt sichern kann. Man muß sich also einerseits weiterhin und sogar - wegen der schärferen Konkurrenz - mit ganzem Ernst auf eine Lohnarbeitsexistenz vorbereiten. Andererseits ist man gut beraten, diese Zukunftsperspektiven nicht zu hoch zu „besetzen", um sich auch andere, alternative Orientierungen offenhalten zu können und eventuelle Phasen der Arbeitslosigkeit ohne allzu hohe psycho-soziale Kosten zu überstehen. Dies gilt in besonderer Zuspitzung gerade für Mädchen. Der weibliche Lebensentwurf hat sich nämlich in der letzten Generation verändert: Mädchen planen zunehmend den Beruf in ihr Leben mit ein. Die Mehrzahl der Mädchen zwischen 15 und 19 Jahren wollen in ihrem Leben beides verwirklichen: Berufstätigkeit und Familie. Der geschlechtsspezifisch geteilte, allgemein eingeengte Arbeitsmarkt verschlechtert jedoch für Mädchen die beruflichen Chancen trotz ihres hohen Bildungsstandes und gewachsenen Qualifikationen (Seidenspinner/Burger, 1982; SINUS-Institut, 1983). Die Quote der arbeitslosen Mädchen und jungen Frauen liegt deutlich über derjenigen ihrer männlichen Altersgenossen. Dies zwingt Mädchen einerseits zu erhöhten Anstrengungen und Konkurrenzbereitschaft, andererseits zu einem Offenhalten verschiedener Optionen und Lebensperspektiven zwischen dem verlängerten Abwarten in der Herkunftsfamilie, der Heirat und Übernahme der traditionellen Ehefrauen- und Mutterrolle und dem Durchsetzen einer eigenständigen beruflichen Existenz.

Der Widerspruch zwischen ökonomischer und sozialer Bedeutung der Lohnarbeit verschärft sich durch die zweite, der Entwicklung der modernen Industriearbeit innewohnende Tendenz zur Aushöhlung der traditionellen Berufsidee. Das traditionelle (historisch weit zurückreichende) Verständnis von Arbeit als Beruf setzt auf eine hohe Identifikation mit der Berufstätigkeit, vertraut auf eine starke Motivation auf seiten der Arbeitenden und auf ein ausreichendes Sinn- und Befriedigungspotential der konkreten Berufsvollzüge. Nirgends kam dieses Berufsethos stärker zum Ausdruck als in der spezifischen Prägung der Facharbeiterrolle, die in der beruflichen Tätigkeit den Kern der sozialen Existenz des Facharbeiters sah.

Die Ergebnisse der Industriesoziologie zeigen, „daß durch die Arbeitsintensivierung in den Betrieben die identitätsstiftende Bedeutung der Erwerbsarbeit sinkt und die Belastungen steigen“ (Bonß/Heinze, 1984, S. 31). Ausschlaggebend hierfür sind eine Reihe von Entwicklungen im Zusammenhang mit der Rationalisierung und Effektivierung moderner Produktionsweisen. Aufgrund des Innovationstempos hat etwa die Überschaubarkeit technischer Entwicklungen, von denen die eigene Berufszukunft abhängt, drastisch abgenommen. Stark zergliederte („taylorisierte“) und rationalisierte Arbeitsabläufe bieten kaum noch Ansatzpunkte zu einer Identifikation, sondern lassen die jeweiligen Tätigkeiten als partikulare, entfremdete Routine erleben. Die fast vollständige Ausblendung lebensweltlicher Bezüge aus den Berufstätigkeiten zwingt zur Aufspaltung des Alltags, der Ausblendung von sozialen und kommunikativen Bedürfnissen und verringert die Möglichkeiten, Arbeit als sinnhaften Bestandteil des Alltags zu erfahren. Hinzu kommt, daß die Phase der beruflichen Sozialisation, des Erlernens und

Einübens in einen bestimmten Beruf aufgrund der raschen Abfolge technologischer Innovationen prinzipiell unabschließbar und offen bleibt: Berufliche Qualifizierung wird zu einem lebenslangen Prozeß.

Es liegt auf der Hand, daß dies erhebliche Folgen für die Situation und die Lebensperspektiven der Jugendlichen haben muß. Es ergeben sich nämlich wesentlich „schwierigere Bedingungen für die biographische Gestaltung des eigenen Berufswegs" (Brock/Vetter, in: DJI (Hrsg.): Lebenslage Jugend, 1983, S. 30). Die „Verarbeitung" der schwierigeren Bedingungen freilich scheint unterschiedlich zu verlaufen (vgl. ebd.). Einerseits findet sich die Tendenz zu einer verstärkten Berufsorientierung. Sie geht von der Erkenntnis aus, daß man beruflich nur dann Schritt halten kann, wenn man auf die gewachsene Unsicherheit mit intensiveren beruflichen Anstrengungen reagiert. Sie äußert sich in gesteigertem betrieblichem Engagement, der Bereitschaft zu Überstunden und dazu, einen großen Teil der Freizeit durch Weiterbildungsbemühungen, Fachlektüre oder technische Hobbys dem Beruf unterzuordnen.

Umgekehrt findet sich eine Tendenz zur Abwertung der Berufsrolle bzw. zu einer freizeitbezogenen-hedonistischen Arbeitsorientierung (SINUS-Institut, 1984, S. 87f.). In dieser Orientierung wird Lohnarbeit zum „notwendigen Übel", als „Mittel zum Zweck" instrumentalisiert. Man arbeitet, um seine Freizeit- und Konsumbedürfnisse befriedigen zu können. Lebenssinn erwartet man nicht im Beruf, sondern in außerberuflichen Aktivitäten, da die konkrete Berufsrolle „zu wenig abwirft". Das Risiko dieser Tendenz liegt freilich darin, daß berufliche Entwicklungs- und Aufstiegschancen verpaßt werden und sich die beruflichen Möglichkeiten auf monotone und intensive Arbeit reduzieren.

Die Abwertung der Berufsrolle ermöglicht im Falle von Arbeitslosigkeit offensichtlich ein breiteres Spektrum von Bewältigungsstrategien, wohingegen diejenigen auf erhöhte Schwierigkeiten stoßen, die eine ausgeprägte Berufsorientierung aufweisen. „Der Verlust der Arbeit muß zu starken Frustrationen führen, da durch die unfreiwillige Ausgrenzung Identität und Selbstwertgefühl empfindlich getroffen werden" (SINUS-Institut, 1984, S. 86). Auch hier entsteht also für Jugendliche die ambivalente Situation, ein paradoxes Gleichgewicht zwischen dem Festhalten an der traditionellen Berufsrolle und der funktional notwendigen inneren Distanz und Bereitschaft zu alternativen Orientierungen zu finden. Die empirischen Befunde der Jugendforschung, die Jugendlichen durchschnittlich eine weitaus nüchternere Haltung und distanziertere Einstellung zu Arbeit und Beruf attestieren, sind deshalb wohl nicht einfach als Ausdruck eines „Wertewandels" zu verstehen. Sie erklären sich vielmehr damit, daß Jugendliche mit einem Lebensentwurf, der sich zentral auf Arbeit gründet, nicht mehr zurechtkommen.

Ansatzpunkte für eine neue Verständigung

Jugend hat - wie oben gesagt - von ihrem geschichtlichen Ursprung her eine besondere Beziehung zu Freizeit und Arbeit. Wie wir gesehen haben, ist diese Beziehung durch die gesellschaftlichen Entwicklungen uneindeutig und widersprüchlich geworden: Arbeit und Freizeit markieren nicht mehr die Pole eines klaren und tragfähigen Lebensentwurfs, auf den Jugend sich verlassen und vorbereiten könnte. Die Verunsicherung der Arbeitsgesellschaft hat so auch eine „verunsicherte Generation“[5] geschaffen, deren Zukunftschancen unter einen besonderen Druck geraten: „Jugend ohne Zukunft“.[6]

Der Druck, der auf der Lebenslage der jungen Generation lastet, liegt nicht einfach nur im Quantitativen, im Mangel an Ausbildungs- und Arbeitsplätzen, an Freizeit- und Konsummöglichkeiten. Er liegt vor allem in der Auflösung und Erosion der Grundlagen und Bedingungen tragender Lebensmuster. Der Normallebensentwurf, der auf Lohnarbeit aufgebaut ist, durch Arbeit seinen gesellschaftlichen Sinn und seine soziale Sicherung erfährt und die Freizeit als Sphäre des privaten Lebens, aber auch als Raum zu gesellschaftlicher und öffentlicher Partizipation nutzt, ist verunsichert. Von daher werden Freizeit und Arbeit sowohl in sich als auch in ihrer Zuordnung und Zusammengehörigkeit uneindeutig (Böhnisch/Schefold 1985).

Dies hat weitreichende Folgen, gerade für Jugendliche und die Verständigung über Jugend: Es bedeutet nämlich nicht zuletzt auch eine Krise des traditionellen Musters von Jugend selbst.

Die Krise der Lohnarbeit muß zu einer Krise des traditionellen Jugendbildes führen.

Jugendtheoretiker sprechen deshalb auch von der „Zerstörung des gesellschaftlichen und individuellen Sinns des Jugendalters“ (Hornstein), von einer „Entstrukturierung der Jugendphase“ (Olk) oder sogar vom „Ende der Jugend“ (von Trotha). In der Auflösung des einheitlichen Jugendbildes und im Herauskristallisieren konkurrierender Orientierungen sehen manche auch besondere Chancen: Sie hoffen auf die größere Bereitschaft und Fähigkeit Jugendlicher, sich flexibel auf neue Situationen einzustellen und alternative Arbeits- und Lebensmöglichkeiten auszuprobieren und darin so etwas wie eine „Vorhut“ beim Finden neuer gesellschaftlicher Wege zu sein. Die schwindende Verknüpfung von Lohnarbeit und Lebensorientierung könnte jedoch nur dann Experimentier- und Freiräume zu alternativen Beschäftigungsversuchen öffnen, wenn für die Betroffenen eine ausreichende materi-

[5] „Die verunsicherte Generation“ lautet der Titel einer Untersuchung des *SINUS-Instituts.*

[6] So lautet der Titel einer Jugendstudie von *Kl. Allerbeck/W. Hoag,* die die Jugendgeneration von 1983 mit derjenigen aus dem Jahre 1962 verglichen hat.

elle Absicherung bzw. alternative Formen der Reproduktion gewährleistet sind. Ohne eine solche sozialpolitische Abstützung drohen alternative Versuche an den Rand oder unter das Existenzminimum gedrückt zu werden. „Eben hierfür gibt es kaum Ansätze, denn das soziale Sicherungssystem ist direkt mit dem Beschäftigungssystem verknüpft und sieht eine Krise der Arbeitsgesellschaft nicht vor. Tätigkeiten jenseits des Arbeitsmarkts, etwa in kooperativ organisierten Einrichtungen oder Initiativen, werden nicht als funktionales Äquivalent anerkannt ..." (Bonß/Heinze, 1984, S. 35).

Stattdessen findet sich gerade für das Jugendalter eine historisch neue Verkoppelung von Arbeit und Freizeit, von Arbeitsmarkt und privaten Ressourcen der Lebensbewältigung. Die Lebenswelt der Jugendlichen, ihre privaten und familiären Ressourcen, die Möglichkeiten der Freizeitbeziehungen, über die sie verfügen, werden gewissermaßen zur Stützung der problematisch gewordenen Lebensmuster herangezogen und funktionalisiert. „Sozialpolitisch können ... Jugendliche stärker als Erwachsene mit Risiken belastet werden: Sie können eher auf etwas verzichten, sie sind regional mobiler, ihnen können Ausbildungs- und Berufswechsel leichter zugemutet werden ... Jugendliche können belastet werden, weil sie besondere Möglichkeiten haben, über die Runden zu kommen, ihre Existenz auch außerhalb des durchschnittlichen Lebensentwurfs als sinnvoll erfahren zu können. Jugendliche haben ihre eigenen Gruppen, Szenen, Stile, Ausdrucksformen, die je nach Region unterschiedlich dichte und tragfähige soziale Netze bilden." (Böhnisch/Schefold 1985, S. 116). Die vor allem in der Freizeit angesiedelte „Jugendkultur" sorgt so für ein Minimum an sozialen Beziehungen und Selbstbestätigungsmöglichkeiten.

Die notwendige neue Verständigung über Arbeit und Freizeit bedeutet also nicht nur, daß man deren historische Bedeutung für die Lebensweisen Jugendlicher „versteht", sondern daß man sich des besonderen „Ausgesetztseins" Jugendlicher mit Bezug auf die Wandlungen in diesen Bereichen bewußt wird. Die unsicher gewordenen Regelungen der Sozialintegration lassen sich nicht einfach auf die Jugend abschieben oder durch Jugendpädagogik wieder sichern. Denn „gelingende Jugend", „gelungene Sozialisation im Jugendalter" kann nicht mehr einfach die Realisierung und Beherrschung des ökonomische Selbständigkeit verleihenden Erwerbsstatus bedeuten. Gelungene Sozialisation verschiebt sich in Richtung auf Fähigkeiten, situativ Chancen auch außerhalb der konventionellen Karrieremuster und Statuspassagen zu nutzen, Ansprüche aufrecht zu erhalten, für alternative Möglichkeiten offen zu bleiben.

Literatur

Allerbeck, Klaus/Hoag, Wendy, Jugend ohne Zukunft? Einstellungen, Umwelt, Lebensperspektiven, München und Zürich 1985 (Piper).

Baethge, Martin, Jugend und Krise. Überlegungen zum Verhältnis von Jugendlichen zur Arbeit als gesellschaftlicher Institution unter den Bedingungen anhaltender Krise, in: G. Kärtner u.a. (Hrsg.), Ausbildung und Arbeitsplatzrisiko Jugendlicher. Workshop-Bericht aus der empirischen Forschung zur beruflichen Sozialisation, München 1983, 82–111 (DJI-Verlag).

Böhnisch, Lothar/Schefold, Werner, Lebensbewältigung. Soziale und pädagogische Verständigungen an den Grenzen der Wohlfahrtsgesellschaft, Weinheim und München 1985 (Juventa).

Bonß, Wolfgang/Heinze, Rolf G. (Hrsg.), Arbeitslosigkeit in der Arbeitsgesellschaft, Frankfurt 1984 (Suhrkamp).

DJI (Hrsg.), Immer diese Jugend. Ein zeitgeschichtliches Mosaik - 1945 bis heute, München 1985 (Kösel).

Funk, Heide/Lösch, Hans, Freizeit im Alltag der Jugendlichen, München 1980 (Juventa).

Jahoda, Marie, Wieviel Arbeit braucht der Mensch? Arbeit und Arbeitslosigkeit im 20. Jahrhundert, Weinheim und Basel 1983 (Beltz).

Jugendwerk der Deutschen Shell, Jugend '81. Lebensentwürfe, Alltagskulturen, Zukunftsbilder, Hamburg 1981.

SINUS-Institut, Die verunsicherte Generation. Jugend und Wertewandel, Opladen 1983 (Leske und Budrich).

Statistisches Bundesamt, Zur Situation der Jugend in der Bundesrepublik Deutschland, Stuttgart und Mainz 1984 (Kohlhammer).

Hartmut Heidenreich

Aus-, Fort- und Weiterbildung

1. Zu den Begriffen

Wer meint, mit kurzem Griff zu einem Wörterbuch zu diesen Begriffen klärende Definitionen zu finden, wird zunächst enttäuscht werden. Die Definitionen dieser Begriffe sind keinesfalls einheitlich. Dabei ist der Steuerzahler bereits jährlich konkret mit einer Unterscheidung zwischen Aus- und Fortbildung konfrontiert: Fortbildungskosten kann er als Werbungskosten geltend machen, Ausbildungskosten zählen zu den Sonderausgaben. Als Fortbildung gelten dabei Qualifikationsmaßnahmen im ausgeübten Beruf, Ausbildung bezieht sich auf Kenntnisse und Fertigkeiten für einen künftigen Beruf. Dies trifft auch das Verständnis des 1969 erlassenen Arbeitsförderungsgesetzes, das berufliche Fortbildung versteht als „die Teilnahme an Maßnahmen, die das Ziel haben, berufliche Kenntnisse und Fertigkeiten festzustellen, zu erhalten, zu erweitern oder der technischen Entwicklung anzupassen oder einen beruflichen Aufstieg zu ermöglichen, und die eine abgeschlossene Berufsausbildung oder eine angemessene Berufserfahrung voraussetzen" (AFG § 41 Abs. 1). Die Begriffstrias kennt dort allerdings keine Weiterbildung, sondern neben der Aus- und Fortbildung die Umschulung. 1970 bezeichnet der „Strukturplan für das Bildungswesen" mit Weiterbildung den umfassenderen Begriff gegenüber Fortbildung, Umschulung und Erwachsenenbildung. Er versteht Weiterbildung als „Fortsetzung oder Wiederaufnahme organisierten Lernens nach Abschluß einer unterschiedlich ausgedehnten ersten Bildungsphase", die in der Regel „durch den Eintritt in die volle Erwerbstätigkeit" endet (Deutscher Bildungsrat 1970, 197).

Setzt man nun die Tätigkeit in der Jugendarbeit analog an die Stelle des Berufs in diesen Definitionen, so lassen sich die Begriffe auch auf ehrenamtliche Mitarbeiter anwenden.* Dann könnte man diese Trias von Begriffen in eine chronologische Reihenfolge bringen, so daß ein Mitarbeiter zunächst Grundwissen und -fertigkeiten für seine Tätigkeit in der Jugendarbeit erwirbt *(Ausbildung),* dann, während er nach Abschluß seiner Ausbildung in

* Hier wie auch im folgenden sind die Begriffe Mitarbeiter, Jugendarbeiter usw. nicht geschlechtsexklusiv gemeint; die jeweilige weibliche Form wird nur aus Vereinfachungsgründen nicht mit angegeben.

der Jugendarbeit tätig ist, Kenntnisse und Fertigkeiten auffrischt, auf dem Hintergrund seiner Praxis und auf sie hin spezifisch erweitert und ergänzt *(Fortbildung),* darüber hinaus an z. B. persönlichkeitsbildenden Maßnahmen *(Weiterbildung)* teilnimmt, die nicht unmittelbaren Gebrauchswert für seine Tätigkeit in der Jugendarbeit haben müssen, oder sich für eine andere Tätigkeit Qualifikationen erwirbt, z. B. als Hauptamtlicher eine zusätzliche Berufsqualifikation (Weiterbildung im Sinn von Umschulung).
Im Bereich der Jugend- und Sozialarbeit hält sich allerdings auch eine Verwendung des Begriffs Fortbildung als umfassende Bezeichnung für berufs- bzw. tätigkeitsbezogene Qualifikationsmaßnahmen nach Abschluß einer Ausbildung und entsprechenden Praxiserfahrungen.
Es wird also auch im folgenden jeweils der Kontext darüber Aufschluß geben müssen, ob Fortbildung synonym mit Weiterbildung verwendet wird oder nicht.
Eine Kritik mancher Arbeitgeber und Dienststellenleiter lautet, daß die Fortbildung viele Mitarbeiter nicht von ihrem Arbeitsplatz „fort-bilden" dürfe. Dieses Sprachspiel verweist auf mehrere Probleme: Fort- und Weiterbildungsarbeit für Jugendarbeiter soll auf die Bedürfnisse und Probleme des Jugendarbeiters und sein konkretes Arbeitsfeld zugeschnitten sein; sie soll aber auch eine kritische Distanz und Perspektive ermöglichen, was durchaus etwa zu einem Arbeitsplatzwechsel führen kann; Mitarbeiter können auch für eine andere („höhere"?) Stelle und Tätigkeit qualifiziert und motiviert, „fort-gebildet" werden.
Daß dies nicht nur für neue Impulse für die Jugendarbeit, sondern auch im Interesse des Jugendarbeiters nötig ist - soll er nicht alternder Berufsjugendlicher werden -, sei als These schon angemerkt. Der heutige Arbeitsmarkt macht es dem hauptberuflichen Jugendarbeiter ohnehin schwer genug, in einen anderen Arbeitsbereich zu wechseln.
Auf eine Einschränkung ist vorab hinzuweisen: Im folgenden geht es nur um *jugendarbeitsinterne* Aus- und um *tätigkeitsbegleitende* Fort- und Weiterbildung; Fragen und Probleme jugendarbeitsrelevanter Studienanteile pädagogischer, sozialwissenschaftlicher und theologischer Studiengänge an Fach- und Hochschulen bleiben unberücksichtigt.

2. Das klassische Modell der Aus-, Fort- und Weiterbildung: die Jugendleiterschulung

Was man früher unter „Führerbildung" oder „Mitarbeiterzurüstung" verstand, ist auch heute noch weitgehend der Kern der Aus-, Fort- und Weiterbildung in der Jugendarbeit: die Jugendleiterschulung. Trotz steigender Bedeutung der offenen Arbeit hält sich die Form der regelmäßig zusammenkommenden Jugendgruppe besonders in kirchlicher Jugendarbeit. Zur Leitung solcher Gruppen sollen die entsprechenden Schulungen befähigen. Neben Fahrt, Lager, Freizeit und den Gruppenstunden bildeten sie traditionell den wichtigsten Bereich geplanter pädagogischer Maßnahmen in der kirchlichen Jugendarbeit. Ihre Inhalte wurden früher vor allem durch verbandsspezifische bzw. kirchliche Traditionen, rechtliche Fragen und praktische Tips zur Gestaltung von Gruppenstunden, Fahrt und Lager („von der Spielekiste bis zum Donnerbalkenbau") bestimmt.

Dann schoben sich immer mehr gruppenpädagogische Fragen in den Vordergrund. Kurz nach der Verabschiedung des Synodenbeschlusses gab es in der katholischen Jugendarbeit und ihrem Umfeld einen Boom an Konzepten der Jugendleiterausbildung.[1] Auf evangelischer Seite hat sich vor allem das Studienzentrum Josefstal um die Ausarbeitung eines Konzepts von Mitarbeiterausbildung bemüht. Mit der Synode begann die Diskussion um die gruppenpädagogische oder gruppendynamische Orientierung, und zugleich kamen Vorschläge zur Rezeption bestimmter didaktischer (vor allem: „Berliner Schule") und curricularer Ansätze in der Jugendleiterausbildung.

Die meisten dieser Kursmodelle bestehen aus einem Grundkurs, der elementare Kenntnisse und Fertigkeiten für jugendliche Gruppenleiter vermitteln soll, und einem Aufbaukurs nach einer etwa einjährigen Praxis. Dazwischen sind praxisbegleitende Gesprächsrunden vorgesehen.

Die meisten Konzepte gehen davon aus, daß der Grundkurs in einem Block von mindestens einer Woche stattfindet, um auch im Kurs gemeinsame und zu reflektierende Gruppenerfahrungen zu ermöglichen (Selbsterfahrung in der Gruppe, Lernen aus Erfahrung, Prozeßlernen usw.). Stets geht es darum, zwei Dimensionen beim Lernen zu verbinden: die Selbsterfahrung der Teilnehmer in der Gruppe und notwendige Gruppenleiterkenntnisse und -fertigkeiten. Dies gilt auch als Prinzip für die Aufbauschulung.[2]

Die allgemeine Tendenz geht in der Jugendleiterausbildung weg von quasischulischen Formen der Informations- und Methodenvermittlung über

[1] Vgl. z.B. *G. Brenner,* Gruppenleitertraining. Modelle für die Praxis, Tübingen 1976; *I. Klein,* Gruppen leiten lernen. Didaktik und Praxis der Ausbildung, München/Wuppertal 1976; *R. Dantscher,* Arbeitsmaterial für Gruppenarbeit. Grundlagen der Jugendleiterausbildung, Gelnhausen/Berlin-Freiburg-Stein [2]1977; *W. Tzscheetzsch,* Curriculare Jugendleiterausbildung. Zur didaktischen Strukturierung offener, handlungsorientierter Curricula, in: KatBl 103 (1978) 516–525; *BDKJ Paderborn,* Rahmenplan zur Ausbildung der Mitarbeiter in der kirchlichen Jugendarbeit im Erzbistum Paderborn, Paderborn 1978.

[2] Zu Einzelheiten der Ziele, Inhalte, Methoden und Strukturen vgl. neben der angegebenen Literatur und *U. Rüppel,* Zur Ausbildung ehrenamtlicher Mitarbeiter in der evangelischen Jugendarbeit. Ergebnisse und Folgerungen einer empirischen Untersuchung, Münster 1979, auch Praxisbücher zur Jugendarbeit wie *J. Schilling,* Kirchliche Jugendarbeit in der Gemeinde, München 1979; *ders.,* Kursbuch Jugendarbeit, München 1983; *ders.,* Erwachsene Mitarbeiter in der Jugendarbeit, München 1984; *W. Berner,* Jugendgruppen organisieren. Ein Handbuch für Gruppenleiter und Mitglieder, Reinbek 1983; *I. Klein,* Gruppen leiten ohne Angst. Ein Handbuch für Gruppenleiter, München 1984.

Rollen- und Planspiele hin zu gruppenpädagogisch oder gruppendynamisch erfahrungsbezogen angelegten Kursen. Dabei ist auf pädagogischer Ebene das Konzept der Themenzentrierten Interaktion nach Ruth Cohn in einem etwas engen Verständnis für manche der Versuch, einen gruppendynamischen Ansatz abzuschwächen, wie für andere auf religionspädagogischer Ebene die Betonung der katechetischen Dimension in einem engen Verständnis dazu dient, den Ansatz der reflektierten Gruppe als Grundform des personalen Angebots und des Konzepts situativer Verkündigung abzuschwächen.

Wirft man einen Blick auf die Rezeption curricularer Ansätze in der Jugendarbeit, so zeigt sich nach einer Phase der Hoffnung auf neue Impulse für die Jugendarbeit eine eher pragmatische Rezeption vor allem für die Jugendleiterausbildung. Zunächst schienen sich curriculare Überlegungen aus der Schulpädagogik als neuer Weg für eine Jugendarbeit anzubieten, die nicht dem Zufall situativer Eingebungen charismatischer Gruppenleiter oder den Stimmungen von Gruppenmitgliedern überlassen bleiben soll. Der bereits im 17. Jahrhundert verwendete Begriff Curriculum wurde in der erziehungswissenschaftlichen Diskussion hierzulande 1967 von S. B. Robinsohn wiederbelebt, um vor allem „den Aspekt der konsequenten, mit wissenschaftlichen Hilfsmitteln durchgeführten oder mindestens unterstützten *Planung* und *Kontrolle*“[3] von Lernprozessen zu akzentuieren gegenüber einem „Lehrplan“ oder dem Begriff „Didaktik“ – je nach enger oder weiter Fassung des Begriffs Curriculum. Freilich stehen gerade Planung, Kontrolle und didaktischer Perfektionismus im Widerspruch zu einer Jugendarbeit, die sich in den Prinzipien von Offenheit, Freiwilligkeit, Flexibilität usw. vom schulischen Bildungsbereich abheben will. Demgegenüber wollte man mit partizipativer Planung und offenen Curricula diese Bedenken zerstreuen und dennoch die Vorteile der Curriculumkonstruktion für die Jugendarbeit nutzen; so erwartete man z. B., den Leerformelcharakter vieler pädagogischer Zielsetzungen zu überwinden, die stets formuliert und postuliert, nie aber umgesetzt werden (können).

Ob die von Tzscheetzsch vorgelegten didaktischen Strukturgitter sich für die Gruppenleiterausbildung als relevant erweisen, bleibt abzuwarten. Etwas konkreter bzw. operationalisiert sind Zielfelderpläne, die Sielert[4] und Steinkamp[5] vorlegen, letzterer für jugendliche Gruppenleiter, erwachsene Ehren-

[3] *W. Klafki*, Curriculum-Didaktik, in: Chr. Wulf (Hrsg.), Wörterbuch der Erziehung, München/Zürich [6]1984, 118.

[4] Vgl. *U. Sielert*, Curriculum Emanzipation? Überlegungen zu curricularen Planungsprozessen im Bereich Jugendarbeit, in: M. Faltermaier (Hrsg.), Nachdenken über Jugendarbeit, München [2]1985, 391–400.

[5] Vgl. *H. Steinkamp*, Jugendarbeit als soziales Lernen. Ziele und Aufgaben kirchlicher Jugendarbeit. Zum Beschluß der Gemeinsamen Synode der Bistümer in der Bundesrepublik Deutschland, München/Mainz [2]1979, 67 ff.

amtliche und hauptamtliche Mitarbeiter. Am Aufbau dieser Zielfelderpläne von Steinkamp, auf die hier nicht detailliert eingegangen werden kann, sollen jedoch Grundprinzipien der Aus-, Fort- und Weiterbildung solcher Mitarbeiter erläutert werden. Es geht jeweils um zweimal drei Bereiche, die zu sechs Feldern kombiniert werden. Nahezu gleich bleibt bei allen drei Gruppen von Mitarbeitern eine Spalte, die sich auf die eigene Person bezieht (Ich, Identität), eine Spalte, die sich auf soziale Beziehungen erstreckt, und eine dritte Spalte mit institutionellen und gesellschaftlichen Bezügen. Die drei waagrechten Zeilen betreffen Tätigkeitsfelder bzw. -dimensionen, wie z.B. Interaktion mit Indivduen, mit Gruppen, mit kirchlicher und gesellschaftlicher Umwelt. Die doppelte Orientierung auf die Person des Mitarbeiters zum einen und seine Funktion zum anderen kommt zusätzlich in einer Teilung der Zielfelder zum Ausdruck, wobei die obere Hälfte jeweils die Dimension der persönlichen Entwicklung des Mitarbeiters betrifft, die untere Hälfte jeweils aufgaben- und handlungsbezogene Fertigkeiten.
Dies entspricht der allenthalben erhobenen Forderung nach einer zugleich funktional qualifizierenden und persönlichkeitsentfaltenden Aus- und Fortbildung von Mitarbeitern.[6]

3. Einige didaktische Grundtypen der Mitarbeiterbildung

Die Ausbildung von Gruppenleitern und die Fortbildung von Mitarbeitern werden je nach Verband, Diözese, Landeskirche, Gemeinde usw. in der Anlage, tradierten Arbeitsformen und -inhalten anders gestaltet. Wieder anders sieht es aus bei der Aus- und Fortbildung von Mitarbeitern von Einrichtungen der Offenen Tür, Jugendclubs usw. Dieser Vielfalt von Anforderungen und Bedürfnissen kann man nicht mit einem Modell gerecht werden. Es soll im folgenden aber versucht werden, in Anlehnung an Buttler/Failing[7], didaktische Grundtypen der Mitarbeiterbildung darzustellen. Dabei sollen in einer Darstellung von fünf Idealtypen der Mitarbeiterbildung deren jeweilige didaktische Grundannahme und die jeweilige grundlegende Lern- und Arbeitsform verdeutlicht werden. Schließlich gibt die Aufzählung auch in etwa die chronologische Reihenfolge wieder, in der diese Typen entwickelt wurden:

[6] Vgl. u.a. *P. Kliemann,* Ehrenamtliche Mitarbeiter. Zur Identität von Gruppenleitern in der kirchlichen Jugendarbeit. Eine empirische Studie, Stuttgart 1983, 233; *Chr. Beck/Chr. Wulf,* Zwischen Auflehnung und Anpassung. Das Selbstverständnis der Mitarbeiter in der Katholischen Jugendarbeit: Ergebnisse einer Befragung von Ehrenamtlichen des BDKJ, in: KatBl 110 (1985) 394–402, hier: 401f.

[7] Vgl. *G. Buttler/R.-E. Failing,* Didaktik der Mitarbeiterbildung. Grundlagen zur Ausbildung und Begleitung von freien Mitarbeitern in der Kirche, Gelnhausen/Berlin/Stein – Zürich/Köln 1979, 59ff.

Erster Grundtyp: Systematisch orientierte Mitarbeiterbildung

Bei diesem Typ soll ein Mitarbeiter grundlegende Kenntnisse und Fertigkeiten vorab erwerben, um seiner Tätigkeit sinnvoll und qualifiziert nachzugehen. Klassisch hierfür wäre der Gruppenleitergrundkurs zu nennen. Er kann unterschiedlich akzentuiert sein, entweder eher pädagogisch ausgerichtet oder eher thematisch strukturiert, also entweder als Gruppenleitertraining oder als Lehrgang über Grundwissen und Fertigkeiten für Gruppenleiter.

Zweiter Grundtyp: Mitarbeiterbildung als gruppendynamische Qualifikation

Bei diesem Typ geht man davon aus, daß die Gruppe das entscheidende Erfahrungs- und Interaktionsfeld ist, daß es insofern auf die gruppenbezogenen Qualifikationen des Mitarbeiters besonders ankommt und hierzu eine entsprechende Selbsterfahrung des Mitarbeiters von entscheidender Bedeutung ist. Stärker als ein bestimmtes zu vermittelndes Grundwissen steht hier also im Vordergrund, daß insbesondere der Gruppenleiter erfährt, wie er selbst in Gruppen sich verhält und wirkt. Dahinter steht die gruppendynamische Maxime „Du selbst bist die beste Intervention!" Neuerdings wird ein solcher Ansatz auch deshalb gefordert, weil vor allem jugendliche Gruppenleiter die Möglichkeit erhalten sollen, in solchen Kursen an ihrer eigenen Identität zu arbeiten. Ansonsten besteht die Gefahr, daß sie ihre Probleme projektiv in ihrer Gruppe bearbeiten.[8]

Dritter Grundtyp: Problemorientierte Mitarbeiterbildung

Bei diesem Typ geht man von einem bestimmten Thema, Problem oder Konflikt aus (z.B. Jugendarbeitslosigkeit, Konflikte um das Jugendheim o.ä.) und bearbeitet diese exemplarisch mit den Teilnehmern auf den drei Ebenen des Sachbezugs (gegebenenfalls wissenschaftlich orientiert), des persönlichen Bezugs und der pädagogisch-didaktischen Umsetzung.
Indem im Zusammenspiel dieser drei Ebenen exemplarisch gearbeitet wird, soll der Transfer auf andere Probleme und die Situation zu Hause erleichtert werden.
Insofern dies Idealtypen sind, sind die Grenzen zwischen ihnen fließend, und einzelne Ansätze aus der Literatur haben Elemente unterschiedlicher Typen. So finden sich auch hierzu Anklänge bei Klein.

[8] Vgl. *P. Kliemann*, Ehrenamtliche Mitarbeiter, a.a.O., 215.

Vierter Grundtyp: Mitarbeiterbildung als projektorientierter Bildungsprozeß

Dieser Typ unterscheidet sich von den vorhergehenden dadurch, daß die Qualifikation des Mitarbeiters in einem Projekt vor Ort statt in einer kurzzeitpädagogischen Maßnahme an einem „dritten Ort“ geleistet werden soll, z. B. einem Bildungshaus. Hierbei geht es um die Verschränkung von Handeln und Lernen, Aktion und Reflexion, Planung und Durchführung, Selbsterfahrung und Lernen im Handlungsprozeß. Ansätze hierzu finden sich sowohl in der evangelischen wie in der katholischen Jugendarbeit, wobei man vor allem inspiriert war vom brasilianischen Volkspädagogen Paulo Freire und von Prinzipien der Aktionsforschung.

Fünfter Grundtyp: Mitarbeiterbildung als dezentralisierte Praxisberatung

Mit dem vorhergehenden Typ ist gemeinsam die Dezentralisierung der Mitarbeiterbildung. Prinzipiell wäre denkbar, daß dies eine Ausbildungsstrategie sein könnte, als ganz konsequentes training-on-job bzw. in-service-education. Da solches aber zu personalaufwendig ist und eine Ausbildung als Supervisor o. ä. voraussetzen würde, ist dies immer noch unrealistisch. In der Regel handelt es sich daher bei diesem Typ um eine Form der Fortbildung ausgebildeter und praxiserfahrener Mitarbeiter. Sie kann als Beratung von einzelnen, Gruppen oder Organisationen angelegt sein. Auf solche Formen der Fortbildung wie Teamberatung, Organisationsentwicklungsberatung, Supervision usw. soll weiter unten eigens eingegangen werden.
Hier soll der Hinweis genügen, daß im Unterschied vor allem zu den ersten Typen bei dieser Form der Mitarbeiterbildung die ganz konkreten Feldbedingungen aufgegriffen werden.[9]

4. Sozialisation durch Aus- und Fortbildung in der Jugendarbeit

Die Ausbildung von Mitgliedern zu Mitarbeitern und die weiterqualifizierende Fortbildung dieser Mitarbeiter sind offizielle Ziele. Dieser Abschnitt

[9] Unterschiedliche Ansätze hierzu finden sich bei *H. Steinkamp,* Jugendarbeit als soziales Lernen, a.a.O., 87ff., 113ff.; *H. G. Schöpping,* Beratung von Mitarbeitern in der kirchlichen Jugendarbeit. Vom Praxisgespräch zur Praxisbegleitung, München 1983, 72ff. – Vgl. Varianten zur Typologie bei *J. Schilling,* Erwachsene Mitarbeiter in der Jugendarbeit, a.a.O., 107ff.; *B. Hafenegger,* Ansätze in der Qualifizierung von Jugendgruppenleitern, in: ders. (Hrsg.), Politisches Lernen in Jugendverbänden. Anregungen und Beispiele für Gruppenleiter, Bildungsreferenten, ehrenamtliche Mitarbeiter, Weinheim 1985, 179–189.

will thesenhaft darauf aufmerksam machen, daß neben den offiziellen auch unausgesprochene oder gar versteckte Ziele von seiten der Veranstalter wie Teilnehmer an Maßnahmen der Aus-, Fort- und Weiterbildung besonders in der Jugendarbeit eine Rolle spielen können – u. U. sogar eine viel bedeutsamere als die offizielle Ebene. Eine Leiterschulung z. B. ist ein wesentlicher Ort jugendarbeitsinterner Sozialisation, an dem Umgangsstile, Normen, Werte, Inhalte, politische, religiöse, soziale Einstellungen, Frömmigkeitsformen und Spiritualitäten usw. quasi atmosphärisch vermittelt werden, ohne explizit Thema zu sein. Sie sind wichtige Orte der Tradition einer Verbandskultur, die in je spezifischer Weise und Ausprägung die obengenannten Elemente enthält.

Die sekundäre Sozialisation der Jugendarbeit geschieht so als Kennenlernen von „Subwelten", das sind „mehr oder weniger kohärente Wirklichkeiten mit normativen, kognitiven und affektiven Komponenten".[10] Diese Subwelten enthalten nicht nur (z. B. verbandsspezifische) Kenntnisse und Fertigkeiten, sondern spiegeln auch Interpretationen von Geschichte und Gesellschaft. Es handelt sich hierbei um hochwirksame Formen latenter Sozialisation, bei der kognitive, normative und affektive Momente einer Subwelt ungeplant vermittelt bzw. übernommen werden, die an situationsgebundene Rollen geknüpft sind und auf soziale, politische, kirchliche Verhältnisse übertragen werden (können). Dies gilt auch für andere Veranstaltungen der Jugendarbeit, etwa für Freizeiten und Zeltlager. Solche teils aus den jeweiligen Traditionen gespeisten Subwelten und Organisations- bzw. Verbandskulturen machen vermutlich eher als Ziele und Inhalte die Unterschiede zwischen der Gemeindejugendarbeit A und B, zwischen Verband X und Y aus. Problematisch ist dabei, daß diese latente Sozialisation häufig lediglich traditionelle Muster aus dem gesellschaftlichen und sozialen Umfeld reproduziert und verstärkt.[11]

Wie Untersuchungen über Mitarbeiter in der Jugendarbeit zeigen, haben diese durchaus „egoistische" Motive für ihr Engagement (was ihnen auch überhaupt nicht vorzuwerfen ist). Geht man davon aus, daß der erwartete Lohn im wesentlichen „immaterielles Honorar" im sozial-emotionalen Bereich ist, so hat die Aus-, Fort- und Weiterbildung hieran wesentlichen Anteil. Sie bietet nämlich: verdichtete Selbsterfahrung, affektive Erlebnisse, Lernerfahrungen; soziale Fertigkeiten und Kenntnisse, die auch für das

[10] *P. L. Berger/Th. Luckmann,* Die gesellschaftliche Konstruktion der Wirklichkeit. Eine Theorie der Wissenssoziologie, Frankfurt ³1984, 149.

[11] Vgl. *Kl. Mollenhauer u. a.,* Evangelische Jugendarbeit in Deutschland. Materialien und Analysen, München 1969, 238; *W. Schefold,* Die Rolle der Jugendverbände in der Gesellschaft. Eine soziologische Analyse, München 1972, 117 ff.; *G. Czell,* Lernfeld Gemeinde. Sozialisation durch Jugendarbeit, Stuttgart 1982, 344, 361.

Berufs- und Privatleben bedeutungsvoll sind; herausgehobene Rollen mit den entsprechenden sozial-emotionalen Gratifikationen.

5. Probleme der kurzzeitpädagogischen Mitarbeiterbildung

Selbst wenn erfahrungsnah oder exemplarisch gearbeitet wird, fällt es vielen Teilnehmern an Aus-, Fort- und Weiterbildungsveranstaltungen schwer, die im Kurs erworbenen Kenntnisse und Erfahrungen in die eigene Jugendarbeitspraxis zu übertragen. Dies kann verschiedene Gründe haben: Die unterschiedliche Herkunft der Teilnehmer zwingt, bei Inhalten und Methoden auf den kleinsten gemeinsamen Nenner zu verallgemeinern; der Transfer bleibt das individuelle Problem des einzelnen; Praxisprobleme werden zwar generalisiert, aber auch nicht auf die Stufe einer systematischeren Analyse gehoben (gesamtgesellschaftlicher und -kirchlicher Zusammenhang), sondern bleiben auf dem tagungsdidaktischen mittleren Niveau und damit oft zwischen Praxis und Theorie hängen.
Ein mit neuen Ideen von einer Mitarbeiterbildung heimkehrender Jugendarbeiter sieht sich nach den alltagsentlasteten Fortbildungstagen, ihren variablen Arbeitsformen und positiv erfahrenen Beziehungen wieder dem Alltag gegenüber und hat zusätzlich gegen die Trägheit der Routine und Institutionen anzukämpfen, wenn er seine neuen Ideen umsetzen will. Hochfliegenden Plänen folgen so oft Ernüchterung oder gar Resignation. Je nach Veranstalter können auch Probleme einseitig und eindimensional lediglich psychologisiert, politisiert oder theologisiert worden sein, was zwar ein erhöhtes Problembewußtsein schafft, aber nicht notwendig Handlungsmöglichkeiten im Alltag eröffnet.
Einige Grundprinzipien der Aus-, Fort- und Weiterbildungsarbeit, die diese Probleme berücksichtigen, lassen sich im Anschluß an Überlegungen von Gildemeister/Robert[12] aufstellen. Bei einer Weiterbildung müßten Perspektiven der einzelnen Mitarbeiter, der Organisation und Träger, der Aus-, Fort- und Weiterbildner auf das Handlungsfeld berücksichtigt werden. Die Konfrontation alltagspraktischer Handlungsorientierungen, die aus mehreren Perspektiven betrachtet werden, mit theoriegeleiteten Analysen könnte mehr bewirken als eine rein ideologiekritische Argumentation, die lediglich der Entlarvung ideologischer oder sonst defizitärer Elemente des Alltagshandelns dienen soll und letztlich das berufliche Selbstverständnis destruiert. Es geht also mehr um die Untersuchung von Alltagswissen und -interaktionen

[12] Vgl. *R. Gildemeister/G. Robert,* Weiterbildung in sozialen Berufen, in: H. Eyferth/H.-U. Otto/ H. Thiersch (Hrsg.), Handbuch zur Sozialarbeit/Sozialpädagogik, Darmstadt/Neuwied 1984, 1233–1251, hier 1247ff.

sowie um Berufsfeld- und Organisationsanalysen mit dem Ziel, Handlungsspielräume zu erschließen. Bei aller Orientierung an der konkreten alltäglichen Praxis soll dabei nicht vergessen werden, daß für deren kritische Analyse durchaus eine Distanz nötig sein kann, wie sie in temporären Bildungsprozessen gegeben ist, die durch ihre Freiheit von alltäglichen Handlungszwängen auch experimentellen Charakter erhalten. Dies verweist z. B. auf Formen der Beratung als Fortbildungsinstrument.

6. Fortbildung als Beratung

Eine Möglichkeit, nahe an konkreten Handlungsvollzügen des Jugendarbeiters und zugleich in der nötigen kritischen Distanz dazu fortzubilden, sind unterschiedliche Formen von Beratung. Je nach Bedarf und Beratungsschwerpunkt kann dies z. B. eine Supervision, Team-, Projekt-, Organisations- oder Organisationsentwicklungsberatung sein. Zwei Ansätze sollen kurz skizziert werden:

6.1. Supervision

Supervision ist eine spezifische Form der Reflexion beruflichen Handelns mit dem Ziel einer verbesserten beruflichen Kompetenz. Spezifisch ist sie insofern, als ein zu Beratender oder mehrere mit einem Fachmann für Beratungsprozesse, dem Supervisor, dieses berufliche Handeln auf dem Hintergrund der Person des Supervisanden, seiner Klientel, seiner Profession und deren Handlungswissen und -normen, seiner beruflichen Umwelt (Kollegen, institutionelle und organisationelle Bedingungen usw.) und seiner Handlungsbedingungen reflektieren. Ein Prozeß ist diese Form von Beratung, weil es nicht um eine einmalige Konsultation mit sofort erteilten Ratschlägen geht, sondern um eine Beratungsbeziehung von einer gewissen Dauer und Regelmäßigkeit, in der idealiter der Supervisor dem Supervisanden zu entsprechenden Selbsterkenntnissen verhilft. Daß berufliches Handeln der Gegenstand der Supervision ist, unterscheidet sie von Selbsterfahrung oder Therapie. Von einem Kollegenstammtisch oder einer Dienstbesprechung unterscheidet sie sich dadurch, daß der Supervisor von außen kommt, für das Beratungsarrangement verantwortlich ist und kein Vorgesetzter mit entsprechenden hierarchischen Sanktionsmitteln ist.
Grundformen der Supervision sind die Einzelsupervision, die Gruppensupervision und die Peer-Supervision. Arbeitet bei ersterer ein Supervisor mit einem Supervisanden, so sind es bei der Gruppensupervision bis zu sechs Supervisanden. Die Peer-Supervision ist insofern ein Spezialfall, als es sich um eine kollegiale Beratung supervisionserfahrener Teilnehmer ohne eine

konstante und herausgehobene Supervisorenrolle handelt. Die Team-Supervision, eine Variante der Gruppensupervision, bezieht sich auf Teilnehmer eines Arbeitsbereiches, die dort zusammen arbeiten (müssen). Dabei stehen häufig Probleme der Kooperation, der Kompetenzverteilung und der unterschiedlichen Definition der gemeinsamen Aufgabe im Vordergrund.[13]
Supervision hat den Vorteil, mehreren Kriterien für eine sinnvolle Fortbildung nahezukommen: Es geht um das konkrete berufliche bzw. ehrenamtliche Handeln in der Jugendarbeit; die Person des Jugendarbeiters wird einbezogen; Theorien und Analysen kommen, wenn, dann anhand eines konkreten Problems zur Sprache. Da die Supervision ein Prozeß ist, kann die Umsetzung des Erarbeiteten in konkretes Handeln in der Jugendarbeit in späteren Sitzungen überprüft und reflektiert werden. Schließlich kann Supervision auch die Umsetzung von Impulsen aus Kursen u. ä. in die Praxis vor Ort begleiten. Die Notwendigkeit von Supervision in kirchlicher Jugendarbeit wird immer wieder betont.
Nach wie vor groß ist allerdings die Diskrepanz zwischen Theorie und Praxis, d. h. zwischen Begründung und normativer Forderung von Supervision einerseits und ihrer Realisierung in kirchlicher Jugendarbeit andererseits. Dies hat zum einen Gründe in den konkreten materiellen Konsequenzen (entsprechende Stellen und Gelder müßten bereitgestellt werden); zum anderen scheint es auch Ängste und Vorbehalte gegenüber den emanzipatorischen Auswirkungen einer Beratung als Nichtbevormundung sowie der Vertrauensstellung eines Supervisors zu geben, die kontrollierendem Einfluß weitgehend entzogen ist.
Dies ist aber nicht nur ein Mangel für hauptamtliche Mitarbeiter, sondern auch für ehrenamtliche: „Die fehlende Supervision ist eine nicht zu unterschätzende Unzulänglichkeit, denn auch Möglichkeiten und Grenzen ehrenamtlicher Mitarbeit sind entscheidend von kontinuierlicher Beratung und Begleitung abhängig.“[14]

6.2. Organisationsberatung und Organisationsentwicklungsberatung

So wichtig es ist, gegenüber einer rein kognitiv oder fertigkeitsorientierten Fortbildung die Person des Jugendarbeiters einzubeziehen, so gibt es doch auch kritische Anfragen gegenüber einem Verständnis von Supervision, das zu sehr Probleme individualisiert und psychologisiert und so zur bloßen Psychohygiene für Jugendarbeiter gerät, so wichtig dies auch phasenweise

[13] Vgl. den Überblicksartikel von *G. Wittenberger,* Supervision, in: H. Eyferth/H.-U. Otto/H. Thiersch (Hrsg.), Handbuch zur Sozialarbeit/Sozialpädagogik, a.a.O., 1179–1193.
[14] *U. Rüppel,* Zur Ausbildung ehrenamtlicher Mitarbeiter in der evangelischen Jugendarbeit, a.a.O., Münster 1979, 158; vgl. *Chr. Bäumler,* Reflexion der Praxis kirchlicher Jugendarbeit als Anfrage an die Theoriebildung, in: deutsche jugend 24 (1976), 278–281.

sein kann. Gegenüber gängigen Formen zentraler Fortbildung an einem „dritten Ort“ wird vorgebracht, daß der Transfer des Gelernten in die Jugendarbeitspraxis zum individuellen Problem des Teilnehmers gemacht wird, daß die nötige Kooperation von Kollegen und Institutionen zur Umsetzung neuer Ansätze gleichfalls zum Problem des jeweils Fortgebildeten wird und daß die Handlungszwänge des Arbeitsfeldes und des beruflichen bzw. ehrenamtlichen Alltags hochfliegende innovatorische Pläne leicht in Bauchlandungen verenden lassen, was wiederum dauerhafte Frustrationen erzeugen kann.

Es stellt sich also die Frage, ob eine Fortbildung von Jugendarbeitern ohne Fortbildung ihrer Institutionen und Organisationen überhaupt sinnvoll und möglich sein kann. Als Alternative wird eine „institutionenzentrierte Fortbildung“ bzw. „institutionenberatende Weiterbildung“ gefordert: „Nicht Praktiker werden also in Fortbildungsveranstaltungen delegiert, sondern die Ausbildenden gehen als Berater, Moderatoren und Vermittler in die Institutionen und lassen sich auf die dort vorfindlichen Problemdefinitionen und Problemlösungsmechanismen ein, um vor Ort Vorschläge zu entwickeln, die eine Verbesserung der fachlichen Fähigkeiten und eine Innovation der institutionellen Strukturen synchron zu leisten vermögen.“[15]

Bei der Innovation der organisationalen Struktur geht es allerdings nicht nur um ein neues Strukturmodell der Organisation oder um eine Konsultation, um Vorschläge zur Verbesserung von Organisationsabläufen vom Berater zu erhalten; dies war ein früher gängiges Verständnis von Organisationsberatung.

Eine Beratung in der Perspektive von Organisationsentwicklung zielt darauf ab, gemeinsam mit den Mitgliedern der Organisation eine Diagnose der Situation zu erstellen, Veränderungspläne zu entwickeln und Schritt für Schritt umzusetzen. Nicht kurzfristig eingeflogene Berater erstellen ohne direkte Mitwirkung der Betroffenen ihre Diagnosen, übermitteln der Organisationsspitze nach einiger Zeit die im Büro ausgetüftelten Veränderungspläne, und je nach Belieben verschwinden diese im Aktenschrank oder werden umzusetzen versucht. Bei der Organisationsentwicklungsberatung sollen vielmehr die Ressourcen der Organisation und ihrer Mitglieder selbst aktiviert und eine Organisationskultur geschaffen werden, die die Bedürfnisse der Mitglieder und die Ziele der Organisation besser erfüllen läßt, indem beide - die Mitglieder und die Organisation - zu permanenten Innovationen befähigt werden. Es geht also um die Lernfähigkeit der Menschen *und* der Systeme (Organisationen). Mit Organisationskultur ist gemeint das Ensemble der für die jeweilige Organisation typischen Tätigkeits- und Interaktionsmuster, Werte und Normen, Empfindungen und Einstellungen usw.,

[15] *R. Gildemeister/G. Robert,* Weiterbildung in sozialen Berufen, a.a.O., 1245f.

sie hat also eine gewisse Analogie zur oben erwähnten „Subwelt" in der Theorie von Berger/Luckmann. Organisationsentwicklung trifft insbesondere die Situation der Verbandsjugendarbeit. Bei der Gemeindejugendarbeit wäre entsprechend an Gemeindeberatung zu denken.[16]

Fortbildung als Beratung soll hier nicht als neues Allheilmittel für die Probleme der Jugendarbeit(er) hochstilisiert werden. Doch bietet sie vom Ansatz her eher als herkömmliche Formen der Fortbildung die Chance, wichtige Aspekte der Jugendarbeitertätigkeit auszubalancieren bzw. problematische Entwicklungen zu verhindern:

- „Immaterielles Honorar" und Verbesserung beruflichen bzw. ehrenamtlichen Handelns: die Arbeit an der eigenen Person des Jugendarbeiters, das persönliche und fachliche Feedback, das damit verbundene Ernst- und Wichtignehmen der Jugendarbeitstätigkeit einerseits (als Formen immateriellen Honorars) und die Qualifizierung der konkreten Jugendarbeitstätigkeit andererseits;
- normativ hoch aufgeladene Ziele und „Burnout": Gerade im kirchlichen Bereich sind nicht nur Ziele und Ansprüche von außen normativ oft überhöht, sondern auch die Jugendarbeiter selbst tendieren zu überzogenen Ansprüchen an sich selbst und ihre Arbeit (vgl. dazu den Umgang mit den Ansprüchen im Konzept vom „personalen Angebot" und seinen entlastenden und befreienden Elementen aus der jüdisch-christlichen Tradition; solch hohe Ideale und Anforderungen erhöhen die Gefahr des Burnout, des Gefühls körperlichen, geistigen und emotionalen Ausgebranntseins; Beratung kann zu realistischen bzw. realisierbaren Ansprüchen und zu nichtverzehrenden Formen des Engagements verhelfen;
- dies wiederum könnte Identitätskrisen in der beruflichen oder ehrenamtlichen Tätigkeit verhindern, wie z.B. den Verlust der Plausibilität der Jugendarbeitstätigkeit, und die Fluktuationsquote unter den Mitarbeitern verringern;
- die organisations- bzw. institutionsbezogene Beratung kann diffuse Ohnmachtsgefühle gegenüber als übermächtig erfahrenen Institutionen, Traditionen und Organisationen abbauen oder verhindern helfen, um realistisch Freiräume und Innovationschancen nutzen zu können;
- insgesamt kann Beratung mitverhindern, daß kirchliche Jugendarbeit lediglich ein „pädagogisches Repetitionsphänomen"[17] traditioneller gesellschaftlicher und kirchlicher Handlungsmuster wird.

[16] Zu diesen Konzepten insgesamt wie zu den entsprechenden Aus- und Fortbildungsgängen vgl. *H. Heidenreich,* Gemeindeberatung – Organisationsentwicklung – (pastorale) Supervision. Ein Überblick über Konzepte, Literatur, Aus-/Fortbildung und Institutionen, in: Pastoraltheologische Informationen 5 (1985) 144–167.

[17] *G. Czell,* Lernfeld Gemeinde, a.a.O., 361; vgl. *Kl. Mollenhauer u. a.,* Evangelische Jugendarbeit in Deutschland, a.a.O., 230.

7. Theologische Fort- und Weiterbildung für Mitarbeiter in der kirchlichen Jugendarbeit

Vom Verständnis des „personalen Angebots" aus dem Synodenbeschluß zur kirchlichen Jugendarbeit ausgehend wie auch vom Konzept „situativer Verkündigung" her wird deutlich, daß man nicht in kommunikative und pädagogische Dimensionen einerseits und religiöse und theologische andererseits, das Handeln kirchlicher Jugendarbeiter gar in solches im „Vorfeld" und solches im „Eigentlichen" aufspalten kann. Auch geht es nicht primär um theologisches Wissen, das Jugendarbeiter in einem theologischen Mini-Kurs oder im Fernstudium sich anzueignen hätten. Schon vor vielen Jahren hat Bäumler von einer „situationsgeleiteten Theologie"[18] gesprochen und als spezifische Aufgabe evangelischer Jugendarbeit „die Vermittlung der Tradition der Verheißungsgeschichte mit der Situation junger Menschen in der Gesellschaft im Vollzug der Mitmenschlichkeit"[19] benannt. (Ob man freilich bei ersterer so strikt wie Bäumler damals eine situationsgeleitete Theologie für Nichttheologen einer textgeleiteten Theologie für Theologen gegenüberstellen muß, mag dahingestellt bleiben.) Berücksichtigt man zudem, daß eine deutungsbezogene Kompetenz und als ihr Spezialfall eine religiöse Kompetenz als Vertiefung und Ergänzung sozialer Kompetenz zu verstehen ist, so müßte es bei einer entsprechenden Fortbildung von Mitarbeitern kirchlicher Jugendarbeit um Selbsterfahrung, soziale und deutungsbezogene Kompetenzen gehen.

Hanusch beschreibt Elemente eines solchen Kurses, in dem „die Lebensgeschichte des Mitarbeiters (a), die Situation von Jugendlichen und Jugendarbeit (b) und die Arbeitssituation in der Institution Kirche (c) theologisch reflektiert werden, wozu die intensive Wahrnahme biblischer Tradition (A) und der Geschichte von Kirche und theologischem Denken (B) eigenständiges Denken und Praktizieren ermöglichen sollen"[20] und die Kursteile miteinander verschränkt werden: a – A – b – B – c. So werden die eigene Lebensgeschichte, Erfahrungen in der Jugendarbeitstätigkeit, im Gruppenprozeß des Kurses und Theologie miteinander verwoben.

Ausdrücklich warnt Hanusch davor, die Erfahrungen und Kenntnisse nichttheologisch ausgebildeter Mitarbeiter durch theologische Fortbildung zu entwerten und theologische Bildung „zum Zwecke abfragbaren Wissens"

[18] *Chr. Bäumler,* Zur Funktion der Theologie in der Ausbildung von Sozialarbeitern im kirchlichen Dienst, in: ders., Unterwegs zu einer Praxistheorie. Gesammelte Aufsätze zur kirchlichen Jugendarbeit 1963–1977, München 1977, 162–171, hier 163.

[19] *Ders.,* Zur Frage nach dem Spezifikum evangelischer Jugendarbeit, in: ebd., 172–184, hier 179.

[20] *R. Hanusch,* Professionalität und Identität. Chancen und Probleme von theologischer Bildung für nicht-theologisch ausgebildete kirchliche Mitarbeiter, in: Theologia practica 19 (1984) 42–50, hier 49.

oder „für Legitimation erheischende Darstellung“ zu instrumentalisieren. Die Erfahrungen und Kenntnisse nichttheologischer Mitarbeiter seien vielmehr „eine Schatzkammer für die kirchliche Jugendarbeit“.[21]
Wenn es nämlich in der Perspektive einer theologischen Handlungstheorie bei der Erziehung darum geht, „zur Wahrnehmung des erlösenden und versöhnenden Handelns Gottes zu befähigen, daraus gestiftete Kommunikationszusammenhänge zu eröffnen und eine befreiende Praxis erfahrbar werden zu lassen, die die Identität des einzelnen und aller ermöglicht“[22], so haben dabei die Kompetenzen nichttheologischer Mitarbeiter ihren Eigenwert. An und in dieser Perspektive zu arbeiten, wäre ein lohnender Ansatz einer theologischen Fortbildung für kirchliche Jugendarbeiter.

Literatur

Brenner, Gerhard, Gruppenleitertraining. Modelle für die Praxis, Tübingen 1976 (Katzmann).

Buttler, Gottfried/Failing, Rolf-Eckart, Didaktik der Mitarbeiterbildung. Grundlagen zur Ausbildung und Begleitung von freien Mitarbeitern in der Kirche, Gelnhausen/Berlin/Stein–Zürich/Köln 1979, (Burckhardthaus-Laetare/Benziger).

Gildemeister, Regine/Robert, Günther, Weiterbildung in sozialen Berufen, in: Eyferth, Hanns/Otto, Hans-Uwe/Thiersch, Hans (Hrsg.), Handbuch zur Sozialarbeit/Sozialpädagogik, Darmstadt/Neuwied 1984, 1233–1251 (Luchterhand).

Klein, Irene, Gruppen leiten lernen. Didaktik und Praxis der Ausbildung, München/Wuppertal 1976 (Pfeiffer/Jugenddienst).

Rüppel, Uta, Zur Ausbildung ehrenamtlicher Mitarbeiter in der evangelischen Jugendarbeit. Ergebnisse und Folgerungen einer empirischen Untersuchung, Münster 1979 (Comenius-Institut).

Steinkamp, Hermann, Jugendarbeit als soziales Lernen. Ziele und Aufgaben kirchlicher Jugendarbeit. Zum Beschluß der Gemeinsamen Synode der Bistümer der Bundesrepublik Deutschland, München/Mainz ²1979 (Chr. Kaiser/Grünewald).

Tzscheetzsch, Werner, Lernprozeß Jugendarbeit. Ausbildung jugendlicher Gruppenleiter, in: G. Biemer (Hrsg.), Handbuch kirchlicher Jugendarbeit, Band 2, Freiburg 1985 (Herder).

21 Ebd., 50.
22 *N. Mette,* Erziehung, in: P. Eicher (Hrsg.), Neues Handbuch theologischer Grundbegriffe, Bd. 1, München 1984, 254–264, hier 263.

Klaus Mollenhauer

Emanzipation

1. Die Aktualität des Problems

„Emanzipation“ ist seit der Mitte der 60er Jahre unseres Jahrhunderts ein Wort, dem, so scheint es, eine Schlüsselrolle bei der Formulierung pädagogischer Aufgabenstellungen zukommt. Seitdem findet es Verwendung in verschiedenen Bereichen pädagogischer oder pädagogisch/bildungstheoretisch relevanter Praxis, in der Schule, der Jugendarbeit, der Vorschulerziehung, der Erwachsenenbildung, der Sozialarbeit - aber auch in der diese Praxis begleitenden und kommentierenden Theorie, gelegentlich gar in einem Typus theoretisch-wissenschaftlicher Literatur, die nicht nur kommentieren will, was praktisch geschieht, sondern diesem Geschehen selbst eine theoretisch begründete Richtung vorgeben möchte. Das Wort „Emanzipation“ signalisiert mithin ein Problem, welches das Verhältnis betrifft zwischen dem, was in der „Praxis“ geschieht, und dem, was in der „Theorie“ als Argumentation entwickelt wird.
Für die Phase, in der das Wort „Emanzipation“ derart zum Signal werden konnte, war zweierlei charakteristisch: (1) Praktiker hatten, durch die Reformanstrengungen im Bildungs- und Erziehungswesen ermutigt (1966 Beginn der Arbeit des Deutschen Bildungsrates), die Erwartung, daß längst fälliges Umdenken im Hinblick auf die Formen des Umgangs mit der heranwachsenden Generation von seiten der Wissenschaft/Theorie begründet und damit gerechtfertigt werden könnte. (2) Wissenschaftler/Theoretiker hatten die Erwartung, daß der enge Kreis akademischer Argumentationen aufgebrochen werden könnte; ermutigt durch die Gleichzeitigkeit von bildungspolitischer Diskussion, von beginnender praxisrelevanter Bildungsforschung und von Fragen der Praxis an die Theorie, verstanden viele Vertreter der „akademischen“ pädagogischen Theorie ihre neue/alte Aufgabe pointiert darin, für den aktuell gewordenen Zusammenhang von Theorie und Praxis Begründungen zu suchen und darin an einer Verbesserung der demokratischen Erziehung/Bildung mitzuwirken.
Diese Problemstellung ist, obwohl auch sie konjunkturellen Schwankungen unterliegt, bis heute (1985) nicht verschwunden. Da es sich um eine Problemstellung der europäischen Neuzeit handelt, ist auch nicht recht denkbar, wie sie verschwinden könnte, solange jedenfalls, als wir an unserem

kulturspezifischen Begriff von Humanität festhalten, in dem das Selbständigwerden der nachwachsenden Generation ein integrales Konzept darstellt. Das Wort „Emanzipation“ ist deshalb ein Zeichen, das zwar immer neu auslegungsbedürftig ist, dessen „significatum“ aber in Erinnerung behalten werden muß, solange wir - in gut europäischer Tradition - zu unterstellen bereit sind, daß akademisches Denken und praktisches Handeln miteinander zu tun haben, daß Kritik von Abhängigkeiten legitim, daß die Eröffnung neuer Handlungschancen für einen Fortschritt der Demokratisierungsprozesse nützlich sei, daß unsere Kinder fähig werden sollten, nicht nur uns zu wiederholen, sondern aus unseren Fehlern zum Besseren hin zu lernen. Aber nicht nur das Zeichen, auch das Bezeichnete erleidet geschichtliche Veränderungen.

2. Wortbedeutung und Problemgeschichte

„Emancipatio“ bedeutet am Ursprung der Wortgeschichte in der römischen Antike einen Rechtstitel: Das Kind wird über verschiedene Stufen hinweg aus der Vormundschaft, der Gewalt des pater familias entlassen und ein selbständiges Rechtssubjekt. Damit wird der biographische Punkt/Prozeß bezeichnet, in dem zwar nicht die Traditionen verlassen werden, aber die materielle und rechtliche Abhängigkeit von den natürlichen Eltern erlischt oder wenigstens beträchtlich vermindert wird.
Von dieser Wortbedeutung ausgehend, die bis heute ihren Sinn behalten hat, hat der Ausdruck „Emanzipation“ im Lauf der europäischen Geschichte immer weiter greifende, teils politische, teils pädagogische Inhalte in sich aufgenommen. Vor allem seine politische, sozialtheoretische und kulturellpädagogische Bedeutung, die er im Rahmen der Aufklärungsphilosophie des 18. Jahrhunderts bekam, markiert den Beginn einer Emanzipations-Diskussion, die auch der gegenwärtigen Auseinandersetzung noch zugrunde liegt. Die Sache, die Problemstellung, um die es dabei ging, soll kurz skizziert werden:
(1) Es handelte sich um eine *politische* oder, im weiteren Sinn, um eine *gesellschaftsstrukturelle Thematik.* Die bürgerliche Gesellschaft, deren Anfänge bis in die italienischen Stadtstaaten des 14. Jahrhunderts zurückreichen, war an einem Punkt angekommen, wo die absolutistischen und klerikalen Traditionen einem weiteren „Fortschritt“ im Wege zu stehen schienen. „Emanzipation“ heißt in diesem Zusammenhang deshalb: von nur traditional bestimmter Herrschaft frei werden und die gesellschaftlich-politischen Verhältnisse nach den bürgerlichen Regeln eines „vernünftigen“ Gemeinwesens bilden. Das entscheidende Ereignis war die Französische Revolution.

(2) Parallel zu dieser geschichtlichen Entwicklung verlief eine *„Emanzipation“ des Denkens.* Man kann darunter eine Philosophie- und Wissenschaftsgeschichte verstehen, die Schritt für Schritt an die Stelle der Auslegung antiker, kirchengeschichtlicher und mittelalterlich-philosophischer Texte eine Argumentation setzte, die sich an den Möglichkeiten der menschlichen Vernunft und an der kontrollierten Erfahrung orientierte. Zwei hervorstechende Ereignisse waren in diesem Zusammenhang die Philosophie Kants und - im Hinblick auf die Erfahrungswissenschaften - die „Encyclopédie“ von Diderot und D'Allembert.

(3) Beide Entwicklungen hatten Folgen für die Pädagogik, ja verlangten sie geradezu: Wenn sowohl im Denken als auch im politisch-ökonomischen Handeln der Bürger „emanzipiert“ sein sollte, dann mußte er dazu gebildet werden. Dazu bedurfte es einer Abwendung vom „Buchwissen“ und einer Hinwendung zu den „Realien“. Ferner bedurfte es einer von Vorurteilen befreiten Erkenntnis der Natur der Entwicklung des Kindes. Um den künftigen Bürger aber wirklich und effektiv instand zu setzen, sich auch an der politischen Geschichte aktiv zu beteiligen, und zwar ohne Unterschied, mußte wirklich *jedes* Kind in solcher Weise gebildet werden. Die wesentlichen Daten dieser pädagogischen Komponente bürgerlicher Emanzipation sind deshalb: Jean-Jacques Rousseaus Erziehungsutopie „Emile“ (1762), Condorcets „Erziehungsplan“ (1792 der französischen Nationalversammlung vorgelegt) und die Vorbereitung der Einführung einer allgemeinen Schulpflicht.

In der Folgezeit geriet die Emanzipations-Idee in eine Reihe von Schwierigkeiten. Sie war eine Idee des Bürgertums. Die „Mündigkeit“ des Bürgers wurde zwar in den pädagogischen Diskurs als wesentliches Orientierungs-Datum eingeführt, vor allem durch Kants häufig zitierte Definition von Aufklärung: „Aufklärung ist der Ausgang des Menschen aus seiner selbst verschuldeten Unmündigkeit. Unmündigkeit ist das Unvermögen, sich seines Verstandes ohne Leitung eines anderen zu bedienen. Selbstverschuldet ist diese Unmündigkeit, wenn die Ursache derselben nicht am Mangel des Verstandes, sondern der Entschließung und des Mutes liegt, sich seiner ohne Leitung eines anderen zu bedienen.“[1] Aber er macht in der gleichen Schrift zwei wesentliche Einschränkungen: sich seines Verstandes in Freiheit zu bedienen, dürfe nur für dessen „öffentlichen Gebrauch“ gelten, nicht aber für den „Privatgebrauch“ oder auf „bürgerlichen Posten“ (beispielsweise im Beruf), und zwar deshalb, weil der Vollzug der Praxis zusammenbrechen würde, wenn jederzeit beliebiges „Räsonnieren“ gestattet sei; zweitens sei die Aufforderung zur Mündigkeit nicht als Rechtfertigung von

[1] *I. Kant,* Schriften zur Anthropologie, Geschichtsphilosophie, Politik und Pädagogik 1, Werkausgabe Band XI, hrsg. von W. Weischedel, Frankfurt 1977, 53.

Revolutionen zu verstehen: „Durch eine Revolution wird vielleicht wohl ein Abfall von persönlichem Despotismus und gewinnsüchtiger oder herrschsüchtiger Bedrückung, aber niemals wahre Reform der Denkungsart zu Stande kommen; sondern nur neue Vorurteile werden, eben sowohl als die alten, zum Leitbande des gedankenlosen großen Haufens dienen."[2] Das heißt: Emanzipation des *Denkens* als Befreiung von Vorurteilen ist nicht gleichbedeutend mit Emanzipation des *Handelns,* weil nicht als sicher gelten kann, daß in der Emanzipation des Handelns (beispielsweise im Ungehorsam) nicht neue Vorurteile sich ausbreiten.

Karl Marx hat diesen Gedanken in gewisser Weise umgekehrt. Inzwischen nämlich schickte die bürgerliche Gesellschaft sich an, sich zur Klassengesellschaft zu formieren und die Prinzipien der Aufklärung zwar für das Bürgertum gelten zu lassen (und auch dort nur in Grenzen), sie aber dem Proletariat vorzuenthalten. Nicht „Faulheit und Feigheit" (Kant) seien die Ursachen fortbestehender Unmündigkeit in der Masse der Bevölkerung, sondern die gesellschaftlichen Verhältnisse, insbesondere die der materiellen Produktion. Aus dieser Annahme konnte die Prognose gefolgert werden, daß ein mündiges Denken erst dann zu erwarten sein werde, wenn ihm eine veränderte gesellschaftliche Praxis *voraus*geht, denn: „Zum Leben aber gehört vor allem Essen und Trinken, Wohnung, Kleidung und noch einiges andere. Die erste geschichtliche Tat ist also die Erzeugung der Mittel zur Befriedigung dieser Bedürfnisse, die Produktion des materiellen Lebens selbst, und zwar ist dies ... eine Grundbedingung aller Geschichte, die noch heute ... erfüllt werden muß, um die Menschen nur am Leben zu erhalten."[3] Die Veränderung des Denkens sei deshalb nur dann als Veränderung *aller* Gesellschaftsmitglieder möglich, wenn zugleich auch „die Produktion des materiellen Lebens selbst", kurz die „Umstände" verändert würden; und dies wiederum könne „nur als *revolutionäre Praxis* gefaßt und rationell verstanden werden".[4]

Seitdem umfaßt die mit dem Ausdruck „Emanzipation" bezeichnete Problemstellung ein breites Spektrum geschichtlicher Bewegungen: zunächst freilich die schon erwähnte Emanzipation des Bürgertums aus den überlieferten Herrschaftsverhältnissen; dann die Emanzipation der Frau seit der Romantik in der Frauenbewegung bis hin zur „feministischen" Bewegung der Gegenwart; die sozialen Bewegungen, die auf Überwindung der bürgerlichen Klassengesellschaft drängen; die Sicherung der Freiheit von Forschung und Lehre; nicht zuletzt die Herstellung demokratischer Verfassungen mit dem Recht auf allgemeine, gleiche und geheime Wahl. Dies alles hat

[2] Ebd., 55.
[3] *K. Marx/Fr. Engels,* Die deutsche Ideologie, in: Marx-Engels-Werke, Band 3, Berlin 1969, 28.
[4] Ebd., 6.

auch in die pädagogischen Verhältnisse hineingewirkt: Am Anfang des 19. Jahrhunderts standen die Projekte der preußischen Unterrichtsreform, in denen eine Allgemeinbildung für alle vorgesehen war; in der Mitte des Jahrhunderts setzte der Kampf der Volksschullehrer gegen staatliche und kirchliche Bevormundung ein; es entstanden im Zusammenhang mit der sozialen Bewegung Arbeiterbildungsvereine; der Klassenkampf erreichte das Jugendalter in der proletarischen Jugendbewegung; die bürgerliche Jugendbewegung „emanzipierte" sich von den als autoritär erlebten Familien- und Schulverhältnissen; das Konzept einer Einheitsschule (Gesamtschule) gewann zu Beginn des 20. Jahrhunderts allmählich Kontur; in der Weimarer Republik wurde endlich die allgemeine Grundschule eingeführt, auf der nun erstmals die Kinder sämtlicher sozialer Schichten gemeinsam unterrichtet wurden.

Diese Vielfalt politischer und erziehungsgeschichtlicher Ereignisse ist schwer unter einen Begriff zu bringen, der nicht nur ein allgemeines geschichtspraktisches Interesse zur Sprache bringt, sondern der auch eine theoretisch klare Kontur hat. In der pädagogischen Theorie war deshalb in der Regel nicht von „Emanzipation", sondern von pädagogischen „Reformbewegungen" die Rede. Das änderte sich, als in den 60er Jahren unseres Jahrhunderts in der Pädagogik nach neuen zukunftsfähigen Orientierungen gesucht wurde.

3. Pädagogische Emanzipation im 20. Jahrhundert

Seit die Pädagogik, im Zusammenhang mit der Ausdifferenzierung moderner Wissenschaften, sich aus der Philosophie herausgelöst hatte und sich als selbständige, „autonome" Wissenschaft zu bestimmen suchte (so H. Nohl in den 20er Jahren), ist sie mit einem Grundlagenproblem nicht recht fertig geworden. Da sie doch eine Theorie des *Handelns* sein will: wie steht es mit ihrem Verhältnis zur Praxis; wie verträgt sich eine empirische Tatsachenwissenschaft mit der notwendigen Normativität ihres Gegenstandes; läuft derjenige, der – in geisteswissenschaftlicher Einstellung – die vorliegende Praxis nur auslegt, nicht immer nur dem hinterher, was ohnehin der Fall ist? Durch die politischen Anstrengungen zur Bildungsreform, durch die Ausweitung des theoretischen Blicks auf die Soziologie hin und durch die dramatisch-praktischen Vorgänge in der sogenannten Studentenbewegung wurde diese Schwierigkeit der Pädagogik gleichsam auf eine Pointe zugetrieben. Ein praktisches, also auf begründete Ziele pädagogischen Handelns gerichtetes Interesse schien nun nicht nur in irgendeinem Sinn wünschenswert, sondern schien durch die geschichtliche Situation einerseits nahegelegt, andererseits theoretisch legitimationsfähig und vielleicht doch einen Ausgangspunkt pädagogischen Denkens hergeben zu können, ohne in den Verdacht zu geraten, die alte normative und gegenaufklärerische „Weltanschauungspädagogik“ wiederbeleben zu wollen: Die empirische Bildungsforschung zeigte, daß die Verteilung von Lebenschancen durch die Organisation des Schulsystems immer noch ungleich war, und zwar in Abhängigkeit von der sozialen Herkunft der Schüler; in der Sozialarbeit kam zum Bewußtsein, daß es einen scheinbar unauflöslichen Zusammenhang von Armut bzw. Randständigkeit und Bildung gab; in der Jugendarbeit meldeten sich vermehrt Stimmen, die ihre als staatliche, private oder kirchliche Jugendpflege organisierte Form der puren Anpassung an bestehende Herrschafts-, Produktions-oder Konsumtionsbedingungen verdächtigten. Wie 100 oder mehr Jahre zuvor schien das „praktische“ Grundproblem immer noch irgendwo zwischen Kant und Marx angesiedelt zu sein.

In dieser Situation bot der Vorschlag einer Theorie der Erkenntnisinteressen von Jürgen Habermas einen Ausweg: Neben dem technischen an der Naturbeherrschung und dem hermeneutischen an der Sinnauslegung gebe es noch ein „emanzipatorisches Erkenntnisinteresse an der Lösung aus materiell festgesetzten oder ideologisch festgefrorene(n), im Prinzip aber veränderliche(n) Abhängigkeitsverhältnissen“, im ganzen „aus der Abhängigkeit von hypostasierten Gewalten“.[5] Genau dies, so schien es, war der Hinweis auf die Lösung jener pädagogischen Grundfrage, in der Praktiker und Theoretiker der Pädagogik übereinstimmen konnten und also ein sowohl praktisch befriedigender wie theoretisch legitimationsfähiger Ausgangspunkt gegeben war.

Das hatte zumindest Plausibilität. Tatsächlich konnte keine Rede davon sein – und das gilt heute unvermindert –, daß das Projekt einer nicht nur formal, sondern auch materiell demokratischen Gesellschaft zu einem befriedigenden Ende gekommen war. Es mußte also in allen pädagogischen Verhältnissen darum gehen, in der nachwachsenden Generation die Fähigkeiten hervorzubringen, die nötig sind, um die Hindernisse, die der weiteren Emanzipation entgegenstehen (und da ist nun auch die sogenannte Dritte Welt mit einbezogen), zu beseitigen. „Emanzipation“ konnte mithin als ein praktisches Postulat gelten, das in allen Bereichen pädagogischen Handelns Geltung beanspruchen kann: in der Familie als Befreiung des Jugendlichen von der elterlichen Gewalt, je älter er wird, von den äußeren und inneren Nötigungen der erlittenen Sozialisation; in der Schule, schrittweise, als Befreiung von den institutionell auferlegten Lernformationen; in der Gleichaltrigengruppe von den zugemuteten Konformitätszwängen; in den politischen Gruppierungen von den argumentativen Verkürzungen – und in bezug auf die gesellschaftlichen Verhältnisse im ganzen, sofern sie in pädagogischen

[5] *J. Habermas,* Erkenntnis und Interesse, in: ders., Technik und Wissenschaft als „Ideologie“, Frankfurt 1968, 158f.

Beziehungen zum Thema wurden, die im politischen Bewußtsein und in den sozialen Handlungskompetenzen gebildeten Fähigkeiten, nicht rechtfertigungsfähige (nach den von Kant vorgegebenen Kriterien) Ungleichheiten zu erkennen und an ihrer Verminderung praktisch sich zu beteiligen.
Dafür nun hatte Schleiermacher - Theologe, Philosoph und Pädagoge - vorgearbeitet. In seiner Pädagogik-Vorlesung von 1826 beginnt er mit der Frage: „Was will denn eigentlich die ältere Generation mit der jüngeren?"[6] Die Antwort auf diese Frage ist seitdem nicht besser reflektiert gegeben worden, denn: Schleiermacher läßt keinen Zweifel daran, daß er sie sich nur im Rahmen der christlichen Überlieferung denken könne, der allerdings - in emanzipatorischem Interesse - einige Transformationen bevorstünden; er läßt ferner keinen Zweifel daran, daß die von ihm vorgefundenen gesellschaftlichen Verhältnisse verbesserungsbedürftig seien und die nachwachsende Generation instand gesetzt werden müsse, „mit Kraft" um diese Verbesserung sich zu bemühen; er hat schließlich einen offenen Begriff von Zukunft und verlangt von einer vernünftig zu nennenden Erziehung/Bildung, daß sie sowohl dem Moment des sich bildenden Kindes/Jugendlichen volle Befriedigung sichert als auch diese Befriedigung derart gestaltet, daß sie zukunftsfähig ist. Damit bot sich in der pädagogischen Theorie, neben Kant und der an Marx sich anschließenden Kritischen Theorie (Horkheimer, Adorno, Habermas), ein dritter Anknüpfungspunkt in der Geschichte des pädagogischen Denkens selbst.[7] Die durch Bildungsreform und Studentenbewegung in Gang kommende Bezugnahme auf politisch relevante Perspektiven der Pädagogik und pädagogisch relevante Komponenten politischen Handelns konnte nun auch theoriegeschichtlich verortet werden.

4. Emanzipation und Jugendarbeit

Diese Entwicklung hatte von Anfang an auch ihre Entsprechungen im Bereich der Jugendarbeit, und zwar an drei institutionellen Orten: *Jugendverbände* begannen, in ihre Arbeit gesellschaftspolitische Orientierungen aufzunehmen; die *Freizeitarbeit* in „Heimen der Offenen Tür" erkannte ihre schichtspezifische Begrenzung und versuchte, sich ausdrücklicher auf Arbeiterjugendliche einzustellen und politische Gehalte zur Geltung zu bringen; die *Jugendbildungsstätten* (z.B. Steinkimmen, Dörnberg, Bad Boll, Josefstal/Schliersee) entwickelten neue didaktische Modelle der Jugendbildungsarbeit. Schon relativ früh, noch ehe die Termini „emanzipatorische

[6] *Fr. D. Schleiermacher,* in: E. Weniger/Th. Schulze (Hrsg.), Pädagogische Schriften 1, Frankfurt 1983, 9.
[7] Vgl. *Kl. Mollenhauer,* Erziehung und Emanzipation, München 1968.

Pädagogik“ oder „emanzipatorische Jugendarbeit“ gebräuchlich wurden, erschien ein erster „Versuch“, derartige Perspektiven anzudeuten und praktische Interessen mit theoretischen Klärungen zu verbinden.[8] Nach 1968 wurden die Diskussionen heftiger; die politischen, besonders auch die klassentheoretischen Aspekte des Problems wurden stärker hervorgehoben; es entstand das Konzept einer „antikapitalistischen“ Jugendarbeit[9], einer Jugendarbeit, die sich an „Selbsterfahrung und Klassenlage“ orientierte[10], einer „bedürfnisorientierten“ Jugendarbeit.[11] Es entstanden „selbstverwaltete Jugendzentren“, in denen Emanzipation endlich nicht mehr nur als pädagogisches Projekt erschien, sondern als wirkliche Selbstbefreiung der jungen Generation, durch politisch-institutionelle Kämpfe hindurch, zumeist gegen die Stadtverwaltungen und Verbände. Im Licht derartiger Veränderungen und Pointierungen erschienen nun die Anfänge von 1964 als „sozialintegrativ“.[12]

„Emanzipatorische Jugendarbeit“ - das war zu einem Sammelnamen geworden, dessen begriffliche Konturen unscharf waren. Und wenn neuerdings auch Friedensengagement, ökologische Aktivitäten, „Spurensuche“, gruppendynamische Selbsterfahrung dazugehören, zeigt sich das Problem: ob nämlich „Emanzipation“ in der Jugendarbeit nichts bedeuten soll als eine grobe Richtungsangabe, ein Hinweis darauf, daß unsere wissenschaftlich-technisch-kapitalistische Zivilisation im Hinblick auf zukunftsfähige Orientierungen für die junge Generation in ein Dilemma geraten ist - oder ob damit ein klar umrissenes, theoretisch begründungsfähiges, didaktisch-praktisches Konzept von Jugendbildungsarbeit gemeint ist. Indessen lassen sich, durch alle Diskussionen und Praxisvarianten hindurch, doch einige wesentliche Komponenten im Hinblick darauf, was „Emanzipation“ in der Jugendarbeit bedeutet, festhalten:

- Jugendarbeit soll sich nicht in affirmativer Freizeitpädagogik erschöpfen, sondern ihre politischen und sozialstrukturellen Bedingungen und Funktionen bedenken, dem Jugendlichen ein Bewußtsein dieser Zusammenhänge vermitteln und ihm durch politische Aufklärung zu politischer Handlungsfähigkeit verhelfen.
- Sie soll dem Jugendlichen helfen, sich mit den überlieferten kulturellen und institutionellen Beständen kritisch auseinanderzusetzen und - in der Solidarität von Gleichaltrigengruppen - eigene zukunftsfähige Sinnentwürfe zu finden und auszuprobieren.

[8] Vgl. *C. W. Müller/H. Kentler/Kl. Mollenhauer/H. Giesecke,* Was ist Jugendarbeit? Vier Versuche zu einer Theorie, München 1964.

[9] Vgl. *H. Lessing/M. Liebel,* Jugend in der Klassengesellschaft, München 1974.

[10] Vgl. *U. Lüers u. a.,* Selbsterfahrung und Klassenlage, München 1971.

[11] Vgl. *D. Damm,* Politische Jugendarbeit, München 1975.

[12] Vgl. *H. Lessing/M. Liebel,* Jugend in der Klassengesellschaft, a.a.O., 152ff.

- Sie muß sich dabei zunächst auf die Lebenswelt des Jugendlichen einstellen, auf seine psychischen und sozialen Erfahrungen, sie muß bei den „Bedürfnissen" ansetzen.

5. Offene Fragen und künftige Aufgaben

So plausibel diese Orientierungen erscheinen, in ihnen verbergen sich dennoch einige offene Fragen; es ist nämlich noch keineswegs ausgemacht, ob der Emanzipationsbegriff tauglich ist, eine charakteristisch bildungstheoretische/pädagogische Problemstellung hinreichend zu umreißen. Er bezog sich zunächst auf die geschichtspraktische Beteiligung des *erwachsenen* Bürgers am gesellschaftlich-politischen Prozeß. In *pädagogischen* Zusammenhängen geht es hingegen allererst darum, solche Beteiligungsfähigkeit hervorzubringen, zu bilden. Damit entstehen zwei Fragen: (1) Findet Jugendarbeit ohne verantwortliche Beteiligung von Erwachsenen statt, als Selbstbildung der Gleichaltrigen, und soll ihnen also in dieser Hinsicht der Erwachsenenstatus zugebilligt werden, dann fragt sich, auf welche Weise ein derartiges Generationenverhältnis begründet werden kann. (2) Ist der Erwachsene verantwortlicher Pädagoge/Sozialarbeiter in der Jugendarbeit, dann muß er sich fragen oder fragen lassen, wie ein Emanzipationsinteresse unter der Bedingung von Abhängigkeit gebildet werden könne, und zwar ohne daß das Emanzipationsinteresse des Erwachsenen bloß imitiert wird, denn das wäre ein neuer Fall von Unmündigkeit. - Das Dilemma entsteht unter anderem dadurch, daß das Interesse an Emanzipation, das der Erwachsene in der Jugendarbeit vorgeben mag, in seiner Artikulation immer an empirische Prognosen gebunden ist (darüber, daß diese Handlung oder jener Gedanke auch wirklich zu mehr Freiheit und Gerechtigkeit führt und nicht zu ganz anderen Folgen), solche Prognosen aber prinzipiell nie gewiß sind, es sei denn, man vertritt eine mechanistische Auffassung von Geschichte, was wiederum dem Emanzipationsinteresse widersprechen würde. Ein zweiter Typus offener Fragen ergibt sich aus der trivialen Tatsache, daß jeder Bildungsschritt des jungen Menschen in Abhängigkeit zu seinem Entwicklungsstand steht und dieser wiederum in Korrelation mit den Lebensfeldern, in denen das Kind/der Jugendliche sich bewegt oder bewegt hat. Emanzipation kann also nicht auf jeder Bildungsstufe pädagogisch gleichbedeutend sein; es wäre sogar denkbar, daß ein Konzept emanzipatorischer Jugendarbeit, für 17jährige entworfen, für 14jährige gegenaufklärerisch wirkt. Die wichtigste Frage ist hier offenbar: Wie muß ein Entwicklungsgang und wie müssen die ihm korrespondierenden Bildungshilfen der Erwachsenen gedacht werden, an deren Ende die von Kant geforderte „Mündigkeit" steht? „Emanzipation" hat es, von den geschichtlichen Ursprüngen dieser Idee an,

mit Herrschaft und kultureller Überlieferung zu tun. Gegen eine Pädagogik des „Wachsenlassens" oder „Antipädagogik" ist immer wieder geltend gemacht worden, daß es im Verhältnis der Generation zueinander eine unaufhebbare Asymmetrie gebe. Auch die Jugendarbeit muß sich mit dieser Frage auseinandersetzen; eine pädagogische Theorie der Emanzipation muß klären, wie mit dem Vorsprung an Fähigkeiten, über die der Erwachsene verfügt, verfahren werden soll, zumal dieser Vorsprung eine der notwendigen Bildungsbedingungen ist, die der junge Mensch braucht (ohne diesen Vorsprung, diese „Abhängigkeit", lernt das Kind nicht einmal sprechen!). Damit hängt das Verhältnis von Tradition und Fortschritt zusammen: Die Aneignung traditioneller Gehalte, auch wenn sie mühsam ist, widerspricht nicht der Emanzipationsidee, sondern ist eine der Bedingungen ihrer Realisierung; nur so ist - wo nötig - kritische Distanzierung möglich. Da Emanzipation ohne Geschichtsbewußtsein ihren Sinn verlöre, ist hier vor allem zu fragen, welche Bestände unserer kulturellen, besonders auch christlichen Überlieferung für die Zukunft transformationsfähig sind (die Franziskaner heute geben dafür ein Beispiel).
Ein Mißverständnis ist es auf jeden Fall, zu meinen, die unter dem Namen „Emanzipation" zusammengefaßten Bestrebungen seien schon eine begründete Antwort auf die Fragen nach dem „guten Leben".[13] Sie sind ein Teil dieser Fragen. „Emanzipation" ist ein gesellschaftliches Regulativ, das vor naivem Traditionalismus oder selbstgerechtem Konservatismus bewahren kann. Die *Begründung* für normativ gerechtfertigtes und künftig sinnvolles Leben *garantiert* dieses Regulativ nicht.

Literatur

Giesecke, Hermann, Die Jugendarbeit, München 1971 (Juventa).
Habermas, Jürgen, Erkenntnis und Interesse, in: ders., Technik und Wissenschaft als „Ideologie", Frankfurt 1968 (Suhrkamp).
Lessing, Helmut/Liebel, Manfred, Jugend in der Klassengesellschaft, München 1974 (Juventa).
Mollenhauer, Klaus, Erziehung und Emanzipation, München 1968 (Juventa).
Ders., Vergessene Zusammenhänge. Über Kultur und Erziehung, München 1983 (Juventa).
Ruhloff, Jörg, Das ungelöste Normproblem der Pädagogik, Heidelberg 1980 (Quelle & Meyer).

[13] Vgl. *J. Ruhloff,* Das ungelöste Normproblem der Pädagogik, Heidelberg 1980.

Michael Schibilsky

Erfahrung, religiöse

In der westlichen Welt sind Visionäre und Mystiker beträchtlich seltener als früher einmal. Dafür gibt es zwei Hauptgründe – einen philosophischen und einen chemischen. In dem heutigen Modebild des Weltalls ist kein Platz für gültige transzendente Erlebnisse. Folglich werden diejenigen, die glauben, gültige transzendente Erlebnisse gehabt zu haben, mit Mißtrauen angesehen, als wären sie entweder Verrückte oder Schwindler. Ein Mystiker oder Visionär zu sein, ist heutzutage nichts Rühmliches mehr.

Aldous Huxley

1. Zum Begriff und seiner Entwicklung

In der Lebenswelt Jugendlicher entfalten sich manchmal Themen und Motive, die in der Erwachsenenwelt als überholt, unzeitgemäß oder einfach inopportun gelten. Mehr noch: Akzentsetzungen in einer jugendlichen Teilwelt (von der einige Jugendsoziologen immer noch gern sprechen) signalisieren häufig Mangelerscheinungen und Defizite der Erwachsenenkultur. Das gilt in besonderem Maß für den Bereich der religiösen Erfahrung. Nachdem diese Lebensdimension in den 70er Jahren auch in der europäischen Jugendkultur breiten Eingang gefunden hatte und sich oft in bewußter Konfrontation zur technischen Zivilisation westlichen Zuschnitts verstanden hatte, ist inzwischen erfahrungsorientiertes Arbeiten in den Alltag der Jugendarbeit aufgenommen worden. Es gibt darüber hinaus eine breite sozialpädagogische Diskussion über die Bedeutung von Erfahrungen in Bildungsprozessen. Der Begriff „religiöse Erfahrung“ steht somit fast in der Gefahr, ein Modebegriff zu werden – niemand weiß, was eigentlich gemeint ist, und die nächste Modewelle spült den Begriff und seine Inhalte wieder fort. Damit wäre jedoch dem Anliegen, das sich in dieser Entwicklung ursprünglich artikulierte, ein schlechter Dienst erwiesen. Und auch eine andere Gefahr ist nicht von der Hand zu weisen: daß sich unter verändertem Etikett lediglich altvertraute Inhalte wieder zu Wort melden.

Besonders die kirchliche Jugendarbeit stand im Zusammenhang mit religiöser Erfahrung nicht selten vor einem besonderen Dilemma: Im außerkirchlichen, oft sogar außerchristlichen Bereich wurden Lebensformen und Verhaltensweisen bedeutsam, die innerkirchlich - zumal in kritisch-kirchlicher Jugendarbeit - als überholt und unzeitgemäß galten. Und nichts gilt in der Jugendarbeit als gefährlicher oder als so verpönt wie die Übernahme von Handlungsmustern und Einstellungen der etablierten Erwachsenenkirche. Überspitzt gesagt: Den professionellen Jugendarbeitern und ihren Theoretikern wäre es unsagbar schwer gefallen, die ausgefransten Jeans des sozialen Protests mit den kurzen Hosen der früheren Jugendbewegungen oder der Kutte des Bettelmönchs zu vertauschen. Andererseits waren die neuen religiösen Kostüme so pointiert antichristlich zugeschnitten, daß auch sie sich als Arbeitskleidung kirchlicher Jugendmitarbeiter kaum tragen ließen.

Und dennoch: Es gibt viele plausible Gründe, die Dimension religiöser Erfahrung gerade auch im Bereich kirchlicher Jugendarbeit aufzugreifen und mit (Er-)Leben zu füllen. Insbesondere Katholiken- und Kirchentage gelten inzwischen für manche Jugendliche als religiös bedeutsame Erfahrungspunkte - um nicht von Bekehrungs-Augenblicken zu sprechen.

Und das hat seine guten Gründe: In religiöser Sprache, religiösen Bildern und Gemeinschaftsformen lassen sich Ängste und Befürchtungen klarer und unmittelbarer artikulieren als in theoretischen Diskussionen hochbegabter (und betagter) Jugendlicher. Zudem hat sich die gesellschaftliche Wirklichkeit in einem bisher nicht gekannten Maß zur Abstraktheit, Unanschaulichkeit (und damit zur Fremdheit) entwickelt, daß die Suche nach unmittelbarer Erfahrung, nach direkter Wahrnehmung, aber auch nach Transzendierungserfahrungen nur allzu verständlich ist. In religiösen Erfahrungen artikuliert sich außerdem häufig ein sonst eher unbestimmbares Krisengefühl, das sein konkretes Gegenüber, die konkreten Gefährdungspunkte (noch) nicht benennen oder doch zumindest nicht beeinflussen kann. Religiöse Erfahrung steht deshalb immer auch im Zusammenhang mit Ohnmachtsgefühlen. Und dazu gibt es nicht erst seit der jüngsten Etappe der Hochrüstung mehr als allen Anlaß.

In religiöser Erfahrung werden jedoch nicht nur Ängste ausgedrückt oder kompensiert, es werden vielmehr Werte und Sinngehalte sinnlich erfahren, die sich als Angriff und Bestreitung des gegenwärtig gültigen Sinnsystems beschreiben lassen. Wenn Macht und Machbarkeit, Beherrschung und Ausbeutung, Sicherung und Versicherung sich zur Gefährdung der eigentlichen Lebensgrundlagen selbst auswachsen, dann bedarf es religiös erfahrbarer

Alternativen wie Nähe und Erkennbarkeit, Vertrautheit und Verläßlichkeit, Offenheit und Bereitschaft zur Solidarität.
Nun dürfen gesellschaftliche Prozesse nicht mit einem Regelautomaten verwechselt werden - etwa nach dem Muster: Wenn die Erwachsenenwelt zu nüchtern, zu sachlich, zu nützlich, zu egoistisch, zu machtbesessen, zu abstrakt, zu unerreichbar wird, dann entwickelt sich automatisch im Bereich der Jugendkultur das entsprechende Gegenstück. Vielmehr spielen zahllose und oft nur schwer darstellbare Einzelaspekte in solchen gesellschaftlichen Entwicklungen eine Rolle. Oft genug konstruieren gerade die Theoretiker eine gedachte Plausibilität des jeweiligen Entwicklungsverlaufs, die sie gerade vorher erst der tatsächlichen Entwicklung abgeschaut haben, verpakken sie in theoretisches Vokabular und stellen sich als Magier oder soziale Propheten dar (während sie in Wahrheit bestenfalls mittelmäßige Berichterstatter sind).
Zu diesen Einzelaspekten gehören etwa Entwicklungen in der Musikgeschichte genauso wesentlich wie die weitverzweigte Entwicklung einer Jugendsubkultur, die Zunahme von Internationalität und Weltweite von Jugendbewegungen (schlicht: die Mittel und Möglichkeiten zu internationalen Begegnungen und Kontakten), aber auch Einflüsse der frühen Drogenbewegung. Auch Zufallsentwicklungen und -begegnungen haben hier ihren Platz und ihre Berechtigung.
Inzwischen ist der Begriff der religiösen Erfahrung fast zum sozialpädagogischen Handwerkszeug geworden, was ihm natürlich im Kern widerspricht. Religiöse Erfahrungen sind nicht machbar, sondern ereignen sich. Unverfügbarkeit gehört unmittelbar zur religiösen Erfahrung hinzu. Darum sind weder Agapefeiern in Jugendgottesdiensten oder bei Jugendfreizeiten ein Curriculum in Sachen religiöser Erfahrung, noch Kirchen- oder Katholikentage an sich schon ein Organisationsdatum religiöser Erfahrungen. Umgekehrt trifft das schon eher zu: In einer Jugendkultur, in der religiöse Erfahrung erlebbar und artikulierbar ist, werden auch Agapefeiern und Kirchentage eine ganz andere Bedeutsamkeit wiedererlangen können.
In der kirchlichen Jugendarbeit hat religiöse Erfahrung ihren Eingang über andere Wege und Vermittlungen gefunden: In erster Linie über Erfahrungs- und Arbeitsformen gruppendynamischer Seminare. Eine Sensibilität, wie sie in solchen Kontexten oft genug gefördert und geweckt wurde, konnte nicht willkürlich haltmachen vor den Fragen, die über die unmittelbare Begegnung von Person zu Person hinausgehen. Auch die Gesellungs- und Gemeinschaftsformen, die über den Weg der Gruppendynamik (insbesondere der humanistischen Psychologie) Eingang in Arbeitsformen kirchlicher Jugendarbeit (vor allem: Mitarbeiterschulungen) fanden, haben ein breiteres Spektrum eröffnet, als es ursprünglich einmal intendiert sein mochte.
Die Hinwendung zum Thema „religiöse Erfahrung" beinhaltete natürlich

auch das Problem, von politischen und sozialen Grundthemen Schritt für Schritt abzukommen. Religiöse Selbstgenügsamkeit und fromme Beschaulichkeit wären als nächste Meilensteine kirchlicher Jugendarbeit angezeigt gewesen. Die Wirklichkeit jedoch sieht anders aus. Gerade die zentralen politischen Themen: Emanzipation, Frieden und Abrüstung, Umweltfragen erhalten in religiöser Weiterführung oftmals eine markante Zuspitzung und Weiterführung. Sie verbleiben nicht im Bereich des Unerreichbaren, des Anonymen, es kommt vielmehr zur konkreten Veränderung im eigenen Lebensspektrum.
Nachdem die jüngere Entwicklungsgeschichte des Begriffs religiöser Erfahrung skizzenhaft und bewußt pointiert dargestellt worden ist, wäre es wohl an der Zeit, den Inhalt selbst zu umreißen. Ich tue das zuerst einmal in Anlehnung an die Klassiker der Religionssoziologie und der Religionswissenschaft. Ein Grunddatum der Begriffsgeschichte ist die Formulierung von Gustav Mensching, der Religion als „erlebnishafte Begegnung mit dem Heiligen" beschrieben hat. Die soziale Heimat religiöser Erfahrung ist noch zu jeder Zeit die Sekte gewesen - nicht die religiöse Großorganisation Kirche. Der Kirche wird vielmehr die besondere Eigenschaft nachgesagt, ursprüngliche religiöse Erfahrungen zu kanalisieren und zu domestizieren. Im übrigen wird in der religionssoziologischen Literatur von unterschiedlichen Dimensionen religiöser Erfahrungen gesprochen: inneres Erleben, religiöser Glaube, rituelles Handeln, religiös motivierte Konsequenzen. Begleit-Dimensionen religiöser Erfahrung sind: religiöse Kompetenz, ein hohes Maß an Subjektivität, Distanzierungsfähigkeit, Marginalitätsbewußtsein und nicht zuletzt Risikobereitschaft. Gerade diese Dimensionen machen verständlich, warum religiöse Erfahrung gegenwärtig zum Kristallisationsproblem der Jugendarbeit und der Jugendsoziologie wird. (Für mich persönlich ist allenfalls überraschend, wie langsam die theoretische Reflexion dieser seit langem erkennbaren Entwicklung sich vollzogen hat und wie lesefaul manche Jugend-Theoretiker sind.)

2. Abgrenzung und Reichweite (Relevanz)

Von Max Weber stammt folgende schöne Beobachtung: „Ein typischer Mystiker ist weder ein Mann starken sozialen Handelns überhaupt, noch vollends der rationalen Umgestaltung der irdischen Ordnungen an der Hand einer auf den äußeren Erfolg gerichteten methodischen Lebensführung. Wo auf dem Boden genuiner Mystik Gemeinschaftshandeln entsteht, da ist es der Akosmismus des mystischen Lebensgefühls, der seinen Charakter prägt."[1] Daß Mystik eine der strengsten Formen religiöser Erfahrung be-

[1] *M. Weber,* Wirtschaft und Gesellschaft, Tübingen 1972, 333.

zeichnet, läßt sich kaum bestreiten. Daher bieten sich Behutsamkeit und Geduld an, will man aus religiöser Erfahrung unmittelbare Weltumgestaltung (oder: Umweltgestaltung) erwarten. Religiöse Erfahrung sollte deshalb sehr wohl abgegrenzt werden von einer sozialpolitischen Bewegung mit religiösen Hintergrundmotiven. Ich möchte religiöse Erfahrung deshalb gern abgrenzen von religiös orientiertem Leben. Religiös orientiertes Leben aktualisiert religiöse Traditionsbestände zur Bewältigung gegenwärtiger Fragestellungen. Religiöser Erfahrung dagegen ist die gegenwärtige Fragestellung sekundär, ihr Ziel und Mittelpunkt ist zuerst einmal „nicht so ganz von dieser Welt". Und manchmal soll es ja überzeugende Gründe dafür geben, nicht ganz von dieser Welt zu sein. Konkret: Jugendgruppen, die sich gelegentlich religiöser Motive oder Bilder bedienen, sollten nicht allein deshalb schon mit dem Merkmal „religiöse Erfahrung" belegt werden.

Religiöse Erfahrung, wie sie in der Jugendkultur erkennbar ist, muß auch abgegrenzt werden von religiösem Wissen. Oft genug sind das begriffliche Instrumentarium, das dogmatische Wissen oder die Kenntnis religiöser Traditionsbestände eben nicht identisch oder vergleichbar mit dem, was als religiöses Erleben, als religiöse Erfahrung ausgegeben wird. Im Gegenteil: Religiöse Erfahrung zeichnet gegenwärtig sich eher dadurch aus, konfessionell-kulturell zu chaotisieren; anders ausgedrückt: Es werden geradezu synkretistisch Elemente der verschiedensten Grundreligionen ausprobiert und eingesetzt. Zur Ausformung stabiler religiöser Überzeugungen ist es bislang nur selten gekommen.

Religiöse Kompetenz meint beides: eine Zuständigkeit für bestimmte Sachverhalte (auch Betroffenheit) und Befugnis/Befähigung im Umgang mit dem betreffenden Sachverhalt. Basis-Voraussetzung religiöser Kompetenz ist die allgemeine Annahme, daß sich der Mensch religiös verhalten kann. Religion gewinnt jenseits der Grenzen von Gesichertem und Definiertem, von Bestimmtem und Determiniertem ihre eigentliche Kraft und Aussagefähigkeit. In Religion drückt sich aus, daß jenseits der Grenzen ausdefinierter Handlungsräume ein Horizont von Unbestimmtem, ein sich den Gesetzmäßigkeiten von Definitionen und Determinationen nicht beugender und damit also definitorisch kaum verfügbarer Bereich verbleibt. Religiöse Erfahrung ist zwar nicht mit religiöser Kompetenz gleichzusetzen, steht aber wohl im engen Zusammenhang mit ihr: Sie bedarf der religiösen Betroffenheit, und sie fordert handlungsmäßige und gestaltungsmäßige Zuständigkeit. In ihrer Frühform ist religiöse Erfahrung (etwa bei einer plötzlichen Bekehrung oder religiöser Ekstase) durchaus darstellbar ohne religiöse Kompetenz im weiteren Sinn. Sie bliebe aber Augenblickserleben ohne personale Folgen in der Lebensgestaltung, ein Strohfeuer, oder einfach ein weiterer Reizpunkt inmitten von Reizüberflutungen.

Religiöse Erfahrung ist ihrem Wesen nach etwas anderes als personale

Erfahrung (etwa von Nähe und Distanz). Insofern ist wesentlich zwischen den Erfahrungsprozessen innerhalb der Gruppendynamik und spezifisch religiösen Erfahrungsformen zu unterscheiden. Damit bestreite ich nicht, daß gegenwärtig der Weg zur religiösen Erfahrung (das heißt hier also: Bereitschaft zur religiösen Betroffenheit und Fähigkeit zur Wahrnehmung religiöser Grunderfahrungen) häufig genug über intensive Gruppen- und Personenerfahrungen geebnet worden ist. Religiöse Erfahrung ist aber auch mehr als eine bestimmte Stimmung des Gemüts.

Die Gruppen und Einzelpersonen innerhalb der Lebenswelt Jugendlicher, die im Kern mit dem Begriff (und Ereignis) religiöse Erfahrung gekennzeichnet und getroffen sind, stellen keineswegs eine Mehrheit dar. Man muß sie vielmehr als hochselektive Gruppe bezeichnen. Umgekehrt ist es deshalb verwegen, innerhalb von kirchlicher Jugendarbeit von „*der* religiösen Erfahrung" zu sprechen. Hier wird einfach ein Knallbonbon mit Dynamit verwechselt.

Die Reichweite religiöser Erfahrung und damit ihre Relevanz bezieht sich zwar auf die gesamte Breite einer Persönlichkeit, oft genug aber nur auf ein ganz schmales Spektrum sozialer Bezüge. Wer dagegen die Relevanz religiöser Erfahrung anhand meßbarer sozialpolitischer Veränderungsprozesse messen will, hat sich im methodisch-philosophischen Stockwerk verlaufen.

Es ist möglich, oft sogar wahrscheinlich, daß ein nachhaltiges religiöses Erleben zu Veränderungen der gesamten Persönlichkeitsstruktur führen kann. Damit verbunden sind dann auch Änderungen im Sozialverhalten dieser Person. Aber nicht jede soziale Umorientierung kann bereits mit dem Merkmal „religiöse Erfahrung" gekennzeichnet werden.

Im übrigen frage ich mich manchmal, um welche Jugendlichen es in diesen Fragen eigentlich geht. Religiöse Erfahrung ist – wenn es um Mehrheiten geht – ein Randthema, eben eher in Sekten als in der Nordkurve von Schalke beheimatet. Für die breite Mehrheit Jugendlicher bleibt Religion institutionen- und personen-vermittelt (über den Religionsunterricht, über den Kommunion- oder Konfirmandenunterricht, selten nur über die Frömmigkeit oder Kirchlichkeit Erwachsener). Hier sollte man nicht von religiöser Erfahrung im engen Sinn sprechen, wie es in diesem Abschnitt verlangt werden muß. Für die breite Mehrheit der Jugendlichen reduziert sich die Sinnfrage oft genug (und notwendigerweise) auf die Frage nach Arbeit und Zukunft. Aber damit sind wir bereits beim nächsten Abschnitt.

3. Bezugsgruppen und Erfahrungsgrößen

Zurecht ist in der jugendsoziologischen Literatur darauf hingewiesen worden, daß es im Ablauf der Lebensgeschichte inzwischen zu beinahe dramati-

schen Verschiebungen gekommen ist. Der fraglose Übergang von der Kindheit zur Jugend und dann zum Erwachsenenalter ist keineswegs gesellschaftliche Selbstverständlichkeit. Vielmehr scheint das Jugendalter in mindestens zwei Phasen unterscheidbar zu sein: das Jugendalter A, in dem zwar die Loslösung vom Elternhaus, Orientierung an Gleichaltrigen usw. bereits voll eingesetzt haben; und das Jugendalter B, das insbesondere bei der privilegierteren Jugend bis weit in das dritte Lebensjahrzehnt hineinragt und dadurch gekennzeichnet ist, daß bestimmte Merkmale des Erwachsenenalters vermieden oder ausgeblendet werden: Gründung einer Familie, Übernahme fester Berufspositionen, Existenzsicherung usw. Dieses Jugendalter B ist jedoch bei der unteren Mittelschicht wesentlich seltener anzutreffen als in den Kreisen, in denen Eltern über erheblichen Besitz verfügen und die Jugendlichen die tatsächlichen Verhaltens- und Erwartensweisen der Erwachsenen zum Maßstab ihrer eigenen Erwartbarkeiten gemacht haben. (Im übrigen weist auch die soziologische Grundlagen-Literatur längst darauf hin, daß die Phasierungen des Erwachsenenalters in bislang nur selten berücksichtigten Strukturierungen verlaufen. Und es deckt sich mit vielfältigen anderen Erfahrungen, daß etwa alle sieben Jahre auch im Erwachsenenalter Motiv-Verschiebungen und Einstellungsänderungen anzutreffen sind.) Innerhalb der Jugendarbeit ist der Ort religiöser Erfahrung, wenn man ihr denn überhaupt dort einen Platz anweisen kann, im Umgang mit Jugendalter B und vergleichbaren Bezugsgruppen. Das grenzt die Reichweite religiöser Erfahrungen im Umfeld der Jugendarbeit deutlich ein. Und wäre es überspitzt – oder schon eine Banalität –, festzuhalten, daß religiöse Erfahrungen auch unter schichtenspezifischen Gesichtspunkten betrachtet werden müßten?
Der Personenkreis, der noch vor etwa zehn Jahren traditionell und typisch in das Umfeld religiöser Erfahrungen zu verorten gewesen wäre, hat sich inzwischen deutlich verändert. Spitz gesagt: Er ist einfach zehn Jahre älter geworden und häufig genug inzwischen selbst professionell im Umgang mit Jugendlichen beschäftigt. Das wirft um so deutlicher die Frage auf, ob sich die eigenen religiösen Erfahrungen (sollten sie es denn gewesen sein), vermitteln oder weitergeben lassen oder ob sie nicht im Kern unverfügbar bleiben. Mehr noch: ob der Versuch der Umsetzung von religiöser Erfahrung in didaktische Schritte und curriculare Programmatik nicht von vornherein zum Scheitern verurteilt ist.
Im Unterschied zur Euphorie noch der 70er Jahre ist auch in der Debatte um die Jugendkultur eine deutliche Ernüchterung eingetreten. Die alte Erfahrung, daß Bewegungen – sobald auch sie wiederum zur Institutionalisierung neigen – entweder ihr Innovations-Potential oder ihr mögliches Einfluß-Potential auf Weltgestaltung opfern müssen, scheint auch durch die Umgestaltung der gegenwärtigen politisch-kulturellen Landschaft nicht widerlegbar zu sein.

Ausgangspunkt religiöser Erfahrungen können durchaus alltagsrelevante Krisenerfahrungen sein. Und diese Krisenerfahrungen häufen sich bei der gegenwärtigen Jugend – besonders deshalb, weil sie umgeben sind von einer Welt des Machbaren, des Erreichbaren, des Gestaltbaren, des Bezahlbaren. Wie soll ein Jugendlicher das verstehen, daß mit Geld nahezu alles käuflich ist (einschließlich politischer Entscheidungen und Personen), daß mit Technik nahezu alles machbar ist (eben auch die Zerstörung eines künftigen eigenen Arbeitsplatzes); daß also in dieser Welt, die uns zu Füßen liegt, diejenigen mit Füßen getreten werden, die sie eigentlich von den Erwachsenen erben sollten; daß ihnen die Arbeit verweigert wird, oft schon der Eintritt in das Erwerbsleben, also die Ausbildung in einem Beruf; daß ihnen damit Teilhabe an gesellschaftlicher Gestaltung vorenthalten wird und daß ihnen gleichfalls eine Zukunftswelt übergeben werden soll, vor denen sich so mancher Erwachsene grausen würde. Die Krisenpunkte, die eben nicht selten Anknüpfungspunkte für religiöse Erfahrungen sind, tatsächlich eingetretene Krisen ebenso wie begründet befürchtete Krisen, daran herrscht augenblicklich kein Mangel. Vielmehr betreffen diese Krisen den Kern der Lebensführung selbst: berufliche Ausbildung und berufliche Zukunft, ökologische Gefährdungen, politische Verwicklungen und Bedrohungen. Motive und Erfahrungsgrößen aus dem Repertoire religiöser Erfahrungen sind vielfältig: in jedem Fall die Erlösungsbedürftigkeit der Schöpfung und des einzelnen Subjekts. Dieses Erlösungsbedürfnis entspringt zwar oft genug einer sozialen oder auch ökonomischen Not. Dennoch sollte die Feststellung von Max Weber nicht übersehen werden, daß Erlösungsreligiosität auch zur Legitimierung geradezu privilegierter Lebenslage und Lebensführung dienen kann.[2]

Neben dieser eher universalen Größe (Erlösungsbedürftigkeit) stehen Erfahrungsgrößen, die weniger den traditionell christlichen Momenten von Sünde und Gnade entsprechen: Ganzheitlichkeit des Lebens, kosmische Verbundenheit, Entfaltung und Förderung lebensbejahender Kräfte, zum Teil pointiert positive Einstellung zur Sexualität.

4. Konkretion: Erfahrungsfelder

Die Tempel dieser religiösen Erfahrungen sind nicht nur Ashrams und religiöse Wohngemeinschaften, sondern zugespitzt formuliert: die Studios der Schallplatten-Industrie, Discotheken, Rocknächte, eigene Medien und Trainingszentren, aber auch der eigene „Hausaltar“, das eigene Meditationsbänkchen, der Gebetsteppich oder das Sofa des religiös orientierten Thera-

[2] Vgl. ebd., 290–300.

peuten. Diese exotische Mischung religiöser Heimaten signalisiert deutlich, daß es im Umfeld religiöser Erfahrungen in der Jugendkultur zwar inzwischen zu erheblichen Organisierungsgraden gekommen ist, das Gesamtbild aber immer noch von Vielfältigkeit und religiösem Synkretismus geprägt ist; alles Kennzeichen dafür, daß die Religiosität der Jugendkultur sich noch im Aggregatzustand der „religiösen Bewegung" befindet. Dabei darf nicht unterschätzt werden, daß es auch in diesem Bereich erhebliche Formen der Kommerzialisierung von Religion gibt. Nur: Wer im Glashaus der Kirchensteuern sitzt, sollte nicht mit Steinen werfen.
Diese Erfahrungsfelder machen deutlich, daß „Mission" auf diesem Feld sich eben der Wege bedient, die wesentlich zum Transport von Sinnzusammenhängen in der Jugendkultur dienen. Es sind informelle Wege der Sinnvermittlung, die auch einem Hang zur Privatisierung von Religion unter Jugendlichen entgegenkommen. Die Erfahrungsfelder religiöser Erfahrung im Bereich der Jugend umgreifen jedoch nicht nur Persönlichkeitsmerkmale des einzelnen, sondern prägen häufig seine gesamte Alltagsgestaltung, Auftreten und Sprache, Kommunikationsverhalten und Formen sozialer Interaktion. Gruppenzugehörigkeiten werden verändert, wenn religiöse Orientierungen in der Lebensgestaltung eine zentrale Bedeutung erhalten. In einer volkskirchlich geprägten Situation wie in der Bundesrepublik Deutschland sehen sich die Betroffenen einer zwiespältigen Situation ausgesetzt: Einerseits kann extrem gelebte Religiosität sich gegenüber der „Mittelmäßigkeit" volkskirchlicher Religiosität durchaus behaupten oder abgrenzen, andererseits ist die Prägekraft der institutionalisierten Volkskirche auf die breite Mehrheit auch von Jugendlichen nicht zu unterschätzen - zumal, da insbesondere im Protestantismus gegenwärtiger Prägung elementare Lebens- und Überlebensfragen auch Jugendlicher mit bemerkenswertem Mut, Engagement und manchmal sogar erfreulicher Einseitigkeit thematisiert und aktualisiert werden. Eine Jugendarbeit, die sich zumindest institutionell organisatorisch den beiden großen Volkskirchen verpflichtet fühlt, steht hier vor besonderen Herausforderungen, aber auch vor Chancen.

5. Rückbezug: Kirchliche Jugendarbeit

Nur in schmalen Teilbereichen versteht sich kirchliche Jugendarbeit als „missionarisch". Das breite Spektrum kirchlicher Jugendarbeit wird zumindest innerkrichlich eher unter einem diakonischen Aspekt vertreten: Jugendlichen Raum bieten, die sonst keine eigenen Räume haben; Jugendliche begleiten, die sonst nur schwer erreichbar oder ansprechbar sind; Partei für die Interessen von Jugendlichen ergreifen, die sonst in der Gesellschaft kaum Gewicht und Durchsetzungskraft haben. Dabei teilt sie die Ambivalenzen, die oft genug Jugendliche selber kennzeichnen: Einerseits verachten sie die Traditionen und Organisations- und Gesellungsformen der Erwachsenen, andererseits wünschen sie sich und ihrer Interessenlage eine höhere Durchsetzungskraft; und sie erkennen oft genug in den christlichen Fundamentierungen Lebensüberzeugungen, die von erheblicher Anziehungskraft und Eindeutigkeit sein könnten.

Gleichsam mit schlechtem Gewissen (und oft genug auch mit schlechter Ausbildung) haben Jugendarbeiter im Bereich kirchlicher Jugendarbeit die Sache der Kirche selbst, die Nachfolge Jesu Christi, seine Parteilichkeit für den Menschen, zu vermitteln versucht. Sie haben sich lieber der Interessenlage ihrer ihnen Anvertrauten, nämlich der Jugendlichen, verpflichtet gefühlt als dem kirchlichen Verkündigungsauftrag. Insgesamt jedoch verstanden sie ihre berufliche Tätigkeit als Konkretisierung und Verwirklichung des Auftrags zur Nachfolge Jesu Christi. Die Jugendlichen selber wurden gleichsam geschont - und man mochte sich vor allem nicht gern dem Verdacht aussetzen, Vertreter in Sachen Kirchlichkeit zu sein.

Das führte - verständlich natürlich - manchmal geradezu zu einer religiösen Prüderie im Bereich professioneller Jugendmitarbeiter. Die Hintergründe sind schnell erklärt: Insbesondere das Legitimationsbedürfnis gegenüber der jeweiligen Gemeindeleitung (Kirchenvorstand, Presbyterium), die allenfalls Interesse an einer Rekrutierung von Nachwuchs (und manchmal den versteckten Wunsch nach Wiederholung eigener Jugendprägungen, die eben unwiederholbar sind) hatten, führte zu einer ausgesprochenen Trotzigkeit, die man bisweilen auch als Berufsstolz zu bezeichnen pflegte. Dabei gaben die manchmal bedauerlich gering ausgeprägte Lernfähigkeit und Konfliktfreudigkeit der jeweiligen Leitungsgremien der Kirche den professionellen Jugendmitarbeitern sehr leicht ein gutes Gewissen.

So traf die eigentliche Kernfrage die Jugendarbeiter eher unvorbereitet und „auf dem falschen Bein“: welche religiösen Inhalte denn aus dem Traditionsbestand des Christentums spezifisch der gegenwärtigen Herausforderung in der Jugendarbeit entsprächen und aktualisierungsfähig wären. Auch methodisch bewegte sich das alltägliche Spektrum zwischen konventioneller Bibelarbeit (die niemand mochte) und freier Interaktion (die nur selten zu etwas führte).

Kirchliche Leitungsgremien, die hier voreilig Rechtfertigungen für eine „stärkere Inpflichtnahme der Jugendarbeit“ im gewiß wohlverstandenen kirchlichen Eigeninteresse entdecken würden, seien gewarnt: Jugendarbeit muß Emanzipationsbewegung der Kirche sein und bleiben, um Kirche selbst als Emanzipationsbewegung (aus einer nur den Eigengesetzlichkeiten verpflichteten Gesellschaft) glaubhaft bleiben zu lassen.

Der notwendige Ansatz geht genau umgekehrt: Jugendarbeit der Kirche ist vor eine Aufgabe gestellt, die sie nur schwer allein und ohne entsprechende

Lernfähigkeit der Großinstitution Kirche leisten kann. Die kirchliche Jugendarbeit (als der oft sensibelste Arbeitsbereich in der Kirche) steht vor der Aufgabe, Lebensformen zu entdecken und zu gestalten, in denen die ursprüngliche Kraft des Evangeliums, der Enthusiasmus der Nachfolge, die Radikalität der Menschenfreundlichkeit Jesu in erlebbare und gestaltbare Handlungsvollzüge übersetzt werden muß. Nahezu alle bisherigen kirchlichen Gesellungsformen und Rituale stehen damit vor einer Glaubwürdigkeits- und Echtheitsprüfung.
Es kann nicht um Konkurrierbarkeit mit behaupteten oder tatsächlichen religiösen Erfahrungen synkretistischen Zuschnitts in der Jugendkultur gehen. Wohl aber muß die schlichte Tatsache, daß Existenzbedrohungen und Apathisierungen nach religiös motivierten Gegenkräften rufen, für professionelle und amateurhafte („aus Liebhaberei betriebene") Jugendarbeit der Kirchen besondere Bedeutung haben. Kirchen- und Katholikentage mögen da ein besonders glückliches Beispiel sein (stärker wohl noch die protestantischen Kirchentage, weil sie weniger von institutionalisierter und etablierter Kirche geprägt sind als die offiziellen Teile von Katholikentagen). Es ist ja nicht die Faszination der Menge, die Jugendliche besonders anspricht, sondern insbesondere das Empfinden, mit seiner Angst, mit seiner Sehnsucht, mit seinem Leiden, mit seinen Empfindungen, mit seinen politischen Optionen nicht alleinzusein und gleichaltrige und äquivalent empfindende Menschen in einem gemeinsamen Geschehenszusammenhang zu erleben, der auch öffentlich seinen Stellenwert in der Gestaltung von gesellschaftlichem Bewußtsein hat. Daß es nicht um Macht und Geltungssucht, um direkte politische Durchsetzbarkeit von Absichten geht, sondern um grundlegende Neuorientierung, geht aus dem schlichten Datum hervor, daß etwa die „Halle der Stille" naturgemäß die Halle ist, in der die wenigsten Resolutionen verabschiedet werden (in der gewiß aber die meisten Gebete formuliert werden), in der aber die Vielzahl Jugendlicher sich am stärksten aufgehoben weiß. Und auch ein anderes Moment frühchristlicher Tradition kommt hier in seiner fast ursprünglichen Form wieder zur Geltung: „Kirche unterwegs" zu sein, außerhalb von allen gesicherten und geregelten Lebensvollzügen, gleichsam auf einer Pilgerreise in Sachen Glauben.
Kirchliche Jugendarbeit sollte sich also nicht versucht fühlen, settings religiöser Erfahrungen zu konstruieren und in Mitarbeiterschulungen zu trainieren – zumal es zum gesunden Protestantismus etwa dazu gehört, Religion eher als christliche Fehlfarbe zu verstehen und damit verbunden sich gegenüber religiösem Enthusiasmus eher bedeckt zu verhalten. Es kann im übrigen auch nicht darum gehen, eines der schwierigsten Arbeitsfelder der Kirche mit weiteren Hypotheken zu belasten. Vielmehr sollte diese Einsicht gerade die kirchliche Jugendarbeit zu mehr Risikofreudigkeit und weitergeführter Experimentierbereitschaft einladen. Dazu gehört auch der Mut,

religiös orientierte Gemeinschaftsformen wieder in den Blick zu bekommen.

Ohnehin hat sich längst herausgestellt, daß etwa das Konzept der offenen Jugendarbeit als einziges Standbein der Jugendarbeit eher zum Humpeln denn zum Fort-Schritt führt.

Religiöse Orientierung bedarf der Verläßlichkeit, die sich auch in der Konstitution fester Gruppen zu bewähren hat. Gruppenarbeit bedeutet jedoch ein höheres Maß an Verbindlichkeit für beide: Jugendmitarbeiter und Jugendliche. Und sie ist ein stabiler Faktor gerade bei Konflikten im Lernfeld Gemeinde. Daß aus solchen verläßlichen Gruppen manchmal intensivere Gemeinschafts- und sogar Lebensformen entstehen, als manchen Gemeindeleitungen lieb ist, muß ja der Sache keinen Abbruch tun. Es ist eigentlich überraschend, daß religiöse Wohngemeinschaften immer noch ein Privileg nicht-organisierter Jugendarbeit geblieben sind. Natürlich stehen solche Gruppen am deutlichsten vor der Gefahr, sich als Kern der Arbeit zu verstehen - und das kann der Breite der Arbeit durchaus abträglich sein. Aber man sollte nicht erst alle Risiken ausschließen wollen - um dann erst gar nicht zum gemeinschaftlichen Handeln zu finden.

Religiöse Erfahrung auf dem Hintergrund kirchlicher Jugendarbeit - also im spezifisch christlichen Milieu - bedeutet zudem etwas qualitativ anderes als synkretistisch orientierte religiöse Erfahrung. Hier wird vielmehr das Moment von Protest, von Solidarität mit dem Schwächeren, von Liebe (auch der Feinde) seine eigentliche Sprengkraft entwickeln. Das alles widersetzt sich deutlich dem Hang zum Narzißmus, der gerade im Feld religiöser Erfahrungen in der Jugendkultur einen breiten Raum einnimmt. Vielmehr bedarf es der Bezugsgruppen und Lebensräume, in denen Selbstakzeptanz und Feindesliebe in Relation zueinander gesetzt werden können. Das bedeutet insbesondere auch die Freiheit, sich mit den verdrängten, verdeckten und versteckten Anteilen seiner eigenen Persönlichkeit auseinandersetzen. Schließlich gehört dazu auch der Mut zum Beklagen und Betrauern dessen, was im eigenen Leben beklagenswert und traurig geworden ist und bleibt; dann auch der Mut, zu beklagen und zu betrauern, was an gesellschaftlichem Zerstörungspotential (gegenüber der Umwelt, gegenüber dem Hunger in der Welt) unabweisbar gegenwärtig ist.

Christliche Erfahrung wird jedoch beim Betrauern nicht verharren müssen, sondern empfängt immer wieder die Kraft, Feste des Lebens zu feiern und zu gestalten - sich selber umgestalten zu lassen zu einer Lebenskraft, nicht in eigener Vollmacht, sondern im Auftrag Jesu Christi. Es ist die Kraft der Verwandlung zu neuem Leben, nicht selbst erworben, nicht sich selbst zu verdanken, sondern angenommen und bejaht.

6. Dauerhaftigkeit und Innovationsfähigkeit

Dieses scheinbare Gegensatzpaar rührt an die Grundfragen jeder kirchlichen Jugendarbeit. Und gerade unter dem Aspekt „religiöse Erfahrung“ ist es von entscheidender Bedeutung. Herkömmlich bezieht sich die Dauerhaftigkeit kirchlicher Jugendarbeit nicht auf den konkreten Einzelnen, sondern auf eine dauerhaft vorhandene Generation mit wechselnden Akteuren. Im konkreten Vollzug ist gerade die Wechselhaftigkeit das besonders belastende Element im direkten Arbeitsvollzug. Dauerhaftigkeit wird zudem oft genug in der allgemeinen Legitimationsdebatte kirchlicher Jugendarbeit bemüht, in der banalen Form: „Was bleibt denn nun eigentlich von eurer (!) Arbeit? Wo bleiben denn die jungen Menschen, um die ihr euch die ganze Zeit gekümmert habt?“

Bezogen auf religiöse Erfahrung steht der Begriff der Dauerhaftigkeit noch vor einer anderen Fragwürdigkeit: Besondere Ereignisse, einzigartige Erfahrungen lassen sich nun einmal nicht auf Dauer stellen. Dauerhaftigkeit läßt sich in diesem Zusammenhang vielmehr als Nachhaltigkeit der jeweiligen Auswirkung beschreiben. Und das ist etwas deutlich anderes.

Umgekehrt bezeichnet der Begriff Innovation geradezu den Berufsstolz vieler Jugendarbeiter - und zurecht. Immer wieder und auf ganz unterschiedlichen Wegen ist es gerade der Jugendarbeit gelungen, Innovationspotential der Kirche zu sein.

Nichts hat die Kirche und hoffentlich auch ihre Leitungsgremien so beweglich und innovationsfähig erhalten wie die lebendige Auseinandersetzung mit der jeweiligen Jugendarbeit.

Innovation bezieht sich jedoch auch auf den Arbeitsbereich selbst und nicht erst auf die Gesamtheit der Kirche. Gerade weil sich in der Jugendarbeit die Wiederholbarkeit von selbst verbietet, besteht manchmal fast ein Zwang, allen neuen Impulsen nachgehen und nachgeben zu müssen - ohne Rücksicht auf die eigene Identität.

Unter dem Gesichtspunkt religiöser Erfahrung bedeutet Innovationsfähigkeit erst einmal, sich selbst auch als Person in Frage stellen zu lassen, sich selbst in andere Lebens- und Ausdrucksformen einzuüben. Es bedeutet aber auch, den Augenblick ernst zu nehmen, nicht ständig zum nächsten Ereignis weiterzuhasten, sondern der Ruhe und Konzentration Raum zu geben, Zeit zu lassen. Religiöse Erfahrung ermuntert - gerade unter dem Aspekt „Innovationsfähigkeit“ - zur Gelassenheit, zur meditativen Gelassenheit, weil man sich seiner eigenen Existenz nicht immer wieder neu vergewissern muß.

Die Frage der Dauerhaftigkeit und Innovationsfähigkeit richtet sich natürlich auch an das breite Spektrum religiöser Erfahrungen außerhalb kirchlicher Jugendarbeit, also in der Jugendkultur. Dabei muß festgehalten werden,

daß das oft prognostizierte schnelle Ende einer Modephase mit dem Wechsel zur nächsten so einfach nicht eingetreten ist. Vielmehr ist die Prägekraft so stark, daß sie ganze Personengruppen einer bestimmten Jugend-Generation auch für ihre weitere Lebensgestaltung nachhaltig geprägt hat. Bislang dagegen bezieht sich die Innovationsfähigkeit stärker auf den subjektiven denn auf den gesellschaftlichen Kontext. Zu durchgreifenden gesellschaftlichen Erneuerungsprozessen ist es auch nach über zehn Jahren neuer Religiosität nicht gekommen. Und selbst die Entwicklungen, die sich in den etablierten Religionen abzeichnen, lassen sich nicht einfach als Innovationsleistung der neuen Religiosität verrechnen. Daran sind vielmehr zahlreiche andere Faktoren wesentlich beteiligt. Um nur einen zu nennen: Die Kirchen haben deutlich aufgehört, eine dominante gesellschaftliche Ordnungsfunktion zu übernehmen (und dem Staat unbesehen in die Hand zu arbeiten, um welche Belange es auch immer geht). Dagegen hat die moralische Bedeutsamkeit der Institution Kirche deutlich zugenommen - mindestens im Vergleich zu den End-Sechzigern und Anfang-Siebzigern, als der Kirche das baldige Ende in gesellschaftlicher Irrelevanz vorausgesagt wurde. Vielmehr hat sie die massiven Glaubwürdigkeitsverluste, denen andere „staatstragende" Institutionen sich ausgesetzt haben (Parteien bis in die jüngsten Tage hinein, Gewerkschaften in jüngerer Vergangenheit mit noch gegenwärtiger Wirkung), nicht hinnehmen müssen. Sie ist vielmehr in manchem Teilen „Hort der Verfolgten" geworden, in manchen Teilen „Anwalt der Sprachlosen" und immer noch geblieben: Gemeinschaft in der Nachfolge Christi.
So ist - und das war noch vor zehn Jahren so nicht vorhersehbar - die Innovationskraft der neuen Religiosität eher gering geblieben, dagegen ihre Dauerhaftigkeit um so bemerkenswerter.
Im Kontext kirchlicher Jugendarbeit würde man sich jedoch wünschen, daß bei zunehmender religiöser Neuorientierung das Verhältnis von Dauerhaftigkeit und Innovationsfähigkeit eher etwas anders gewichtet würde. Es kann also nicht darum gehen, für Jahrzehnte verläßliche Arbeitsformen festzuschreiben - auch nicht mit sogenannter religiöser Erfahrung. Es muß stattdessen festgehalten werden, daß gerade bezogen auf eine Jugend-Generation, die äußerst „erfahrungsarm" aufgewachsen ist, erfahrungsorientiertes Arbeiten gleichsam zur Pflichtaufgabe wird.
Und es wäre wohl erfreulich, wenn die Innovationskraft sich auch gegen festgeschriebene Formen der Erwachsenenkirche selbst richten würde, wenngleich nicht allein, denn die Innovationskraft sollte sich gerade auch gegenüber den gesellschaftlichen Grundwidersprüchen wirksam machen lassen. Es geht weder um eine Verkirchlichung der Jugendarbeit (das sollte inzwischen unmißverständlich klar geworden sein), es kann sich auch nicht allein um eine sicherlich erfreuliche Verjüngung der Kirche handeln, sondern es geht - gerade aus ernstgenommenen christlichen Glaubensimpulsen

heraus - vielmehr darum, die Schöpfung mitzugestalten und zu bewahren. Und das ist eine Aufgabe, die mit Dauerhaftigkeit der Sache nach sehr viel zu tun haben muß.

Literatur

Allerbeck, Klaus/Rosenmayr, Leopold, Einführung in die Jugendsoziologie, Heidelberg 1976 (Quelle & Meyer).

Kreutz, Hendrik, Soziologie der Jugend, München 1974 (Juventa).

Weber, Max, Wirtschaft und Gesellschaft, Tübingen 1972 (Paul Siebeck).

Schibilsky, Michael, Religiöse Erfahrungen und Interaktion, Stuttgart 1976 (Kohlhammer).

Zinke, Ludger (Hrsg)., Religionen am Rande der Gesellschaft. Jugend im Sog neuer Heilversprechungen, München 1977 (Kösel).

Ziehe, Thomas, Pubertät und Narzißmus, Frankfurt 1975 (Europäische Verlagsanstalt).

Martin Affolderbach

Friedensarbeit

In einem gerade erschienenen Band, der die Jugendforschung und Jugenddiskussion vor allem der letzten Jahre zusammenfaßt, wird kirchliche Jugendarbeit nur ein einziges Mal erwähnt: „Die Friedensbewegung ist an keinen lokalen Kontext gebunden, findet breiten Rückhalt in Jugendverbänden und Studentengemeinden beider Konfessionen und scheint in Basisgruppen der evangelischen Kirche stark verankert zu sein."[1] Friedensarbeit ist in der jüngsten Vergangenheit zu einem Bereich geworden, der offensichtlich von Außenstehenden vornehmlich mit kirchlichen Jugend- und Basisgruppen in Zusammenhang gebracht wird. Neben der sonst relativ wenig zur Kenntnis genommenen Arbeit der Jugendverbände wird hier registriert, daß dieser kirchliche Bereich einen wesentlichen Beitrag zur öffentlichen Diskussion leistet und geleistet hat.

Aus historischer Distanz gesehen ist diese Entwicklung mehr überraschend als selbstverständlich. Wer sich mit den Anfängen der Jugendarbeit etwas vertraut gemacht hat oder Berichte und Bilder vor allem über die bündischen Gruppen der 20er und beginnenden 30er Jahre studiert hat, wird sich erinnern, welche bedeutende Rolle die „Form" gespielt hat: Fahrt und Lager, Kluft und Hemd, Fahnen und Verssprüche, Marschieren in Reihen, Führerprinzip, Gehorsam und Disziplin-Elemente, die man sicherlich nicht als bewußt militaristisch einstufen darf, die aber eine gewisse Nähe und Anlehnung an preußischen Geist und soldatisches Leben nicht verleugnen können.

Vergleicht man dies mit dem Erscheinungsbild der Jugendarbeit heute, dann wird deutlich, welche nachhaltigen Veränderungen in der äußeren Gestalt, in Arbeits- und Aktionsformen und in den Positionen, die kirchliche Jugendarbeit gegenwärtig vertritt, stattgefunden haben. Mit der Abwendung von den erwähnten Lebensformen in der Gruppe ist auch eine veränderte Einstellung zu und Bewertung von Militär, Krieg und Frieden zu beobachten. Dieser „Lernprozeß Friedensarbeit" hat sich in der Nachkriegszeit in mehreren Etappen und recht vielschichtigen Prozessen vollzogen.

Zum bestimmenden Thema wurde die Friedensfrage aber erst Ende der 70er

[1] Jugendforschung in der Bundesrepublik. Ein Bericht des SINUS-Instituts im Auftrag des BMJFG, Leverkusen 1984, 87.

Jahre, nicht zuletzt veranlaßt durch das Ende der Entspannungspolitik. Die wichtigsten Stationen dieser Entwicklung sollen hier nachgezeichnet werden, da sich an ihnen der gegenwärtige Stand der Friedensarbeit am besten darstellen läßt. Dieser Prozeß vollzog sich nicht allein in der Jugendarbeit, sondern ebenfalls in den Kirchen. Auch hier läßt sich in den letzten Jahrzehnten ein bemerkenswerter Wandlungsprozeß erkennen. Welche Bedeutung dieser Veränderung zukommt, wird man dann ermessen können, wenn man sich vor Augen führt, daß in den christlichen Kirchen und in der abendländischen Theologie das Friedensthema keine oder nur eine sehr untergeordnete Rolle gespielt hat, wirkliche Friedensarbeit nur auf den Seitenpfaden der Kirchengeschichte zu finden ist. Die starken Auseinandersetzungen, die sich seit den 50er Jahren bis in die Gegenwart vor allem in der Evangelischen Kirche gezeigt haben, geben zu erkennen, daß ein geschichtlich gewachsenes, einigendes Band von Bekenntnis- und Glaubensüberzeugungen im Hinblick auf die christliche Friedensverantwortung fehlt und erst neu erarbeitet werden muß. Da dies ein wichtiger Hintergrund zum Friedensthema in der Jugendarbeit ist, sollen dazu einige Beobachtungen vorausgeschickt werden.

1. Gibt es eine christliche Friedenstradition?

Obwohl in kaum einer theologischen Dogmatik das Stichwort „Frieden“ zu finden ist, spielt es im Alten und Neuen Testament eine wichtige Rolle.
Die alttestamentliche Schöpfungsgeschichte macht deutlich, daß die Welt in Frieden und Gerechtigkeit (Schalom) geschaffen wurde. Der Einbruch der Sünde bringt Haß, Mord und Krieg in die Welt. Der Bund, den Gott mit Noach, Abraham und Mose schließt, bedeutet, daß Gott seinem Volk zu Hilfe kommt, ihm Recht und Schutz garantiert. Das Königtum in Israel wird zum Anwalt des Friedens, sofern es an das göttliche Gesetz gebunden ist. Die Erwartung eines universalen, das heißt völkerumspannenden Friedens richtet sich auf die Zukunft eines neuen Bundes und das Erscheinen des Messias als Vorboten. Dieser Frieden umfaßt nicht nur die gesamte Völkerwelt, sondern auch die nichtmenschliche Natur. Die prophetische Hoffnung auf das Ende aller Kriege, wenn „die Schwerter zu Pflugscharen und die Sicheln zu Winzermessern umgeschmiedet“ werden (Jes 2,4; Mi 4,3f.), wurde zum Urbild christlicher Friedensutopien. Nicht zufällig ist dieses Bild („Schwerter zu Pflugscharen“) das Leitmotiv der von der kirchlichen Jugendarbeit in der DDR initiierten Friedensdekaden und auch über diesen Kreis hinaus Symbol eines christlich-pazifistischen Engagements geworden.
Im Neuen Testament gibt sich Jesus als der verheißene Messias zu erkennen. Die Gemeinde bekennt, daß er selbst in seiner Person der göttliche

Bringer des endzeitlichen Heils ist. In der Bergpredigt wendet er sich gegen eine Ordnung, die lediglich auf Gesetzestreue beruht und nur scheinbar dem Frieden dient. In seiner Predigt und seinen Taten als auch in seinem Tod sieht die Gemeinde ein Zeichen der Versöhnung zwischen Gott und Menschen und eine Überwindung des Todes als der Grundursache aller menschlichen Entzweiung. Doch bis heute ist der Auslegungsstreit nicht beigelegt, ob das neutestamentliche Friedensverständnis sich auch auf die Strukturen sozialer und politischer Ordnungen bezieht oder vordringlich auf das Verhältnis von Gott und Mensch, aus dem erst friedensfähige Menschen erwachsen können. So ist auch in der gegenwärtigen Diskussion die Berufung auf die Bergpredigt belastet, wenn nicht nur von führenden Politikern behauptet wird, die Aussagen der Bergpredigt seien nicht „politikfähig".
Am stärksten wurde das Friedensverständnis durch die Beziehung der Kirche zum Staat bestimmt. Kirchenväter des 4. Jahrhunderts, wie z.B. Tertullian, waren der Auffassung, daß ein Christ im Römischen Reich nicht am Kriegsdienst teilnehmen dürfe. Doch das Motiv dieser Überzeugung wurzelt weniger in den Verurteilung jeglichen Krieges als vielmehr in der Ablehnung der römisch-heidnischen Kulte, die in den Streitkräften besondere Ausprägung fanden. So hat sich auch hier keine im eigentlichen Sinn kriegsverneinende Tradition gebildet.
Mit der Erklärung des Christentums zur römischen Staatsreligion mußte die christliche Lehre in Einklang gebracht werden mit dem Selbstverständnis des Staates und dessen Auffassung von Frieden.
Die Kirche, selbst zum Machtfaktor geworden, gewann ein neues Friedensverständnis, das im Miteinander von biblischer Theologie, zeitgeschichtlichen und politischen Notwendigkeiten sehr ambivalent und spannungsreich blieb. Auf der einen Seite verstand sich Kirche selbst als Verkörperung himmlischer Macht (Christus Pantokrator) und Friedens, der anderen auch in missionarischer Absicht kriegerisch aufgezwungen werden konnte. Auf der anderen Seite gab es zweifellos auch Versuche zur Begrenzung von Ungerechtigkeit, Krieg und Militarismus. Die kirchlichen Initiativen zur Einführung des „Gottesfriedens" und des „Landfriedens" im 11. Jahrhundert waren Bemühungen um eine zeitliche und räumliche Begrenzung von Fehden und zum Schutz Wehrloser. Neben herausragenden Personen der Kirchengeschichte wie z.B. Franz von Assisi, deren Haltungen und Engagements erst wieder neu entdeckt werden mußten, sind Friedensinitiativen im heutigen Sinn nur auf Nebenpfaden der Kirchengeschichte zu finden und fast alle ohne weitgreifende geschichtliche Folgen geblieben. Wer hier nach Traditionen von christlicher Friedensarbeit sucht, wird sich meist enttäuscht mit wenigen Spuren zufrieden geben müssen.
Für die breiten Ströme christlich-abendländischer Tradition waren vielmehr zwei Linien entscheidend.

In der Frömmigkeit des Volkes faßte - nicht zuletzt durch Einflüsse des Pietismus - eine mehr verinnerlichte, entpolitisierte Friedenssehnsucht Fuß. Der Frieden mit Gott als die Vorwegnahme des überirdischen Heils war deutlich getrennt vom irdischen Reichsfrieden. Christliches Friedensverständnis war eine innere Haltung von seelischer Qualität, keine politische Tugend, abgesehen davon, daß ein politisches Bewußtsein im breiten Volk erst ein Ergebnis der Einführung neuzeitlicher Demokratie geworden ist. Wo theologisch über Staat und Krieg nachgedacht wurde, ging es um die moralische Qualität von Kriegen. Nicht dieser als solcher, sondern der „ungerechte Krieg“ sollte als moralisch verwerflich verstanden und demzufolge kirchlich mißbilligt werden. Diese Lehre hat sich, unterstützt durch die enge Verflechtung von Thron und Altar, bis zu den berüchtigten Kriegspredigten des Ersten Weltkriegs und darüber hinaus erhalten.
So ist die Suche nach einer christlich-kirchlichen Friedenstradition keineswegs ergiebig, sondern eher enttäuschend und ernüchternd. Gleichzeitig läßt dies die Frage aufkommen, welche Anstöße es waren, die zu einer deutlichen Veränderung dieses Bildes beigetragen haben.

2. Anstöße zur christlichen Friedensarbeit

Die Anstöße kamen ohne Zweifel von außen und nicht aus den Kirchen selbst, auch nicht aus der Jugendarbeit. Die beiden Weltkriege haben das Nachdenken über den Sinn kriegerischer Auseinandersetzungen sowohl in der Bevölkerung als auch in der Theologie ausgelöst, wenn auch sehr zögernd und langsam. Es waren Initiativen vor allem aus dem ökumenischen Feld, die hier vorangingen, wie z.B. die Gründung des „Weltbunds für internationale Freundschaftsarbeit der Kirchen“ (1914). Während des Zweiten Weltkriegs wiederum versuchte Dietrich Bonhoeffer im Kontext seiner ökumenischen Ansätze über eine Theologie des Friedens nachzudenken, die aber ohne Echo blieben.
(1) Unter dem Eindruck des Zweiten Weltkriegs haben in den ersten Nachkriegsjahren sowohl die Evangelische als auch die Katholische Kirche eine bedingungslose Verurteilung des Krieges gefordert.[2]
(2) Der Abwurf der ersten Atombomben auf Hiroshima und Nagasaki im August 1945 blieb in den Kirchen ohne Reaktion. Erst Jahre später, als sich das Problem atomarer Bewaffnung auch für Deutschland stellte, wurde ein grundsätzliches Nachdenken in Gang gesetzt. Man begann zu erkennen, daß durch Nuklearwaffen eine qualitativ neue Stufe der Auseinandersetzung um Krieg und Frieden erreicht ist. Am deutlichsten wurde dieses Problem in den

[2] Vgl. den Mainzer Katholikentag 1948 und die Erklärungen der EKD, Berlin/Weißensee 1950.

50er Jahren von dem Philosophen Günter Anders beschrieben, dessen Einsichten in den letzten Jahren erneut und intensiv studiert wurden. Die qualitativ neue Situation wurde von kirchlicher Seite aus durchdacht und fand einen Niederschlag unter anderem in der 1. These der sogenannten „Heidelberger Thesen“ von 1959, wenn dort formuliert ist: „Der Weltfriede wird zur Lebensbedingung des technischen Zeitalters.“

(3) Die Beurteilung nuklearer Waffen zusammen mit der Frage der Wiederbewaffnung führte die Evangelische Kirche in den 50er Jahren in eine ihrer härtesten Kontroversen und an den Rand einer Spaltung.

„Die unter uns bestehenden Gegensätze in der Beurteilung der atomaren Waffen sind tief. Sie reichen von der Überzeugung, daß schon die Herstellung und Bereithaltung von Massenvernichtungsmitteln aller Art Sünde vor Gott ist, bis zu der Überzeugung, daß Situationen denkbar sind, in denen in der Pflicht zur Verteidigung der Widerstand mit gleichwertigen Waffen vor Gott verantwortet werden kann. Wir bleiben aber unter dem Evangelium zusammen und mühen uns um die Überwindung dieser Gegensätze.“[3]

Die Härte der Auseinandersetzungen war zweifellos der Tragweite des Problems angemessen. Die Herausforderung wurde gesehen, doch die unterschiedlichen Konsequenzen teilte die Evangelische Kirche in (mindestens) zwei Lager, eine Situation, die sich von der heutigen Situation nur graduell unterscheidet. Die Herausforderungen im ersten Nachkriegsjahrzehnt haben die Kirchen bewegt und Prozesse in Gang gebracht, aber gleichzeitig zu einer unterschiedlichen Einschätzung und Beurteilung geführt. Überspitzt gesagt: Es gibt Friedensarbeit und Friedensengagement *in der* Kirche, aber es gibt kein eindeutiges Friedensengagement *der* Kirche.

3. Wehrdienst und Kriegsdienstverweigerung als seelsorgerliches Problem

Überblickt man die kirchliche Jugendarbeit dieser Zeit, dann bemerkt man, daß diese von den beschriebenen Entwicklungen relativ unbeeindruckt geblieben ist. Man wird dabei natürlich sehen müssen, daß kirchliche Jugendarbeit noch sehr stark von bündischen Formen geprägt war und inhaltliche Schwerpunkte hatte, welche die politische Bildungsarbeit in heutiger Gestalt noch nicht kannte. Es gab nur wenige Leiter in der Jugendarbeit, die sich aktiv mit diesen Fragen auseinandersetzten. Ebenso war es für die Evangelische und Katholische Jugend eine neue Situation, innerhalb des Deutschen Bundesjugendringes (DBJR) eine Sprecherrolle für den Bereich der konfessionellen Jugendarbeit wahrzunehmen und sich zu öffentlich wichtigen

[3] Vgl. EKD-Synode, 1958.

Fragen zu äußern. In diese ohne Zweifel neue Aufgabe mußte man sich erst einfinden.
Neben den Positionen des BDKJ zur Wiederbewaffnung - 1951: „keine Stellungnahme "; Elmsteiner Erklärung 1952 „für die Wiederbewaffnung" - und den zahlreichen Äußerungen der aej zur gesamtdeutschen Frage, ist die Positionsbestimmung zur Frage von Wehrdienst- und Kriegsdienstverweigerung wichtig. Während auf katholischer Seite eine offizielle Anerkennung der Kriegsdienstverweigerung erst 1967 erfolgte (Enzyklika „Populorum progressio"), äußerte sich die Evangelische Jugend Deutschlands 1952 und 1958 dazu und stimmte der Möglichkeit der Kriegsdienstverweigerung ausdrücklich zu.
„Sie erklärte, daß der Krieg die menschlichen Konflikte nicht lösen kann. Sie lehnte es ab, daß Waffen gesegnet werden und ein Kreuzzug mit den Waffen für irgendwelche sogenannten christlichen Ideale oder einen scheinbar gerechten Krieg proklamiert wird. Sie warnt vor der Sicherheit, als böten Wiederaufrüstung oder Waffenlosigkeit eine letzte Gewähr für den Frieden."[4]
Die Entscheidung für oder gegen Wehrdienst werden beide als legitime Möglichkeiten eines jungen Christen angesehen.
„Die Gründe und Gegengründe haben sich vor dem Gewissen des Einzelnen zu rechtfertigen, werden vor ihm abgewogen. Gewissensentscheidung von Christen ist die Frucht des Hörens auf das Wort Gottes, des Gebetes, des ernsthaften Gespräches mit Brüdern, auch mit solchen, die die politischen Tatbestände anders beurteilen."[5]
Sowohl der Dienst mit der Waffe als auch dessen Verweigerung wird hier als eine mögliche Konsequenz christlicher Gewissensprüfung angesehen. Aus dem Hören des Wortes Gottes können sich beide dieser entgegengesetzten Wege ergeben. Diesen Entscheidungsprozeß zu vollziehen sei aber Sache des einzelnen. Die kirchliche Jugendarbeit müsse beide Möglichkeiten offenlassen, könne in dieser Sache nur Entscheidungshilfen anbieten. In den Stellungnahmen der Evangelischen Jugend Deutschlands werden deshalb Fragen und Argumente aufgelistet, um den Jugendlichen aufzufordern, sich selbst in dieser Entscheidungssituation zu prüfen und ernsthaft zu entscheiden. Der Jugendarbeit kommt deshalb bei einer grundsätzlichen Verurteilung des Krieges die Aufgabe einer seelsorgerlichen Beratung und Begleitung zu.

[4] Votum der EJD zum Waffendienst, 1952, in: *aej* (Hrsg.), Mut zum Frieden, Stuttgart 1982, 198.
[5] Wort an die wehrpflichtigen jungen Christen, 1958, in: ebd., 199.

4. Friedensarbeit als pädagogische Aufgabe

Ein weiterer Schritt vollzog sich in der zweiten Hälfte der 60er Jahre. Man kann diese Zeit beschreiben als die Entdeckung der pädagogischen Dimension der Friedensarbeit in den Jugendverbänden. Der Hintergrund eines veränderten Denkens läßt sich andeuten mit der beginnenden Schüler- und Studentenbewegung, der Vertriebenen-Denkschrift der Evangelischen Kirche von 1965, die wesentlichen Einfluß auf die Entspannungspolitik hatte, die Gründung verschiedener Initiativen und Gruppen im Bereich der Friedensarbeit (Aktionsgemeinschaft Dienste für den Frieden [AGDF] 1967, Katholische Arbeitsgemeinschaft für Kriegsdienstverweigerung 1968 und andere) und die Diskussionen zum Thema Frieden auf Kirchen- und Katholikentagen. Hartmut von Hentigs Vorträge und Thesen zur „Erziehung zum Frieden" beim Kirchentag 1967 in Hannover wurden in den Jugendverbänden intensiv aufgegriffen.

Zwei Dokumente lassen sich nennen, die diesen Schritt zu bewußter pädagogischer Friedensarbeit deutlich machen.

1967 verabschiedete die Arbeitsgemeinschaft der Evangelischen Jugend Deutschlands (AGEJD) den Entwurf eines Arbeitsvorhabens, das versuchte, Frieden als Leitmotiv evangelischer Jugendarbeit in ihren vielfältigen Dimensionen und Aufgabenbereichen zu verstehen.

„Evangelische Jugendarbeit hat heute und morgen zum Frieden in der Welt beizutragen. Sie gründet darin, daß Gott die Welt mit sich selbst versöhnt und ihr die Zukunft seines Friedensreiches eröffnet hat. Aus dieser Blickrichtung ihres Auftrags folgt, daß sie den jungen Menschen hilft, heute diejenigen Verhaltensweisen einzuüben, die sie brauchen, um morgen an ihrem Teil zum Frieden in der Welt beizutragen und zu erkennen, was für ihn erforderlich ist."[6]

Die Einsicht, daß Jugendarbeit ihre Rolle nicht nur im Hinblick auf die individuelle Reifung des einzelnen Jugendlichen oder im Rahmen der Kirchengemeinde zu bestimmen habe, sondern auch im Kontext der Gesellschaft, schlägt sich deutlich nieder, wenn formuliert wird: „Damit ist vorausgesetzt, daß evangelische Jugendarbeit sich als ein relevanter Faktor und verantwortlicher Partner einer Gesellschaft versteht, die den Frieden wollen und suchen muß ... Die Verantwortlichen für evangelische Jugendarbeit müssen sich über den Beitrag zum Frieden klar werden, den Jugendarbeit in der Perspektive dieser weittragenden Entwicklungen leisten kann

- als politischer Faktor,

[6] Was soll uns der Frieden kosten?, Stuttgart 1967, 39.

- als gesellschaftlicher Faktor,
- als Feld der Verkündigung, Erziehung und Lebenshilfe."[7]

Charakteristisch für diesen Entwurf ist, daß eine Fülle von Projekten und möglichen Arbeitsvorhaben empfohlen werden, die von der theologischen Beschäftigung über Material für Unterricht und Gruppe bis zur Frage der friedensfördernden Struktur der Jugendverbände selbst reicht. Viele Arbeitsvorhaben kamen nicht zur Ausführung, weil dieser Text wenig später durch aktuelle Entwicklungen überholt wurde.

Die katholische Jugendarbeit beschäftigte sich 1969 mit dem Thema Frieden. Die Hauptversammlung des BDKJ verabschiedete eine Erklärung „Dienste für den Frieden", in der die offizielle Anerkennung der Kriegsdienstverweigerung durch das Zweite Vatikanische Konzil unterstrichen und ähnlich wie auf evangelischer Seite die Gleichrangigkeit der „Friedensdienste mit und ohne Waffen" formuliert wird: „33. Der Dienst mit Waffen im Rahmen der Streitkräfte dient der Erhaltung und Sicherung des Friedens. Der Dienst ohne Waffen dient dem Ausbau und der Ausbreitung des Friedens. Beide Dienste bedingen einander."[8]

Gleichzeitig wird die Notwendigkeit einer bewußten Erziehung zum Frieden betont: „Eine bewußte Erziehung zum Frieden ist notwendig, da ein Engagement für den Frieden eine Bewußtseinsentwicklung voraussetzt. Friedenserziehung ist als die unserer Zeit angemessene Form der Erziehung überhaupt anzusehen. Es kommt nicht in erster Linie darauf an, einzelne Einsichten zu vermitteln. Auch Sachwissen und Informationen, so notwendig sie sind, erreichen nicht ihr Ziel, wenn Frieden nicht als durchgängiges Prinzip der Erziehung aufgefaßt und eingeübt wird. Frieden muß vor allem als reale politische Kategorie in die gesamte schulische und außerschulische Bildung und in die soziale und politische Praxis Eingang finden. Besondere Möglichkeiten der Friedenserziehung, die gerade Jugendverbände und die Jugendarbeit leisten können, sind vor allem: die Einübung von Selbständigkeit und Mitverantwortung, von Partnerschaft und Solidarität in nächster Umgebung, im nationalen und internationalen Bereich der Abbau von Vorurteilen; die Vermittlung von Verhaltensformen, denen alle autoritären Elemente fremd sind, die stärkere Kontrolle des Aggressionstriebes; die Einübung gewaltloser Aktionen; das Leisten von Friedensdiensten; der Protest gegen jeglichen Krieg und jegliche Unterdrückung, das Eintreten für Freiheit und Selbstbestimmung. Wenn die Jugendverbände und die Jugendarbeit solche Möglichkeiten verwirklichen, tragen sie zur Ausbreitung einer neuen Friedensgesinnung unter den Menschen bei."[9]

[7] Ebd., 39f.
[8] Dienste für den Frieden, unter anderem abgedruckt in: *G. Gugel/K. Lange-Feldhahn* (Hrsg.), Friedenserziehung in der Jugendarbeit, Tübingen 1982, 59.
[9] Ebd., 57.

In diesem Papier findet sich jedoch auch ein längerer Abschnitt über „Friedensdienste als Hilfs- und Entwicklungsdienste". Damit wird eine Richtung angedeutet, in die sich die Friedensarbeit in den kommenden Jahren bewegen sollte: „Entwicklung ist der neue Name für Frieden."[10]

5. Frieden und entwicklungspolitisches Engagement

Mit Beginn der 70er Jahre nimmt die entwicklungspolitische Arbeit als ein neues Feld einen breiten Raum ein und schafft einen Konzentrationspunkt für den Bereich der Friedensarbeit. Der Aufruf von AGEJD, BDKJ und zwei anderen Organisationen zum Friedensmarsch im Mai 1970 knüpfte an Vorbilder in den USA an und schuf den Durchbruch für eine neue Form öffentlicher Arbeit der Jugendverbände.

Die Hintergründe für das neue entwicklungspolitische Bewußtsein sind vielfältig. Neben Vietnam und Biafra, den Autonomiebewegungen in den ehemaligen Kolonien, die Diskussion in der Ökumene um die „Theologie der Revolution", Anstöße der Enzyklika „Populorum progressio" (1967) und anderes schufen nicht nur im kirchlichen Bereich eine große Bereitschaft, sich den Fragen der Dritten Welt zu stellen und den Zusammenhang zwischen Verteidigungs- und Entwicklungspolitik zu sehen.

Neben der Gründung eines gemeinsamen Entwicklungspolitischen Arbeitskreises von AGEJD und BDKJ, der Gründung von Aktion Dritte Welt Handel, den erwähnten Friedensmärschen, der UNCTAD-Kampagne 1972 und weiteren UNCTAD-Kampagnen 1976, 1979 und 1983, der „Aktion Wahlkampf für die Dritte Welt" 1972, dem Angola-Sonntag 1973 und der Namibia-Woche 1975 bis zur gegenwärtig laufenden Kampagne gegen Rüstungsexporte gab es vielfältige Aktionen und Projekte, die zumeist in ökumenischer Kooperation der konfessionellen Jugendverbände durchgeführt wurden und in Zusammenarbeit mit weiteren Gruppen aus dem kirchlichen Bereich, teilweise auch darüber hinaus. Diese Entwicklung hat eine Reihe von Einsichten und Erfahrungen für die Friedensarbeit erbracht:

- Friedensarbeit kann heute nur weltweite Dimensionen haben. Die europäische Situation des Nicht-Krieges seit 1945 läßt zu leicht vergessen, wie viele Kriege seitdem in der Dritten Welt geführt wurden bzw. werden. Selbst dort, wo keine militärischen Auseinandersetzungen stattfinden, ist die Situation oftmals von struktureller Gewalt gekennzeichnet.

„Die Situation in den Ländern der Zweidrittelwelt ist um so mehr eine Herausforderung an die Christen, als sie charakterisiert werden kann als eine Situation latenten Krieges und institutionalisierten Unfriedens, struktureller

[10] *Papst Paul VI,* Rede vor der UNO, 1965.

Gewalt. Sie ist gekennzeichnet durch extreme Ungleichheiten - sowohl zwischen reichen und armen Ländern wie auch in den Ländern der Zweidrittelwelt selbst - materielle Ausbeutung, politische und kulturelle Fremdbestimmung."[11]

Die Frage nach dem Frieden kann nicht mehr ohne die Frage nach der Gerechtigkeit gesehen werden.

- Frieden hat auch eine wirtschaftliche Dimension. Die Aktion Dritte Welt Handel hat versucht, den Verkauf von Waren aus genossenschaftlichen Betrieben der Dritten Welt mit bewußtseinsbildender Arbeit hier zu verbinden. Friedensarbeit ist Bildungsarbeit, die auf ein Verstehen und Durchschauen wirtschaftlicher Strukturen zielt.
- Mit den „Sechs politischen Forderungen an die Bundesregierung" beim Friedensmarsch 1970 verstand sich Jugendarbeit als politischer Faktor. Konkrete Forderungen zu stellen, hat eigene Sachkenntnis und Ausarbeitung tragfähiger und vorwärtsweisender Vorschläge zur Voraussetzung. Mit dem 1978 verabschiedeten Entwicklungspolitischen Positionspapier der Evangelischen Jugend wurde versucht, auch zu brennenden Problemen wie „Weltwirtschaftsordnung" und „Südliches Afrika" Positionen zu entwickeln.
- Die kirchliche Jugendarbeit wurde neu mit der Frage konfrontiert, wie man sich bei Aktionsbündnissen mit anderen kirchlichen und nicht-kirchlichen Gruppen verhalten will, die ähnliche Ziele verfolgen. Man orientierte sich dahin, daß man solche Kooperationen jeweils im Hinblick auf bestimmte Aktionen entscheiden will. Gleichzeitig macht dies erforderlich, daß die eigenen Positionen geklärt sind und Rückhalt in den eigenen Reihen haben, um Kriterien und Ziele für Kooperationen offenlegen zu können.

6. Friedensbewegung und Rüstungssituation

Die Zeit um 1979/1980 bedeutete einen Neubeginn in der Friedensdiskussion. Dies Thema beherrscht seitdem nicht nur die politischen und öffentlichen Diskussionen, sondern führte auch in Kirche und Jugendarbeit zu intensiver Beschäftigung und Auseinandersetzungen. Mit dem Ende der Entspannungspolitik, dem Nato-Doppelbeschluß von 1979 und dem Einmarsch in Afghanistan waren Daten gesetzt, die die existierenden Friedensgruppen und Initiativen verstärkt aktiv werden ließen. Dies fand eine bisher nicht gekannte Resonanz in der Bevölkerung.

Es waren vor allem Gruppen aus dem evangelischen Raum, die eine Sprecherfunktion der (neu) entstandenen Friedensbewegung wahrnahmen. Das von der Aktionsgemeinschaft Dienste für den Frieden (AGDF) und Aktion

[11] Entwicklungspolitisches Positionspapier der aej, 1978, in: Mut zum Frieden, a.a.O., 128.

Sühnezeichen/Friedensdienste erarbeitete Motto „Frieden schaffen ohne Waffen“ war ein Leitmotiv der Anfang der 80er Jahre beginnenden jährlichen Friedenswochen. Damit war signalisiert, daß nunmehr die Rüstungssituation, insbesondere die Frage der weiteren atomaren Aufrüstung, der Zielpunkt der Aktionen sein sollte. Dieses Motto ließ noch offen, ob es hier um eine uneingeschränkt pazifistische Position gehen soll, die eine Verweigerung jeden Dienstes mit der Waffe ablehnt, oder um eine sogenannte nuclear-pazifistische Position, die die Bereithaltung und den Einsatz von Atomwaffen für unvertretbar hält, oder um weitere differenzierende Positionen. Die starke Resonanz dieses Mottos lag vielleicht darin, daß die Ablehnung eines weiteren Aufrüstungsschrittes moralische Gründe hat, ohne schon einen Konsens im Hinblick auf bestimmte militärpolitische Optionen vorauszusetzen. Eine entsprechende Gegenaktion wurde gegründet, die sich für die Notwendigkeit der „Sicherung des Friedens“ mit gleichwertigen Waffen einsetzte.

Damit waren Eckpunkte markiert, die die Friedensdiskussion in den kommenden Jahren bestimmten. Der Denkschrift der Evangelischen Kirche in Deutschland[12], die sich für gradualistische Schritte in Richtung auf eine umfassende Abrüstung einsetzt, aber die Bereithaltung von Atomwaffen weiterhin als noch christlich vertretbar hält, stellte der Reformierte Bund sein „Nein ohne jedes Ja“ gegenüber: „Dieses Bekenntnis unseres Glaubens ist unvereinbar mit der Entwicklung, Bereitstellung und Anwendung von Massenvernichtungsmitteln, die den von Gott geliebten und zum Bundespartner erwählten Menschen ausrotten und die Schöpfung verwüsten könnte.“[13]

Eine zusammenfassende Übersicht über diese sehr grundlegenden Diskussionen kann hier nicht gegeben werden. Ich verweise dazu auf vorliegende Darstellungen, Dokumentationen und Übersichten[14].

Auch die Jugendarbeit registrierte ein zunehmendes friedenspolitisches Interesse unter Jugendlichen. In einem Bericht der Schülerarbeit im Rheinland von 1980 heißt es unter anderem: „Noch nie war ein Landestreffen der esr (= Evangelische Schülerarbeit im Rheinland) so gut besucht wie das ... am 19. November 1980 ... Lag es am Thema? Wir verspüren zur Zeit eine wachsende Sensibilität für das Thema ‚Frieden‘ ... Der NATO-Nachrü-

[12] Denkschrift der EKD, Frieden wahren, fördern und erneuern, Gütersloh 1981.

[13] Moderamen des Reformierten Bundes, Das Bekenntnis zu Jesus Christus und die Friedensverantwortung der Kirche, 1982, unter anderem abgedruckt in: Mut zum Frieden, a.a.O., 254ff.

[14] Siehe Literaturhinweise; zusammenfassende Übersichten (in synoptischer Darstellung) bieten unter anderem *T. Risse-Kappen,* Ethische Probleme der Sicherheitspolitik II. Analyse und synoptische Dokumentation von Stellungnahmen aus den Kirchen in der Bundesrepublik Deutschland, KAEF Dokumentation 13, Bonn 1982; *I. Baldermann,* Die EKD und der status confessionis, in: Zur Situationsbestimmung christlicher Friedensarbeit, als Manuskript gedruckt, Nordhorn 1984.

stungsbeschluß vom 12. Dezember 1979 und die anstehende Realisierung (ab 1983 sollen Mittelstreckenraketen mit Mehrfachsprengköpfen und einer Reichweite von über 3000 Kilometern in der Bundesrepublik installiert werden) hat die esr wachgerüttelt."

Ebenso groß war das Interesse an den jährlich stattfindenden Friedenswochen, den Kirchentagen und Katholikentagen, zu denen jeweils auch Kampagnen und Kundgebungen geplant wurden, zu den großen Demonstrationen (10. 10. 1981 in Bonn und andere) sowie den Ostermärschen.

Sowohl die Evangelische Jugend als auch der BDKJ beschlossen 1980, die Friedensthematik zum Schwerpunktthema für die kommenden Jahre zu wählen. Die Mitgliederversammlungen beider Verbände beschlossen „Startpositionen", die die Zielrichtung der kommenden Arbeit umschreiben sollten. Auf seiten der aej wurde das Verhältnis zum „Friedensdienst mit der Waffe" als einer der zentralen Diskussionspunkte definiert.

„Ohne daß die ethischen Fragen an die Legitimität des Besitzes und Einsatzes von atomaren Waffen ausdiskutiert sind, angesichts verschiedener qualitativ neuer Waffensysteme, vor allem aber angesichts der nur noch theoretisch bestehenden Möglichkeit der Unterscheidung zwischen Angriffs- und Verteidigungswaffen, stellt sich für viele Christen heute die Frage, ob weiterhin unterschiedslos von einer gleichen Qualität des Friedensdienstes mit und ohne Waffen gesprochen werden darf."[15]

Vier Jahre später beschloß die aej einen umfassenden Text „Leitlinien zur Friedensarbeit in der Evangelischen Jugend", der eine vorläufige Zusammenfassung des Diskussionsprozesses darstellt. Zu dieser Frage wird nunmehr festgestellt:

„Gemeinsam sind wir nach langen Diskussionen der Überzeugung, daß die sogenannte Komplementaritätsformel vom ‚Friedensdienst mit und ohne Waffen', die vor mehr als 15 Jahren durch die Diskussion in der aej selbst entwickelt worden ist, aufgekündigt werden muß."[16]

Im Anschluß an die Begründung dieser Thesen heißt es unter anderem:

„Gerade deswegen halten wir die Entscheidung für den Dienst in der Bundeswehr nur noch unter der Voraussetzung für möglich, daß sie mit entschiedenem Einsatz für Abrüstung und Entspannung verbunden ist."[17]

Auch auf katholischer Seite sind in einer Reihe von Punkten Fortschritte und Präzisierungen erfolgt. In den „Startpositionen" 1980 wurde beispielsweise noch vorsichtig formuliert:

„Auch einseitige Abrüstungsvorleistungen können, ohne die eigene Sicher-

[15] Mitgliederversammlung der aej 1980, Schwerpunktthema Frieden, in: Mut zum Frieden, a.a.O., 43.

[16] *aej* (Hrsg.), Leitlinien zur Friedensarbeit in der Evangelischen Jugend, Sonderdruck, Stuttgart 1984, 29.

[17] Ebd., 30.

heit zwangsläufig zu mindern, die Vertrauensbildung begünstigen."[18]
Im gemeinsam mit der aej verfaßten Friedenswochenaufruf 1982 formuliert man:
„Im Hinblick auf Verhandlungen, die darauf abzielen, alle Atomwaffen mittlerer Reichweite mit Zielen in Europa abzubauen, sprechen wir uns auch für einseitig kalkulierte Abrüstungsschritte des westlichen Verteidigungsbündnisses NATO aus, in der Erwartung, daß solche vertrauensbildenden Maßnahmen von den Staaten des Warschauer Paktes mit entsprechenden Abrüstungsschritten beantwortet werden."[19]
Trotz einmütig beschlossener Positionen gibt es sowohl in evangelischen als auch in katholischen Bereichen noch tiefgreifende Meinungsdifferenzen in Friedensfragen. Während auf katholischer Seite die Pole sich mehr auf Verbände und Vertreter der Jugendarbeit hier und Bischofskonferenz und offizielle kirchliche Gremien da beschreiben lassen, stehen auf evangelischer Seite engagierte progressive Gruppen den mehr staatskonservativen Positionen sowie einigen Teilen der missionarisch und evangelistisch orientierten Gruppen gegenüber.
Während auf der einen Seite warnend darauf hingewiesen wird, daß es in dieser Überlebensfrage der atomaren Bedrohung auch ein „zu spät" geben kann und die Kirche nicht (wieder) ihr Wächteramt angesichts einer drohenden Weltkatastrophe versäumen darf, sehen andere wiederum die atomare Bedrohung als eine für den Glaubenden nur relative Gefahr oder die Notwendigkeit, einer Bedrohung von seiten des Ostblocks mit (mindestens) gleichen Mitteln entgegenstehen zu müssen.

7. Friedensarbeit und neuer Lebensstil

Mit dem Vollzug der Stationierung von Mittelstreckenraketen wurde offenkundig, daß die Friedensbewegung das gesteckte Ziel, nämlich die Vermeidung weiterer Aufrüstungsschritte, nicht hat erreichen können. Eine Enttäuschung über die Unwirksamkeit von Appellen und Warnungen brach den bestehenden Elan der Bewegung. So wurde im Jahr 1984 eine Neubestimmung der Nahziele der Friedensarbeit notwendig, zumal neue Herausforderungen und Probleme - wie die Verteilung der Arbeit, Umweltfragen, Ausländerpolitik - die weitere Aufmerksamkeit für die Rüstungsprobleme zu verdecken drohten.
Auf der anderen Seite wurden nunmehr neue Teilziele erarbeitet und abge-

[18] Hauptversammlung des BDKJ, Frieden und Gerechtigkeit - Startpositionen, id-Dokumentation, Sonderdruck, 4.
[19] Mut zum Frieden, a.a.O., 19.

stimmt im Hinblick auf eine politische Meinungsbildung und Einflußnahme. Dies bezieht sich auf die angekündigten Vorhaben zur Militarisierung des Weltraums wie Initiativen gegen die weitere Militarisierung der Dritten Welt durch Rüstungsexporte. Auf der anderen Seite wurde mehr und mehr deutlich, daß es notwendig ist, neben dem Engagement zur Vermeidung weiterer Aufrüstungsschritte auch positive Perspektiven einer langfristigen Friedensarbeit zu entwickeln. Die Bewegung für den Frieden ist eine Bewegung für das Leben. Die Zerstörung der Umwelt ist ebenso wie die ungerechten Handelsstrukturen zur Dritten Welt und die atomare Rüstung das Ergebnis eines lebensverneinenden Denkens. Friedensarbeit beginnt deshalb bei den Konsequenzen des eigenen Lebensstils im Sinne des „Global denken und lokal handeln".

Erhard Eppler hat diesen notwendigen Schritt zur Verknüpfung von Entwicklungspolitik, Friedensbewegung und Ökologiebewegung klassisch formuliert:

„Friedensbewegung ist mehr als Protest gegen Raketen, mehr als nur Aufschrei gegen manches törichte Gerede, das über den Atlantik drang. Das war Anlaß, Auslöser. Dahinter steht der Aufstand des Lebendigen gegen die Logik und Mechanik des Todes, gegen einen Geist, der die Methoden der Schädlingsvernichtung auf die militärische Sicherung überträgt. Wer da glaubt, diese Bewegung werde wieder verschwinden wie die Atomtodbewegung der späten fünfziger Jahre, zeigt nur, wie hoffnungslos er an der Wirklichkeit vorbeilebt. Friedensbewegung wird getragen von der Liebe zum Lebendigen, zuerst zum anderen Menschen, zum Nächsten, aber auch zur Kreatur."[20]

8. Kirchliche Jugendarbeit als Friedensarbeit

Wenn in den bisherigen Ausführungen dargestellt wurde, welche Bedeutung die Friedensthematik für die kirchliche Jugendarbeit gewonnen hat, so wird man mit Recht die Frage stellen müssen, ob dies eine Entwicklung ist, die mehr der Institution Jugendarbeit, ihren Funktionären, Theologen und Mitarbeitern zuzuordnen ist, oder ob dies auch eine veränderte Einstellung bei Jugendlichen selbst signalisiert.

Die aej ist dieser Frage im Zusammenhang einer Befragung Jugendlicher während des Kirchentages 1983 in Hannover nachgegangen.[21] Obwohl die befragten Kirchentagsbesucher nicht unmittelbar repräsentativ sind für evan-

[20] *E. Eppler,* Frieden – Ökologie – Entwicklung, in: Friede ist der „Weg zum Frieden". Dienst der Versöhnung als Auftrag der christlichen Gemeinde, in: Theologia Practica/Themen der Theologie, 1-2/1983, München 1983, 153.

[21] *T. Schmieder/K. Schuhmacher* (Hrsg.), Jugend auf dem Kirchentag, Stuttgart 1984.

gelische Jugendliche insgesamt, lassen sich dennoch gewisse Tendenzen erkennen. Das Thema Frieden - unmittelbar gefolgt vom Themenkreis Umwelt und Schöpfung - fand mit Abstand das größte Interesse. Gleichzeitig sprachen sich 60% der Befragten dafür aus, daß die Kirche sich in Friedensfragen eindeutiger gegen Aufrüstung und atomare Bedrohung einsetzen sollte. Dies ist eine sehr hohe Prozentzahl, verglichen mit früheren Befragungen, bei denen die Mehrzahl von der Kirche eine politische Enthaltsamkeit erwartet. Die genauere Analyse zeigt, daß die Friedensfrage kein in engerem Sinn politisches Thema ist, das losgelöst neben Glaubensfragen steht, sondern daß gerade die Friedensfrage als eines der entscheidendsten, wenn nicht sogar als das entscheidende Bewährungsfeld des christlichen Glaubens gegenwärtig angesehen wird.
Auch aus anderen Beobachtungen läßt sich schließen, daß sich das Verständnis des christlichen Glaubens unter Jugendlichen in den letzten Jahrzehnten verändert hat. Fragen der Sozialethik wie Gerechtigkeit und Frieden sind nicht mehr nur Seitenthemen, sondern gerade die Kernfragen von Glauben und Kirche. Die genannte Untersuchung hat auch gezeigt, daß die befragten Jugendlichen zu einem sehr hohen Maß in der kirchlichen Jugendarbeit in ihren vielfältigen Gruppen und Angeboten engagiert sind oder zumindest ab und zu teilnehmen. Auch dies sollte Anlaß sein, den Zusammenhang von Jugendarbeit und Friedensengagement gründlicher zu bedenken.
Es gibt bisher wenig Überlegungen oder Erkenntnisse darüber, wie Jugendliche heute ihren Glauben verstehen und in welcher Weise die Friedensfrage darin verwoben ist. Die aej-Befragung kann dazu nur erste Hypothesen anbieten. Die starke Aktivität in Kirche und Jugendverbänden in Richtung auf die Ausarbeitung von Stellungnahmen und Positionen signalisiert ein Defizit in den überlieferten Grundgedanken christlichen Glaubens und kirchlichen Lehrens. Es besteht ein Nachholbedarf, um diese Lücke zu füllen.
Nachdem ich oben versucht habe, einige wesentliche Entwicklungslinien der Friedensarbeit und die Positionen zu einigen Sachfragen darzustellen, möchte ich die Frage stellen, ob es konzeptionelle Überlegungen gibt, in welcher Weise die Friedensthematik ein Grundmotiv evangelischer Jugendarbeit insgesamt sein kann oder sollte. Wenn solch ein deutlicher Zusammenhang in der Praxis der Jugendarbeit faktisch besteht, dürfte es sinnvoll sein, den Zusammenhang zwischen Friedensethik und Jugendarbeit in theologischer, pädagogischer und politischer Hinsicht zu durchdenken.
Um es vorweg zu sagen: Es hat in den letzten Jahren trotz der kaum mehr übersehbaren Anzahl von Stellungnahmen und Positionserklärungen kaum Versuche gegeben, diese Verbindung zu durchdenken. Ich möchte aber einige Punkte benennen, wo ich Ansätze dazu sehe.

(1) Christof Bäumler hat in zahlreichen Beiträgen zu einer kritischen Theorie kirchlicher Jugendarbeit seit Mitte der 60er Jahre versucht, in Anknüpfung an Jürgen Moltmanns „Theologie der Hoffnung", Jürgen Habermas' kritischer Gesellschaftstheorie und Überlegungen verschiedener Pädagogen (Mollenhauer und anderen) den Ort von Jugendarbeit im Kontext von Kirche und Gesellschaft zu bestimmen.

„Das von Jesus verkündigte Reich enthält das Versprechen neuer Menschen in einer neuen Welt, das scharfsinnig macht für das menschliche Elend unter dem gegenwärtig wirksamen Schema dieser Welt. Das Kreuz Jesu wird verstanden als der Ort, an dem dieser Widerspruch nicht nur am deutlichsten herauskommt, sondern zugleich der Prozeß der Erneuerung der Menschen in Gang kommt. Die Auferweckung des Gekreuzigten erschließt die Möglichkeiten menschlichen Lebens im Widerspruch zu unmenschlichen Verhältnissen."[22]

„Schwerpunkte evangelischer Jugend in der BRD werden erkennbar, wo die Perspektiven der biblischen Verheißung auf Struktur und Funktion der evangelischen Kirche in der Gesellschaft bezogen werden."[23]

Er nennt als solche Schwerpunkte die „Erfahrung von Freiheit", die „Entwicklung kooperativen Verhaltens (Liebe)", die „kritische Verarbeitung der Tradition in Orientierung an der verheißenen Zukunft des Reiches der Freiheit (Zukunft)", die „Parteinahme für die Entrechteten und Anleitung zu kritischem Engagement in der Gesellschaft (Gerechtigkeit)" und die „Anleitung zur Artikulation von gesellschaftlichen Konflikten und zur experimentierenden Entwicklung von Alternativen zu bestehenden gesellschaftlichen Strukturen (Friede)". Diese Überlegungen, die auf dem Hintergrund von 1968/1969 formuliert sind, unterstreichen die Freiheit, mit der evangelische Jugendarbeit sich gegenüber den vorfindbaren Sachzwängen verstehen soll. Sie reflektieren verständlicherweise noch nicht die Enttäuschungen, die sich bei denen eingestellt haben, die gehofft hatten, sowohl damals als auch durch das Friedensengagement der letzten Jahre einige konkrete und sichtbare Schritte mit dieser Hoffnung tun zu können. Auch sind die Überlegungen zur Rüstungssituation als einer umfassenden Bedrohung irdischen Lebens noch nicht einbezogen. Wäre von dem Ansatz einer Jugendarbeit unter der Perspektive des Reiches Gottes her die „experimentelle Entwicklung von Alternativen" zu versuchen oder das konsequente Nein zum atomaren „Sicherheitssystem"?

(2) An einer anderen Stelle setzt Heinz Leschonski mit seinen Überlegungen zur „Gegenwart der Versöhnung als Grund evangelischer Jugendarbeit"

[22] *Chr. Bäumler,* Schwerpunkte evangelischer Jugendarbeit in der Bundesrepublik Deutschland. Alternativen zum Bestehenden, in: M. Affolderbach (Hrsg.), Grundsatztexte zur evangelischen Jugendarbeit, Stuttgart/Gelnhausen 1982, 62.

[23] Ebd., 63.

ein.[24] Er geht auch von der These der kritischen Funktion von Jugendarbeit und Kirche in der Gesellschaft aus, fragt dann aber, ob es sich mit der verbalen Verkündigung von jenem verheißenen Reich Gottes so für Jugendliche leben läßt, oder ob nicht vielmehr die „Frage nach dem Anhalt solcher Hoffnung an gegenwärtiger Erfahrung" gestellt werden muß.

„Denn eben um gegenwärtige Erfahrungen, die sich anscheinend an der ‚Verkündigung' allein nicht mehr gewinnen lassen, geht es einer Jugendarbeit, in der - wie heute gerne betont wird - der Inhalt des Evangeliums verwirklicht werden soll."[25]

Im Rückgriff auf den Theologen Herrmann betont er, daß Gott uns auch in den wirklichen Ereignissen dieser Welt nahetritt. Neben dem Hinweis auf die „Macht der sittlichen Güte Gottes, die uns ergreift", und dem Verweis auf „das Dasein Jesu in unserer Welt" hat er jedoch Schwierigkeiten, seine eigene Forderung einzulösen. Leschonski begnügt sich damit, festzustellen, daß die christliche Gemeinde der Ort ist, an dem Versöhnung erfahrbar werden kann. Dieses vermittelt sich als ein Grundvertrauen in die Liebe Gottes durch Jesus Christus.

„Ob die Vermittlung dieses Vertrauens in der Jugendarbeit gelingt, hängt freilich von der ‚Intensität der Sinnerfahrung und der inneren Überzeugungskraft der Wahrheit des mit Gott gelebten Lebens' ab, oder anders gesagt: von unseren Gemeindegliedern, vornehmlich von denen, die Jugendarbeit betreiben und verantworten."[26]

Die Jugendkammer der EKD hat diesen Gedanken weitergeführt, wenn sie in ihrem Papier „Gesichtspunkte zum Gespräch zwischen den Generationen in Kirche und Gesellschaft" (1982) die aktuellen Kontroversen vor allem als einen Konflikt zwischen den verschiedenen Generationen über eine gemeinsame Lebensperspektive und die Gestaltung der gegenwärtigen und zukünftigen Lebenswelt versteht. Die christliche Gemeinde könne der Ort solcher Verständigung zwischen den Generationen aus dem Geist der Versöhnung sein. Solche „lebendigen Zellen der Versöhnung" können sich auch unabhängig von kirchlichen Strukturen bilden, dort, wo sich um den Gekreuzigten und Auferstandenen „Gemeinschaften gegen die Angst" bilden.[27]

(3) In den Friedensleitlinien der aej ist der Versuch erkennbar, Friedensarbeit trinitarisch, ausgehend von den Drei Artikeln, zu verstehen.

a) Frieden läßt sich nur begreifen im umfassenden Sinn eines Weges zur Minimierung von Gewalt, Bedrohung, Abhängigkeit, Armut, Unrecht und

[24] *H. Leschonski,* Die Gegenwart der Versöhnung als Grund evangelischer Jugendarbeit, in: M. Affolderbach (Hrsg.), Praxisfeld: Kirchliche Jugendarbeit, Gütersloh 1978, 189-202.
[25] Ebd., 196.
[26] Ebd., 202.
[27] Sonderdruck, Hannover 1982, 9.

Feindbildern. Frieden ist deshalb die Frage nach dem gelingenden Leben und Zusammenleben von Menschen, Gruppen und Nationen im Respekt vor der natürlichen und der geschichtlich gewachsenen Umwelt.

„Dieses Wissen um Gott als den Schöpfer und Erhalter allen Lebens befreit den Menschen von der Last und der Aufgabe der alleinigen und umfassenden Verantwortung für den Bestand und Erhalt der Erde. Gleichzeitig aber verpflichtet es ihn, seine Fähigkeiten zur Förderung des Lebens und zur Vermehrung des Guten einzusetzen. Das Wissen von Gott als dem Schöpfer bedeutet aber auch, daß der Mensch seine Grenzen erkennt."[28]

Friedensbemühungen sind deshalb nicht zu denken ohne die Suche nach einem neuen Lebensstil und einer neuen lebensfördernden Kultur.

Jugendarbeit in der Kirche bietet mehr Freiraum als viele andere Räume in der Gesellschaft, Schritte in diese Richtung zu tun und experimentierend mit Jugendlichen neue Wege zu gehen, die auch auf andere Lebensbereiche einwirken.

b) Die Erfahrungen der Ohnmacht, die Jugendliche gerade bei ihrem Engagement für den Frieden oft verspüren, bedeuten eine Frage an die Qualität der inneren Motivation, aus der Christen leben.

„Im Handeln Jesu Christi, seinem Leben, Sterben und Auferstehen, erweist sich die Liebe Gottes stärker als alle vom Menschen hervorgebrachten Zerstörungen, Konflikte und Feindschaften. Wo Menschen sich seine Zuwendung gefallen lassen, werden sie fähig zum Eingeständnis ihrer Schuld, wird das Scheitern menschlicher Handlungen und Hoffnungen nicht zum letztgültigen Urteil über das Leben. Diese versöhnende Liebe Gottes will unter uns Raum gewinnen als Mut, den Drohungen von Tod, Angst und Feindschaft entgegenzutreten; als Zuversicht, daß nicht die Vernichtung des Lebens, sondern Lebensgewinn das Ziel Gottes mit dieser Welt ist."[29]

Jugendarbeit wird sich sowohl in der Gemeinde als auch als Gemeinde zu verstehen haben, weil es nicht nur um die Friedensbereitschaft geht, sondern auch um die Friedensfähigkeit. Teilhaben an der Gemeinde als „Ort der Gegenwart der Versöhnung" kann unterschiedliche Gestalt haben, und sei es das gemeinsame Feierabendmahl beim Kirchentag, das von Jugendlichen als ermutigend erlebt wurde.

c) Jugendliche sind am meisten betroffen von den Lebensperspektiven, die ihnen die vorlaufende Generation überläßt. Deswegen wird viel davon abhängen, welche Visionen von einer Zukunft dieser Erde und des Zusammenlebens auf ihr Jugendlichen als glaubwürdig angeboten werden und wieviel Realität und Hoffnungen in diesen stecken. Die Friedensfrage ist in

[28] Ebd., 13.
[29] Ebd., 14.

diesem Sinn die Bewährungssituation für die Weitergabe des christlichen Glaubens an die nächste Generation.
„Weil wir darauf vertrauen, daß durch Gottes Handeln dieses Reich aufgerichtet wird, brauchen wir auch nicht unser Tun damit belasten, daß wir es sind, die das Heil und den Frieden schaffen müssen. Weil wir glauben, daß der Auferstandene der Herr der Geschichte ist, wissen wir, daß nicht wir Gottes Schalom schaffen können. Aber wir vertrauen darauf, daß Gott durch seinen guten Geist in uns handelt und wirksam werden will."[30]

9. Erkenntnisse und Perspektiven zur Friedensarbeit

Abschließend lassen sich einige Erkenntnisse und Einsichten sowie offene Fragen und Aufgaben für die Jugendarbeit zusammenfassend formulieren.
(1) Friedensarbeit ist zu einer grundlegenden Aufgabe kirchlicher Jugendarbeit geworden. Frieden ist eine durchgehende Dimension und Motivation der Jugendarbeit in ihrem pädagogischen, verkündigenden, seelsorgerlichen, sozialen und politischen Handeln. Der Weg zum Frieden besteht in dem Engagement für Strukturen und Lebensbedingungen, die Angst, Haß, Ungerechtigkeit und Bedrohung vermindern und Gerechtigkeit, Partizipation, Versöhnung und Zusammenleben fördern. Im Sinn dieser Vieldimensionalität ist Friedensarbeit nicht ein ausgegrenzter Sachbereich, sondern eine tragende Dimension von Jugendarbeit insgesamt.
(2) Friedensarbeit intendiert nicht nur pädagogische oder politische Ziele, sondern bedeutet die Überwindung technokratischen und auf Überlegenheit zielenden Denkens überhaupt. Deshalb geht es nicht nur um bestimmte Forderungen oder politische Optionen, sondern um eine „Umkehr zum Leben". Der Ansatz, die „christliche Ethik der universalen Solidarität" als Grundlage kirchlicher Jugendarbeit zu verstehen (Adolf Exeler), sollte aufgegriffen und weitergeführt werden.
(3) Die Jugendarbeit hat in den letzten Jahrzehnten gelernt, daß sie sich auch als politischer Faktor zu verstehen hat. Sie hat Anteil an der gesellschaftlichen Verantwortung der Kirche und ihrem Wächteramt. Dies hat in der Vergangenheit und Gegenwart zu Konflikten geführt, besonders an den Punkten, wo aus christlicher Verpflichtung heraus Kritik an den herrschenden politischen Zielen geübt wurde und wird.
(4) Das Friedensengagement hat bei vielen Jugendlichen zu einer neuen Identifikation mit dem christlichen Glauben und der Auseinandersetzung mit den biblischen Friedensaussagen geführt. Für viele „Außenstehende" wird hier ein wesentlicher Beitrag der christlichen Kirchen zu grundlegen-

[30] Ebd., 16.

den Fragen der Zukunft unserer Gesellschaft und zur politischen Kultur gesehen. Innerhalb von Jugendarbeit und Gemeinden muß weiter bedacht werden, was die Wiederentdeckung der christlichen Friedensbotschaft für die Spiritualität christlichen Lebens und die Verwirklichung einer christlichen Friedensethik bedeuten.

(5) Angesichts der bedrohlichen Lernunfähigkeit in vielen Bereichen unserer Gesellschaft wird sich die Jugendarbeit weiterhin für einen umfassenden Lernprozeß in Kirche und Gesellschaft einsetzen müssen. Ein wesentlicher Schritt dazu ist der Abbau von Feindbildern und Ängsten und die Aufdekkung von Verharmlosung und Leugnung von faktischen und drohenden Katastrophen. Die Jugendarbeit wird Zeichen setzen müssen durch das Beispiel ihres eigenen Lebensstils und eines neuen Bewußtseins, das ihre eigene Friedensfähigkeit glaubwürdig unter Beweis stellt.

Literatur

Aktion Sühnezeichen/Friedensdienst (Hrsg.), Christen im Streit um den Frieden. Beiträge zu einer neuen Friedensethik, Freiburg 1984 (Dreisam).

Arbeitsgemeinschaft der Evangelischen Jugend (Hrsg.), Mut zum Frieden. Texte und Dokumente zur Friedensarbeit der Evangelischen Jugend, aej-Materialien 12, Stuttgart 1982 (edition aej).

Cherdron, Eberhard, Engagement für den Frieden. Einige grundsätzliche Überlegungen aus den Erfahrungen evangelischer Jugendarbeit, in: Schmieder, Tilmann/Schuhmacher, Klaus, Jugend auf dem Kirchentag, Stuttgart 1984, 257–272 (edition aej/Kreuz).

Die Denkschriften der Evangelischen Kirchen in Deutschland. Frieden, Versöhnung und Menschenrechte, Band 1/1 und 1/2, Gütersloh 1978 (Gütersloher Verlagshaus).

Die Friedensarbeit der Kirchen in der Bundesrepublik Deutschland und der DDR, Militärpolitik Dokumentation 11-12/1979, Berlin 1979.

Friede ist der „Weg zum Frieden". Dienst der Versöhnung als Auftrag der christlichen Gemeinde, Themen der Praktischen Theologie/Theologia Practica, 1-2/1983, München 1983 (Chr. Kaiser).

Frieden wahren, fördern und erneuern. Eine Denkschrift der Evangelischen Kirche in Deutschland, Gütersloh 1981 (Gütersloher Verlagshaus).

Gugel, Günther/Lange-Feldhahn, Klaus (Hrsg.), Friedenserziehung in der Jugendarbeit. Eine Bestandsaufnahme, Tübingen 1982 (Verein f. Friedenspädagogik).

Ferdinand W. Menne

Gesellschaft

1. Sozialwissenschaftliche Gesellschaftsverständnisse

Der Begriff „Gesellschaft“ hat in der Alltagssprache vielerlei Bedeutungen: Da tadeln Erwachsene Kinder, die sich raufen, mit den Worten „Ihr seid mir ja eine feine Gesellschaft!“ Als „feine Gesellschaft“ können aber auch die „besseren Kreise“ bezeichnet werden, in denen wiederum davon gesprochen werden kann, man wolle „eine Gesellschaft geben“. Gleichsam am anderen Ende des gestuften Aufbaus von Menschengruppen befindet man sich „in schlechter Gesellschaft“. Adolf Holl hat Jesus dort angesiedelt, um auszudrücken, daß er ein gesellschaftlicher Außenseiter gewesen sei, dem Regeln der sozialen Schichtung mit Über- und Unterordnungen wenig bedeuteten.[1] Daß die Jesuiten sich „Gesellschaft Jesu“ nennen, die Kirche zuweilen als „neue Gesellschaft“ erscheint, hängt mit dem lateinischen Sprachgebrauch zusammen: „Societas“ und „communitas“, Gesellschaft und Gemeinschaft, werden austauschbar verwandt. Das gilt auch für den lateinischen Text der katholischen Sozialenzykliken, die jedes Sozialgebilde (von der Familie bis zum Staat) als „societas“ ansprechen.

Sozialwissenschaftlern wird ein solcher Gebrauch des Begriffs „uneigentlich“ vorkommen; aber auch sie, zu deren Gegenstandsbereich „Gesellschaft“ und „Gesellschaften“ gehören, verstehen und gebrauchen ihn verschieden. Für den französischen Soziologen Bourdieu beispielsweise, der sich in seiner Theoriebildung auf eigene Faust als „sehr französisch“ (das soll vor allem heißen: „wenig deutsch“) begreift, geht es dabei nicht um Haupt- und Nebenwidersprüche, sondern um die „feinen Unterschiede“, durch die Gesellschaft (auch) charakterisiert ist.[2]

Den über gesellschaftliches Leben Nachdenkenden bot es sich lange an, Gesellschaft „nach der Natur“ als lebendigen Organismus zu betrachten: Wie die Gliedmaßen und Organe eines Körpers schienen die Gesellschaftsmitglieder arbeitsteilig und aufeinander abgestimmt zu handeln. Dieser Vergleich wird spätestens seit Menenius Agrippa gebraucht: Er soll im 5.

[1] *A. Holl,* Jesus in schlechter Gesellschaft, Stuttgart 1971.

[2] Vgl. *P. Bourdieu,* Die feinen Unterschiede. Kritik der gesellschaftlichen Urteilskraft, Frankfurt[3] 1984.

Jahrhundert vor Christus die römischen „Klassen" der Patrizier und Plebejer versöhnt haben durch das Erzählen der Fabel von den uneinigen Gliedern (gegenwärtig würde man wohl vor allem sagen: von „Kopf" und „Bauch"), die doch zu *einem* Leib gehören und nur als Einheit und Ganzheit lebens- und leistungsfähig sind. Die Vorstellung wurde insbesondere im Organizismus der katholischen Soziallehre verwandt; Joseph Höffner spricht von einer „Organismus-Analogie", in der sich Vergleichbares und Unvergleichliches mischen.[3]
Beeindruckt von neuen technischen Möglichkeiten haben andere die Gesellschaft mit einer Maschine verglichen: Wie die Teile einer Maschine, so wirken die „Einzelteile" einer Gesellschaft zusammen. Noch in Mumfords Vorstellung von der „Großen Maschine" oder „Megamaschine" wird gesellschaftliche Ordnung als maschinisierte, gesellschaftliches Leben als Gesellschafts-Mechanik verstanden.[4] Was einem, den die Technik staunen läßt, als bewundernswert erscheint, wird dabei kritisch gewendet: Die konkreten Menschen erscheinen nicht mehr als „lebendige Glieder", sondern als Rädchen in einem fremdgesteuerten Getriebe, die in ihrer Funktion wichtig, darin aber auch austauschbar, ersetzbar erscheinen.
In der deutschen Tradition wurde „Gesellschaft" als zweckhaftes Vertragsgebilde der „Gemeinschaft" als Form direkter, gewohnheitsbedingter Verbundenheit oft gegenübergestellt (wie der „Zivilisation" die „Kultur"). Gemeinschaft als das entwicklungsmäßig Frühere und wesensmäßig Primäre ist das durch Gefühlsbindungen eng Vertraute. Gemeinschaftsbildung ist „Inselbildung im Meer des gesellschaftlichen Lebens" (so Hans Freyer, der meinte, ein großer Teil insbesondere der deutschen Soziologie lasse sich unschwer als Geschichte der Begriffe „Gemeinschaft" und „Gesellschaft" und ihres Verhältnisses zueinander schreiben). Wenn es auch derzeit Sehnsucht nach Gemeinschaft und Ablehnung gesellschaftlicher „Kälte" gibt (man vergleiche Sprüche der Jugendszene wie „Wir haben Grund genug zum Weinen, auch ohne Euer Tränengas"), so hat diese Erfahrungsweise eine längere Geschichte. Nicht zu übersehen ist dabei, daß die Prozesse der „Modernisierung" der Gesellschaft diese Erfahrung auszuweiten scheinen. (Mit „Modernisierung" sind Prozesse immer ausgeklügelterer Entfaltung von Bereichen und Formen menschlichen Zusammenlebens gemeint, die für den einzelnen in wachsendem Maß Verstehbarkeit oder gar Handhabbarkeit einbüßen.) Was bleibt von dem stolzen Satz, der Mensch sei der Herr seiner Geschichte (und dies verstanden auch als selbsttätige Bewältigung des Alltagslebens), wenn er sich nicht einmal mit seiner Heizkostenrechnung

[3] Vgl. *J. Höffner,* Christliche Gesellschaftslehre, Band 1, Kevelaer[3] 1964, 43ff.
[4] Vgl. *L. Mumford,* Mythos der Maschine. Kultur, Technik und Macht, Frankfurt 1977.

zurechtfindet (zu schweigen von all dem, was im Orwell-Jahr eilfertig diskutiert wurde)?
Gegenwärtig wird versucht, Gesellschaft in Verhaltenstheorien (1), Handlungs- bzw. Interaktionstheorien (2), funktionalistischen Systemtheorien (3) und im historischen Materialismus (4) zu fassen. Für die *Verhaltenstheorie* (1) entstehen und bestehen Gesellschaften letztlich aus individuellem Verhalten, eine Gesellschaft ist eine strukturierte Personenmehrheit. Da hier soziologische Fragen auf psychologische zurückgeführt werden, neigen viele Psychologen zu diesem Verständnis, so etwa Fromm, wenn er sagt, „daß der Gegenstand der Soziologie, die Gesellschaft, in Wirklichkeit aus einzelnen Menschen besteht und daß diese Menschen, und nicht eine abstrakte Gesellschaft als solche, es sind, deren Handeln, Denken und Fühlen Gegenstand soziologischer Forschung ist“[5].
In *Interaktionstheorien* (2) ist die Gesellschaft aus generalisierten wechselseitigen Beeinflussungen des Verhaltens von einzelnen oder Gruppen „aufgebaut“: „Gesellschaft ist die Erfahrung, von anderen Menschen umstellt zu sein. ... immer und überall grenzen wir an andere, und diese anderen grenzen immer und überall an uns“[6]. Generalisiert nennt man solche Wechselseitigkeit, wenn sie als Handeln von einer konkreten Situation „abhebbar“ ist, wenn sie auch in anderen Situationen erwartet werden kann. Das sogenannte „Urvertrauen“ des Kindes zum Beispiel bildet sich nicht dadurch, daß eine „Mutter“ sich einmal „vertrauen-erweckend“ zeigt, sondern indem eine Dauerpflege- und Bezugsperson eine Haltung als „Verläßlichkeit“ auf Dauer stellt. Das heißt auch, daß andere „Mütter“ an anderer Stelle in Raum und Zeit gegenüber anderen Kindern Gleiches leisten können, daß sie dies Gleiche lernen können.
In der *Systemtheorie* (3) geht man vom Systembegriff aus, von einer bestimmt-begrenzten Menge untereinander abhängiger Elemente und Beziehungen. Soziale Systeme sind Weltausschnitte unterschiedlicher Größe, beginnend beim „einfachen Sozialsystem“ (etwa einer flüchtigen Begegnung auf der Straße, einem kurzen Gespräch „zwischen Tür und Angel“, der stummen gemeinsamen Fahrt im Eisenbahnabteil, dem gemeinschaftlichen ungeduldigen Warten auf das Umschalten der Ampel).[7] Gesellschaft ist das jeweils umfassendste System menschlichen Zusammenlebens, das den Horizont des Möglichen und Erwartbaren für andere Sozialsysteme zeitlich dauerhaft, sachlich allgemein und personenübergreifend festlegt. Da beim gegenwärtigen Stand alle Menschen füreinander kommunikativ erreichbar sind und durch Folgen ihrer Handlungen betroffen werden, drückt der Begriff „Welt-

[5] Vgl. *R. Funk,* Erich Fromm, Reinbek 1983, 73.
[6] *P. L. Berger/B. Berger,* Wir und die Gesellschaft. Eine Einführung in die Soziologie – entwickelt an der Alltagserfahrung, Reinbek 1977, 11.
[7] Vgl. *N. Luhmann,* Einfache Sozialsysteme, in: Zeitschrift für Soziologie 1 (1972) 51–65.

gesellschaft“ aus, daß das umfassendste System menschlichen Zusammenlebens welteinheitlich gedacht werden muß.
Eine *marxistische Soziologie* (4) begreift Gesellschaft als Abstraktion aus dem materiellen Gesamtzusammenhang menschlicher Beziehungen in der Geschichte, als Zusammenfassung der gegebenen, auf einer bestimmten Entwicklungsstufe als Gesamtheit existierenden materiellen, ökonomischen Verhältnisse.[8] In der „Kritischen Theorie“ der sogenannten „Frankfurter Schule“ besteht für Adorno „das spezifisch Gesellschaftliche im Übergewicht von Verhältnissen über die Menschen, deren entmächtigte Produkte diese nachgerade sind“[9]. Adorno gibt sich nicht der Illusion hin, die Umkehr vieler einzelner könne auch die Umkehr der Gesellschaft bewirken (wie man es bei Fromm herauslesen kann). Er bestreitet jedoch auch (was die Systemtheorie nicht selten nahelegt), daß das Bestehende so sein müsse, wie es ist: „Angesichts der Tatsache, daß noch die übermächtigen sozialen Prozesse und Institutionen im Menschlichen entsprangen, wesentlich vergegenständlichter Arbeit lebendiger Menschen, hat die Selbständigkeit des Übermächtigen zugleich den Charakter von Ideologie, eines gesellschaftlich notwendigen Scheins, der zu durchschauen und zu verändern wäre. Aber solcher Schein ist für das unmittelbare Leben der Menschen das ens realissimum (das wirklichste Seiende, das Wirklichste am Bestehenden; Verf.). Die Schwerkraft der gesellschaftlichen Verhältnisse tut alles dazu, jenen Schein zu verdichten“.[10]
Habermas, der sich der Ergebnisse anderer Forschungsrichtungen kritisch aussortierend versichert (und darin über Adorno hinausgehen möchte), versucht „Lebenswelt“ und „System“ als Gesichtspunkte von Gesellschaft zu begreifen. (Der von Husserl geprägte Begriff „Lebenswelt“ meint in der phänomenologischen Soziologie von Schütz den gesamten Erfahrungsraum eines Individuums im Vollzug seines Alltagslebens.) Für Habermas geht es in unserer Gesellschaft unter anderem darum, daß Lebensbereiche, die notwendig auf einen Zusammenschluß (Integration) über Werte, Normen und Verständigungsprozesse angewiesen sind, den scheinbaren „Sachzwängen“ der Subsysteme „Wirtschaft“ und „Verwaltung“ verfallen und über das Steuerungsmittel „Recht“ umgestellt werden auf ein Prinzip der Vergesellschaftung, das für sie nicht paßt bzw. zerstörerisch ist. Die „Lebenswelt“ leidet darunter, daß instrumentalistische und funktionalistische Vernunft sie zu durchwuchern beginnen, daß sie „kolonialisiert“ wird, ökonomische und administrative Rechenhaftigkeit in sie eindringen wie Kolonialherren in eine Stammesgesellschaft.[11]

[8] Vgl. *E. Hahn,* Soziale Wirklichkeit und soziologische Erkenntnis, Berlin 1965.
[9] *Th. W. Adorno,* Soziologische Schriften I (= Gesammelte Schriften Band 8), Frankfurt² 1980, 9.
[10] Ebd., 17.
[11] *J. Habermas,* Theorie des kommunikativen Handelns, Band 1 und 2, Frankfurt 1983.

Man müßte diese Theoriebrocken jeweils mit dem Satz abschließen, mit dem der Schriftsteller Helmut Heißenbüttel viele kleine Erzählstücke beendet: „Darüber wäre wohl viel noch zu sagen".

2. Charakterisierungen unserer Gesellschaft

Dem wenig einladenden, vornehmlich für die Theorieproduzenten spannenden Versuch, „Gesellschaft überhaupt" zu begreifen, folgt nun der Versuch, konkret vorfindliche Gesellschaften inhaltlich zu bezeichnen. Die Gesellschaft der Bundesrepublik wird den „fortgeschrittenen" zugerechnet. Der Fortschritt bemißt sich dabei vor allem nach dem erwirtschafteten Bruttosozialprodukt und dem durchschnittlichen Pro-Kopf-Anteil der Gesellschaftsangehörigen. Das Bruttosozialprodukt ist allerdings ein grobes, einseitiges Maß für Fortschritt: Es sagt nichts über soziale Ungleichheit in der Verteilung gesellschaftlichen Reichtums (wer mit der einen Gesäßhälfte auf einem Eisblock, mit der anderen auf einer glühenden Platte sitzt, ist „im Durchschnitt" wohltemperiert); auch eine Erweiterung, zum Beispiel auf ein „Öko-Sozialprodukt", das die Kosten des Aufzehrens der nichtmenschlichen Umwelt einberechnen würde, erforderte ganz andere Gewichtungen.
Da in unserer Gesellschaft seit der „Industriellen Revolution" Ende des 18. Jahrhunderts Erwerbsarbeit zu einem hohen Anteil mit fabrikmäßiger Produktion gekoppelt ist, spricht man von einer „Industriegesellschaft". Mit der Verlagerung vom zweiten (Industrie) auf den dritten gesellschaftlichen Wirtschaftssektor (der erste ist die Landwirtschaft) scheint sich eine „Dienstleistungsgesellschaft" abzuzeichnen. Marxisten sprechen, um Veränderungen der Gegenwartsgesellschaft gegenüber dem frühen Kapitalismus fassen zu können, vom „Spätkapitalismus". Im Jahr 1968 hat es einen inzwischen berühmten Streit darüber gegeben, ob das inhaltlich Entscheidende unserer Gesellschaft eher mit dem Begriff „Spätkapitalismus" oder mit dem der „Industriegesellschaft" zu bezeichnen sei.[12] Da der Stellenwert der menschlichen Erwerbsarbeit nicht mehr klar ist, die jenseits davon verfügbare Zeit wächst, scheint sich die Arbeitsgesellschaft zu einer „Freizeitgesellschaft" zu wandeln. Wenn nicht nur nach Geld und Geldeswert eingestuft wird, wenn die wachsenden Kosten eines solchen Gesellschaftstyps an Leib, Leben und Umwelt der Menschen in den Blick kommen, erscheint unsere Gesellschaft als überentwickelte, abstrakte, „kranke", als Wegwerfgesellschaft. Die Probleme menschlicher Erwerbsarbeit fügen sich dann in ein ausgedehntes Geflecht von Krisentendenzen, die die Weltgesellschaft betreffen, darin in bestimmt-begrenzter Weise die Gesellschaft der Bundesrepublik. Vor allem

[12] Vgl. *Th. W. Adorno* (Hrsg.), Spätkapitalismus oder Industriegesellschaft?, Stuttgart, 1969.

in (bildungsmäßig) begünstigten Teilgruppen der „westlichen" Gesellschaften werden vertraute gesellschaftliche Prozesse in Frage gestellt. Den Krisentendenzen entspricht ein Krisenbewußtsein: Es wird über heraufkommende „post-industrielle", „post-materialistische", „post-moderne" Orientierungen debattiert. Ratlosigkeit, Unsicherheit oder Erwartung lassen von einer „Übergangsgesellschaft" sprechen (ein Begriff, der zunächst eine Gesellschaft im Übergang von kapitalistischer zu kommunistischer Produktionsweise meinte).

Die Rede von einer „Wende" ist in vieler Munde, wobei Gegensätzliches gemeint sein kann, nämlich die Wiederherstellung eingewöhnter politischer bzw. gesellschaftlicher Verfahren oder gerade deren Ablösung durch Vorgriffe auf ein „neues Zeitalter". Die erste neokonservative Wende erscheint als solche zum Beispiel in der Umverteilung des Sozialprodukts, grob gesprochen „von unten nach oben"; tendenziell strukturiert sich eine „Zwei-Drittel-Gesellschaft" der Davongekommenen und Begüterten gegen ein Rest-Drittel Abgeschriebener, „Verwildernder"[13]. Die Pflege traditionaler Kultur, der scheinbar haltenden Kräfte überkommener Sittlichkeit, des Patriotismus, bürgerlicher Religion und „volksverbundener" Alltagskultur soll den Druck von Konkurrenz und rasantem Wandel abfedern.[14]

Ohne weitergehende Durchleuchtung gesellschaftlicher Zustände baut andererseits der Physiker Capra „ziemlich idealistisch" auf eine Umgestaltung durch eine neue Sicht der Wirklichkeit: „Während des Prozesses des Niedergangs und Verfalls setzen die beherrschenden gesellschaftlichen Institutionen weiterhin ihre veralteten Anschauungen durch, doch lösen sie sich nach und nach auf, während neue kreative Minderheiten den neuen Herausforderungen mit Einfallsreichtum und wachsendem Selbstvertrauen begegnen".[15]

Mit nahezu religiöser Erwartung wird eine „sanfte Wende" herbeigesehnt: „*Die sanfte Wende* ist ein Modell der Transformation und des Übergangs in die nachindustrielle Gesellschaft auf der Basis vollständiger Partizipation der Betroffenen. Ziel ist eine humanitäre Weltgemeinschaft auf der Basis ökologischer und ganzheitlicher Erkenntnisse"[16].

[13] Vgl. *F. W. Menne,* Subsidiäre Solidarität: Die Kraft der Kleinen und der Schutz der Schwachen, in: Frankfurter Hefte Extra 6, Nach 1984: Die Krise der Zivilisation und unsere Zukunft, Frankfurt 1984, 93–102.

[14] Vgl. *J. Habermas,* Die neue Unübersichtlichkeit. Die Krise des Wohlfahrtsstaates und die Erschöpfung utopischer Energien, in: Merkur 1 (1985) 1–13.

[15] *Fr. Capra,* Wendezeit. Bausteine für ein neues Weltbild, Bern u.a. 1983, 473.

[16] *R. Lutz,* Die sanfte Wende. Aufbruch ins ökologische Zeitalter, München 1984, 199.

3. Gesellschaftsbilder Jugendlicher

Wie andere gesellschaftliche Gruppen, so bilden auch die Jugendlichen mehr oder weniger zusammenhängende Vorstellungen darüber aus, wie ihre Gesellschaft aufgebaut ist, wie sie funktioniert und welche Entwicklungsmöglichkeiten sie hat. Das Gesellschaftsbild Jugendlicher wird wie andere Bewußtseinsinhalte geformt durch die vielfältigen Prozesse von Erziehung und Sozialisation. Daher gibt es einerseits vereinheitlichte Grundbestimmungen, die aus den gleichen geschichtlichen Erfahrungen stammen. In diesem Sinn kann man eine „Kriegsjugend" von der „Konsumjugend" und diese wiederum von der „Krisenjugend" unterscheiden. Die *Kriegsjugend,* die den Zusammenbruch vieler gesellschaftlicher Einrichtungen miterlebt hat, neigt entschieden dazu, die wiedergewonnene gesellschaftliche Normalität als zweifelsohne zu erleben und zu verteidigen. Den heute 50–70jährigen will am wenigsten „in den Kopf", daß die Werte des Wiederaufbaus, die das „Wirtschaftswunder" mitermöglicht haben, nicht mehr fraglos gelten, daß das Genießen vor dem Leisten zu stehen scheint.
Die in der Selbstverständlichkeit wirtschaftlichen Wohlstands Aufgewachsenen, für die die „Knappheit der Mittel" kein bewegender Eindruck war *(Konsumjugend)*, erleben Gesellschaft vielfach als ein Unternehmen, das die Rahmenbedingungen für die Vermehrung privater Güter sichert. Die *Krisenkinder* schließlich sehen gleichsam die Risse in den Mauern des gesellschaftlichen Baus, die bröckelnde Fassade (und unterzeichnen ihre Graffiti vielleicht ironisch mit „Kommando einstürzende Neubauten"). Offen oder „hinter vorgehaltener Hand" wird gesagt, daß viele von ihnen überflüssig seien. Sie revanchieren sich, so könnte man sagen, in den Sprüchen, die sie an die äußeren Wände sprühen: „Deutschland 85: Alles tot, aber sonst gut drauf; Wir haben unsere Zukunft schon hinter uns; Die Welt ist ein Kilometer unter der Erde noch völlig in Ordnung; Einmal kein Fortschritt - das wäre einer".
Die Jugendlichen sind in vielem Seismograph gesellschaftlicher Zustände, bekommen gleichsam - um im Bild zu sprechen - das Fieber, das auf die gesellschaftlichen Krankheiten verweist. In ihrem Leiden an der Gesellschaft offenbaren sie - oft unklar, unsicher und „radikal", oft hellsichtig, aufmerksam und sensibel - gesellschaftliche Leiden, die Erwachsene verdrängen und verleugnen. Es besteht eine Analogie zu familientherapeutischen Erfahrungen: Der „Symptom-Träger" hat eine Rolle in einem gemeinsamen, zuweilen grausamen „Spiel".
Es scheint keine überzogene, jugendverherrlichende Sicht der Dinge, wenn man viele Jugendliche vor allem begreift als „vorgeschickte" Stellvertreter hinsichtlich der Äußerung von gesamtgesellschaftlich niedergehaltener Angst und Furcht. Unbestimmte Zukunftsangst mischt sich mit benennba-

rer Furcht vor atomaren Konflikten bzw. dem einen „großen Schlagabtausch", nach dem die vielleicht noch Lebenden „die Toten beneiden werden"[17]. Dazu ist es kein Widerspruch, wenn die Jugendlichen vom System kollektiver sozialer Versicherung einiges erwarten oder erhoffen:

Tabelle: Einstellung zu Kernbereichen der Systeme kollektiver sozialer Sicherheit bei den 15- bis 30jährigen (in Prozent)[18]

Kollektive Absicherung	sehr wichtig bzw. wichtig	weniger wichtig bzw. unwichtig
Sicherer Arbeitsplatz	92	7
Finanzielle Absicherung von Arbeitslosigkeit oder Berufsunfähigkeit	90	8
Gute Krankenversicherung	86	12
Finanziell gesichertes Alter	83	15

Basis: 2012 Fälle

Soweit gesellschaftliche Erfahrungen noch verschieden sind, sind auch Bilder vom gesellschaftlichen Leben unterscheidbar. Das Gesellschaftsbild einer großen Gruppe Jugendlicher wird noch bestimmt vom gesellschaftlich Selbstverständlichen und Maßgeblichen. Daß etwas selbstverständlich sei, heißt dabei nicht, es sei gleichbleibend. Zu den Selbstverständlichkeiten unserer Gesellschaft gehört ihre „Dynamik", ein dauernder Um- und Abbau. Maßgeblich ist für diese Gruppe nach wie vor ein familiär-beruflicher Privatismus: eine vorrangige Ehe- und Familienorientierung mit ausgedehnten und wachsenden Freizeit- und Konsuminteressen sowie einer Karriereorientierung, die der Konkurrenz um gesellschaftliche Stellungen entspricht. Die traditionellen gesellschaftlichen Rollenzuweisungen „männlich" und „weiblich" z. B. werden abgeschwächt, in wesentlichen Aufgaben und Chancen sollen Frauen und Männer sich angleichen. Eine wirkliche Änderung der Geschlechterverhältnisse auf breiter Basis zeigt sich dabei im allgemeinbildenden Schulwesen, weniger schon in der beruflichen Qualifikation. Die in Umfragen als „zufrieden" oder „zustimmend" erscheinenden Jugendlichen (je nach erfragtem Sachverhalt zwischen 50 und 80%) üben an Einzelheiten durchaus Kritik, dem Ganzen stimmen sie zu. Minderheiten Jugend-

17 Vgl. Die verunsicherte Generation. Jugend und Wertewandel. Ein Bericht des SINUS-Instituts, Opladen 1983, 17.

18 Die Tabelle ist entnommen aus ebd., 18.

licher betrachten die Gesellschaft mit einer Kritik, die deren Grundlagen betrifft. Der „Alternativ-Bewegung" beispielsweise rechnen sich zwischen 5 und 15% der Jugendlichen zu. Wenn in der SINUS-Studie sich 42% der Befragten als Sympathisanten der Alternativbewegung bezeichnen, so verweist das auf ein weiteres Potential kritischer Stellungnahme (wobei nicht jeder Anhänger kritisch und nicht jeder Kritische „alternativ" orientiert ist). Der Begriff des Fortschritts, die Erwartung der Lösbarkeit aller sozialen Probleme haben bei vielen ihre Plausibilität verloren. Einer gewaltsamen Veränderung der Verhältnisse geben dabei nur wenige eine Chance, sehr wenige wollen sie. Einschränkend heißt es in der SINUS-Studie: „Ob das allerdings bei weiterhin krisenhafter Wirtschaftslage und unter den Bedingungen verhärteter gesellschaftlicher und politischer Fronten in der Bundesrepublik so bleiben wird, wagen wir nicht vorauszusagen. Die von uns festgestellte deutlich höhere Konfliktbereitschaft bei jungen Langzeitarbeitslosen, verbunden mit keimender Ausländerfeindlichkeit, sollte in diesem Zusammenhang als ‚Vorwarnung' ernst genommen werden"[19]. Die vorläufig festgestellte Orientierung am Prinzip „Versöhnung" wird auch erkennbar in der Beurteilung von jugendlichen Protestgruppen durch Jugendliche selbst: Friedensbewegung und Selbsthilfegruppen mit Zustimmungswerten von fast 70% auf der einen Seite und „Nationale" und Rocker mit Zustimmung von unter 5% auf der anderen Seite:

Tabelle: Einstellungen zu ausgewählten jugendlichen Protestgruppen bei den 15- bis 24jährigen (in Prozent)[20]

	Mache ich mit, gehöre dazu		Gehöre ich nicht dazu, finde ich aber gut		Ist mir ziemlich egal, kann ich tolerieren		Gefällt mir nicht, lehne ich ab		Das sind Gegner von mir		Kenne ich nicht, keine Angabe	
	Shell ↓	Sinus ↓	Shell ↓	Sinus ↓	Shell ↓	Sinus ↓	Shell ↓	Sinus ↓	Shell ↓	Sinus ↓	Shell ↓	Sinus ↓
Rocker	2 %	–	6%	4 %	21 %	20 %	52 %	51 %	17 %	22 %	2 %	3 %
Punks	2 %	–	15 %	7 %	41 %	25 %	34 %	44 %	4 %	18 %	3 %	6 %
Hausbesetzer	2 %	–	45 %	14 %	27 %	18 %	19 %	50 %	6 %	15 %	1 %	3 %
Nationalistisch eingestellte Gruppen	1 %	–	3 %	3 %	16 %	10 %	41 %	43 %	33 %	33 %	6 %	11 %

Datenbasis: Shell-Studie 1981: 15- bis 24jährige (1.077 Fälle)
Sinus-Studie 1982: 15- bis 24jährige (1.358 Fälle)

19 Ebd., 61.
20 Die Tabelle ist entnommen aus ebd., 20.

Bei der Beurteilung der Entwicklungstendenzen unserer Gesellschaft, der gesellschaftlichen Zukunft, verlagern sich die Akzente. In einem (nicht unbestrittenen) Ergebnis geht die Shell-Studie davon aus, daß die Mehrheit der Jugendlichen die Zukunft der Gesellschaft pessimistisch beurteilt: „58% der Jugendlichen sehen die Zukunft der Gesellschaft eher düster, 42% eher zuversichtlich“[21]. (In einer von der Daimler-Benz-AG in Auftrag gegebenen Untersuchung zum Umweltschutz kamen die Autoren - ausdrücklich entgegen der Meinung der Shell-Studie - zu der Beurteilung, die Mehrheit der jungen Generation sei mit dem gegenwärtigen Leben zufrieden. Dabei werde die individuelle Situation fast durchweg positiver eingeschätzt als die gesamtgesellschaftliche. Die Unzufriedenheit nehme mit dem Alter zu.) Daß sich über die Jahrzehnte hin die Zukunft für Jugendliche verdüstert hat und daß die Unsicherheit hinsichtlich des Erwartbaren gegenwärtig stark ist, mögen Tabellen aus Umfragen des Allensbacher Instituts für Meinungsforschung[22] belegen:

FORTSCHRITT - WOHIN DENN?

Frage: *„Glauben Sie an den Fortschritt - ich meine, daß die Menschheit einer immer besseren Zukunft entgegengeht, oder glauben Sie das nicht?“*

	1972	1975	1978	1980	1982	1972	1975	1978	1980	1982
	Bevölkerung insgesamt					Altergruppe 16–29 Jahre				
	%	%	%	%	%	%	%	%	%	%
Glaube an Fortschritt . . .	60	48	34	28	27	72	55	37	30	31
Glaube nicht daran	19	30	40	35	46	13	26	38	33	42
Unentschieden	21	22	26	37	27	15	19	25	37	27
	100	100	100	100	100	100	100	100	100	100

21 Jugend '81. Lebensentwürfe, Alltagskulturen, Zukunftsbilder, Band 1, Studie im Auftrag des Jugendwerks der Deutschen Shell, Hamburg 1981, 382.

22 *E. Noelle-Neumann/E. Piel* (Hrsg.), „Allensbacher Jahrbuch der Demoskopie 1978–1983“, Band VIII, München 1983; vgl. *F. W. Menne,* Jugend - Alternativbewegung - Zukunft. Aus empirischen Untersuchungen, in: Frankfurter Hefte Extra 6, a.a.O., 138–143.

UNSICHERE ZUKUNFT

Frage: *„Wenn Sie an die Zukunft denken – glauben Sie, daß das Leben für die Menschen immer leichter oder immer schwerer wird?"*

Altersgruppe 16- bis 29jährige	1960 Jan. %	1965 Nov. %	1976 Sept. %	1980 Jan. %
Immer schwerer	31	37	54	56
Immer leichter	36	34	15	18
Bleibt gleich	22	18	27	17
Weiß nicht	11	11	4	9
	100	100	100	100

Frage: *„Was meinen Sie, wenn heute einer heiratet und eine Familie gründet – kann der beruhigt in die Zukunft sehen, oder muß man Angst haben, daß es auf dieser Welt immer gefährlicher wird zu leben?"*

Februar 1983

	Bevölkerung insgesamt %	Altersgruppen 16–29 %	30–44 %	45–59 %	60 u.ä %	Volks-schule %	Höhere Schule %
Beruhigt in die Zukunft sehen	17	16	22	21	10	16	19
Immer gefährlicher zu leben	58	61	54	57	60	61	54
Unentschieden	25	23	24	22	30	23	27
	100	100	100	100	100	100	100

Dazu noch einige Zahlen aus der Shell-Studie: 95% der Jugendlichen rechnen nicht damit, daß Kriege abgeschafft werden. 80% erwarten Rohstoffknappheit, Wirtschaftskrisen und Hungersnöte. 78% können sich nicht vorstellen, daß es mehr Gleichheit unter den Menschen geben wird. 76% gehen davon aus, daß Technik und Chemie die Umwelt zerstören werden.[23] Die Mehrheit der Jugendlichen ist skeptisch gegenüber den mehr oder minder ausformulierten Zukunftsentwürfen, wie sie die Träger des gesellschaftlichen status quo (Parteien, Gewerkschaften, Verbände usw.) anbieten.[24] Dieses Ergebnis ist besonders bezeichnend bei denjenigen Gruppen Jugend-

23 Vgl. Jugend '81. A.a.O., 392f.
24 Vgl. auch: Die verunsicherte Generation. A.a.O., 147ff.

licher, die aufgrund „höherer Bildung" (nach Alltagserfahrungen und soziologischen Erkenntnissen) Träger der gesellschaftlichen Weiterentwicklung sein werden. Die zuversichtlichen Jugendlichen sind politisch weniger interessiert und über gesellschaftliche Zusammenhänge weniger informiert. Beachtliche Minderheiten lehnen zentrale Stationen eines „normalen" Lebenslaufs ab, so 21% die Übernahme des elterlichen Erbes, 13% die Ehe, 7% die Elternschaft. Ein Leben, das in aller Konsequenz „gegengesellschaftlich" wäre, stellen sich Jugendliche eher selten vor. Die Normalität der meisten besteht in einer „inkonsequenten" Mischung von Lebensvorstellungen und Lebensversuchen, begleitet von einem breiten Selbstbewußtsein, besser zu wissen und zu praktizieren, was ein „menschliches" Leben ist. Je anonymer die gesellschaftlichen Autoritäten im Erleben der Jugendlichen werden, desto leichter gelingt es ihnen, sie als Gegner zu betrachten. Bemerkenswert ist dabei, daß - auch wenn die „Erwachsenenwelt" insgesamt abgewertet wird - die eigenen Eltern besser oder gut wegkommen. Das scheint auch damit zusammenzuhängen, daß viele Jugendliche mit liebevoller Nachsicht ihre Eltern als Opfer gesellschaftlicher Einwirkungen erleben und nicht als sozial einflußreiche Täter.
Die Verdüsterung der gesellschaftlichen Aussichten und deren Wahrnehmung durch junge Menschen führt dazu, daß utopische Bilder von der Gesellschaft sich selten auf die Zukunft beziehen. Traumlandschaften liegen in Randzonen der zivilisierten Welt, und erwünschte Lebensmöglichkeiten werden aus der Vergangenheit gewonnen. 65% würden sich in einem Fischerdorf wohlfühlen, wo man mit den Nachbarn lebt; 55% können einem einsamen Blockhaus, 34% einem Bauernhaus von vor hundert Jahren viel abgewinnen. Solche Ergebnisse hängen weniger von der sozialen Schicht ab, sondern scheinen grundlegender davon bestimmt, wieviel Spiel- und Experimentierzeit Jugendliche lebensgeschichtlich haben.[25] Die auch bei den Erwachsenen erkennbare Sehnsucht nach der Vereinfachung der gesellschaftlichen Verhältnisse schafft sich jugendtypischen Ausdruck.

4. Soziale Selbstbilder von Jugendlichen

Viele Jugendliche entwickeln Vorstellungen darüber, welchen Ort sie in ihrer Gesellschaft haben. Sie entwickeln ein soziales Selbstbild, das Gegenstück zu ihrem Gesellschaftsbild ist. Dieses soziale Selbstbild kann der gesellschaftlichen Realität mehr oder minder entsprechen, es kann auch illusionär sein.
Einige von denen, die die Zukunft der eigenen oder der Weltgesellschaft

25 Vgl. Jugend '81. A.a.O., 413ff.

düster sehen, haben offenbar den Wunsch, für diese Gesellschaft verloren zu sein. Eine andere Einschätzung haben jene, die in der gegebenen Lage das Mögliche für sich herauszuholen versuchen. Wenn auch in dieser Frage Entwicklungen der amerikanischen auf solche unserer Gesellschaft übertragbar sind, dann können wir für die Zukunft eine Gruppe von „Krisengewinnern“ erwarten: eine Gruppe von Jugendlichen nämlich, die mit den Problemen besonders gut zurechtkommt bzw. das Beste aus den Gegebenheiten macht. In den USA sind die sogenannten „Babyboomer“ solch eine Gruppe von Jugendlichen, die mit traditionellen Vorstellungen kaum mehr zu fassen sind.

Auch bei der Selbsteinschätzung der Jugendlichen, bei der Wahrnehmung ihrer Lage im gesellschaftlichen Ganzen, ist die Unterscheidung zwischen „Jugendzentrierten“ und „Erwachsenenzentrierten“ erkennbar: „Gemäß dem einen Orientierungsschema richtet sich der Jugendliche positiv auf die Erwachsenen hin aus. Er sucht deren Koalition, möchte sich den Angehörigen dieser Kultur anvertrauen. Das andere, feindselige Schema ist durch Mißtrauen, eigene Abgrenzung, Konfrontation gekennzeichnet. Im ersten Fall dient die Erwachsenenkultur als Bezugsgruppe, auf die hin man das Leben der eigenen Gruppe orientiert. Im zweiten Fall dienen Erwachsene als Feindgruppe, der gegenüber man die eigene Gruppe und deren Kultur hochhält und verteidigt“.[26]

Auch dazu einige Zahlen:[27]

	stimmt genau/ stimmt vielleicht Angaben in %	teils/ teils Angaben in %	stimmt kaum/ stimmt nicht Angaben in %
In dieser Gesellschaft erlebst Du überall eine Feindseligkeit gegen uns Junge, die Dich total fertigmacht	19	30	51
Unsere Gesellschaft tut eigentlich eine ganze Menge für die Jugendlichen	25	42	32

Zur Shell-Untersuchung heißt es: „Einige Daten unserer Untersuchung deuten darauf hin, daß Jugendzentrismus sich nicht einfach ‚auswächst‘, das heißt mit dem Erreichen eines bestimmten Lebensalters oder einer be-

[26] Ebd., 605.
[27] Die Zahlen sind zusammengestellt aus den Teilskalen 1 und 2, in: *A. Fischer,* Jugend heute: Ergebnisse einer Untersuchung, in: H. G. Wehling (Redaktion), Jugend – Jugendprobleme – Jugendprotest, Stuttgart u.a. 1982, 52f.

stimmten gesellschaftlichen Position verschwindet. Jugendzentrismus scheint mehr zu sein als nur eine Protesthaltung gegen Erwachsene. Er greift weit darüber hinaus und beschreibt die Auffassung eines Teils der Jugendlichen, mit der heutigen Gesellschaft in Dissens zu leben"[28].

Besondere Aufmerksamkeit verdient das Selbstverständnis arbeitsloser Jugendlicher im Blick auf ihre gesellschaftliche Lage. Ein großer Teil von ihnen verbindet die eigenen Schwierigkeiten mit den Krisenerscheinungen in den Industriegesellschaften. Eine kleinere Gruppe sucht die Schuld im individuellen Versagen bzw. bei diskriminierten Fremdgruppen. In vielen lebt das Gefühl, daß unsere Gesellschaft bereit ist, einen ganz erheblichen Prozentsatz junger Menschen ins Abseits zu stellen. Nicht wenige gehen davon aus, daß auch Anpassung ihnen nicht mehr viel nützen wird.

5. Die Rolle der Jugend für die künftige Gesellschaft

Die lange für selbstverständlich gehaltenen Grundannahmen unserer Gesellschaft sind erschüttert. Das macht schon ein einzelner Faktor, die Erwerbsarbeit, erkennbar. Unsicher geworden sind ihre reale Bedeutung wie ihre Einschätzung durch die Menschen. Die Erkenntnis ist gewachsen, daß die Beziehungsmuster der Menschen untereinander verwoben sind in die Beziehungsmuster der außermenschlichen Natur. In „Weltmodelle" werden Bestände aufgenommen und Entwicklungen berechnet, die vielfach so etwas wie eine Rutschpartie des „Systems Erde" in die Selbstvernichtung zu markieren scheinen.[29]

Ein sonst einsichtiger Marxist mag sich noch damit trösten, daß die Verwüstungen „natürliche Produkte einer überholten Produktionsweise und einer überlebten Gesellschaftsordnung" sind.[30] Viele der geahnten Schrecken sind jedoch „system-neutral", werden also nicht wahlweise nach jeweiliger gesellschaftlicher Organisation, sondern wahllos treffen.

Die Reaktionen auf Krisentendenzen der gesellschaftlichen Wirklichkeit sind unterschiedlich. Einerseits gibt es ritualistische Haltungen, das Setzen auf ein „Durchwursteln wie gehabt": „Wenn eine gesamtgesellschaftliche Einheit sich einer Krise gegenüber sieht, die einige ihrer zentralen Werte oder ihr Überleben bedroht, wächst oft der Druck, an Interpretationen festzuhalten, die früher die Unterstützung der Elite und/oder der Mehrheit besessen haben, auch wenn die Krise gerade die Irrealität dieser Interpreta-

[28] Ebd., 60.

[29] Vgl. *J. Grün/D. Wiener,* Global denken. Vor Ort handeln. Weltmodelle von Global 2000 bis Herman Kahn. Kontroversen über unsere Zukunft, Freiburg 1984.

[30] Vgl. *I. Bestushew-Lada,* Die Welt im Jahr 2000. Eine sowjetische Prognose für unsere Zukunft, Freiburg 1984, 120.

tionen aufdeckt"[31]. Andererseits die Annahme, es sei ohnedies alles zu spät, man müsse mit dem Schlimmsten rechnen; nicht nur einzelne Gesellschaften, die Menschheit sei am Ende. Vielleicht in der Erwartung, es werde nicht eintreten, was man düster genug ausmalt und inständig fürchtet, spricht ein deutscher Philosophie-Professor von gesamtgesellschaftlicher Verdrängungsarbeit, die dem Fernhalten der Einsicht gelte, „daß die Menschheit nach Erschöpfung der Bodenschätze oder bei Vergiftung ihrer industriellen Umwelt nicht sanft und sich in das Unvermeidliche schickend abscheiden dürfte, sondern schon lange zuvor ihr Heil in erbarmungslosen Verteilungskämpfen und Kriegen um die restlichen noch halbwegs gesunden und kontaminationsfreien Lebensräume suchen wird"[32].

Fortschrittsgläubiger, technokratischer Optimismus und deterministischer Fatalismus, sture Selbstbehauptung und sarkastische Selbstverabschiedung kommen darin überein, daß der Lauf der Dinge eben der Lauf der Dinge ist. „Glücklich ist, wer vergißt, was nicht zu ändern ist" oder eben: „Wunschloses Unglück".

Aus dem Gesagten war schon herauszulesen, daß es vergleichbare Einschätzungen auch in Teilgruppen Jugendlicher gibt, wenngleich sie dort anders verarbeitet werden als in der Erwachsenenwelt. Das „No future" ist als Etikett einer Generation ungeeignet, steht aber über Jugendlichen, die ihrer Gesellschaft und sich selbst in ihr keine Chance geben. Einer düsteren Sicht auf die gesellschaftlichen Möglichkeiten entspricht „Murphy's Gesetz": „Wenn die Möglichkeit besteht, daß etwas schiefgeht, wird es irgendwann schiefgehen". Andererseits gibt es Jugendliche, die in den Tag leben nach der Devise: „Es wird schon nichts schiefgehen!"

Gegenwärtige Bedrohungen und Katastrophen scheinen mehr Material dazu beizubringen, daß die absehbare Zukunft der Weltgesellschaft (und in unterschiedlichem Maß die der Einzelgesellschaften in ihr) nicht das glorreiche Ende eines mühsamen Aufstiegs wird. Diese These wird nicht begriffen als wohlfeile Schwarzseherei zartbesaiteter oder „von Berufs wegen" nörgelnder Intellektueller; sie scheint die vorsichtige Fassung des Ergebnisses einer die gesellschaftliche Realität prüfenden Untersuchung. Wenn wir davon ausgehen müssen, dann gewinnen jene gesellschaftlichen Minderheiten an Interesse, die den Status quo zu überwinden trachten, im Blick auf die Wachstumsfrage etwa durch die Bemühung um ein Konzept auswählenden Wachstums. Setzen wir also voraus, daß der gegenwärtige gesellschaftliche Zustand in anderer als der vorgegebenen Richtung des Zerarbeitens, Aufzehrens, Abschreckens überwunden werden muß, um die Zukunftschancen

[31] *A. Etzioni,* Die aktive Gesellschaft. Eine Theorie gesellschaftlicher und politischer Prozesse, Opladen 1975, 202.

[32] *U. Horstmann,* Das Untier. Konturen einer Philosophie der Menschenflucht, Wien/Berlin 1983, 68.

insgesamt zu erhöhen, so sind jene Minderheiten Jugendlicher wichtig, die eine Umwandlung des gesellschaftlichen Alltagslebens in Richtung auf eine Überwindung der vergeudenden und zerarbeitenden Wachstumsgesellschaft befürworten und in Versuch und Irrtum vorzuleben wünschen.

Ein Übergangsfeld zu den Alltagskulturen Jugendlicher bilden alternative Projekte, seien es Versuche zur Bewältigung des eigenen Alltags oder solche der Jugendhilfe.[33] Weder in der Außensicht noch im Bewußtsein der Beteiligten kann dabei widerspruchsfreie Klarheit darüber bestehen, wie weit das „alternative" Leben erwünscht, wie weit es von gesellschaftlichen Umständen erzwungen ist. Kreutz fragt daher, ob es sich bei den alternativen Projekten um Vorboten einer veränderten Arbeitsteilung in der postindustrialisierten Gesellschaft oder um erste Anzeichen einer neuen „Kultur der Armut" handele. Gewagte Lebensversuche sind nicht in der üblichen Manier zu versichern; ob die Beteiligten im nachhinein als gesellschaftliche Opfer oder als Lebensstil-Avantgarde kenntlich werden, muß sich erweisen. Wo die Versuche und die sie tragenden Menschen schließlich „enden", das hängt weitgehend vom Umgang der Gesellschaft mit „unsicheren" Minderheiten ab.

Angesichts dieser Lage der Dinge ist es nicht illusorisch, Minderheiten Jugendlicher als Anwalt gesellschaftlicher Zukunft zu begreifen, der sie konkret „verbunden" sind. Diese Jugendlichen in der Minderheit kämpfen dafür, daß die gesellschaftliche Zukunft unabgeschlossen, daß menschliches Leben (nicht nur „nacktes" Überleben) möglich bleibt, daß Grundfragen nicht entschieden werden, die noch nicht entscheidbar sind. In einer kritisch-unklaren gesellschaftlichen Situation, in der man nicht positiv weiß, daß Grundsatzentscheidungen menschliche Leiden verringern oder zumindest nicht vergrößern, sollte auf Festlegungen verzichtet werden. Solidarität wird geübt nicht nur mit den hier und jetzt Lebenden, sondern auch mit den Kommenden, den Problemen der Gegenwart wird nicht die Zukunft geopfert. Diese Haltung kann man als die einer voraussehenden, vorausbedenkenden, vorwegnehmenden, einer *antizipatorischen Solidarität* verstehen.

Für die Entwicklungsrichtung moderner Gesellschaften wurden immer wieder Bilder einer Vergrößerung von Organischem („Wachstum") oder aus der Grammatik („Steigerung") verwandt. In unterschiedlichen Bereichen werden dabei Grenzen überschritten, ohne daß der Übertritt „unter Kontrolle"

[33] Vgl. erste empirische Daten in: Arbeiterwohlfahrt Bundesverband e. V. (Hrsg.), Alternative Projekte der Jugendhilfe in Berlin. Untersuchung der jugendlichen Alternativszene, ihrer gesellschaftspolitischen Hintergründe und Tendenzen – Relevanz und Konsequenzen für freie Träger der Jugendhilfe, Endbericht und Materialien, Bonn 1983; vgl. auch *H. Kreutz* u. a., Alternative Projekte – Realistische Alternativen zur Arbeitslosigkeit? Mitteilungen aus der Arbeitsmarkt- und Berufsforschung 2 (1984) 267–273; vgl. auch *H. Speichert,* Die Gründer. Reportagen aus Alternativbetrieben, Königstein 1984.

bleiben kann. Das hat mit der Erkenntnis zu tun, daß Menschen weit denken, aber nur nah fühlen können; und es darf bezweifelt werden, ob sie letzten Endes weit genug denken. Die Träger des Status quo entwickelter Industriegesellschaften scheinen ihre Aufgabe in einer Weise wahrzunehmen, daß sich die Frage des Überlebens der Gattung Mensch, die Frage gesellschaftlichen Lebens überhaupt stellt. In letzter Konsequenz geht es um Ausdehnung von Macht, von Macht über dic außermenschliche und die menschliche Natur.[34] In antizipatorischer Solidarität wird diese „Logik" des Ablaufs gebrochen. Gesellschaften wie die unsere verdanken Jugendlichen verworrene, aber auch klarsichtige realutopische Hinweise darauf, daß es „so nicht weitergehen kann". Minderheiten Jugendlicher fragen nach einer Anti-Logik des Innehaltens, der möglichen Rücknahme von Steigerungen, nehmen die Grunderkenntnis ernst, daß das Maximale (das Größtmögliche) für Menschen nicht das Optimale (das Bestmögliche) sein muß. Das Leitmotiv planvoller Selbstbegrenzung, die alles andere als Selbstverarmung und -verstümmelung meint, thematisiert Bedingungen gesellschaftlicher Zukunft auch für künftige Generationen. In ihr verbindet sich gleichsam die gegenwärtige Jugend jener Jugend, die in künftigen Gesellschaften leben soll.

Literatur

Berger, Peter L./Berger, Brigitte, Wir und die Gesellschaft. Eine Einführung in die Soziologie - entwickelt an der Alltagserfahrung, Reinbek 1977 (Rowohlt).

Bourdieu, Pierre, Die feinen Unterschiede. Kritik der gesellschaftlichen Urteilskraft, Frankfurt ³1984 (Suhrkamp).

Etzioni, Amitai, Die aktive Gesellschaft. Eine Theorie gesellschaftlicher und politischer Prozesse, Opladen 1975 (Westdeutscher Verlag).

Grün, Josef/Wiener, Detlev, Global denken. Vor Ort handeln. Weltmodelle von Global 2000 bis Herman Kahn. Kontroversen über unsere Zukunft, Freiburg 1984 (Dreisam).

Habermas, Jürgen, Die neue Unübersichtlichkeit. Die Krise des Wohlfahrtsstaates und die Erschöpfung utopischer Energien, in: Merkur 1 (1985) 1-13.

Jugend '81. Lebensentwürfe, Alltagskulturen, Zukunftsbilder, Band 1, Studie im Auftrag des Jugendwerks der Deutschen Shell, Hamburg 1981 (Deutsche Shell AG).

[34] Vgl. dazu auch *H. Peukert,* Über die Zukunft von Bildung, in: Frankfurter Hefte Extra 6, a.a.O., 129-137.

Hermann Steinkamp

Gruppe

Die Gruppe gehört zu den elementaren Phänomenen traditioneller Jugendarbeit wie Wandern, Fahrt und Heim. In der Erinnerung vieler Ehemaliger sind Gruppe und Jugendarbeit nahezu identisch. Im heutigen differenzierten Praxisfeld haben sich ihre Bedeutung und ihr Stellenwert zwar gewandelt, gleichwohl kommt ihr in einzelnen Teilbereichen, speziell in den Jugendverbänden, nach wie vor eine zentrale Funktion zu, praktisch und theoretisch. Was so (zumindest relativ) „zeitlos" „gültig" erscheint, entpuppt sich bei näherer historischer und systematischer Betrachtung als ein ebenso vieldeutiges, wandelbares und gleichwohl in seinen jeweils neuen Gestalten gerade im Zusammenhang von Jugendarbeit interessantes Phänomen.

1. Wandlungen der Gestalt und Funktion der Gruppe im Kontext (kirchlicher) Jugendarbeit

Nach Neidhard „gab es Gruppe in einem lockeren Sinn zu allen Zeiten, wahrscheinlich aber jeweils stark eingebunden und sozial beherrscht von relativ diffusen institutionellen Komplexen . . ." („z.B. von Verwandtschaft, Nachbarschaft, Gemeinde, Kirche"), „. . . also ohne richtige Chance, gleichsam zu sich selber zu kommen"[1]. Am Beginn der jüngsten Phase dieses Prozesses der „Emanzipation" der Gruppe aus institutioneller „Bevormundung", die nach Neidhard erst in den letzten Jahrzehnten einsetzt, dürften die Jugendbewegung und der von ihr ausgeprägte Gruppen-Typ einen wichtigen Einschnitt markieren. Daß die „Jugendgruppe" seit ihren Anfängen gleichwohl selber einen Gestaltwandel erfahren hat, sei zunächst an vier Gruppen-Typen schlaglichtartig verdeutlicht.

1.1. Die „bündische" Gruppe

Für die Jugendbewegung hatte die Gruppe, insbesondere begründet in den beiden prägenden Traditionen des Wandervogels und des englischen Scou-

[1] *Fr. Neidhard,* Das innere System sozialer Gruppen, in: Kölner Zeitschrift für Soziologie und Sozialpsychologie 31 (1979) 640.

tismus[2] eine so herausragende Bedeutung, daß Seidelmann seiner geschichtlichen Dokumentation den Titel „Gruppe – soziale Grundform der Jugend" gegeben hat.
Aus den zentralen und primären Aktivitäten des Wanderns (Wandervogel), des „einfachen Lebens in der freien Natur" (Scoutismus) sowie dem dabei erlebten intensiven Gemeinschaftsgefühl entwickelt sich jener spezielle Typ von „bündischer" Gruppe, als dessen Merkmale bis heute gelten: eine bestimmte Gruppengröße, besondere Mitgliedschaftsregeln, Rollenensembles und Aktivitäten, ein eigenes Sinn- und Symbolsystem, gegebenenfalls eine eigene Gruppensprache.
Die Mitgliederzahl der „Horde" (6–8 Jugendliche) pendelte sich mit der Zeit auf die Größe jenes Hordentopfes ein, den man beim Wandern tragen konnte und der zugleich zum Gruppensymbol wurde.[3] Aus der ursprünglichen („nur") Fahrtengemeinschaft wird die über die Sommerfahrt hinaus bestehende Gruppe: Aufnahme-Rituale und Treue-Eid kommen auf, bei den boy-scouts verknüpft mit den Rechten der Vollmitgliedschaft (Kluft und Abzeichen zu tragen).
Liedersammlungen („Zupfgeigenhansl"), Dokumentationen der Gruppen-Fahrten und -Entdeckungen, Gruppen-Chroniken u. ä. sind Ausdruck eines eigenen Sinn- und Symbolsystems, das das Wir-Bewußtsein der Gruppe und des Gruppen-Verbands („Bund") zugleich ausdrückt und verstärkt.
Pädagogische Intentionen und Konzepte (Führerprinzip, Prinzip der altersheterogenen Gruppe als Ausdruck des Vertrauens in die selbsterzieherischen Kräfte der Jugend) durchdringen sich mit typischen Merkmalen der „Bewegung": Jugend als Hoffnungspotential des Bildungsbürgertums, das seine kulturelle Verunsicherung und die Reformbedürftigkeit seines Lebenskonzepts spürt. Aber auch: Auszug der Jugend aus dieser Gesellschaft, Wandern in die freie Natur als spontane Aktivität und zugleich Symbol für diesen „Auszug".
Insofern schillert der Typus der „bündischen" Gruppe zwischen Selbstorganisation (im Sinn der „Entdeckung" der „Gemeinschaft"), „Basisgruppe" (einer größeren, umgreifenden Bewegung) und pädagogischem Instrument im Sinn reform- und sozialpädagogischer Konzepte.
Unter politischem Gesichtspunkt läßt sie sich weder als konservativ-konform noch eindeutig als progressiv-abweichend kennzeichnen: Insofern stimmt

[2] Vgl. *K. Seidelmann,* Bund und Gruppe als Lebensformen deutscher Jugend, München 1955 (erweiterte Ausgabe unter dem Titel „Gruppe – soziale Grundform der Jugend" (2 Bände), Hannover 1970/1971, 30; vgl. auch *B. Schäfers,* Einführung in die Gruppensoziologie, Heidelberg 1983, 114.

[3] Vgl. *B. Schäfers,* Gruppenbildung als Reflex auf gesamtgesellschaftliche Entwicklungen am Beispiel der deutschen Jugendbewegung, in: Fr. Neidhard (Hrsg.), Gruppensoziologie, Sonderheft 15 der Kölner Zeitschrift für Soziologie und Sozialpsychologie, Opladen 1983, 106–125, hier: 116.

der Vergleich mit heutigen „Basisgruppen" nur bedingt. Gegen alle Interpretationen der Jugendbewegung als Gegenkultur und Gegenbewegung zur etablierten Ordnung wird man festhalten müssen, daß sie eine „bürgerliche" Bewegung war. Entsprechend zielte der wesentliche Effekt der bündischen Gruppe auf eine bestimmte Lebensführung über das Gruppenleben hinaus, war an der moralischen Persönlichkeit ihrer Mitglieder letztlich mehr interessiert als an politisch-gesellschaftlichen Veränderungen.

1.2. Das Gruppen-Modell der Gruppenpädagogik

Nach dem Zweiten Weltkrieg lebt zusammen mit anderen bündischen Elementen aus der Vorkriegszeit auch der eben skizzierte Gruppentyp wieder auf, zumal innerhalb der Jugendverbände. Aber bald setzt – im Zuge einer staatlich und kirchlich geförderten Pädagogisierung der Jugendarbeit – ein Prozeß der Überlagerung der „bündischen" Elemente ein: „Gruppenpädagogik" kommt in Mode, gespeist aus reformpädagogischen Traditions-Ausläufern, ebenso wie aus Importen nordamerikanischer Sozialarbeitsmodelle (social group work), die ihrerseits Weiterentwicklungen u.a. von „Gruppen"-Konzepten der Jugendarbeit und -bewegung darstellen.
Allmählich verlagern sich die Akzente: Waren die Merkmale Selbstorganisation/Bewegung in der bündischen Gruppe noch mindestens so ausgeprägt wie der Aspekt der (Selbst-)Erziehung, so dominiert letzterer nun eindeutig: Die Gruppe wird zum Instrument sozialpädagogischer Ziele und Maßnahmen. „Anfangen, wo die Gruppe steht", „mit den Stärken arbeiten", „individualisieren" lauten die Zauberformeln, an denen sich passionierte Schulpädagogen ebenso begeistern wie sie Ehrenamtlichen, pädagogischen Laien und Jugendgruppenleitern leicht eingehen. Verbandsleitungen, Diözesanbüros und später Regionalstellen kirchlicher Jugendarbeit beginnen bald, in großem Umfang „Gruppenleiter"-Schulungen durchzuführen, wo nicht nur pädagogische „Grundsatz"-Referate gehalten, sondern vor allem gruppenpädagogische Methoden vermittelt werden, insbesondere immer neue „Programm"-Ideen. In Verbands-Zeitschriften und einer ausufernden Handreichungs-Literatur werden immer mehr und immer neue Ideen und Vorschläge zur Gestaltung von Gruppen-Abenden entwickelt: Die Gruppen werden in einer Weise „pädagogisch" (das heißt mit „Programmen") versorgt, daß allmählich ein Teufelskreis entsteht: Die Verbands-„Basis" wird zunehmend konsumfreudiger und gleichzeitig apathischer – was die Zentralen der Jugendarbeit zu immer neuen Anstrengungen antreibt, sie zu aktivieren.
Zweifellos hat es neben dieser – die Gesamttendenz charakterisierenden – Entwicklung immer auch Jugendgruppen gegeben, in denen die originären Ideen der Gruppenpädagogik (Ansatz des Gruppenprozesses und -pro-

gramms an den Grundbedürfnissen der Jugendlichen, Gruppe als Ort sozialen und politischen Lernens, Selbstbestimmung der einzelnen und der Gruppe) ebenso wie erfolgreiche Gegensteuerungen gegen den skizzierten Teufelskreis der pädagogischen Versorgung versucht wurden, etwa durch die sogenannte Projekt-Methode. Mit dieser wird versucht, die Gruppe an der Entdeckung „ihres“ Programms zu beteiligen, womöglich auf der Basis offenkundiger Interessen bzw. gemeinsam erkannter Notwendigkeiten (z.B. Projekt Kinderspielplatz im Neubaugebiet), die Arbeit am Projekt als einen längerfristigen Kooperations- und Kommunikationsprozeß zu gestalten sowie den Zusammenhang von Arbeits- und Gruppenprozeß, von Aktions- und Interaktionsebene der Gruppe zu reflektieren. Wo letzteres methodisch bewußt geschieht, bildet die „Projektgruppe“ gleichsam die „Nahtstelle“ zwischen einem gruppenpädagogisch beeinflußten zu einem gruppendynamisch inspirierten Gruppentyp, der „reflektierten Gruppe“.

1.3. Die „reflektierte Gruppe“

Ende der 60er Jahre erreicht eine weitere „Gruppen“-Import-Welle aus den USA die BRD: In Sensitivity-Trainings, gruppendynamischen und Organisations-Laboratorien wird „angewandte Gruppendynamik“ praktiziert und gleichzeitig „gelehrt“: Erkenntnisse einer seit den 30er Jahren in den USA systematisch und zunehmend expandierenden Kleingruppenforschung. Eine besondere Anwendung dieser Erkenntnisse, die sogenannte T-Gruppe (Trainings-Gruppe), hat der bekannte Psychologe Carl Rogers als die wichtigste sozialwissenschaftliche Erfindung dieses Jahrhunderts bezeichnet: die (Laboratoriums-)Gruppe, die zugleich Subjekt und Objekt ihres Erkennens, Lernens und Handelns ist.

Die junge Praxis der angewandten Gruppendynamik in der BRD stand Anfang der 70er Jahre Pate bei der Entwicklung eines neuen Konzepts katholisch-kirchlicher Jugendarbeit im Prozeß der Synode. Ein Schlüsselbegriff dieses Konzepts ist der der „reflektierten Gruppe“, womit vor allem ein neues Verständnis, eine neue Funktion und ein neuer methodischer Stellenwert der Gruppe im Kontext kirchlicher Jugendarbeit angezeigt werden sollten.

Der während und von der Synode neu geprägte Begriff mußte lange Zeit gegen vielerlei Mißverständnisse kämpfen. Zwei davon eignen sich in der Rückschau besonders gut zur Veranschaulichung dessen, was der Begriff meint bzw. nicht meint.

Zunächst stieß die semantische Waghalsigkeit des Begriffs auf Irritation, Unmut und Unverständnis, was gelegentlich zu der „Korrektur“ führte, von „reflektierenden Gruppen“ zu sprechen und dabei eine ganz bestimmte Programmatik zu assoziieren: Debattierclubs, Dauerreflexions-Zirkel u.ä., wie sie damals – zumal in Schüler- und Studentenkreisen – im Gefolge der 68er Bewegung übrigens durchaus üblich waren. Der Begriff „reflektierte Gruppe" will dagegen kein Programm vorschreiben, schon gar nicht ein bestimmtes wie „Dauerreflexion". Gemeint ist vielmehr die (gelegentliche!) Reflexion auf/über die Gruppe als Gruppe: ihre Beziehungsdynamik, ihre „geheime Tagesordnung", die Differenz von Anspruch und Wirklichkeit, ihren Ort und ihre Funktion in größeren sozialen, kirchlichen, politischen Zusammenhängen.

Ein zweites Mißverständnis von „reflektierter Gruppe" lag somit schon eher nahe: Jugendgruppen nunmehr als Mini-Selbsterfahrungsgruppen zu konzipieren, als Psycho- oder Encounter-Gruppen. Gegenüber dieser Fehldeutung wurde von den Initiatoren des Konzepts immer neu betont, daß kein neuer Gruppentyp intendiert sei, sondern eine Art regulatives Prinzip, eine methodische Maxime, die für alle möglichen Erscheinungsformen von Jugendgruppen (Bibelkreise, Aktionsgruppen, Dritte-Welt-Gruppen, Verbandsgruppen, auch für temporäre und ad-hoc-Gruppen z.B. im Rahmen von Offenen Türen usw.) gilt.

Freilich konnten solche Richtigstellungen nicht verhindern, daß da und dort Gruppen in der kirchlichen Jugendarbeit sich dem Typ der Selbsterfahrungs- und Encountergruppe annäherten bzw. zu entsprechenden Zerrbildern gerieten.

Etwa zehn Jahre nach Verabschiedung des Synodenbeschlusses „Ziele und Aufgaben kirchlicher Jugendarbeit" wird man feststellen müssen, daß das Konzept der „reflektierten Gruppe" noch nicht auf breiter Ebene in die Praxis umgesetzt worden ist, zumal das von der Synode als notwendige flankierende Maßnahme ins Auge gefaßte System von Praxisberatung/Supervision nicht im notwendigen Umfang aufgebaut wurde. Wenn, dann findet sich eine adäquate Verwirklichung dieser Gruppen-Methode in der Praxis der Gruppenleiter-Kurse und Schulungen, die zum Teil von sozialpsychologisch qualifizierten Mitarbeitern durchgeführt werden.

Im Bereich der evangelischen Jugendarbeit hat das Konzept der „reflektierten Gruppe" viel Aufmerksamkeit und Diskussion erzeugt, zumal auch dort – durch die Berührungen mit der Bewegung und Praxis der angewandten Gruppendynamik – ein ähnlicher Einfluß von außen stattgefunden hat.

1.4. Basis- und Selbsthilfegruppen

In jüngster Zeit zeichnet sich ein neuer Gruppen-Typ ab, der auch im Handlungsfeld Jugendarbeit Bedeutung gewinnen könnte: die Selbsthilfe- bzw. Basisgruppe. Bekannte Formen von Selbsthilfegruppen sind z.B. Anonyme Alkoholiker, Gruppen Alleinerziehender, Behinderter usw.; als Basisgruppen bezeichnet man z.B. örtliche Friedens-, Öko-, Frauengruppen, das heißt Gruppen, die sich einer größeren Bewegung zugehörig fühlen bzw. diese tragen. Obwohl beide Gruppentypen nicht identisch sind, weisen sie mehr gemeinsame als unterschiedliche Merkmale auf, ähneln einander oft in Erscheinungsform und Arbeitsweise. Als wichtige Kennzeichen solcher Gruppen können gelten: „gemeinsame Betroffenheit" und „Zielfindung aus Leidensdruck".

Schaut man derzeit im Einflußbereich und Umkreis kirchlicher Jugendarbeit nach Basis- und Selbsthilfegruppen aus, so fällt die Einschätzung der Bandbreite des Typus sowie seiner quantitativen Verbreitung schwer. Auffällige Initiativen wie Selbsthilfegruppen jugendlicher Arbeitsloser sind deshalb nicht eindeutig zu typisieren, weil der Grad der Fremdsteuerung (z.B. durch fachkundige Sozialarbeiter) bzw. der „Modell"-Charakter solcher Initiativen schwer von dem wirklichen „Selbsthilfe"-Aspekt zu unterscheiden ist. Ebensowenig lassen einzelne spektakuläre (über Zeitschriften u.ä. publizierte) „Umdefinitionen", z.B. von ehemaligen KJG-Gruppen, die aus dem Verband ausgetreten sind und sich als Basisgruppen fortan in der Friedensbewegung engagieren, keine exakte Einschätzung der Häufigkeit des Phänomens zu, zumal der in jüngster Zeit in einzelnen Verbänden zu beobachtende Mitgliederschwund gerade unter diesem Aspekt mehrere Interpretationen zuläßt: daß Gruppen sich vom Verband abkoppeln und als Basisgruppen weiterexistieren oder sich einfach auflösen, sich als Freundeskreise fortsetzen usw.

Ebenso schwierig dürfte die Einschätzung von „Taizé-Gruppen" unter dem Aspekt sein, ob es sich um Basisgruppen handelt: Taizé-Erfahrungen als gemeinsame Betroffenheit? Selbstorganisation aus dem „Leidensdruck" an einer unpersönlichen, bürgerlichen Service-Kirche, in der religiöse Bedürfnisse, Sehnsüchte nach intensiven Gemeinschaftserlebnissen nicht mehr erfüllt werden? Zumindest ähnelt die lockere Form des Zusammenhalts der Taizé-Gruppen („außerhalb Taizés") eher der Organisationsform des Netzwerkes als der des Verbandes, was auf ihren „Basisgruppen"-Charakter schließen ließe. Andererseits – wenn man stärker den Faktor des charismatischen Einflusses von Taizé in den Blick nimmt – kann man diese Gruppen auch mit traditionell verbandlichen vergleichen.

2. Funktionen der Gruppe in der kirchlichen Jugendarbeit

Die letztgenannten Einschätzungsprobleme können überleiten zur systematischen Frage nach den Funktionen, dem Stellenwert, dem „Ort" der Gruppe im Zusammenhang von Jugendarbeit.

2.1. *Fazits*

Zunächst legt bereits die kleine historische Skizze verschiedener Gruppentypen zwei Fazits nahe:
(1) Mit dem Begriff „Gruppe" wird nicht nur eine je konkrete empirische Form des Zusammenschlusses mehrerer Personen bezeichnet, sondern es werden damit immer auch bestimmte normative Vorstellungen verbunden: „Gemeinschaft", „Mikrokosmos", „pädagogisches Instrument" usw. König hat diesen Sachverhalt als die „analytisch-praktische Doppelbedeutung des Gruppentheorems"[4] bezeichnet. Die zeitweilig emphatische Bewertung der Gruppe kommt z.B. im Untertitel des bekannten Buches „Die Gruppe" von Horst Eberhard Richter[5] zum Ausdruck: „Hoffnung auf einen neuen Weg, sich selbst und andere zu befreien".
(2) Die oben skizzierten Gruppentypen lassen sich nach dem Grad ihrer Abhängigkeit von ihrem institutionellen Umfeld („Verband", „Kirche", „Jugendbewegung") analysieren und unterscheiden. Dieser ist im Fall der gruppenpädagogisch instrumentalisierten Gruppe offenkundig höher als bei der Basisgruppe. Die „bündische" Gruppe dürfte zumindest in den Anfängen der Jugendbewegung zu dieser in einem Verhältnis wechselseitiger Beeinflussung gestanden haben: Die Bewegung lebte gleichsam „in" ihren Gruppen, während sich die später entstehenden Jugendverbände mit zunehmender struktureller Verfestigung einerseits als Strukturen verselbständigten, andererseits gleichzeitig („pädagogisch") größeren Einfluß auf die einzelne Gruppe im Sinn von Koordination und Uniformierung gewannen.
Beide bisher erörterten Aspekte, die normative „Besetzung" wie die Abhängigkeit von institutionellen Vorgaben, werden von verschiedenen Wissenschaftlern in größeren theoretischen und konzeptionellen Zusammenhängen diskutiert, von denen wir im folgenden einige erörtern wollen, insofern sie für Jugendarbeit bedeutsam erscheinen.

2.2. *Merkmale einer („guten") Gruppe*

Der Soziologe Neidhard unterscheidet die Gruppe in dem hier gemeinten Sinn von einfachen Sozialsystemen („Encounter") auf der einen und Organisationen auf der anderen Seite. Unter einfachen Sozialsystemen werden dabei sowohl die berühmte Gruppe an der Bushaltestelle wie die kurzlebige Arbeitsgruppe anläßlich einer Wochenendtagung verstanden. Von diesen – aber auch von „Organisationen" wie Automobilclubs, Pfarrgemeinden oder eben Jugendverbänden – unterscheidet sich die Gruppe durch drei Merk-

[4] *R. König,* Die analytisch-praktische Bedeutung des Gruppentheorems, in: ebd., 36–64.
[5] *H. E. Richter,* Die Gruppe. Hoffnung auf einen neuen Weg, sich selbst und andere zu befreien, Reinbek 1972.

male: (1) den face-to-face-Kontakt, (2) die Diffusität der Mitglieder-Beziehungen und (3) das Element der Dauerhaftigkeit.

(1) Face-to-face-Kontakt meint die Möglichkeit, daß jedes Gruppenmitglied von jedem anderen die konkrete Wahrnehmung seiner Anwesenheit hat, jederzeit direkten Kontakt mit ihm herstellen kann. Indirekt ist damit eine obere Grenze der Gruppengröße (12–15 Personen) angegeben, aber auch ein Hinweis auf die Grenze der „Offenheit" der Gruppe, was die Fluktuation von Mitgliedern betrifft.

(2) Unter Diffusität der Mitglieder-Beziehungen versteht die Soziologie, daß die Gruppen-Teilnehmer nicht nur über eine bestimmte Rolle (wie z.B. Berufskollege, Automobilclub-Mitglied, Sonntagskirchgänger) miteinander verbunden sind, sondern dic Möglichkeit bzw. Norm besteht, die Beziehungen in vielerlei Hinsicht gestalten und variieren zu können: Freunde, Spielkameraden, Fahrtengenossen, Arbeitsgemeinschaft, Glaubensbrüder/-schwestern usw. gleichzeitig sein zu können.

(3) Dauerhaftigkeit kann natürlich nur eine relative Norm sein, immerhin besagt sie so viel, daß die Mitglieder Gruppennormen und -rollen entwikkeln, ihre Beziehungen zueinander sowie die Ziele und Projekte der Gruppe mit dem subjektiven Bewußtsein einer Zeitperspektive gestalten, die von der Gewißheit geprägt ist, daß man nicht nach einer Woche wieder auseinandergeht. Die Bestimmung der „Dauer" einer Gruppe scheint in der Jugendarbeit häufig von Idealisierungen („Lebensgemeinschaft", „langjähriger Freundeskreis") beeinflußt, die es erschweren, auch das Ende eines Gruppenprozesses realistisch wahrzunehmen und nicht als Scheitern zu erleben.

2.3. Balance der Ebenen des Gruppengeschehens

Eine der elementaren Erkenntnisse der sozialwissenschaftlichen Gruppenforschung besagt, daß in jeder Gruppe zwei Ebenen des Miteinander unterschieden werden können, deren Wechselwirkung das „Gelingen" oder Scheitern der Gruppe als Gruppe beeinflußt.

Die beiden Ebenen werden unterschiedlich bezeichnet: „Arbeits- und Beziehungsebene", „Aufgaben-Dimension und sozial-emotionale Dimension des Gruppenprozesses"; die soziologisch orientierte Kleingruppenforschung spricht in diesem Zusammenhang von den zwei Grundfunktionen der Zielverwirklichung und der Systemerhaltung.

Die „Zwei-Ebenen-Theorie" weist vor allem auf drei wichtige Sachverhalte hin, die im normalen Alltagsbewußtsein nicht präsent sind:

(1) In jeder Gruppe entwickeln sich – was immer ihr Ziel (Skatclub, Bibelkreis, Jugendgruppen) bzw. ihre momentane Aktivität (Spielen, Wandern, Musik machen, Diskutieren usw.) sein mögen – Beziehungen der Teilnehmer untereinander, die unterschiedliche Prägungen aufweisen: Sympathie,

Antipathie, Rivalität, Dominanz und Abhängigkeit usw. Es entstehen Rollen wie Anführer, Mitläufer, Spaßvogel, Sündenbock u.a. Aus dem „Stoff" dieser Beziehungen, Rollen, Untergruppen ent- und besteht die sogenannte „Gruppendynamik". Diese kann man – als Mitglied, Leiter oder Beobachter einer Gruppe – wahrnehmen oder nicht: Sie existiert gleichwohl und beeinflußt den „sichtbaren" Prozeß der Gruppe: die „Arbeits"- bzw. Aktions-Ebene.

(2) In der „Beziehungs"-Ebene der Gruppe realisieren sich elementare Bedürfnisse der Mitglieder: angenommen zu sein, respektiert zu werden, beliebt und geliebt zu sein, nicht allein zu sein, mitreden zu können, Einfluß zu haben usw.

In der Phase des Jugendalters scheint – wie die Beobachtung der altershomogenen peergroups zeigt – das Bedürfnis, ein Gleicher unter Gleichen zu sein, damit auf die Entstehung der Gruppennormen Einfluß zu haben, besonders ausgeprägt.

Nicht zuletzt deshalb orientieren sich neuere gruppendynamische Konzepte (z.B. das der „reflektierten Gruppe") am peergroup-Phänomen: Die peergroup erscheint als der Prototyp der „volontary-group", das heißt, sie realisiert jenes Freiwilligkeitsprinzip, das die Gruppenpädagogik zwar ständig betont, aber gleichwohl tendenziell durch ihre „Programme" und ihre Pädagogisierungstendenzen unterläuft.

Wo Gruppenleiter in der Jugendarbeit über fehlende Motivation von Jugendlichen klagen und ständig mehr Bedarf nach Aktivierungstechniken entwickeln, könnte das u.a. darauf hindeuten, daß in ihren Gruppen elementare Bedürfnisse nicht erfüllt werden.

(3) Ferner gehört zum Bestand der Zwei-Ebenen-Theorie die Beobachtung, daß Gruppen gleichsam intuitiv Mechanismen der Selbsterhaltung entwikkeln: teils über unbewußte Strategien, die das Gruppen-Wir-Gefühl hervorbringen und stärken, teils über die Entstehung entsprechender Rollen (Vermittler, Konflikt-Manager, Stimmungs-Nudel usw.). Die Gruppenrollen-Theorie unterscheidet entsprechend zwischen Aufgaben-Rollen (Ideengeber, Organisator) und integrativen Rollen. Dem Phänomen der Gruppenerhaltungs-Mechanismen liegen benennbare individuelle Grundbedürfnisse ebenso zugrunde wie unbewußte individuelle und kollektive Phantasien und Impulse.

Daß Bezichungs- und Aufgaben-Ebene ständig ineinanderspielen, daß „Ereignisse" in der sozial-emotionalen Dimension die Zielverwirklichung behindern können, wie deren bewußte Wahrnehmung zum Gelingen eines Gruppen-Projekts beiträgt, gehört seit den 70er Jahren zum Basiswissen vieler Mitarbeiter in der Jugendarbeit. Die entscheidende Kompetenz des Gruppenleiters oder -beraters besteht darin, die Balance der zwei Ebenen zu steuern, und zwar je konkret bezogen auf die spezifische Definition und

Selbstdefinition einer Gruppe (in einer Jugendrotkreuzgruppe z.B. ist die Balance nicht nur situativ, sondern prinzipiell anders auszusteuern als etwa in einem Bibelkreis) wie auch auf aktuelle Situationen, Stimmungen, Bedürfnislagen usw.

2.4. Die Gruppe und ihre Umwelt

War die Blickrichtung bislang auf den Binnenraum der Gruppe gerichtet (sozialpsychologische Sichtweise), so lassen sich auch im Verhältnis von Gruppen zu ihrer jeweils relevanten Umwelt bestimmte typische Beziehungsmuster ausmachen (soziologische Sichtweise). Gruppen kann man z.B. danach unterscheiden, ob sie sich zu ihrem (Bezugs-)Verband konform oder abweichend verhalten, ob sie politisch aktiv auf ihre Umwelt Einfluß nehmen oder selbstgenügsam auf ihre Binnen-Probleme fixiert bleiben. Die relevante Umwelt kirchlicher Jugendgruppen bilden in der Regel sowohl die Jugendverbände als auch die Kirchen (als Sekundärsysteme, die ihrerseits „zwischen" der Gruppe und der Gesamtgesellschaft vermitteln. Je nach Perspektive kann man Jugendverbände natürlich auch als Zwischen-Instanzen zwischen Gruppe und Großkirche betrachten.). Es scheint unter dem Gesichtspunkt, daß Gruppen für den einzelnen Sozialisationsorte, für die Kirche zugleich Tradierungsinstrumente und mögliche Transformationspotentiale darstellen, notwendig, die Funktionen und Möglichkeiten der Gruppe auch unter diesen Gesichtspunkten zu betrachten.[6]

2.4.1. Konforme und abweichende Gruppen

So wie in Gruppen – sei es durch Aushandlung, sei es als Nebenprodukt des Gruppenprozesses – ständig Normen gebildet werden, und Gruppen eben hierin ihre wichtigste Sozialisationsfunktion erfüllen, so wirken die Normen der Sekundärsysteme (hier z.B. der Verbände bzw. der Kirche) sowohl auf das Verhalten des einzelnen ein, wie sie sich zu den Normen der Gruppe wie Kontroll-Instanzen verhalten.
Wo Gruppennormen mit denen des Verbandes/der Kirche übereinstimmen, spricht man von konformen Gruppen (z.B. orthodoxe Bibelkreise); diese Bezeichnung ist dabei nur unter der Voraussetzung sinnvoll, daß in diesen Gruppen selbst ein Prozeß der Normenentstehung (aus den Bedürfnissen und Sinndeutungen der einzelnen Mitglieder) und Normen-Reflexion stattfindet.
Nur unter dieser Bedingung kann man dann auch von „abweichenden" Gruppen sprechen: solchen, deren Binnen-Normen mit denen der relevan-

[6] Vgl. zum Folgenden: *H. Willke,* Funktionen und Konstitutionsbedingungen des normativen Systems der Gruppe, in: Kölner Zeitschrift für Soziologie und Sozialpsychologie 28 (1976), 426–450.

ten Umwelt, des zugehörigen Sekundärsystems kollidieren. Je nach Machtverhältnissen und entsprechend den Reaktionen des Gesamtsystems kommt es zu Polarisierungen, Verhärtung bzw. Radikalisierung der Position, Ausschluß der Minderheit u. ä. In der Regel bewirken der Integrationsdruck oder die Sanktionsdrohung des größeren Systems eine Binnen-Konsolidierung der Gruppe, eine Radikalisierung der abweichenden Normen, u.a. dadurch, daß innerhalb der Gruppe die Kontrolle über mögliche individuelle Abweichler verschärft wird (Beispiel: religiöse Minderheiten).

2.4.2. Generative und regressive Gruppen

Wo größere Sozialsysteme (Kirchen, Gewerkschaften) - zumal im Blick auf ihre Sozialisationsfunktion - ein gewisses Maß an Abweichung von den geltenden Normen tolerieren und nicht gleich mit Strafe drohen, wenn Gruppennormen in eine andere Richtung tendieren als die des Gruppen-Verbandes, wenn gleichzeitig in der einzelnen Gruppe (u.a. dadurch) ein Prozeß der Normbildung vor sich geht, der seinerseits individuelle Abweichungen ermöglicht (das heißt Individualität und Identität auszubilden erlaubt), entsteht der Typus der „generativen" Gruppe. In solchen Gruppen finden nicht nur (für „gelingende" Sozialisation) höchst wichtige Normbildungsprozesse statt, in denen die Beteiligten „ihre" gemeinsamen Normen ausbilden, sondern solche Gruppen nehmen Einfluß auf die normativen Veränderungen des größeren Bezugs-Systems und tragen zu dessen Transformation bei.

Regressive Gruppen nennt man soziologisch (psychologisch meint der Begriff etwas anderes, z.B. „Kuschel-Gruppen", Fan-Clubs, Blödel-Kreise) solche, in denen normbezogene Richtungskämpfe stattfinden und die gleichzeitig unter starkem Außendruck stehen. Solche Gruppen (religiöser Fanatiker, politischer Extremisten) neigen entweder zu drastischen Maßnahmen gegen Abweichler („Fememord"), zerfallen oder geraten so in die Isolation, daß sie das Gespür für die umgebende Realität verlieren.

Im Blick auf die Theorie- und Konzept-Diskussion kirchlicher Jugendarbeit verdienen die Typen der „abweichenden" und der „generativen" Gruppe besondere Beachtung. Bezüglich der ersteren hat Christoph Bäumler bereits 1977 die Frage nach der Funktion kirchlicher Jugendgruppen für das kirchliche System als Variante des soziologischen Theorems von der „Jugend als Faktor sozialen Wandels" identifiziert. Bäumler stellte die Hypothese auf: „Je mehr kirchliche Jugendgruppen zu gegenkulturellen Bewegungen tendieren, desto eher werden sie aus dem kirchlichen System ausgeschieden oder Anlaß zu einer Revision der Funktion der Kirche in der Gesellschaft werden"[7] Zur Prüfung dieser Hypothese wäre - so fährt er fort - Gruppen, in

[7] *Chr. Bäumler,* Unterwegs zu einer Praxistheorie, München 1977, 249.

denen „neue Religiosität“ praktiziert wird - bzw., so müßte man ergänzen, „abweichenden Gruppen“ überhaupt, insofern dort von den offiziell geltenden Normen der Großkirche abweichende Wertmuster ausgebildet und gelebt werden - besondere Aufmerksamkeit zu schenken; und zwar nicht, wie bisher meist, unter apologetischen Aspekten, sondern unter theoretischen.[8]

Ähnliches gilt für den Typ der „generativen Gruppe“. Sieht man die dort stattfindenden Prozesse der Normengeneration nicht nur aus soziologischer Perspektive, sondern auch aus theologischer, dann ließe sich dasselbe Phänomen auch als „Kommunikation des Evangeliums“ im Sinn von Lange begreifen: die „generative Gruppe“ als Ort, wo „kommunikative Verflüssigung von Tradition“ (Habermas) geschieht, das heißt, wo auf unter heutigen gesellschaftlichen Bedingungen besonders relevante Weise gleichzeitig religiöse Sozialisation und Tradierung des Christentums sich vollziehen.

Wo Begriff und Konzept der „reflektierten Gruppe“ nicht sozialpsychologisch enggeführt werden (das heißt, nur die gruppendynamischen Phänomene im Binnenraum Gegenstand der Reflexion sind), sondern auch die Funktion der Gruppe im jeweils relevanten sozialen Bezugssystem (Verband, Kirche, Gesellschaft) in den Blick gerät, dürfte dem Konzept nach wie vor ein wichtiger Stellenwert zukommen: für die Fortschreibung entsprechender Praxis-Konzepte ebenso, wie für den Prozeß der Theoriebildung.

Literatur

Bäumler, Christof, Unterwegs zu einer Praxistheorie, München 1977 (Chr. Kaiser).

Neidhard, Friedrich, Das innere System sozialer Gruppen, in: Kölner Zeitschrift für Soziologie und Sozialpsychologie 31 (1979) 638–660.

Sader, Manfred, Psychologie der Gruppe, München 1976 (Juventa).

Schäfers, Bernhard (Hrsg.), Einführung in die Gruppensoziologie, Heidelberg 1983 (Quelle & Meyer).

Ders., Gruppenbildung als Reflex auf gesamtgesellschaftliche Entwicklungen am Beispiel der deutschen Jugendbewegung, in: Neidhard, Friedrich (Hrsg.), Gruppensoziologie, Sonderheft 15 der Kölner Zeitschrift für Soziologie und Sozialpsychologie, Opladen 1983, 106–125.

Steinkamp, Hermann, Jugendarbeit als soziales Lernen, München/Mainz 1977 (Chr. Kaiser/Grünewald).

[8] Vgl. ebd.

Norbert Mette

Identität

1. Problemstellung

Aber all meine Gedanken
Schwirren um mein Ich
In Träumen
Seh ich mich selbst
Doch wach ich auf
Ist der Traum vorbei
Ich schau in den Spiegel
Und sehe mich
Nein!
Ich sehe mein Gesicht
Meine Haare meinen Körper
Aber
Wo ist mein Ich?

Die Angst in mir steigt
Und zwingt mich beinah
Zu schreien
Meine Seele will lieben
Meine Augen vertrauen
Aber
Ich suche im Nichts
Ich schaue nach vorne
Schaue nach hinten
Doch ich sehe nichts
Weil ich so verblendet bin
Daß ich mein Ich hinter einer
Fassade verloren habe.

Diese Zeilen der 15jährigen P. Vujević, die mit dem Stichwort „Verblendung" überschrieben sind[1], bringen aus existentieller Betroffenheit heraus zur Sprache, was der Begriff „Identität" meint: Wer bin ich? Wie sehen die anderen mich? Was will ich? Was wollen andere von mir? Wer kann und will ich für andere sein? Ist es sinnvoll, das zu wollen, was ich will, und entsprechend zu handeln? Es sind solche und ähnliche Fragen um das eigene Selbst im Umgang mit anderen, die die sogenannte Identitätsproblematik ausmachen. Identität – so könnte man diesen Begriff vorläufig definieren – „meint also, daß wir dadurch, wie wir etwas tun, darstellen, wer wir selbst sein wollen, und damit uns selbst und anderen deutlich machen, wie wir die eigene Lebensgeschichte beurteilen und welche Weichen wir für die eigene Zukunft stellen wollen. Unsere Selbstdarstellung im alltäglichen Handeln zeigt dann zugleich, wie wir mit unseren Mitmenschen umgehen und was wir unter menschlichem Zusammenleben verstehen. Wenn wir also von

[1] Der Text findet sich in: Jugendwerk der deutschen Shell (Hrsg.), Jugend vom Umtausch ausgeschlossen. Eine Generation stellt sich vor, Reinbek 1984, 269.

Identität reden, meinen wir immer, wie wir uns selbst in unserer Beziehung zu anderen sehen"[2].

Identitätsbildung ist ein lebenslanger Prozeß; sie stellt sich in jedem Lebensalter als neue Aufgabe. Gleichwohl kommt ihr in der Jugendphase eine besondere Bedeutung zu. Nicht zufällig beschäftigen sich Selbstzeugnisse von Jugendlichen, für die das eingangs zitierte Gedicht beispielhaft steht, stark mit der Frage nach möglichen Lebensentwürfen; sie kreisen um das eigene Ich und seine Zukunft - mal erwartungsvoll, mal hoffnungslos; sie bewegen sich in „nahen" (Elternhaus, Schule, Beruf, Freund/Freundin) und in „fernen" (Dritte Welt, Umwelt, Frieden) Horizonten.[3]

Was in solchen Selbstzeugnissen sehr konkret zum Ausdruck kommt, diskutieren Sozialpsychologie und Soziologie unter dem Stichwort Identität in einer eher trockenen Begrifflichkeit.[4] Mit Hilfe theoretischer Konzepte versuchen sie, den Prozeß der Identitätsbildung im Jugendalter zu rekonstruieren und dabei die ihn fördernden bzw. behindernden Bedingungen anzugeben. Ob und inwiefern sich daraus Konsequenzen für Theorie und Praxis kirchlicher Jugendarbeit ergeben, ist die leitende Fragestellung, wenn im folgenden zunächst ein knapper Überblick über den Stand der sozialisationstheoretischen Diskussion gegeben und daran anschließend deren religionspädagogische Bedeutung erörtert wird.

2. Identitätsentwicklung im Jugendalter

Beim theoretischen Begriff „Identität" handelt es sich um ein „hypothetisches Konstrukt"[5]; bezogen auf das Jugendalter stellt er einen Interpretationsrahmen dar, der Kriterien für eine „gelingende" Lösung der in dieser Phase sich stellenden Entwicklungsaufgaben angibt. Im einzelnen können dabei folgende Aufgaben unterschieden werden[6]:

- Akzeptieren der eigenen körperlichen Erscheinung und effektive Nutzung des Körpers;
- Erwerb der männlichen bzw. weiblichen Rolle;

[2] *U. Peukert,* Wer bin ich?, in: Die Welt des Kindes 59 (1981) 345-356, hier 347f.

[3] Die in Anmerkung 1 genannte Anthologie enthält eine Vielzahl entsprechender Beiträge von Jugendlichen.

[4] Die Ausführungen zu diesem Stichwort beziehen den Begriff „Identität" auf diesen theoretischen Kontext. Wie unklar und uneinheitlich jedoch dieser Begriff insgesamt verwendet wird, zeigt sich etwa daran, wenn von der „Identität kirchlicher Jugendarbeit" gesprochen wird.

[5] In der Psychologie wird teilweise der Begriff „Selbst" bevorzugt.

[6] Hier wird die in der Literatur geläufige Zusammenstellung von R. J. Havighurst (Development Tasks and Education, New York[3] 1972) übernommen; vgl. *R. Oerter,* Jugendalter, in: ders./Leo Montada, Entwicklungspsychologie. Ein Lehrbuch, München-Wien-Baltimore 1982, 242-313, hier 244ff.

- Erwerb neuer und reiferer Beziehungen zu Altersgenossen beiderlei Geschlechts;
- Gewinnung emotionaler Unabhängigkeit von den Eltern und anderen Erwachsenen;
- Vorbereitung auf eine berufliche Karriere;
- Vorbereitung auf Heirat und Familienleben;
- Gewinnung eines sozial verantwortungsvollen Verhaltens;
- Aufbau eines Wertsystems und eines ethischen Bewußtseins als Richtschnur für das eigene Verhalten.

Zur Lösung dieser Entwicklungsaufgaben reichen für den Heranwachsenden die alten Kindheitsidentifikationen nicht mehr aus. Für die Identitätsformation des Kindes ist es nämlich charakteristisch, daß sie auf den im familiären Bezugssystem internalisierten Verhaltenserwartungen beruht; das heißt: das Kind identifiziert sich mit den ihm im Umkreis insbesondere seiner Familie, aber auch in Schule und Freundeskreis begegnenden und von daher vertrauten Erwartungen und gewinnt so für sich verläßliche Orientierungssicherheit. Genau diese für den Interaktionsradius des Kindes angemessene Identität beginnt mit der Pubertät brüchig zu werden. Der Jugendliche kann nicht länger Kind bleiben; von ihm wird erwartet - die biologischen Reifungsprozesse tragen ihrerseits dazu bei -, daß er Erwachsener wird. Eine Veränderung der kindlichen Identitätsformation ist also notwendig. Die Ausbildung einer diesen neuen psychischen und sozialen Gegebenheiten angemessenen Identität wird somit zum zentralen Problem des Jugendalters.

Entsprechend dem bekannten Phasenmodell von Erikson, dem gemäß die Persönlichkeitsentwicklung acht Stadien durchläuft, handelt es sich hierbei um die fünfte psychosoziale Reifungskrise, die er mit dem Konfliktpaar „Identität gegen Identitätsdiffusion" umschreibt.[7] Obwohl es sich nach ihm nur um einen der acht großen Lebenskonflikte handelt, schreibt er ihm eine besondere Bedeutung zu, weil er alle vorausgegangenen Konflikte der Kindheit wiederholt und die Konflikte des Erwachsenenalters vorwegnimmt. „Der Jugendliche erkennt nämlich, was er geworden ist, also was seine vorausgegangenen Bedingungen sind, und was er werden könnte."[8] Eine positive Lösung dieser Lebenskrise braucht Zeit. Dem kommt entgegen, daß für diese Periode ein „psychosoziales Moratorium" eingeräumt ist, „während dessen der junge Erwachsene durch freies Experimentieren mit Rollen einen passenden Platz in irgendeinem Ausschnitt seiner Gesellschaft finden sollte, einen passenden Platz, der fest umrissen ist und doch ausschließlich

[7] Vgl. *E. Erikson,* Jugend und Krise. Die Psychodynamik im sozialen Wandel, Berlin-Wien 1981.
[8] *R. Oerter,* a.a.O., 268.

für ihn gemacht zu sein scheint“[9]. Ergebnis dieser Krise ist im günstigsten Fall die Ausbildung der Ich-Identität. Darunter versteht Erikson „das angesammelte Vertrauen darauf, daß der Einheitlichkeit und Kontinuität, die man in den Augen hat, eine Fähigkeit entspricht, eine innere Einheitlichkeit und Kontinuität (also das Ich im Sinne der Psychologie) aufrechtzuerhalten“[10]. Mißlingt diese Aufgabe der Identitätsbildung auf Grund unbewältigter früherer Lebenskrisen oder auf Grund eines ungünstigen sozialen Umfelds, kommt es zur Identitätsdiffusion, das heißt einer Unfähigkeit des Ichs, eine Identität auszubilden, die vorübergehend oder dauernd sein kann und in psychischer Instabilität und deviantem Verhalten ihren Ausdruck findet.
Von anderen entwicklungspsychologischen Ansätzen her läßt sich aufzeigen, wie im Jugendalter die für die Ausbildung einer Ich-Identität erforderlichen Dispositionen gewonnen werden. „Der Jugendliche hat die Fähigkeit erworben, sich selbst zum Gegenstand seines Denkens zu machen und kann damit gleichsam spielerisch denkend verschiedene Handlungsmöglichkeiten in ihren Konsequenzen für sich und andere ausprobieren.“[11] Anders als das Kind kann er über die Gegenwart hinausdenken und prinzipiell alle Erwartungen durcharbeiten. Dieser Erweiterung der kognitiven Strukturen zum formallogischen Denken korrespondieren Entwicklungsschübe auf motivationaler und moralischer Ebene. „Um sein Verhalten zu rechtfertigen, geht es nun darum, sich nicht mehr bloß auf Sitten und Gebräuche zu berufen, sondern diese selbst noch einmal auf ihre Rechtmäßigkeit zu befragen.“[12] Auch die interaktive Kompetenz erweitert sich in der Adoleszenz: Der Jugendliche durchläuft einen mehr oder minder dramatisch ablaufenden Ablösungsprozeß von seinen bisherigen Bezugspersonen (besonders seinen Eltern) und mißt sein Denken und Verhalten an einem eigenen idealen Entwurf, dem Vorgriff auf ein autonomes Individuum, das sein Leben an Prinzipien orientiert und das daher über veränderliche Situationen und Rollen hinweg konsistent organisieren kann.
Die Ausbildung dieser verschiedenen kommunikativen Einzelfähigkeiten begünstigen zusammengenommen die Fähigkeit zur Bildung einer Ich-Identität. Statt daß einerseits vorgegebene Verhaltensmuster uninterpretiert übernommen werden und andererseits Selbstkonzepte rigide festgehalten werden, wird die volle Verantwortung für das eigene Leben so übernommen, „daß dabei die eigenen Ansprüche und zugleich die Ansprüche der

[9] *E. Erikson,* a.a.O., 160.

[10] *Ders.,* Identität und Lebenszyklus, Frankfurt/Main 1973, 107.

[11] *U. Peukert,* a.a.O., 347 (im Anschluß an die Theorie zur Entwicklung der kognitiven Kompetenz von Jean Piaget).

[12] Ebd. (im Anschluß an die Theorie zur Entwicklung des moralischen Bewußtseins von Lawrence Kohlberg).

anderen zu ihrem Recht kommen"[13]. Allerdings ist es nicht ausgemacht, daß diese Stufe der Identitätsformation erreicht wird. Der Jugendliche kann auch die zerbrochene, an seine Herkunftsfamilie gebundene Rollenidentität auf dem gleichen strukturellen Niveau rekonstruieren, indem an die Stelle der Familienzugehörigkeit andere Identifikationen treten. „Es handelt sich dann beispielsweise um junge Erwachsene, die ein überangepaßtes Verhalten an den Tag legen, Verhaltenspatterns ihrer Vorgesetzten unkritisch und äußerlich imitieren und außengeleitete, in unserer Gesellschaft vorwiegend materialistische Orientierungen bevorzugen: Familie, Häuschen, Karriere sind dann leicht die einzigen Bezugspunkte einer innerlich dürr gebliebenen Person, die dennoch durchaus in unserer Gesellschaft zu reüssieren vermag."[14]

3. Erschwerung der Identitätsbildung heute

Es wäre also ein verhängnisvoller Irrtum zu meinen, der Entwicklungsprozeß zur Ich-Identität hin liefe gleichsam „natürlich" ab. Es kommt entscheidend auf die Eigentätigkeit und Eigenverantwortlichkeit des jugendlichen Subjekts an. Darüber hinaus können aber die aufgezeigten strukturellen Dispositionen auch durch den jeweiligen soziokulturellen Kontext befördert oder eingeschränkt werden. Unterschiedliche sozialisationstheoretische Ansätze lassen dafür sprechen, daß für das Gelingen der Identitätsbildung entscheidend ist, ob der Jugendliche auf dafür förderliche Interaktionssituationen zu treffen vermag. So finden sich beispielsweise bei Piaget Hinweise, daß die Entwicklung des Denkens an bestimmte Erfahrungen des Umgangs von Menschen miteinander gebunden ist. Damit der für das Jugendalter charakteristische Entwicklungsschritt zu einem formallogischen Denken gelingen kann, das auf der Fähigkeit zu reversiblen Operationen beruht, für die strukturell betrachtet Gleichgewichtsbedingungen gelten, müssen ebenfalls in der sozialen Interaktion Gleichgewichtsbedingungen gegeben sein. „Dieser Schritt zu einem Denken, das die Möglichkeit bietet, alle nur vorstellbaren Handlungsalternativen zu entwerfen und wieder aufzugeben, und sich nicht mehr an der Anschauung, sondern nur noch an den Gesetzen der Logik kontrolliert, vollzieht sich in solchen sozialen Situationen, in denen frei gesprochen, Interessen eingebracht und Erwartungen gegenseitig anerkannt werden können."[15]

[13] Ebd.

[14] *D. Baake,* Die 13- bis 18jährigen. Krisen und Probleme des Jugendalters, in: WPG 30 (1975) 295-303, hier: 296.

[15] *L. Krappmann,* Von Zehn bis Sechzehn – Findet die Pubertätskrise noch statt?, in: Neue Sammlung 15 (1975) 394-414, hier 398.

Für die Entwicklung des moralischen Bewußtseins gilt offensichtlich ähnliches. Heranwachsende müssen widersprüchlichen Werten, der Problematisierung von Identitäten und der Notwendigkeit, Entscheidungen zu treffen, ausgesetzt sein, damit sie zu einem Überstieg von einer konventionellen Moral, die sich an sozialen Regeln sowie vorgegebenen Institutionen und Autoritäten orientiert, zu einer postkonventionellen, für die universale ethische Prinzipien als verbindlich gelten, „angestachelt" werden (Kohlberg). Dazu gehört eine entsprechende kognitiv-moralische Förderung, wie z.B. die Diskussion über moralische Konfliktfälle. Weiter betont Kohlberg den „Beitrag, den Verantwortlichkeit, die für andere übernommen wurde, zur Reflexion moralischer Prinzipien zu leisten vermag, vor allem dann, wenn dabei konventionelle Vorstellungen in Konflikt mit übergeordneten humanen Werten geraten"[16].

Damit also Jugendliche ihre Identität ausbilden und durchsetzen können, müssen sie Partner haben, von denen sie als vollwertige Partner akzeptiert werden. Diese Akzeptanz muß sich auf die ganze Person beziehen, das eingeschlossen, was sie als Schwächen oder Unzureichendes an sich selbst erkannt hat. Es geht nicht darum, Jugendlichen konfligierende Verhaltensmodelle und Widerstreit der Meinungen vorzuenthalten. Sie benötigen die Erfahrungen einer vielfältigen und in sich widersprüchlichen Realität, um darin einen eigenen Identitätsentwurf zu wagen.

Fragt man, wo Jugendliche gegenwärtig auf solche Interaktionssituationen treffen können, die ihrer Identitätsbildung förderlich sind, wäre es sicherlich übertrieben, Fehlanzeige zu melden. Doch ist nicht zu übersehen, mit welchen Schwierigkeiten entsprechende Bemühungen konfrontiert werden.[17] Keine Familie kann sich dagegen wehren, daß ihre Beziehungsstruktur durch äußere Einflüsse geprägt wird, die einer verfeinerten Familienkultur nicht gerade förderlich sind. Die öffentliche Erziehung, vorab die Schule, steht dermaßen unter dem Druck widersprüchlicher Erwartungen, daß die Interessen und Bedürfnisse der Kinder und Jugendlichen nur allzu häufig das Nachsehen haben. Der Raum, den die Jugendlichen für ihre Freizeit zur Verfügung haben, wird immer enger; die Umwelt ist weitgehend homogenisiert, „genormt und steril" (Kripp). Der Jugendliche läuft Gefahr, von einer Beziehungsfalle in die nächste zu tappen: Man erwartet von ihm Eigeninitiative, Kreativität und Lebenswillen; gleichzeitig wird ihm signalisiert, daß das in den vorgegebenen Bahnen zu geschehen hat. Er darf Normen finden, aber nicht erfinden.

Es ist kaum übertrieben, wenn in diesem Zusammenhang von einer durch

[16] Ebd., 399.

[17] Vgl. zum folgenden ausführlicher *H. Raiser*, Identitätsproblematik und Religionsunterricht, in: Katechetische Blätter 104 (1979) 106–125.

den gesellschaftlichen Strukturwandel bedingten „Zerstörung des Sinns des Jugendalters“ (Hornstein) gesprochen wird.[18] Die herkömmliche gesellschaftliche Definition dieser Altersphase als Vorbereitung auf ein späteres Erwachsenendasein, für das sich Anstrengung und Verzicht lohnen, ist brüchig geworden. Viele Jugendliche machen die Erfahrung, daß dieses Muster der Statuszuweisung nicht mehr stimmt; die Aussicht auf einen befriedigenden Arbeitsplatz oder zumindest ein Einkommen, das materielle Unabhängigkeit sichert, erweist sich als trügerische Illusion. Zugleich umwirbt die Konsumindustrie den Jugendlichen als anspruchsvollen „jungen Erwachsenen“. Wenn die Aussicht auf spätere Gratifikationen verwehrt ist, kann es nicht verwundern, daß „das Prinzip des ‚Leben ist jetzt‘ . . . an die Stelle der Vorbereitung für Späteres“[19] tritt. Zusätzlich verstärkt wird das dadurch, daß die Jugendlichen sich bei dem Entwerfen von identitätsverbürgenden und -sichernden Selbstdefinitionen und Lebensplänen nicht mehr oder nur begrenzt auf die Sicherheit einer Tradition stützen können, sondern sich auf sich selbst gestellt erfahren. „Darin scheint auf den ersten Blick eine große Chance zu liegen, die Chance nämlich, sein Leben nach selbstgesetzten Grundsätzen und Maßstäben zu gestalten; bei genauerem Zusehen zeigt sich allerdings auch hier etwas sehr Widersprüchliches: Einerseits wird der Jugendliche gesellschaftlich aufgefordert, sich als einzelner, als Individuum, seinen eigenen Lebensplan zu machen; das sieht so aus, als ginge es um persönliche Entfaltung, Gestaltung eines Stücks eigenen Lebens. Aber andererseits stoßen die daraus resultierenden Ansprüche immer wieder auch sofort an ihre Grenzen . . . Jugendliche erfahren nämlich, daß ihr Anspruch, sie selbst werden zu wollen, nur soweit akzeptiert wird, als dieser Anspruch in verwertbare, im Produktionsprozeß brauchbare Fähigkeiten sich ummünzen läßt. Auch daraus resultieren Enttäuschungen, Frustration, Verzicht darauf, eigene Ansprüche und individuelle Lebensentwürfe überhaupt geltend zu machen.“[20]

Daß manche Jugendliche sich angesichts dessen nicht anders zu wehren wissen, als daß sie dagegen rebellieren oder aus der vorfindlichen Gesellschaft „aussteigen“, kann nicht verwundern. Konformität und Apathie sind nur die Kehrseite der Medaille. Daneben sind aber auch neue, zur etablierten Erwachsenheit in Kontrast stehende Selbstdefinitionen anzutreffen, die von einer hohen Sensibilität für die politisch-moralischen Probleme der

[18] Vgl. *W. Hornstein,* Jugendprobleme – Jugendberatung, in: Caritas 1985. Jahrbuch des Deutschen Caritasverbandes, Freiburg 1984, 91–106; *ders.,* Jugend: Strukturwandel und Problemlagen, in: H. Eyferth u. a. (Hrsg.), Handbuch der Sozialarbeit/Sozialpädagogik, Neuwied–Darmstadt 1984, 506–521; *A. Flitner,* Isolierung der Generationen? Über Orientierungsschwierigkeiten der heutigen Jugend, in: Neue Sammlung 24 (1984) 345–355; *Fr. Bohnsack* (Hrsg.), Sinnlosigkeit und Sinnperspektive, Frankfurt/Main 1984.

[19] *W. Hornstein,* Jugendprobleme – Jugendberatung, a.a.O., 102.

[20] Ebd., 97.

Gegenwart zeugen und sich in einem alternativen - das heißt versöhnend-solidarischen statt ausbeutend-bemächtigenden - Umgang mit der Natur, mit den Mitmenschen und mit sich selbst niederschlagen.

4. Konsequenzen des Identitätskonzepts für Erziehung und Jugendarbeit

Wie leicht ersichtlich, hat die identitätstheoretische Diskussion Relevanz für Theorie und Praxis der Erziehung in ihren verschiedensten Bereichen; bezeichnet doch - wie dargestellt - Identität eine Leitperspektive „gelingender“ Sozialisation, das heißt der Entwicklung eines Subjekts, das die angesichts widersprüchlicher Normen und sich nicht deckender Bedürfnisse erforderlichen Integrationsleistungen zu erbringen vermag und so zu kommunikativem Handeln befähigt ist.[21] Die Frage, wie eine solche Identität erworben werden kann, verweist auf zwei Problembereiche: Zum einen sind jene einzelnen Grundqualifikationen anzugeben, die ausgebildet sein müssen, damit Identität in Interaktion aufrechterhalten werden kann (4.1.); zum anderen sind die Bedingungen zu bestimmen, die in einem entsprechenden Sozialisationsprozeß verwirklicht sein müssen, was umgekehrt heißt, daß die faktischen Sozialisations- und Erziehungsvorgänge kritisch daraufhin analysiert werden müssen (4.2.).

4.1. Aufgrund der vorliegenden Forschungsergebnisse lassen sich die Rahmenbedingungen sowie die Grundqualifikationen eines auf Identitätsaufbau hin ausgerichteten Sozialisationsprozesses zusammenfassend folgendermaßen charakterisieren: Der Erwerb einer flexiblen, prinzipiengeleiteten Ich-Identität wird für das Individuum „um so wahrscheinlicher sein, je deutlicher

- die Partner an der Definition der Situation aktiv beteiligt werden;
- situationsbezogene flexible Beziehungsdefinitionen möglich sind;
- Rollendistanz gewahrt werden kann, das heißt, für Verhaltenserwartungen Interpretationsspielräume offenbleiben;
- Ambiguitätstoleranz ausgedrückt wird, das heißt differierende Erwartungen und die Differenzen zwischen Erwartungen und eigenen Bedürfnissen ertragen werden;
- Empathie realisiert wird, das heißt die Erwartungen und Beziehungsdefinitionen der Interaktionspartner wechselseitig antizipiert und zur Bestimmung des eigenen Verhaltens verwendet werden;
- ‚Aushandeln von Identität‘ (identity bargaining) möglich ist, das heißt

[21] Vgl. zusammenfassend *L. Krappmann,* Identität - ein Bildungskonzept?, in: G. Grohs u.a. (Hrsg.), Kulturelle Identität im Wandel, Stuttgart 1980, 99–118.

nicht an einer bestimmten Form von Selbst-Präsentation unbedingt festgehalten wird, sondern situations- und partnerbezogene Modifikation stattfinden kann;

- die Komponenten und Prozesse der Interaktion symbolisch, das heißt in Sprache ausdrückbar und kommunizierbar, damit auch problematisierbar und revidierbar werden“[22].

4.2. Das Identitätskonzept nötigt dazu, die faktischen Erziehungsvorgänge zu analysieren, ob und inwiefern sie solchen Bedingungen einer identitätsfördernden Interaktion Rechnung tragen. Ansonsten träfe der gelegentlich erhobene Vorwurf, es mute „idealistisch“ an, zu. Aber Identität ist kein gegenüber dem faktischen Zustand einer Gesellschaft und ihrer Erziehungsfelder neutrales Konzept. Die in ihnen antreffbaren Inhalte und Umgangsformen sind vielmehr daraufhin zu untersuchen, ob sie Identitätsanstrengungen herausfordern oder verwehren. Wie aufgezeigt, bietet momentan die soziale Umwelt nicht gerade günstige Voraussetzungen für die Ausbildung und Wahrung einer Ich-Identität. Um so dringlicher stellt sich die Frage, ob und inwiefern in Erziehungsvorgängen eine Gegensteuerung erfolgen kann. Sicher ist, daß vom Erziehungswesen her der weitere Gang der gesellschaftlichen Entwicklung nur begrenzt beeinflußt werden kann. Umgekehrt handelt es sich um eine verhängnisvolle Fehleinschätzung, wenn die Verhältnisse für so deformierend gehalten werden, daß Bemühungen um Identität und um eine Veränderung der Alltagspraxis vergeblich seien. Goffman hat in verschiedenen Untersuchungen eindrucksvoll aufgezeigt, wie selbst in „totalen Institutionen“ (z.B. psychiatrische Kliniken, Gefängnisse) die betroffenen Individuen sich einen - wenn auch minimalen - Freiraum reservieren, der es ihnen ermöglicht, sich innerlich von den an sie gerichteten Rollenerwartungen zu distanzieren und sich jeweils als Individuen in ihrer ureigenen Subjektivität selbst darzustellen.[23] Wo nicht einmal eine solch minimale Verwirklichung von Bedingungen gegeben ist, dort zerbricht ein Individuum. Wo es jedoch gelingt, den herrschenden Restriktionen Identität abzutrotzen und sie auszuprägen, dort wird auch ein Stück Raum für bislang nicht realisierbare Identitätsansprüche der anderen geschaffen.[24]

Damit ist bereits gesagt, daß das Identitätskonzept Auswirkungen auch für die Bestimmung der normativen Grundstruktur sozialisatorisch-pädagogischer Interaktion impliziert: Die Unterstützung von Erwachsenen, auf die der Heranwachsende elementar angewiesen ist, darf nicht dazu benutzt werden, auf seine Entwicklung bestimmenden Einfluß zu nehmen; sondern

[22] *Kl. Mollenhauer,* Theorien zum Erziehungsprozeß, München 1972, 106f.

[23] Vgl. *E. Goffman,* Stigma. Über Techniken der Bewältigung beschädigter Identität, Frankfurt/Main 1967.

[24] Vgl. *L. Krappmann,* Identität, in: Enzyklopädie Erziehungswissenschaft, Bd. 1, Stuttgart 1983, 434–437, hier 437.

sie muß ihm die Chance lassen und ihn dazu befähigen, selbst zu bestimmen, wer er sein will. Erforderlich sind dazu als Vorleistungen von Seiten der Erzieher, daß sie dem Heranwachsenden eine Autonomie einräumen, die er erst allmählich zu gebrauchen weiß, und ihm Möglichkeiten zugestehen, auch wenn er sie nur bedingt wahrnehmen kann. In einem solchen Umgang miteinander steckt auch für die Erwachsenen eine Chance zur Weiterbildung ihrer Identität.[25]

Angesichts der Gefahr, daß die Schule dergestalt dem Druck der herrschenden Erwartungen nach bestimmten Leistungsanforderungen und ähnlichem unterliegt, daß die Identitätsansprüche der Schüler zu wenig berücksichtigt werden, stellt sich die Frage, ob möglicherweise im Rahmen der außerschulischen Jugendarbeit ein kompensierender, möglicherweise sogar innovierender Beitrag geleistet werden könnte, daß Heranwachsende ihre Identität zu entfalten vermögen. Veelken hat ein entsprechendes Konzept „identitätsentfaltender Jugendarbeit" - verstanden als „Identitätstherapie" - vorgelegt.[26] Die Jugendarbeit hat demnach die Aufgabe, den Jugendlichen bei der Lösung ihrer Reifungskrisen prophylaktische Unterstützung anzubieten bzw. ein Nachholen bisher nicht gelungener Identitätsentfaltung zu ermöglichen. Will sie das leisten, muß sie die dafür relevanten Ebenen berücksichtigen und darf keine ausblenden: Auf der psychosozialen Ebene geht es um die Entfaltung des einzelnen, näherhin - entsprechend Eriksons Phasenmodell - um die Entfaltung des Gefühls von Leistung und Tüchtigkeit, Identität und Treue, Intimität und Liebe. Unterstützt wird dieses auf der interaktionistisch-dynamischen Ebene mit Hilfe gruppendynamischer Prozesse. Schließlich hat sie es mit gesellschaftspolitischen Fragestellungen auf soziokultureller und politökonomischer Ebene zu tun; denn wo Gruppenstrukturen und Gesellschaftsformen so repressiv und rigide sind, daß sie die Entfaltung des einzelnen verhindern, müssen sie durch Jugendarbeit verändert werden. Nach Veelken setzt eine so konzipierte Jugendarbeit die Zusammenarbeit von betroffenen Jugendlichen, Trägern der Jugendbildungsmaßnahmen und „beratenden Experten" voraus. Überzeugend lassen sich von diesem Ansatz her vorherrschende Organisationsformen und Inhalte außerschulischer Jugendarbeit kritisieren. Ob sich allerdings auf curricularem Weg eine Neuorientierung von Jugendarbeit erreichen läßt, wie Veelken es vorschlägt, kann bezweifelt werden.[27]

Gleichwohl macht Veelken deutlich, daß sich vom Identitätskonzept her ein

[25] Vgl. ebd. - Vgl. auch *D. Benner/H. Peukert,* Erziehung, moralische, in ebd., 394-402; *U. Peukert,* Interaktive Kompetenz und Identität, Düsseldorf 1979; *H. Raiser,* a.a.O., besonders 117ff.

[26] Vgl. *L. Veelken,* Einführung in die Identitätstherapie. Vorschläge für die Praxis identitätsentfaltender Jugendarbeit, Stuttgart 1978.

[27] Vgl. auch die Kritik von *P. Kliemann,* Ehrenamtliche Mitarbeiter. Zur Identität von Gruppenleitern in der kirchlichen Jugendarbeit, Stuttgart 1983, 243f.

weitreichender - sowohl theoretisch begründeter als auch praktisch belangvoller - Ansatz von Jugendarbeit gewinnen läßt, der wichtige Elemente progressiver und emanzipatorischer Konzeptionen aufnimmt, stärker als sie jedoch die Dimension der solidarischen Praxis hervorhebt.

5. Kirchliche Jugendarbeit als „Identitätshilfe"

„Der Mensch verfolgt das Ziel, sich selbst zu verwirklichen. Er nennt dieses Ziel Glück, Liebe, Friede, Freude, Heil - und selbst im Scheitern läßt er nicht von diesem Ziel. Die Suche nach diesem Ziel prägt sich beim jungen Menschen besonders darin aus, daß er nach Herkunft, Ziel und Sinn seines Lebens fragt, sein persönliches, unverwechselbares Selbst, seine Identität sucht, sich nach Glück sehnt und von seinen Mitmenschen angenommen sein möchte. Hier muß eine kirchliche Jugendarbeit ansetzen. Sie muß den jungen Menschen erleben lassen, daß gerade der christliche Glaube mehr als alle anderen weltanschaulichen Angebote den Weg zur Selbstverwirklichung freimacht und somit auf seine Frage nach Sinn, Glück und Identität antwortet, die immer auch die Frage nach dem Glück, dem Heil und der Identität aller einschließt."[28]

Indem - wie dieser Abschnitt exemplarisch zeigt - der Synodenbeschluß „Ziele und Aufgaben kirchlicher Jugendarbeit" den Identitätsbegriff gewissermaßen zur programmatischen Leitkategorie kirchlicher Jugendarbeit erhoben hat, hat er zu einer folgenreichen - wenn auch kontrovers diskutierten - Neuorientierung dieses kirchlichen Praxisfeldes beigetragen: Entsprechend dem Dreischritt „Sehen - Urteilen - Handeln" nimmt der Beschluß seinen Ausgang bei der Vergewisserung der sozialen und psychischen Bedingungen, unter denen junge Menschen gegenwärtig aufwachsen, beleuchtet diese in sozialwissenschaftlicher und theologischer Perspektive, wobei er sie so miteinander in Beziehung zu bringen sich bemüht, daß sich konsistente Leitvorstellungen für die Praxis ergeben. Dabei erweist sich das Identitätskonzept insofern als hilfreich, als sich in ihm verschiedene sozialwissenschaftliche Theoreme zu einem anthropologischen Ansatz bündeln lassen, der mit theologischen Positionen vermittelbar ist und zugleich agogisch-methodische und strukturelle Konsequenzen („reflektierte Gruppe"; „personales Angebot") beinhaltet.[29] Kirchliche Jugendarbeit wird von daher als

[28] Synodenbeschluß „Ziele und Aufgaben kirchlicher Jugendarbeit", in: *L. Bertsch* u.a. (Hrsg.), Gemeinsame Synode der Bistümer in der Bundesrepublik Deutschland, Offizielle Gesamtausgabe I, Freiburg 1976, 288-311, hier 294.

[29] Zum Theoriehintergrund vgl. ausführlicher *H. Steinkamp,* Neue Akzente in der kirchlichen Jugendarbeit?, in: Katechetische Blätter 98 (1973) 193-207; *ders.,* Jugendarbeit als soziales Lernen, München-Mainz 1977, *ders.,* Die Funktion des peer-group-Theorems im Konzept kirchlicher Jugendarbeit, in: Religionspädagogische Bibliothek 14 (1984) 17-29.

diakonisches Handeln der Kirche verstanden, als „selbstloser Dienst an den jungen Menschen und an der Gestaltung einer Gesellschaft, die von den Heranwachsenden als sinnvoll und menschenwürdig erfahren werden kann. Ihr Ziel ist nicht Rekrutierung, sondern Motivation und Befähigung, das Leben am Weg Jesu zu orientieren“[30].

Schwierigkeiten mit dem Ansatz dieses Synodenbeschlusses, wie sie bereits während der synodalen Diskussion zutage traten, hängen damit zusammen, daß ein induktives Vorgehen innerkirchlich ungewohnt ist und leicht mit der vorherrschenden normativen, auf Legitimation bedachten Betrachtungsweise der Theologie in Konflikt gerät. Eingewendet wird unter anderem, der - in der Tat mißverständliche - Begriff „Selbstverwirklichung“ leiste einer überzogenen Anspruchshaltung Vorschub, er suggeriere gar die Möglichkeit der „Selbsterlösung“, der Glaube würde funktionalisiert und seine Inhalte würden durch Methoden instrumentalisiert.[31]

In den in den letzten Jahren verstärkt vorangetriebenen Bemühungen um eine Praxistheorie kirchlicher Jugendarbeit haben weiterreichende theoretische Klärungen erbracht, ohne daß am Ansatz des Synodenbeschlusses grundlegende Revisionen vorgenommen werden mußten.[32] Darüber hinaus ist bemerkenswert, wie auch in allgemeine theologische und religionspädagogische Entwürfe mittlerweile das Identitätskonzept Eingang gefunden hat.[33] Ohne die verschiedenen Ansätze auf einen gemeinsamen Nenner bringen zu können, ist ihnen gemeinsam, daß sie die Gottesbeziehung als konstitutiv für jegliches Bemühen um Ich-Identität aufzuweisen versuchen.

[30] Synodenbeschluß, a.a.O., 294.

[31] Vgl. als jüngstes Beispiel, *W. Sondermann,* Kirchliche Jugendarbeit in der Krise?, München 1983.

[32] Neben den genannten Arbeiten von H. Steinkamp vgl. *W. Bartholomäus,* Einführung in die Religionspädagogik, München 1983, besonders 164–167; *Chr. Bäumler,* Unterwegs zu einer Praxistheorie, München 1977; *G. Biemer,* Der Dienst der Kirche an der Jugend (Handbuch kirchlicher Jugendarbeit, Bd. 1), Freiburg 1984, besonders 73–124; *G. Czell,* Lernfeld Gemeinde. Sozialisation durch Jugendarbeit, Stuttgart 1982; *W. Deresch,* Kirchliche Jugendarbeit. Wege zur personalen, sozialen und religiösen Identität, München 1984; *R. Hansville,* Identitätsentfaltung und Jugendkatechese, München 1981; *H. Heidenreich,* Jugendreligionen und Identitätskrise, in: Katechetische Blätter 105 (1980) 499–507; *P. Kliemann,* a.a.O., *N. Mette,* Jugend und Kirche. Sozialisationstheoretische und religionspädagogische Überlegungen, in: Religionspädagogische Bibliothek 14 (1984) 2–16.

[33] Vgl. unter anderem *H. J. Fraas,* Glaube und Identität. Grundlegung einer Didaktik religiöser Lernprozesse, Göttingen 1983; *N. Mette,* Voraussetzungen christlicher Elementarerziehung, Düsseldorf 1983, besonders 249–282; *ders.,* Erziehung, in: P. Eicher (Hrsg.), Neues Handbuch theologischer Grundbegriffe, Bd. 1, München 1984, 254–264, besonders 261 ff.; *ders./H. Steinkamp,* Sozialwissenschaften und Praktische Theologie, Düsseldorf 1983, 30–68; *K. E. Nipkow,* Grundfragen der Religionspädagogik, Bd. 2, Gütersloh 1975, besonders 101–130; *ders.,* Sinnlosigkeit und „neue Religiosität“ im Erleben der Jugendlichen als pädagogische Herausforderung, in: Fr. Bohnsack (Hrsg.), a.a.O., 90–115; *W. Pannenberg,* Anthropologie in theologischer Perspektive, Göttingen 1983; *H. Peukert,* Kontingenzerfahrung und Identitätsfindung, in: J. Blank/G. Hasenhüttl (Hrsg.), Erfahrung, Glaube und Moral, Düsseldorf 1982, 76–102; *J. Werbick,* Glaube im Kontext, Zürich-Einsiedeln-Köln 1983.

Es geht dabei nicht um einen zusätzlichen legitimatorischen Interpretationsrahmen. Sondern wenn die Eigenart des Identitätskonzepts darin besteht, daß es gegenüber allen gesellschaftlichen Determinanten an der Möglichkeit und Anerkennung von Selbstbestimmung in intersubjektiver Freiheit festhält und die dafür erforderlichen Qualifikationen anzugeben versucht, so verbindet es sich genau darin, also in seinem Eintreten für Freiheit als einem Grunddatum menschlicher Existenz in Intersubjektivität, mit einem zutiefst theologischen Anliegen. Der christliche Glaube erblickt in einer Interaktion, in der der andere als unbedingt erwünscht und wichtig bejaht wird, die Wirklichkeit eines Beweggrundes besonderer Art. Indem Gott in der jüdisch-christlichen Tradition sich als derjenige offenbart hat, der sich radikal auf die Andersheit des anderen einläßt, wie es unüberbietbar in seinem Sohn Jesus Christus Wirklichkeit geworden ist, sind der Identitätsfindung neue Handlungsmöglichkeiten eröffnet, und die unbedingte Zuwendung zum anderen stellt keine Selbstüberschätzung und Selbstüberforderung mehr dar. Dieser Glaube befreit von der Last permanenten Selbstverwirklichungsstrebens; er läßt die eigene Identität als Geschenk erfahren. Die volle Entfaltung menschlicher Identität wird entsprechend diesem Glauben dann erreicht, wenn der Mensch sich auf die erlösende und daraus befreiende Wirklichkeit Gottes einläßt, sich von ihm prinzipiell geliebt und in Freiheit gesetzt weiß und diese Erfahrung in seinem Handeln seinen Mitmenschen mitteilt, wobei dieses Handeln seiner inneren Logik nach auf eine universale Solidarität zielt. Kliemann spricht in diesem Zusammenhang von einer flexiblen, offenen, auf Grenzüberschreitung angelegten Identität.[34] Solche Identität realisiert sich in einem Interaktionsgeschehen, das sich radikal von einer lebensweltlichen Praxis unterscheidet, in der Anerkennung und „Liebe“ nur als verrechenbare Tauschwerte in Geltung zu sein scheinen. In der christlichen Gemeinde erhält diese neue Praxis ihre anschauliche Sozialform; sie ist Ort „kollektiver Identitätsbildung aus Nachfolge“ (Metz), wo der einzelne die Erfahrung unbedingten Erwünscht- und Anerkanntseins als Voraussetzung seiner Subjektwerdung zu machen vermag. So befähigt christlicher Glaube zur Wahrnehmung des erlösenden und versöhnenden Handelns Gottes, eröffnet daraus gestiftete Kommunikationszusammenhänge und läßt eine befreiende Praxis erfahrbar werden, die die Identität des einzelnen und aller ermöglicht.

Die vier religionspädagogischen Grundaufgaben gemäß dem Konzept von Nipkow können als Konkretisierung dieser fundamentalen theologischen Überlegungen im Hinblick auf das Jugendalter gelesen werden.[35] Kirche hat sich demnach selbstlos in den Dienst am Jugendlichen zu stellen („lebensbe-

[34] Vgl. *P. Kliemann,* Ehrenamtliche Mitarbeiter, a.a.O.

[35] Vgl. *K. E. Nipkow,* Grundfragen der Religionspädagogik, Bd. 2, a.a.O., 101–228.

gleitende, erfahrungsnahe Identitätshilfe"), ihn dafür zu sensibilisieren, daß ein Zu-sich-selbst-Kommen erst dann wirklich gelingt, wenn es sich auf den anderen hin überschreitet („gesellschaftsdiakonische politische Verantwortung"), ihn zu einer selbstkritischen Religiosität und einem denkenden Glauben zu führen („kritische Religiosität") und mit ihm gemeinsam den weiteren Weg der christlichen Gemeinschaft zu suchen und zu gestalten („ökumenische Orientierung"). Das Bestechende an diesem integralen religionspädagogischen Konzept ist, daß es alle Dimensionen menschlichen Handelns berücksichtigt und insofern den Erkenntnissen der Sozialisationsforschung Rechnung trägt: die Verschränkung der „pragmatischen" Ebene des Handelns sowohl mit ihrer emotional-kommunikativen Fundierung als auch mit ihrer kognitiven Durchdringung.

Diese vier Grundaufgaben beziehen sich auf die Begegnungsfelder von Kirche und Jugend insgesamt und können als umfassende Orientierung dienen. Das schließt nicht aus, sondern setzt im Gegenteil voraus, daß in einzelnen Bereichen Schwerpunkte gesetzt werden (z. B. schulischer Religionsunterricht, Sakramentenkatechese, außerschulische Jugendarbeit). Das Identitätskonzept ermöglicht dafür eine grundlegende und integrierende Perspektive, indem es Zuordnungen erkennen und damit unergiebige Abgrenzungen und Gegenüberstellungen (z. B. diakonisch versus katechetisch) überflüssig bzw. sinnlos werden läßt.

Der Identitätsbegriff hält allerdings dazu an, neben dem Bemühen um eine theologisch-transzendentale Begründung kirchlicher Praxis die Problematik der sozialen Vermittlung nicht aus dem Blick zu verlieren. Konkret ist also die Frage zu stellen, ob die kirchliche Jugendarbeit überhaupt in der Lage ist, ihren Beitrag zu den genannten religionspädagogischen Aufgaben zu leisten. Es wäre eine verhängnisvolle Fehleinschätzung zu meinen, die Mehrheit der Jugendlichen erwarte ausgerechnet von der Kirche einen Beitrag zu ihrer Identitätsfindung. Zu sehr erleben sie die Kirche, sofern sie sie überhaupt noch wahrnehmen, in den gesellschaftlichen Widersprüchlichkeiten und Konflikten verstrickt. Sie wehren sich darum dagegen, in solche kirchlichen – und damit in die gesellschaftlichen – Lebensformen und Einstellungen hineinsozialisiert zu werden.[36] Fallstudienartig berichtet die Studie von Kliemann, wie stark sich diese Erfahrungen von Kirche auf die kirchliche Jugendarbeit auswirken: Das von jugendlichen Ehrenamtlichen getragene Kerngruppensystem scheint in seiner momentan verbreiteten Form dem hier skizzierten Identitätskonzept nicht förderlich zu sein.[37]

Dabei erfährt die Kirche keineswegs bloß Ablehnung; im Gegenteil, an

[36] Vgl. die pointierte Kritik von *W.-D. Bukow,* Kirchliche Jugendarbeit als Interventionsfaktor, in: Theologia Practica 12 (1977) 125–136; *H. Halbfas,* Kirche und Jugend, in: ders., Aufklärung und Widerstand, Stuttgart-Düsseldorf 1971, 220–239.

[37] Vgl.*P. Kliemann,* Ehrenamtliche Mitarbeiter, a.a.O.

Erwartungshaltungen fehlt es nicht. Kirchentage, Taizé u. a. dokumentieren dies. Welche Vorstellungen und Erwartungen dabei an die Kirche gerichtet werden, hat Feige im Anschluß an eine Umfrage wie folgt zusammengefaßt:
„- Begleitung ohne doktrinären Herrschaftsanspruch
- Glaubensangebote ohne eiserne Abonnementsverpflichtung
- Tröstung ohne versteckte Drohung
- Bestätigung des Menschseins statt permanenter Verunsicherung bei dem Bedürfnis nach menschlicher Lebenslust
- Praktizierung von Alltagswahrhaftigkeit statt Abforderung umfassender Gelöbnisse und fundamentaler Bekenntnisse
- Christlich sein wollen und christlich sein dürfen ohne ständig den Leistungsschein ‚biblischer Christ' sonntäglich abliefern zu sollen
- Respektierung des persönlichen Freiheits- und Entscheidungsspielraumes bei gleichzeitiger Nutzung von Veranstaltungen, die Gemeinschaft, Gruppenleben und Geborgenheit anbieten, aber nicht aufdrängen
- die orientierende Behandlung von Problemen, die in der Welt, vor allem aber im persönlichen Lebenslauf augenscheinlich und dringlich sind, auf eine nüchterne und sachverständige Weise, ohne die vereinnahmenden ‚kirchlichen', die ‚frommen Patentansprüche', die nach dem Urteil der Zuhörer an der Sache vorbeireden, das Problem nicht treffen"[38].
Es soll hier nicht darum gehen, die Kirche entsprechend den Bedürfnissen der Jugendlichen auszurichten. Zu fragen ist jedoch, ob nicht gerade Jugendliche in ihrer Phase einer verunsicherten Identität, in der sie sich mit den verschiedensten Lebensentwürfen auseinandersetzen, sich besonders sensibel zeigen für erfahrene Diskrepanzen zwischen Anspruch und Wirklichkeit gesellschaftlicher Institutionen und damit auch der Kirche und ob entsprechende Kritik davon Gehör verdient. Insofern kann die Jugend für die Kirche die Chance zu einer kreativen Reorganisation darstellen. Das bedeutet jedoch, daß die Beziehungen zwischen der erwachsenen und heranwachsenden Generation nicht länger komplementär gestaltet werden dürfen. Die Jugendlichen sind als Partner zu akzeptieren, die einen unverzichtbaren Beitrag zur „Kommunikation des Evangeliums" zu leisten haben. Wenn die lateinamerikanischen Bischöfe in der Jugend ihres Kontinents „ein wirkliches Potential ihrer Evangelisierung" erblicken, drücken sie ihre Überzeugung aus, daß nicht erst die Kirche es ist, die den Jugendlichen Christus nahezubringen hat, sondern daß es ebenso die jungen Menschen sind, die der Kirche den lebendigen Messias verkündigen.[39]

[38] *A. Feige,* Erfahrungen mit Kirche. Daten und Analysen einer empirischen Untersuchung über Beziehungen und Einstellungen junger Erwachsener zur Kirche, Hannover 1982, 159; vgl. auch *T. Schmieder/Kl. Schuhmacher* (Hrsg.), Jugend auf dem Kirchentag, Stuttgart 1984.
[39] Vgl. Die Evangelisierung Lateinamerikas in Gegenwart und Zukunft. Dokument der III. Generalkonferenz des lateinamerikanischen Episkopats in Puebla, Bonn 1979, 198–203.

6. Schluß

Die sozialisationstheoretischen Überlegungen haben gezeigt, daß mit dem Eintritt in die Jugendphase ein sich steigerndes Verlangen nach Identitätsbestimmung und eigener Sinngebung einhergeht. Angesichts der skizzierten gesellschaftlichen Entwicklungen, die die Personwerdung des Menschen immer prekärer werden lassen, wie es in besonderem Maße Jugendliche leidvoll zu spüren bekommen, stellt sich jedoch immer dringender die Frage nach Ressourcen, die sinnstiftende und identitätsverbürgende Lebensperspektiven aufzuschließen und zu strukturieren vermögen.

Es liegt nahe, daß sich in dieser Situation auch die Kirchen auf den Plan gerufen fühlen; die Frage ist nur, ob und inwiefern es ihnen gelingt und gelingen kann, angesichts der aktuellen Herausforderungen die wesentlichen nach vorn weisenden Elemente der christlichen Tradition so zu reaktivieren, daß sie zur Überwindung der gesellschaftlichen und individuellen Identitätskrisen beitragen.

Dazu reicht es nicht aus, daß die Kirchen - sei es kompensatorisch-pädagogisch, sei es therapeutisch - als „Sinnproduzenten" oder als „Reparaturwerkstätten" für Sinnschwächung bzw. -verlust (Luckmann) in die Bresche springen, auch wenn von verschiedenen gesellschaftlichen Kräften ein solches Ansinnen an sie herangetragen wird. Der christliche Glaube, der Identität im „Dasein für andere" bestimmt, steht unweigerlich in kritischer Distanz zu herrschenden Wertorientierungen und gesellschaftlichen Erfolgstandards.

Doch erst wenn die Kirche in ihren eigenen Reihen jene Umkehrung der herrschenden Sozialbeziehungen mindestens ansatzweise verwirklicht, die im Handeln und Leiden Jesu ihren Grund hat, besteht die Chance, daß ihre Kritik fundamentaler gesellschaftlicher Selbstverständlichkeiten zu einer wirklichen Provokation wird. Das ist zugleich die Voraussetzung dafür, daß die Kirche zur Schaffung jener Bedingungen beiträgt, unter denen Jugendliche wirklich die Chance haben, die ihrer Identitätsfindung förderlichen Kompetenzen zu erwerben und zu entfalten.

Literatur

Erikson, Erik H., Identität und Lebenszyklus, Frankfurt/Main 1973 (Suhrkamp).

Erikson, Erik H., Jugend und Krise. Die Psychodynamik im sozialen Wandel, Berlin -Wien 1981 (Klett).

Fraas, Hans J., Glaube und Identität. Grundlegung einer Didaktik religiöser Lernprozesse, Göttingen 1983 (Vandenhoek & Ruprecht).

Goffman, Erving, Stigma. Über Techniken der Bewältigung beschädigter Identität, Frankfurt/Main 1967 (Suhrkamp).

Kliemann, Peter, Ehrenamtliche Mitarbeiter. Zur Identität von Gruppenleitern in der kirchlichen Jugendarbeit (aej-Studienband 6), Stuttgart 1983 (edition aej).

Mette, Norbert/Steinkamp, Hermann, Sozialwissenschaften und Praktische Theologie, besonders Kapitel 1: Glaubensvermittlung und Identitätsbildung, Düsseldorf 1983 (Patmos).

Ludger Veelken

Institution

1. Institution

Jeder Mensch ist von klein auf von Institutionen umgeben: Familie, Kindergarten, Schule, Berufssystem, Kirche, Freizeitsystem, Moral- und Bildungssystem, Kulturinstitutionen usw. Ohne Institutionen kann der Mensch kein Mitglied der menschlichen Gesellschaft sein, die sich in Institutionen aufbaut. Die Gesellschaft teilt dem einzelnen durch die Institutionen seine Rollen zu, gibt ihm seine soziale Identität. Institutionen sind Teil gesellschaftlicher Strukturen, in die die menschliche Person eingegliedert wird. Wie Gesellschaft und Kultur gehören Institutionen zum gesellschaftlichen Umfeld des Menschen, zu seiner „zweiten Natur".

Institution, für den Menschen ein Begriff, der sehr vieldeutig besetzt ist. Für die einen bedeutet er Ordnung und Sicherheit, für andere Gefahr und Einengung. In einer Untersuchung, einer Befragung junger Studenten und studierender Senioren, konnte folgendes Ergebnis erzielt werden: Zunächst einmal werden mit dem Begriff Institution Einrichtungen in Verbindung gebracht, mit denen der Mensch von klein auf zu tun hat: Schule, Kirche, Behörde, Amt, Kindergarten, Universität, Familie, Staat, Heim, Stadtverwaltung, Polizei, Krankenhaus, Begegnungsstätte. Die positive Einschätzung von Institutionen läßt sich unter vier Elemente untergliedern. *Ordnung:* Institutionen sind nach bestimmten, festgelegten Regeln und Prinzipien konzipierte Einrichtungen, die menschliches Zusammenleben vorbereiten und ausführen lassen. Nach außen haben Institutionen gesellschaftsstabilisierende Funktion und sind Zeichen christlicher Nächstenliebe. *Sicherheit:* Institutionen sind Gemeinschaften, die den Arbeitsplatz geben, eine finanzielle Abgesichertheit zeigen, Hilfe (auch finanzielle) anbieten. (Diese Nennungen kamen nur von jüngeren Studenten.) *Entlastung:* Institutionen sind zum Wohl des Menschen da, sie nehmen ihm Entscheidungen ab, bieten Befriedigung und Erfüllung, übernehmen Aufgaben für den Menschen und entlasten ihn, bieten das Gefühl von Versorgtwerden und Versorgenlassen. (Diese Meinungen äußerten vor allem ältere Studierende.) *Mittel zu einem Ziel:* Institutionen sind ein notwendiges Übel, sie bieten eine bestimmte Zielrichtung und sind ein Mittel zur Verwirklichung irgendeines Ziels. (Diese Meinungen kamen nur von Jüngeren.)

Der positiven Sichtweise von Institutionen steht nun eine negative gegenüber, die in der Zahl der Nennungen überwiegt. Im einzelnen läßt sie drei Elemente erkennen: Organisation und Bürokratie, Macht und Kontrolle, der Mensch als Teil der Institution.
Organisation und Bürokratie: Organisation, Anonymität, Unpersönlichkeit, Verordnungen, Verbote sind Kennzeichen der als Bürokratie erlebten Institution. Unbeweglichkeit und Starre, die zu wenig Spontaneität zulassen und Neues zu wenig fördern, führen zur Freiheitseinschränkung und werden als Gefahr erlebt.
Macht und Kontrolle: Bei dem Begriff Institution werden viele Befragte an etwas Übergeordnetes erinnert, eine Hierarchie, in der es nur eine Unter- und Überordnung gibt, in der der Weg immer von oben nach unten und nie umgekehrt verläuft. Macht und Kontrolle verhindern Transparenz, bieten den Angehörigen der Macht die Flucht in die Anonymität der Verantwortlichen, um sich hinter ihr zu verschanzen. Reglementierung und Verkrustung führen bei Vorgegebenheit über den einzelnen zum Gehorsamszwang, auch bei falscher Entscheidung innerhalb der Institution. Der Gedanke an Totale Institution, die die Verfügungsgewalt über den einzelnen hat, taucht bei Befragen auf.
Der Mensch als Teil der Institution: Institution wird erlebt als etwas von oben Diktiertes, das zur Anpassung zwingt, zu Abhängigkeit und Unterordnung. Institutionen geben vor, bei der Eingliederung des Menschen in die Gesellschaft zu helfen, doch der einzelne erlebt ein Nummerndasein, muß das Ich draußen lassen und fragt: Bin ich überhaupt noch Mensch? Institutionen bieten zu wenig Entfaltung der eigenen Interessen und Fähigkeiten, führen zu Stagnation und zur Überbetonung von Forderungen anderer an mich, die ich nicht will, aber erfüllen muß. Der Bittsteller wird in die Position des Untergebenen gedrängt. Vor allem ältere Erwachsene (– eine Institution, die mich bis jetzt verfolgt hat –) zeigen eine wachsende Empfindlichkeit gegen Reglementierung und Einengung.
Was ist nun eine Institution? Wer ihr „Wesen" erhellen will, muß zurückgehen in die Anfänge der Entstehung von Institutionen. Die Sozialwissenschaftler haben diesen Versuch unternommen und sind zu dem Ergebnis gekommen – ich berufe mich auf George Herbert Mead[1] an dieser Stelle –, daß Institutionen letztlich Gewohnheiten darstellen, die Individuen bei ihren wechselseitigen Beziehungen ausgebildet haben. Diese Gewohnheiten sind von Generation zu Generation weitergegeben und verändert worden. Als Gewohnheiten sind sie Zeichen für bestimmte menschliche Haltungen, die Menschen unter bestimmten gegebenen sozialen Bedingungen

[1] Vgl. *G. H. Mead,* Sozialpsychologie, Neuwied/Berlin 1969.

eingenommen haben. Ändern sich diese Bedingungen, müßten sich auch die Gewohnheiten ändern. Doch hier liegt das Problem: Gewohnheiten, die zu Institutionen geworden sind, haben Selbstzweck erlangt, sie stehen nicht mehr in Beziehung zu veränderten Bedingungen, die andere Gewohnheiten herausbilden müßten. Gewohnheiten des Menschen, die er herausgebildet hatte, um eine Hilfe in seinem Lebensprozeß zu bekommen, werden Gegner des Menschen werden, die seinem Lebensprozeß entgegenstehen und seine Entfaltung hindern. Pfaff[2] vergleicht Institutionen mit einer Megamaschine, die durch Vorgabe von Bedeutungshülsen entlastet von der Sinnfrage, aber Kraft und Energie des Menschen einfordert.
Das Überleben im Versorgtsein wird garantiert durch Institutionen, aber bezahlt mit dem eigentlichen Leben. Der Mensch soll roboterhaft funktionieren, methodengesteuert und durch Sozialtechniken kontrolliert, dafür aber auf seine Selbsterfahrung, seine Bedürfnisse, seinen Lebensprozeß verzichten. Der Mensch glaubt immer weniger an sich und braucht immer mehr den großen Bruder. Denn Institutionen sind Garantieversprechen von Dauer und Ordnung im Hinblick auf Schutz und Sicherheit, nehmen aber das Selbstopfer des Menschen als Bedingung. Die Institution, die selbst keine Kraft und keine Energie besitzt, ist angewiesen auf die Energie durch das Sich-Organisierenlassen der Mitglieder. Sie raubt dem einzelnen die Kraft und benutzt sie. Die totale Identifikation mit der Institution ist nach Pfaff nichts anderes als ein lang andauerndes Opferritual, an dessen Ende wohl stets der Leichnam - lebendig oder tot - steht. Die Entlastung des Menschen durch die Institution ist eine totale, der einzelne wird schwach, ohnmächtig und apathisch. Der Mensch findet bei totaler Identifikation mit der Institution keinen Platz außerhalb, wo er Energie für sich gewinnen könnte, er kann sich nur von der Institution total konsumieren lassen.
Beide Sichten von Institution - Sicherheit und Entlastung für den Menschen auf der einen und Gefahr und Todesdrohung auf der anderen Seite - kommen nun zum Widerschein in den Theorien, die die Zusammenhänge von Mensch und Individuum in ihrem Entstehungsprozeß beschreiben, in Theorien menschlicher Sozialisation.

2. Institution und Sozialisation

Der Sozialisationsprozeß ist der Prozeß der Vergesellschaftung des Menschen durch Institutionen. Institutionen sind die Sozialisationsagenturen, in denen der Mensch seine Rollen fürs Leben lernt, seine soziale Identität

[2] Vgl. *K. Pfaff,* Lernen und Lieben wider die Ordnungen, Dortmund 1984.

zugewiesen bekommt. In der Beschreibung dieses Sachverhalts wird der Stellenwert der Institution abhängig von der Analyse dieses Sozialisationsprozesses.

Auf der einen Seite wird betont, daß der Mensch ein Mängelwesen ist, das ohne Instinktgebundenheit geboren wird, vor eine derartige Vielfalt von Entscheidungs- und Wahlmöglichkeiten gestellt ist, daß er zur Entlastung dringend der Institutionen bedarf, die ihm die Entscheidungen abnehmen und sein Leben, seine Vitalität und Wünsche ordnen.[3] An die Stelle der Instinktgebundenheit treten Institutionen. In diesen theoretischen Zusammenhang paßt die Theorie vom Gottesgnadentum der Institutionen, nach der Institutionen nicht durch das Wirken des Menschen entstanden sind, sondern schon eingesetzt waren. Das Gottesgnadentum der Könige beruhte auf dem Anspruch, daß der Staat ebenso göttlichen Ursprungs sei wie die Kirche, und Gott war nach dieser Auffassung auch zuständig für die Einrichtung der Familie und anderer Institutionen. In diese vorgegebene Struktur muß der Mensch in einem komplexen Sozialisationsprozeß eingebaut werden, damit der Erhalt der Institutionen gesichert ist. Diese Einordnung bezieht sich auf die Eingliederung in gesellschaftliche Institutionen, die wiederum in dem übergeordneten System der Gesellschaft ihren Platz haben (Struktur-Funktionalismus). Die verschiedenen gesellschaftlichen Systeme gewinnen eine Eigenordnung, wobei der Mensch an den Rand gedrängt wird, Umfeld von Institutionen wird und selbst eigentlich nicht mehr in einer Welt der Systeme existiert. In der derzeitigen Gesellschaft mit gigantischen Großsystemen und undurchschaubaren Großbürokratien sowie einem unüberschaubaren Industrie- und Finanzsystem gewinnen derartige Theorien als Legitimierung realer Lebenssituationen im Jahr 1985 eine erschreckende Bedeutung.

Demgegenüber stehen andere Theorien, die die Sozialisation als dialektischen Prozeß begreifen, durch den sowohl der Mensch als Produkt der Gesellschaft als auch die Gesellschaft als Produkt des Menschen gesehen wird. Letzteres, die Tatsache, daß alle gesellschaftliche Umwelt, so auch die Institutionen, vom Menschen gemacht - und so veränderbar - sind, wird häufig vergessen, da der Mensch in schon vorgegebene Institutionen hineinwächst und ihre jeweiligen Vorgaben in sich hinneinnimmt.[4] Anderen Theorien zufolge ist nicht die bruchlose Integration das Ziel des Sozialisationsprozesses, sondern die Entfaltung des Menschen, die jeweils über Konflikte, durch Krisen und Brüche im Lebenslauf vor sich geht, wobei Rollenmuster und Einstellungsweisen aktiv angeeignet werden. Ziel des Sozialisationspro-

[3] Vgl. *A. Gehlen,* Urmensch und Spätkultur, Frankfurt 1964.

[4] Vgl. *P. L. Berger,* Zur Dialektik von Religion und Gesellschaft. Elemente einer soziologischen Theorie, Frankfurt 1973.

zesses ist nicht der Erhalt der Institutionen, sondern die emanzipative, auf Entfaltung und Wachstum gerichtete Entwicklung des Individuums. In komplexen Gesellschaften ist dies durch Tradition und Hierarchie geordneter Organisationen nicht mehr möglich, sondern die prozeßhafte Entfaltung geschieht in neuen „identitätsverbürgenden Deutungssystemen“[5]. Ausgehend von Gedanken Meads[6] erscheint das Modell einer evolutionären Sozialisationstheorie der Entfaltung der Identität des Menschen angemessen. Dabei wird unterschieden zwischen dem Prozeß (dem Lebensprozeß, hier: dem Prozeß der Entfaltung von Identität) und der Form (Rollen, die der Mensch einnimmt, Institutionen, in denen er lebt). Wie andere Theorien der Evolution geht auch eine evolutionäre Sozialisationstheorie davon aus, daß sie als Basis alles Seienden einen bestimmten, in Gang befindlichen Prozeß erkennt und erklärt, wie die Formen im Lauf dieses Prozesses entstehen. Die Konzeption statischer Formen, die von Anfang an gegeben sind, wird von der Vorstellung abgelöst, daß diese Formen einen evolutionären Prozeß durchlaufen. Die Formen (Institutionen) entwickeln sich in einem Prozeß, der bald diese, bald jene Form annehmen kann. Es gibt also einen Unterschied zwischen der Form und dem Prozeß, und das Grundlegende ist der Prozeß, der in verschiedenen Formen derselbe bleibt. Kein Prozeß ist ohne Struktur, ohne Form, der Prozeß wäre nicht möglich, wenn es nicht Strukturen gäbe, in denen er zum Ausdruck kommen könnte, aber die Struktur wandelt sich im Verlauf des Prozesses. Die Form ist das Organ, dem eine bestimmte Funktion im Prozeß der Entfaltung der Identität zukommt und nicht umgekehrt. Wenn die Lebensbedingungen eine andere Form erfordern, muß diese Struktur entwickelt werden, wenn die Entfaltung der Identität eine andere veränderte Institution erfordert, muß eine veränderte Institution entwickelt werden, damit konkrete Identität sich entfalten kann.

3. Institution und Identität

Ziel des Sozialisationsprozesses ist die Entfaltung von Identität. Das Gefühl, „mit sich selbst derselbe zu werden“[7] geschieht durch permanente Auseinandersetzung auf den zwei Dimensionen der Identität, der sozialen und der persönlichen. Die Identität des Menschen besteht aus zwei Dimensionen: die soziale Identität und die persönliche Identität.[8]

5 Vgl. *J. Habermas,* Können komplexe Gesellschaften eine vernünftige Identität ausbilden? Zwei Reden, Frankfurt 1974.
6 Vgl. *G. H. Mead,* Sozialpsychologie, a.a.O.
7 Vgl. *L. Veelken,* Einführung in die Identitätstherapie. Vorschläge für die Praxis identitätsentfaltender Jugendarbeit, Stuttgart 1978.
8 Ebd.

Unter *sozialer Identität* wird verstanden der Anteil meines Ich, der durch andere, durch Erwartungen anderer geformt wurde. Damit gemeint sind die Rollen, die der Mensch im Beruf und in Beziehungen von klein auf übernimmt und durch die er ein Mitglied der Gesellschaft wird.

Auf der Dimension sozialer Identität lebe ich so, wie andere es von mir wollen, ich funktioniere, ohne anzustoßen. Durch meine Rollen kann ich von anderen identifiziert werden und kann ihnen deutlich machen, wer und was ich bin. Mit der Dimension *persönlicher Identität* ist all das verbunden, was an Bedürfnissen, Interessen, Wünschen in mir ist. Ich möchte gern ... ich mache gern ... das bin ich, das ist meine Meinung, das ist mein Lebenslauf.

Die Rolle ist sozusagen die Hülse, der Kern ist es nicht, der Kern steckt in der Rolle. Ich bin nicht meine Rollen, ich führe sie nur aus, ich „spiele meine Rollen".

Zwischen beiden Dimensionen der Identität kommt es oft im Leben zu Konflikten. Soziale Identität und persönliche Identität stimmen nicht überein. Ich spüre den Unterschied zwischen dem, was andere von mir verlangen und erwarten, und dem, was ich eigentlich selbst gern möchte.

Auf der Dimension sozialer Identität wird dieser Konflikt gekennzeichnet durch eine Störung der Ordnung. Jemand hört auf, ungestört zu funktionieren, es ist Sand ins Getriebe gekommen. Die anderen reagieren darauf erstaunt, verwundert, übelnehmend, bestrafend.

Auf der Dimension persönlicher Identität spüre ich das in Unbehagen, Störungen, im Gefühl einer Untreue zu mir selbst.

Nun gibt es – im idealtypischen Modell – zwei Lösungsmöglichkeiten. Die erste Lösungsmöglichkeit umschreibe ich mit dem Begriff *Amt.* Gemeint ist die Anpassung an meine Rollen. Um der Bestrafung durch andere zu entgehen, passe ich mich an die Erwartungen anderer an. Ich lebe, wie andere es von mir wollen und wie ich meine, daß ich es dann auch will. Die anderen – gemeint sind Institutionen, Autoritäten, Vorgesetzte, Vater- und Mutterpersonen – überhäufen mich mit Ehre, Orden, Uniformen.

Ich bin wieder geachtet, weil ich zur Ordnung – der anderen! – zurückgefunden habe. Ich bin wieder die Rolle, der Kern ist wieder zurückgeschoben, er verschwindet, das Gefühl für mich selbst versickert. Die soziale Identität hat über die persönliche Identität gesiegt. Eigene Wünsche gehören dem Reich der Träume und Phantasie an. Ich erfahre eigentlich Nicht-Identität durch Identitätsdiffusion, Isolierung, Stillstand in der persönlichen Entfaltung, Verzweiflung im Älterwerden. Ich existiere in Form abstrakter Identität.

Die zweite Lösungsmöglichkeit umschreibe ich mit dem Begriff *Charisma.* Die Lösung geht von der persönlichen Identität aus. Ich lebe, wie ich meine Wirklichkeit konstruiere, lasse mich nicht nur von vorgegebenen Wirklichkeiten – die mir begegnen in Tradition, Autorität und Institution – allein lenken. Ich lebe, wie ich will, in Gruppen, Begegnungen, Kontakten, Liebe und in Arbeit und Tätigsein. Ich erfahre Intimität, schöpferisches Wachstum und die Möglichkeit eines sinnvollen Alterns.

Diese Form konkreter Identität ist verbunden mit Kraftgewinn und ist der Anstoß zur Energieumwandlung. Auf der Dimension sozialer Identität stelle ich neue Bedeutungen meiner Sicht der Gesellschaft - in Tradition, Autorität, Institutionen - her und muß mich gegebenenfalls von bisherigen Rollen und Bezugsgruppen trennen. Dieser zweite Weg ist die Voraussetzung zur Solidarisierung vieler zu einer sozialen Bewegung, die mit Risiko und Vorwegnehmen von Zukunftsvisionen verbunden ist. Rollen und Funktionäre - im Sinn des Funktionierens von Rollenträgern - bilden nicht die Gruppe für Bewegungen, der Anstoß wird immer von denen kommen, die für die Lösung ihrer Probleme den zweiten Weg gewählt haben. Doch das ist nicht einfach.

Denn das Rollenspiel von Erwachsenen wird von der Gesellschaft weitgehend vorherbestimmt. Jeder muß in diese Rollen weniger einbringen als das eigene, ganze Ich. Die Entdeckung des authentischen Ich, der persönlichen Identität, ist verpönt. Eine der großen Gefahren der „Saturiertheit im Wohlstand" ist es, zur Erhaltung des Wohlstands in starren Rollen verharren zu müssen, die die Selbstentwicklung und den Selbstausdruck verhindern.

Konkrete Identität entfaltet sich nach Maßgabe einer evolutionären Sozialisationstheorie, deren Kern darin besteht, daß der Prozeß der Entfaltung die Form der Institution determiniert und nicht umgekehrt und beide sich in einer Zukunftsrichtung verändern. Der Prozeß der Entfaltung von Ich-Identität bestimmt die Form der Institution - Familie, Schule, Ehe, Hochschule, Altenakademie, Kirche, Gemeinde. Wenn man den Prozeß der Entfaltung erkannt hat, der der Form, der Institution, zugrunde liegt, kann man diese Form angeben. Wer die Entfaltung im Jugendalter kennt, kann die Struktur der Jugendarbeit in entsprechenden Institutionen entwickeln, wer den Prozeß der Entfaltung Erwachsener, die - vorzeitig - aus dem Erwerbsleben ausgeschieden sind, kennt, kann Kriterien einer neuen Altenhilfe, Altenarbeit, Altenbildung für diese „Jungen Alten" entwickeln. Wer den Prozeß von Glaubens- und Lebensentfaltung erkennt, kann die Struktur von Kirche und Gemeinde erarbeiten.

In der derzeitigen Übergangsgesellschaft scheint es Schicksal vieler Institutionen zu sein, daß sie von Mitgliedern immer weniger unterstützt werden, weil diese erkennen, daß sie für ihre Entfaltung neue Formen brauchen. Sie verhalten sich den Institutionen abweichend gegenüber, geben ihnen nicht mehr ihre Kraft, sondern bilden am Rand von Institutionen neue Gruppen, Basisgemeinden, Selbsthilfegruppen.

4. Institution und Gesellschaft

Institutionen sind Systeme der Gesellschaft, nicht eines abstrakten, sondern eines konkret-historischen Umfelds. In geschlossenen Gesellschaften, die wenig Veränderung und Dynamik als Eigenschaft besaßen, haben Institutionen eine bewahrende Funktion. Die Beherrschung des Gemeinschaftslebens besteht in einer Kontrolle von Zuständen. Die Bewahrung des Bestehenden hat Vorrang. Eine Schule ist eine Schule, eine Familie ist eine Familie, eine Universität ist eine Universität, eine Kirche ist eine Kirche, und alle müssen so bleiben, ein Lehrer ist ein Lehrer, ein Bauer ist ein Bauer, ein Pastor ist ein Pastor, und so müssen sie auch bleiben. Ordnungen, die sich aufgrund menschlicher Gewohnheiten gebildet haben, werden aufrechterhalten. Das geht gut, solange sich die Bedingungen nicht ändern.
Nach jeder Erschütterung der Ordnung fand man den Weg zur gewohnten Ordnung zurück. Man konnte sich nicht vorstellen, diese Ordnung in Trümmer gehen zu lassen, weil jede Veränderung der Ordnung als für den Menschen tödlich angesehen wurde.
Dynamische Gesellschaften wie die postindustriellen haben eine andere Struktur. Dynamik bedeutet Veränderung und Übergang. Wie immer unsere Gesellschaft definiert wird, dieser Übergang ist allen Erklärungsmustern gemeinsam: von der industriellen zur postindustriellen Gesellschaft, von der Arbeits- zur Kultur/Freizeitgesellschaft, von der Überlebens- zur Identitätsgesellschaft, von der kapitalistischen zur spätkapitalistischen Gesellschaft, von der sozialistischen zur spätsozialistischen Gesellschaft, von der Gesellschaft, die auf den Schlüsselindustrien Stahl, Bergbau, Chemie basierte, zur Informationsgesellschaft.
Eine solche Übergangssituation hat Einfluß auf den Stellenwert der Institution. Seit Jahrzehnten ist ein Prozeß der Desintegration[9] feststellbar, der sich auf einen zunehmenden Pluralismus von Gesellschaftsordnungen und damit von Einstellungs- und Verhaltensmustern bezieht und mit einer unüberschaubaren Aufblähung von Großsystemen verbunden ist. Innerhalb bestehender Institutionen sind Auflösungstendenzen bemerkbar, und viele ehemals mächtige Institutionen verlieren an gesellschaftlicher Funktion. Der Mensch traut den bestehenden Institutionen nicht mehr so ganz, es kommt zu einem Autoritätsvakuum, zu einem Nachlassen von Autorität, Institution und Tradition.[10] Der Desintegration der Gesellschaft und vieler Institutionen entspricht eine wachsende Desintegration menschlicher Persönlichkeit. Sinnleere, Lebensleere, Zerfall als moralisch angesehenen Ver-

[9] Vgl. *K. Mannheim,* Freiheit oder geplante Demokratie, Köln und Opladen, 1970.
[10] Vgl. *H. Arendt,* Vita activa oder vom tätigen Leben, München ^{3}1981.

haltens, Orientierungslosigkeit – gepaart mit realen Ängsten von Atomkrieg, ökologischer Katastrophe – sind Kennzeichen dafür.
Auf diese Desintegration wird in zweifacher Form reagiert. Auf der einen Seite ist ein verschärftes Zurück zu den Institutionen erkennbar, eine Verschärfung sozialer Kontrollen, eine Verbesserung neuer Sozialtechniken, ein Angebot mächtiger Sinn- und Ordnungssysteme. Auffallend viele, auch junge Menschen, werden davon magisch angezogen. Sie geben Teile ihres Selbst auf, um ihre Energie und Kraft neuen und alten Institutionen zur Verfügung zu stellen. Ein neuer Frühling bestehender Institutionen wird prophezeit. Demgegenüber lassen sich andere Tendenzen festmachen. Neben verschiedenen Formen der Selbstentfaltung wird die tiefe Sehnsucht des Menschen nach eigenem Wachstum erkennbar. Viele Menschen wollen sich am anderen und in der Begegnung mit anderen entfalten, auch wenn das zunächst als schwierig erscheint und mit Verachtung durch bestehende Institutionen verbunden ist.
Viele gehen gleichsam in ein selbstgewähltes Exil. Immer mehr Menschen schließen sich – neben oder gegen Institutionen – zur Selbsthilfe zusammen: Gesundheitsselbsthilfe, Frauengruppen, Männergruppen, Versicherungs- und Verbraucherschutzgruppen, Anti-Atom-Krieg-Gruppen, Umweltschutzgruppen, die sich vernetzen und zu neuen sozialen Bewegungen werden können; Frauenbewegung, Umweltbewegung, Friedensbewegung, neue religiöse Bewegungen. Der Mensch als solidarisches Subjekt wird in seiner Entfaltung wichtiger erachtet als der Erhalt von Institutionen.
Beide Reaktionsmöglichkeiten existieren neben- und gegeneinander. Jede Gesellschaft, jeder Staat, jede Partei, die Familien, die Kirchen, die Hochschulen scheinen gespalten in Anhänger der je verschiedenen Richtung.

5. Institution und/als Kirche

Religion und religiöse Systeme haben eine gesellschaftliche Funktion. In vielen Gesellschaften besteht diese Funktion darin, durch eine Ordnung, eine Nomisierung der Welt, dem einzelnen Sicherheit zu geben. Dem Menschen wird Sinn dargestellt, der auf einen letzten Sinn aller Dinge bezogen ist. Die gesellschaftlich konstruierte Wirklichkeit[11] ist eine Ordnung von Erfahrungen, in der eine Sinnordnung waltet.
Religionssoziologisch ist die Kirche als Institution anzusehen, die im Sozialisationsprozeß des Menschen die Aufgabe des Aufbaus einer Identität hat.

[11] Vgl. *P. L. Berger,* Auf den Spuren der Engel. Die moderne Gesellschaft und die Wiederentdekkung der Transzendenz, Frankfurt 1970; *ders.,* Zur Dialektik von Religion und Gesellschaft, a.a.O.

Sie ist die Form, in der sich Lebens- und Glaubensprozeß entfalten. Als Institution ist sie abhängig von konkret-historischer Zeit und als solche in ihrer Form veränderbar. In geschlossener Gesellschaft bestand die Funktion der Kirche in klar überschaubarer Integration. In komplexen Gesellschaften treffen Desintegrationsprozesse – in diesem Fall konkretisiert als Säkularisierungsprozesse – auch auf die Kirche zu. Säkularisation wird verstanden als das allmähliche Verschwinden religiöser Inhalte aus vielen Lebensbereichen[12], als Emigration der Kirche aus der Gesellschaft[13], als Entkirchlichung durch das Auseinandertreten von gesellschaftlichem und religiösem Bezugspunkt im Alltagshandeln. Auflösungstendenzen durch Mitgliederschwund sowie ein gesellschaftlicher Funktionsverlust können als Zeichen dafür angesehen werden. Die Reaktion ist auch hier eine zweifache. Auf der einen Seite sind starke Bestrebungen zur Verfestigung institutioneller Mechanismen und ein Zurück zu traditionellen Formen der Religiosität feststellbar, die sich von der Gesamtkirche und ihren Leitungsorganen über die regionale Ebene bis zur Kirchengemeinde und ihren Untergruppierungen beobachten läßt. Je stärker die Verwurzelung in kirchlich-traditioneller Sozialisation und die Absicherung in kirchlichen Gemeindestrukturen sind, um so besser kann den Prozessen von Säkularisation, Desintegration und Pluralismus widerstanden werden. Die Normen der Teilhabe werden für die Gruppe der „Kirchentreuen" verstärkt, die „Randchristen" als Andersdenkende disqualifiziert. Der „harte Kern" ist die eigentliche Kirche, die anderen sind Abtrünnige, Abständige, Treulose, Neu-Heiden. Diese „Milieuverengung"[14] ist verbunden mit beinahe rigoros geübter religiöser Praxis und Verfeinerung der sozialen Kontrolle über die Mitglieder. Für viele ist diese neue Institutionalisierung in bestehende Formen ein Zeichen neu erwachender Religiosität.

Zum anderen gibt es aber auch die tiefe Sehnsucht vieler Christen nach neuen Möglichkeiten religiöser Entfaltung, die sich in Basisgemeinden, Selbsthilfegruppen zusammenschließen und vernetzen und zu Bewegungen von unten führen – ökumenische Bewegung, Katholikentag von unten, ökumenische Friedensbewegung ... In diesen neuen religiösen Bewegungen treffen die Suche nach neuer Ausformung der sozialen Funktion der Kirchen und eine starke Sehnsucht nach neuen Transzendenzerfahrungen und neuen transzendentalen Symbolen zusammen, Tendenzen, die auch in der „Theologie der Befreiung" ihren konkreten Niederschlag finden. Die Institution betrachtet diese neuen Formen mit großer Skepsis. Viele spüren:

[12] Vgl. ebd.

[13] Vgl. *J. Matthes,* Religion und Gesellschaft. Einführung in die Religionssoziologie, Reinbek 1967.

[14] Vgl. ebd.

Wer seine Kraft und Energie in eigene Bewegungen steckt, entzieht sie - und sich - der Institution Kirche und schwächt sie.
Ein Subsystem der Kirchen ist die kirchliche Jugendarbeit. Als solche ist kirchliche Jugendarbeit eine Institution, die sowohl als gefährliche Ordnungsmacht als auch als ökologische Nische angesehen wird. Kirchliche Jugendarbeit ist weithin abhängig von kirchlichen Leitungsgremien bis hin zu vorgegebenen Strukturen auf Gemeindeebene. Der Prozeß der Desintegration ist auch in kirchlicher Jugendarbeit erkennbar, und Erkenntnisse der Synodenumfrage (1970) haben sich erhärtet. Die Jugendlichen reagieren sowohl in Richtung auf neue Institutionalisierung in Form von Milieuverengung und „Gesundschrumpfen“ als auch durch Mitarbeit in neuen Formen der Transzendenzerfahrung, kirchenübergreifenden ökumenischen Gruppierungen und Aktivitäten von Selbsthilfe und Basisgemeinden, wobei letztere - wenn überhaupt - erst nach langen Kämpfen auch offiziell gefördert und anerkannt werden.
Auch für die Kirche als Institution wird gelten, neue Formen zu finden, Bedingungen zu schaffen für die Entfaltung des Menschen, für den Lebensprozeß - der in diesem Fall auch ein Glaubensprozeß ist. Der Prozeß der Entfaltung ist das Grundlegende, die Form davon abhängig, dem Wandlungsprozeß evolutionärer Geschichtlichkeit unterliegen beide. Der Sabbat ist für den Menschen da und nicht der Mensch für den Sabbat.

6. Die Zukunft von Institutionen

Über die Zukunft von Institutionen braucht man sich eigentlich keine Sorgen zu machen, weil Systeme dazu neigen, sich selbst zu erhalten. Die Frage ist eher, inwieweit menschliche Entfaltung in Institutionen möglich sein kann, wie Strukturen entwickelt werden können, die das Gesetz der Veränderung in sich tragen, wie die Veränderung in die institutionelle Ordnung selbst „eingebaut“ werden kann. Wie ist ein neuer Umgang in und mit Strukturen (Institutionen) vorzustellen?
Die neue Gestalt einer Institution ist die Synthese von Funktional-System und Netzwerk-Gefüge.[15] Ausgangspunkt derartiger Überlegungen ist ein neues Bewußtsein für menschliche Energieumwandlung und neuen Kraftgewinn. Nach Pfaff gibt es Energie nicht durch Institutionen, sie entsteht nur nicht-institutionell, nur dort, wo der Mensch die Unmittelbarkeit seines Erlebens und Fühlens spürt, wo Wut, Hoffnung, Lust, Liebe erlebt werden. Diese Suche nach Kraftgewinn entsteht in Brüchen, Spannungen, Ver-

[15] Vgl. *K. Pfaff,* Lernen und Lieben wider die Ordnungen, a.a.O.

schichtungen der funktionalen Institution. Erst im Erlebnis der Diskrepanz zwischen Subjekt und Institution und dem damit gegebenen Gefühl von Bedürftigkeit und Gefährdung, dem standgehalten wird, deutet sich neue Energie an und wandelt sich zur Entdeckung der eigenen Ich-Identität in der Solidarität mit anderen Bedürftigen. Am Rand der Institutionen bilden sich alternative Gruppen, die sich zu Netzwerken verbinden und dem einzelnen Zugang zur Quelle neuer Kraft geben. Der einzelne wird dabei nicht passives Mitglied einer Organisation, sondern aktiver Teil eines Netzwerks. Um diese neuen menschlichen Praxisbeziehungen entstehen „Funktionalsysteme", um die herum Institutionen sich bilden ohne den Ordnungstyp hierarchisch-autoritärer Form. Die Chance der Institution besteht in dieser Umwandlung von der Hierarchie zur Wechselseitigkeit, vom Zentralismus zum dezentralen Netzwerk. Kennzeichen solcher Gruppen ist, daß sie „Orte des Lebens" sind, die nicht Behandlung erfordern, sondern in denen Begegnung möglich ist[16], in denen „wechselseitige Aktivierung"[17] geschieht. Hier können junge und alte Menschen ohne „Generationskonflikt" miteinander leben. Generationskonflikt entsteht dort, wo Ältere auf bestehenden Formen bestehen und Jüngere um ihres Lebensprozesses willen eine andere Form suchen. Ältere Erwachsene, die darum wissen, daß sie Vertreter der „abtretenden Kultur" sind, die „dialektisches Lernen" eingeübt haben, die eigene Primärerfahrungen nicht „vergessen"[18] haben, können sich verbünden mit Jüngeren, die im Bewußtsein leben, die neuen Kulturträger zu sein, das größere Gespür für Zukunft zu haben. Bestehende Institutionen mit älteren und alten Menschen in den Leitungsgremien sind in Gefahr, stärker auf die bestehende Ordnung zu achten - die sie ihr ganzes Leben erlebt und erkämpft haben - und von vielen Jüngeren nicht mehr als Gesprächspartner angesehen zu werden. Kennzeichen neuer Bewegungen ist das Zusammenleben, Zusammenarbeiten, Zusammenlernen von jung und alt.
Die Frage, ob Dauerreflexion institutionalisierbar ist, soll angesichts bemerkbarer Zeichen lernender Institutionen - Familientherapie, Gemeindetherapie, Institutions- und Organisationsberatung - vorsichtig in die Frage gekehrt werden: Sind Institutionen, ihre Träger, Mitglieder, Leitungen - reflexionsfähig und dadurch sich verändernd - für den Menschen?

[16] Vgl. *L. Veelken,* Soziale Geragogik. Soziologische und sozialpädagogische Hilfen zur Alternsvorbereitung und zur Daseinsbewältigung im Alter, Frankfurt 1981.
[17] Vgl. *E. H. Erikson,* Lebensgeschichte und historischer Augenblick, Frankfurt 1977.
[18] Vgl. *K. Mannheim,* Freiheit oder geplante Demokratie, a.a.O.

Literatur

Berger, Peter L., Zur Dialektik von Religion und Gesellschaft. Elemente einer soziologischen Theorie, Frankfurt 1973 (Fischer).

Habermas, Jürgen, Können komplexe Gesellschaften eine vernünftige Identität ausbilden? Zwei Reden, Frankfurt 1974 (Suhrkamp).

Kaufmann, Franz X., Kirche begreifen. Analysen und Thesen zur gesellschaftlichen Verfassung des Christentums, Freiburg 1979 (Herder).

Mannheim, Karl, Freiheit oder geplante Demokratie, Köln/Opladen 1970 (Westdeutscher Verlag).

Matthes, Joachim, Religion und Gesellschaft. Einführung in die Religionssoziologie, Reinbek 1967 (Rowohlt).

Mead, George H., Sozialpsychologie, Neuwied und Berlin 1969 (Luchterhand).

Veelken, Ludger, Einführung in die Identitätstherapie. Vorschläge für die Praxis identitätsentfaltender Jugendarbeit, Stuttgart 1978 (Enke).

Gert Schneider

Interessen und Bedürfnisse

1. Fragestellungen und Wortbedeutungen

Die Maxime „Ausgehen von den Bedürfnissen bzw. Interessen der Betroffenen“ signalisiert einerseits eine neue Ausgangslage bei der Frage nach einer Praxistheorie kirchlicher Jugendarbeit, andererseits birgt sie erhebliche Schwierigkeiten und Mißverständnisse in sich. Solange eine derartige Faustformel lediglich methodisch, nicht jedoch inhaltlich verstanden wird, erscheinen die Vorbehalte dagegen im kirchlichen und theologischen Kontext insofern berechtigt, als fraglos ein Instrumentarium verwendet wird, was seinerseits eine sehr differenzierte Entwicklungsgeschichte hinter sich hat und nicht in jedem Fall der unverzichtbaren Tradition des Christentums standhalten kann. Innerhalb der Geschichte des Bedürfnisbegriffs und der klassischen Themenverflechtungen lassen sich jedoch Elemente erkennen, die berechtigterweise Bedürfnisse in den Zusammenhang mit einer Anwaltschaft für Subjektwerdung und Identitätsbildung junger Menschen zu bringen vermögen. Gerade die Konfrontation des landläufig gebrauchten Bedürfnisbegriffs mit seiner eigenen Geschichte und der jüdisch-christlichen Tradition kann dazu beitragen, daß die Wahrnehmung menschlicher Bedürfnisse und deren kommunikativer Grundstruktur der kirchlichen Jugendarbeit einen großen Stellenwert zur Analyse und bei der Bekämpfung der Gefährdung und Zerstörung des Subjekts gibt. Schließlich können die gemeinsam mit Jugendlichen ausgehandelten und zur Sprache gebrachten Bedürfnisse Ausdruck für die Ausbildung neuer identitätsstiftender Organisationsformen kirchlichen Handelns in dieser Gesellschaft sein.

Interesse und *Bedürfnis* werden häufig synonym gebraucht. Eine Unterscheidung ist jedoch dann sinnvoll, wenn unter Interesse die politisch-strategische Vertretung von Bedürfnissen verstanden wird, während Bedürfnis mehr dic subjektive Befindlichkeit zeigt. Die Trennung sollte nur idealtypisch verstanden werden, denn Bedürfnis erweist sich insgesamt als ein Begriff, der auf kommunikative Prozesse ausgerichtet ist.

Die geschichtliche Entwicklung des Begriffs läßt sich nicht lückenlos verfolgen. Als wissenschaftlicher Terminus wird er zunächst nicht gebraucht, ebensowenig gib es einheitliche Definitionen.[1]

Einerseits wird Bedürfnis als das Gefühl eines Mangels mit dem Streben, diesen Mangel zu beseitigen, beschrieben, andererseits als Trieb, um ein gestörtes Gleichgewicht im Menschen wiederherzustellen. Die vielfach synonyme Verwendung mit Bedarf erschwert zusätzlich eine exakte Definition.

Innerhalb der begriffsgeschichtlichen Entwicklung läßt sich deutlich erkennen, daß Bedürfnis mit Leben, Fülle des Lebens, Wahl- und Entscheidungsfreiheit zusammenhängt, so daß Beschränkungen oder Lebensbehinderungen als Behinderungen von Bedürfnissen gesehen werden und umgekehrt die Äußerung von Bedürfnissen dem Leben selbst entspricht. Dieser normative Charakter von Bedürfnissen vermag später noch eine Beziehung zu Bewegung und Geschichte herzustellen. Seine Verbindung zu Empfindung und Wahrnehmung bringt ihn in Zusammenhang mit Spontanität. Eine derartige Zuordnung läßt Zwang als Unterdrückung jeglicher Bedürfnisse und aller Spontanität erscheinen. Bedürfnis wird zunehmend zu einem emanzipatorischen Begriff. Seine politischen, sozialen, historischen und pädagogischen Themenverflechtungen führen zum modernen Bedürfnisbegriff.[1]

2. Die Entwicklung zum modernen Bedürfnisbegriff und die Voraussetzungen der gegenwärtigen Bedürfnisdiskussion

Die Weiterentwicklung des kritischen Bedürfnisbegriffs durch Karl Marx bereitet eine dialektische Sichtweise vor, wie sie für die gegenwärtige Bedürfnisdiskussion charakteristisch ist.[2] Bedürfnis erscheint in einem ausgesprochen gesellschaftlichen Kontext, geht aber nicht einfach in gesellschaftlichen Prozessen auf, sondern signalisiert vielmehr den Verlust der „Ganzheit" des menschlichen Subjekts im Geflecht gesamtgesellschaftlicher Differenzierungen. Für Marx wird Bedürfnis zum Schlüsselbegriff für die Verwirklichung des Menschen durch Arbeit und für die Kritik an entfremdender Arbeit zugleich. Herrschaft ist für ihn nicht mehr die Folge verkehrter Begriffe und der dadurch entstandenen zweckwidrigen Einrichtungen, sondern Folge einer ökonomischen Unterdrückung, die die Bedürfnisse der arbeitenden Menschen zu bloß physischen reduziert. Diese Reduzierung bedeutet auch den Verlust von Menschlichkeit („Verlust seiner selbst").[3]

[1] Vgl. dazu und im folgenden: Artikel „Bedürfnis", in: Geschichtliche Grundbegriffe. Historisches Lexikon zur politisch-sozialen Sprache in Deutschland, Band I, A–D, Stuttgart 1972, 440–489.

[2] *A. Heller,* Theorie der Bedürfnisse bei Karl Marx, Berlin 1976.

[3] *K. Marx,* Kritik des Gothaer Programms, in: Marx-Engels-Werke, Band 19, Berlin 1962, 21.

Unter den Bedingungen der Entfremdung werden menschliche Bedürfnisse pervertiert und zum Sinnbild für Abhängigkeitsverhältnisse, die den Menschen zur Ware erniedrigen und dadurch zwischenmenschliche Beziehungen verhindern. An die Stelle der „Reichheit menschlicher Bedürfnisse" sind „eigennützige Bedürfnisse" getreten. Eine bedeutende Stellung nehmen in der Analyse von Marx die sogenannten „radikalen Bedürfnisse" ein, die als inhärentes Moment des Kapitalismus gesehen werden und diesen zu transzendieren vermögen, weil die Träger dieser Bedürfnisse (die Arbeiterklasse bei Marx) die ursprüngliche „Reichheit" der menschlichen Beziehungen gegen die „Produktion für die Verwertung" ins Feld führen und somit Subjektwerdung zu einem solidarischen Prozeß gegen die Entfremdung entwickeln. Die Artikulation von Bedürfnissen schafft damit die Voraussetzung für Subjektwerdung.

Die Entfaltung des kritischen Bedürfnisbegriffs und seine enge Beziehung zu Freiheit, Individualität und Subjektwerdung wird in der gegenwärtigen Bedürfnisdiskussion zusätzlich eingebunden in die Problematik gesamtgesellschaftlicher Differenzierung, die die Frage nach Bewahrung bzw. Wiedergewinnung menschlicher Subjektivität angesichts hochkomplexer Gesellschaften neu ins Spiel bringt.[4]

Zunächst führte dies zur Postulierung menschlicher „Grundbedürfnisse" („basic needs"), die sowohl wesentlich zur „Natur" des Menschen gehören als auch zugleich die Grenze seiner „Manipulierbarkeit" bezeichnen. Einer der einflußreichsten Versuche, menschliche Grundbedürfnisse zu beschreiben und in eine Systematik zu bringen, stammt von Abraham H. Maslow. Als Wegbereiter der „Humanistischen Psychologie" versucht er, eine umfassende Theorie der menschlichen Natur zu entwerfen und an die Stelle einer Psychopathologie eine Psychologie des Seins und des Werdens zu setzen.[5]

Der Begriff „Grundbedürfnisse" definiert sich nach Maslow an der Frage, was den Menschen neurotisch macht, und der Antwort darauf, daß es sich dabei um eine Defizit-Erscheinung handelt, die aus der Verweigerung bestimmter Befriedigungen entsteht. Eine menschliche „Gesundheit" schließt aber ein, daß derartige Defizit-Orientierungen zugunsten einer „Seins-Erkenntnis" abgebaut werden. Der Versuch, gegen die Defizit-Orientierungen Wachstums-Orientierungen zu setzen, erhält den Charakter von „Widerständigkeit" gegen den Versuch, den einzelnen Menschen seiner Individualität, Einzigartigkeit und Identität zu berauben. Damit wird bei Maslow deutlich, daß menschliche Grundbedürfnisse als „Bewahrer" von Subjektivi-

[4] Vgl. dazu *E. Herms,* Die Fähigkeit zur religiösen Kommunikation und ihre systematischen Bedingungen in hochentwickelten Gesellschaften, in: Zeitschrift für Evangelische Ethik 21 (1977) 276–299.

[5] *A. H. Maslow,* Psychologie des Seins, (deutsch) München 1973.

tät die Grenze markieren, die nicht überschritten werden darf. Indes bleibt von Maslow die Frage unbeantwortet, wie die „Widerständigkeit" menschlicher Bedürfnisse in einen dialektischen Prozeß innerhalb hochkomplexer Gesellschaften eingebracht werden kann.

Der ausgesprochen gesellschaftliche Bedürfnis-Ansatz von Amitai Etzioni[6] scheint auf den ersten Blick einer Lösung näherzuführen. Etzioni verbindet organisationssoziologische Konzepte mit solchen der politischen Theorie und mit menschlichen Grundbedürfnissen. Er geht davon aus, daß menschliche Gesellschaften daran gemessen werden müssen, wie sensibel sie gegenüber menschlichen Grundbedürfnissen sind, weil diese in ihrer Flexibilität begrenzt sind und so auch „Grenzen der Manipulierbarkeit" darstellen. Eine Gesellschaft wird um so weniger entfremdend sein, je mehr ihre Strukturen die Befriedigung von Grundbedürfnissen ihrer Mitglieder zulassen, das heißt, je mehr Beteiligung an gesellschaftlichen Prozessen möglich ist. Trotz dieses ausgesprochen gesellschaftlichen Kontextes erscheinen aber Bedürfnisse bei Etzioni immer noch als eine Art „autonome Instanzen", die der Gesellschaft gegenüberstehen, so daß die Forderung nach mehr Bedürfnissensibilität eher den Charakter einer Handlungsanweisung an die Eliten erhält, die Grenzen zu beachten, um bestehende gesellschaftliche Systeme nicht zu gefährden. Beteiligung an gesellschaftlichen Prozessen gerät dann allerdings zur „Aktivierung", deren inhaltliche Bestimmung bereits schon durch „aktiv-Sein" gegeben ist.

Dagegen setzt Karl Otto Hondrich[7] die entscheidende Frage, wie Individuen in hochkomplexen Gesellschaften überhaupt noch in der Lage sind, gesellschaftliche Prozesse zu steuern. Wenn also menschliche Bedürfnisse Subjektivität und Individualität bezeichnen, muß gefragt werden, ob diese nicht selbst schon gesellschaftlicher Steuerung unterliegen. Im Unterschied zu Maslow und auch zu Etzioni kalkuliert Hondrich die Problematik ausdifferenzierter Gesellschaften voll ein und beschreibt das Problem menschlicher Bedürfnisse als einen Konflikt zwischen der Differenzierung von Sozialstrukturen in soziale Systeme und Differenzierung von Personstrukturen in personale Systeme. Beide Differenzierungsprozesse laufen in modernen Gesellschaften nicht synchron, das heißt, Bedürfnisstrukturen bestimmter Personen und die Strukturen sozialer Systeme entsprechen sich nicht. Bedürfnisse sind nur innerhalb solcher Differenzierungsprozesse und deren Probleme denkbar. Sie sind danach für Hondrich „Bedürfnis-Orientierungen". Soziale Systeme vermögen in ausdifferenzierten Gesellschaften zunehmend ihre Macht so gegen Personen einzusetzen, daß die Chancen für Entwicklung und Formung von Bedürfnis-Orientierungen schwinden und

[6] *A. Etzioni,* Die aktive Gesellschaft, (deutsch) Opladen 1975.
[7] Vgl. dazu *K. O. Hondrich,* Menschliche Bedürfnisse und soziale Steuerung, Reinbek 1975.

damit auch die Chancen für Individuen immer geringer werden. Allerdings gelingt es sozialen Systemen nicht, Bedürfnisorientierungen von Personen restlos zu steuern oder gar zum Verschwinden zu bringen. Sie wirken als Ansprüche auf das soziale System zurück.
Hondrich sieht unter diesen Bedingungen die einzige Möglichkeit, Bedürfnis-Orientierungen gegenüber sozialen Systemen zur Geltung zu bringen, darin, daß sich personale Systeme ihrerseits solidarisieren und selbst soziale Systeme bilden, die auf andere soziale Systeme verändernd einwirken können. Er sieht darin die Möglichkeit, menschliche Bedürfnisse neu zu formulieren und Subjektivität auszubilden. Was auf den ersten Blick wie ein Aufgeben menschlicher Subjekthaftigkeit aussieht, ist in Wirklichkeit ein sehr bemerkenswerter Versuch, die bedrohte Subjekthaftigkeit zu retten, indem die einzelnen Bedürfnis-Orientierungen in den Differenzierungsprozeß mit hineingenommen werden, um das Subjekt auf diese Weise vor totaler Vereinnahmung durch soziale Systeme zu bewahren.
Die Fragestellung der modernen Bedürfnisdiskussion spitzt sich von unterschiedlichen Ansätzen her auf die entscheidende Frage nach der Bewahrung des einzelnen, unverwechselbaren Menschen innerhalb hochkomplexer und entfremdender Gesellschaften zu. Gleichzeitig werden die klassischen Komponenten und die traditionellen Themenverflechtungen wieder sichtbar, wenn Bedürfnis aus dem marktstrategischen Kontext herausgenommen wird, in den es eingebunden wurde durch die Abkoppelung von menschlichen Subjekten. Diese Isolierung vom menschlichen Subjekt und von kommunikativen Prozessen ließ Bedürfnis zum Agenten eines Marktes werden, dessen Maxime nicht Subjektwerdung, sondern Gewinnmaximierung hieß. Die solcherart geweckten „Bedürfnisse" werden weder ausgehandelt noch hinterfragt und können daher auch nicht als menschliche Grundbedürfnisse bezeichnet werden. Vielmehr sind sie Bedürfnisse des Marktes. Gleichwohl verbergen sich hinter diesen verzerrten und pervertierten Bedürfnissen menschliche Grundbedürfnisse, oft bis zur Unkenntlichkeit.

3. Menschliche Grundbedürfnisse als mögliche Basiskategorie kirchlicher Jugendarbeit

3.1. Ansätze und Praxisfelder

Die Beantwortung der Frage, ob menschliche Grundbedürfnisse eine mögliche Basiskategorie kirchlicher Jugendarbeit sein können, hängt unter anderem davon ab, inwieweit es gelingt, die spezifischen sozialwissenschaftlichen Traditionsstränge der Bedürfnisdiskussion mit den unverzichtbaren Erinnerungsgehalten jüdisch-christlicher Tradition miteinander so ins Gespräch zu bringen, daß daraus neue Erkenntnisse gewonnen werden können. Bei einer rein methodischen Fragestellung würden wesentliche Elemente menschlicher Grundbedürfnisse ausgeblendet, denn es besteht dabei die große Gefahr, lediglich bessere Mittel in die Hand bekommen zu wollen, um wahrnehmbare Defizite in einer ansonsten nicht weiter hinterfragten kirchlichen Organisationsform auszugleichen. Der Vorbehalt gegen die Übernahme von Bedürfniskonzepten im kirchlichen und theologischen Kontext erscheint dann berechtigt, wenn man menschliche Bedürfnisse im gängigen Vermarktungszusammenhang sieht. Dann können Bedürfnisse mit einer „heillosen Welt“ in Verbindung gebracht werden, die der theologischen Aussage von der Hoffnung entgegenstehen.[8] Es erscheint in diesem Zusammenhang notwendig, die jeweiligen Entwicklungen von Bedürfnis einerseits und Hoffnung andererseits neu miteinander ins Gespräch zu bringen. Wenn ungefragt davon ausgegangen wird, daß menschliche Bedürfnisse nur im Zusammenhang mit einer konsumistischen Gesellschaft gesehen werden können oder Ausdruck eines sogenannten „bürgerlichen Subjekts“ sind, kann dies weder der geschichtlichen Entwicklung des Begriffs selber noch der Maxime „Ausgehen von den Bedürfnissen der Betroffenen“ gerecht werden. Vielmehr ist zu fragen, ob im theologisch-kirchlichen Kontext die Bereitschaft besteht, die Frage nach Subjektwerdung und die Wahrnehmung des einzelnen, unverwechselbaren Menschen ernsthaft anzugehen.

Um einer undialektischen Sichtweise von menschlichen Bedürfnissen zu begegnen, müssen wichtige Differenzierungen vorgenommen werden: Menschliche Bedürfnisse sind weder „anthropologische Konstanten“ im Sinn kontextloser Eigenschaften einer abstrakten menschlichen „Natur“, noch sind sie nur gesellschaftlich vermittelt oder beliebig abrufbar durch alle möglichen Umfragemethoden. Für eine angemessene Bedürfnistheorie innerhalb kirchlicher Jugendarbeit sind zwei einander ergänzende Verfahrensweisen notwendig: Einerseits sind Bedürfnisse selbst nur im Zusammenhang mit kommunikativen Prozessen überhaupt artikulierbar, andererseits können sie nicht wahrgenommen werden ohne die adäquate Wahrnehmung der Praxis junger Menschen in der gegenwärtigen Gesellschaft und in den gegenwärtigen Kirchen. Eine angemessene Deutung von menschlichen Bedürfnissen kann daher nicht ohne Kommunikation mit den Handelnden bzw. Betroffenen erfolgen.

Eine Beschreibung von Handlungsfeldern kann daher auch nicht erfolgen, solange nicht der Nachweis für die Behauptung erbracht wird, wonach menschliche Bedürfnisse nicht einfach „vorhanden“ sind, sondern nur in Interaktion und kommunikativen Prozessen zum Vorschein kommen, sich artikulieren und modifizieren, wobei gesellschaftliche Einflüsse und Mani-

[8] So im Synodenbeschluß „Unsere Hoffnung“, Einleitung.

pulationen nicht einfach idealistisch ausgeblendet werden können. Der Aufweis dieser Arbeitshypothese kann allerdings nur in der Verbindung unterschiedlicher Theorieansätze und der wahrnehmbaren Praxis erfolgen. Aus den historischen Themenverflechtungen des Bedürfnisbegriffs werden vor allem die enge Bindung an das menschliche Subjekt, an die Vorstellung von Fülle und Intensität des Lebens, an die Verteidigung und Bewahrung von Freiheit und an emanzipatorische Prozesse bedeutsam. Dazu kommt das institutionskritische Potential des Bedürfnisbegriffs sowie die damit in Zusammenhang stehende Verbindung von Bedürfnis und Spontanität. Schließlich vermittelt der Zusammenhang von Bedürfnis und Wahrnehmung alternativer Handlungsmöglichkeiten wichtige Erkenntnisse.
In der Weiterführung der klassischen Themenverflechtungen bringen die modernen Sozialwissenschaften wertvolle Erkenntnisse über den Charakter zwischenmenschlicher Beziehungen, authentischer Kommunikation, wechselseitiger Wahrnehmung und Aushandlungsprozesse in die Diskussion ein. Die Theologie wird künftig stärker als bisher die Frage nach der Wertschätzung des unverwechselbaren und einmaligen Menschen, der sich von Gott als unbedingt erwünscht und geliebt weiß, in die Diskussion einbringen müssen, wobei sie die Frage nach der kommunikativen Grundstruktur des christlichen Glaubens nicht von der Subjekthaftigkeit des einzelnen Menschen lösen kann. Daraus ergeben sich als Praxisfelder kirchlicher Jugendarbeit diejenigen Bereiche, in denen junge Menschen ihren Alltag erleben mit all den Deformationen, die Folge einer Zerstörung des Subjekts sind. Christliche Gemeinden oder soziale Räume, in denen junge Menschen mit der christlichen Tradition in Berührung kommen, können mit dazu beitragen, ein Klima zu schaffen, in dem alternativ zu Vermarktungsmechanismen Kommunikation ermöglicht wird – und dementsprechend auch die Artikulation und gegenseitige Aushandlung von Bedürfnissen. Dabei wird es wesentlich davon abhängen, wie sich die entsprechende christliche Gemeinde oder die Verantwortlichen für Jugendarbeit selbst verstehen, das heißt, welche Zielvorstellungen sie haben. Wenn derartige Organisationsstrukturen lediglich darum bemüht sind, an junge Menschen bestimmte, vorher bereits definierte Inhalte oder Lebensentwürfe heranzutragen, wird zwar unter Umständen eine gewisse „Effizienz" je nach Zielvorstellung erreicht werden können, keinesfalls aber wird ein Beitrag zur Subjektwerdung junger Menschen erreicht. Hier zeigt sich deutlich, wie wichtig es ist, bedürfnisorientierte Arbeit nicht nur methodisch zu sehen, sondern wesentlich inhaltlich in dem Sinn, daß mit den Betroffenen gemeinsam Ziele erarbeitet und Handlungsformen entwickelt werden. Dabei muß mitberücksichtigt werden, daß Subjektwerdung und Identitätsbildung auch Abgrenzung von vorhandenen Organisationsmustern beinhaltet.
Bei der Frage nach Praxisfeldern bedürfnisorientierter kirchlicher Jugendar-

beit geht es nicht um Fortsetzung gewinnmaximierender Mechanismen, die den Jugendlichen aus anderen Bereichen ihres Lebens genügend bekannt sind und gegen die sie sich oft vergeblich wehren, sondern es handelt sich um uneigennützige Hilfe. Von den Verantwortlichen wird daher nicht in erster Linie eine fachliche Kompetenz im Sinn aller möglichen Methoden und Techniken verlangt, sondern vor allem die Fähigkeit zum „personalen Angebot" und zur Ausbildung einer kommunikativen Kompetenz. Bedürfnissensibilität und Bedürfnisorientierung gewinnen dabei einen völlig anderen Stellenwert, als dies in marktstrategischen Konzepten üblich ist: Während dort angeblich vorhandene oder erfragte Bedürfnisse zum Ausgangspunkt einer effizienten oder aktivistischen Arbeit genommen werden, bedarf es im Verständnis einer kommunikativen Praxis eines identitätsfördernden Klimas, in dem eigene Bedürfnisse in Auseinandersetzung und Aushandlung mit anderen erkannt, artikuliert und modifiziert werden können. Junge Menschen erleben in Vereinen und Freizeiteinrichtungen häufig demokratische Verhaltensweisen nur als eine Art Abstimmungsmechanismus, bei dem beinahe immer dieselben Unterlegene bleiben. Mit dem Hinweis auf Mehrheitsrechte oder Durchsetzung von Bedürfnissen wird dabei kaschiert, daß es weder ein Klima für kommunikative Prozesse gibt noch Möglichkeiten, mit anderen gemeinsam Handlungsmuster zu entwickeln.
Demgegenüber vermag kirchliche Jugendarbeit einen Beitrag zur Erneuerung demokratischen Denkens zu leisten. Erfahrungen mit Kinder- und Jugendgruppen vermögen dies zu belegen, nicht zuletzt auch Gruppenarbeit im Rahmen der Gemeindekatechese, die nicht selten unter Leistungsdruck gesetzt wird durch eine Zielformulierung, die mehr dem Effizienzdruck unterliegt als der Förderung kommunikativer Prozesse.
Gemäß den heterogenen Bedürfnisorientierungen gestaltet sich eine am Bedürfnisansatz orientierte kirchliche Jugendarbeit als differenziertes Praxisfeld, das auch den gesamtgesellschaftlichen Differenzierungsprozessen eher entspricht als die Vorstellung einer relativ homogenen Arbeit. Die Entscheidung für die Wahrnehmung differenzierter Praxis bedeutet für den jeweiligen Träger kirchlicher Jugendarbeit auch und vor allem die Entscheidung für einen Dienst, der nicht das Eigeninteresse der Organisation im Hintergrund behält, um nur mit bestimmten Methoden diese Organisation zu bestätigen. Die Bereitschaft für Jugendarbeit im differenzierten Praxisfeld gemäß differenzierter Bedürfnisorientierungen ist andererseits nicht die Übernahme einer bunten Palette von Möglichkeiten, die letztlich alles und jedes für wichtig und richtig erklären. Wenn menschliche Bedürfnisse an Prozesse der Aushandlung, an wechselseitige Wahrnehmung und an immer neue Handlungsformen gebunden sind, werden nicht alle verfügbaren Themen im Sinn eines „Marktes der Möglichkeiten" wichtig sein, sondern die Prioritäten entscheiden sich an den Prozessen der Kommunikation.

3.2. Menschliche Grundbedürfnisse als Chiffre für Subjekthaftigkeit und Identitätsbildung

Daß menschliche Bedürfnisse eng mit der Frage nach dem menschlichen Subjekt bzw. nach der Subjektwerdung zusammenhängen, läßt sich innerhalb der Entwicklung des Bedürfnisbegriffs, seiner klassischen Themenverflechtungen und in der gegenwärtigen Bedürfnisdiskussion aufzeigen. Jedoch muß hier kritisch nachgefragt werden, welches Subjekt dabei eigentlich gemeint ist und welche Vorstellungen von Subjektwerdung den jeweiligen Entwürfen zugrunde liegen. Im Zusammenhang zwischen Bedürfnis und Emanzipation wird in der Regel ein Subjekt vorausgesetzt, das als freies Individuum der Gesellschaft wie eine autonome Instanz gegenübersteht.
Es entspricht einer derartigen Vorstellung von Subjekt, daß dieses Bedürfnisse „hat", die es zur Geltung bringen will. In diesem Zusammenhang sind alle diejenigen Strategien und Handlungsmodelle zu sehen, die sich als „Durchsetzungsmechanismen" verstehen und letztlich nur die Machtverhältnisse einer bestimmten Gesellschaft reproduzieren. Es wäre geradezu verhängnisvoll, wollte man auf dieser Grundlage eine bedürfnisorientierte kirchliche Jugendarbeit entwickeln. Ebenso schwierig erscheint es, wollte man menschliche Bedürfnisse analog zu einer vorhandenen Subjekthaftigkeit einfach als abstrakte und kontextlose Eigenschaften von Menschen postulieren. Dennoch kann an Maslow angeknüpft werden, wonach menschliche Bedürfnisse eine Chiffre für „Widerständigkeit" gegen jeglichen Versuch sind, den einzelnen Menschen seiner Individualität zu berauben. In Weiterführung des Bedürfniskonzepts von Maslow kann gesagt werden, daß menschliche Individualität nicht einfach als gegeben vorausgesetzt werden kann, sondern sie verwirklicht sich erst in sozialen Beziehungen. Solche Beziehungen wären dann nicht einfach das Ergebnis eines zuvor entfalteten Subjekts, sondern die Voraussetzung von Subjektwerdung überhaupt.
Außerdem kann nicht davon ausgegangen werden, daß derartige soziale Beziehungen lediglich zur eigenen Selbstverwirklichung dienen, so daß der andere gewissermaßen nur als „Katalysator" der eigenen Subjektwerdung dient. Dieses Mißverständnis kann sich leicht aufdrängen, wenn man ein Bedürfniskonzept verkürzt entwickelt, ohne die Tragweite sozialer Beziehungen zur wechselseitigen Wahrnehmung und für authentische Beziehungen zu berücksichtigen. So können menschliche Bedürfnisse, wenn man sie eng an solcherart verstandene Subjektwerdung bindet, nicht einfach vorhanden sein, sondern sie werden sich erst in sozialen Beziehungen zeigen und artikulieren können. In einem so verstandenen Beziehungsgeflecht können menschliche Bedürfnisse als „Chiffren für Subjekthaftigkeit" bezeichnet werden.
Dies hat weitreichende Folgen für eine kirchliche Jugendarbeit. Einerseits

können bei einem solchen Verständnis menschlicher Bedürfnisse Strategien entwickelt werden, die sich gegen eine Vermarktung menschlicher Subjektivität zur Wehr setzen, andererseits bekommt der Begriff Subjekt einen anderen Stellenwert als bei der Vorstellung eines sich selbst besitzenden Subjekts. Die Verletzbarkeit und Angreifbarkeit wird zu einem wichtigen Merkmal für die Respektierung der Subjektivität anderer. Die Solidarität mit verletzten und zerstörten Subjekten läßt menschliche Bedürfnisse weit jenseits aller Marktstrategien schließlich zu Chiffren einer „solidarischen Subjektivität" werden, in der es gerade um Bewahrung und Anerkennung unverwechselbarer einzelner geht. Eine derartige Solidarität vermag Handlungsformen zu entwickeln, die der Zerstörung und Beschädigung des Subjekts entgegenwirken.

Danach zielt die Maxime „Ausgehen von den Bedürfnissen der Betroffenen" nicht mehr auf diese oder jene gesicherte Bedürfniskonstellation, die Handlungsanweisung für bestimmte Methoden in der Jugendarbeit enthält, sondern auf das je situativ-konkrete Ernstnehmen des einzelnen, unverwechselbaren Menschen, der insofern Betroffener ist, als die Möglichkeiten zu kommunikativer Praxis in gegenwärtiger Gesellschaft zunehmend beschnitten werden.

Die Artikulation von menschlichen Bedürfnissen ist somit in der gleichen Weise an soziale Prozesse gebunden wie die Subjektwerdung. Wird dieser Zusammenhang aufgelöst, ergeben sich lediglich Methodensammlungen zur effektiveren Gestaltung von Jugendarbeit, und die Möglichkeiten zur Modifizierung eigener Handlungsentwürfe werden unerträglich verringert.

3.3. Kirchliche Jugendarbeit als Ort für authentische zwischenmenschliche Beziehungen

Soziale Beziehungen sind für sich gesehen sehr ambivalent. Voraussetzung für solche Prozesse, in denen sich menschliche Bedürfnisse zeigen können, sind „authentische Beziehungen". Dieser Ausdruck geht auf Schütz[9] zurück und wird von Argyris[10] so gedeutet, daß die Annahme des Selbst und des anderen bestimmte Werthaltungen voraussetzt, die aber im Prozeß der Interaktion erst entwickelt werden. Verzerrungen in der individuellen Wahrnehmung können nur abgebaut werden, wenn der andere nicht als Bedrohung erlebt wird. Dieser Prozeß der beginnenden Beziehungen kommt nur in „Wechselseitigkeit" zustande, was besagt, daß der andere nur adäquat wahrgenommen werden kann, das heißt, wie er selber wahrgenommen wer-

[9] Vgl. dazu *A. Schütz,* Collected Papers, Band I, The problem of social reality, Den Haag 1962.

[10] *C. Argyris,* Interpersonal competence and organizational effectiveness, Honewood[5] 1969, III, zit. nach: H. Steinkamp, Gruppendynamik und Demokratisierung, München/Mainz 1973, 109.

den möchte, wenn die Angst schwindet, den anderen als Bedrohung empfinden zu müssen. „Ich vermag den anderen nur adäquat (so wie er wahrgenommen werden möchte) wahrzunehmen, wie meine Angst schwindet, durch sein So-Sein in meiner Identität gefährdet zu werden. Gleichzeitig eröffne ich ihm durch meine nicht-verzerrende, nicht wertende Wahrnehmung, durch mein Annehmen seines Selbst, sich - unbedroht - wahrzunehmen und zu akzeptieren."[11] Zur Wechselseitigkeit gehört also wesentlich, dem anderen bei der Entfaltung seines Selbst behilflich zu sein. So kann Kommunikation selbst als Bedürfnis bezeichnet werden, das sich konkret im Bedürfnis nach Angenommensein zeigt, und es kann gesagt werden, daß dieses Bedürfnis als ein „Grundbedürfnis" zwar „vorhanden" ist, sich aber erst in authentischen Beziehungen aktualisiert. Gesellschaftliche Situationen, in denen junge Menschen sich vorfinden und die sie in der Regel auch nicht selbst definiert haben, entbehren weithin dieser Authentizität und sind verzerrt, so daß das Grundbedürfnis nach Angenommensein sich allenfalls in verzerrter Form zeigen kann. Situativ-konkretes Ernstnehmen hieße dann in einem solchen Kontext, sich der verzerrten Situation bewußt zu sein und dies auch mit den Betroffenen gemeinsam bewußt zu machen. Das geht über rein methodisches Handeln weit hinaus, denn wenn lediglich die verzerrten Bedürfnisse als Ausgangspunkt für je neue Handlungsangebote „benutzt" werden, verhinderte dies geradezu eine Artikulation von Bedürfnissen. Jede daraus resultierende Handlungsform bekäme dadurch den Charakter der Unauthentizität.

Wenn kirchliche Jugendarbeit ein Ort für authentische zwischenmenschliche Beziehungen sein soll, wird sie sehr stark von der Fähigkeit und von der Bereitschaft abhängen, zum einen soziale Prozesse der Bedürfnisartikulation zu ermöglichen und zum anderen sie wahrzunehmen. Beides kann nur gelingen, wenn ein Klima herrscht, in dem überhaupt erst Voraussetzungen zu authentischen Beziehungen geschaffen werden. Dies bedarf keiner aufwendigen Räumlichkeiten oder entsprechender Standards von Freizeitgerätschaften, sondern vor allem des „personalen Angebots" von Menschen, die sich in die Situation junger Menschen hineinversetzen können, ohne dies nur als Aufhänger zu benutzen. Die sogenannten „Offenen Treffs" in kirchlichen Jugendheimen sind nicht selten für junge Menschen der einzige Ort, an dem sie nicht „Leistung" erbringen müssen. Gerade vom Ansatz einer bedürfnisorientierten Jugendarbeit her ließen sich hier völlig neue Möglichkeiten eröffnen.

Allerdings ist es schwierig, menschliche Bedürfnisse in derartigen Gruppierungen so wahrzunehmen, daß sie auch zum Programm dieser Gruppe

[11] *H. Steinkamp*, Gruppendynamik und Demokratisierung, a.a.O., 109.

werden können. Häufig fehlen Geduld und Bereitschaft, sich auf lange Prozesse einzulassen.
Wenn vom Ort authentischer zwischenmenschlicher Beziehungen gesprochen wird, kann die Frage nach der Organisation und der Organisierbarkeit von Bedürfnissen nicht ausgeblendet werden. Organisationen werden von Jugendlichen als gesetzte Muster mit definierten Zielen erlebt, die ihnen keine Chance eigener Organisation mehr lassen. Authentische Beziehungen und Wechselseitigkeit sind indes selbst schon Elemente einer Organisation, die im Unterschied zu den gesetzten Mustern als „Bedürfnisorganisation" bezeichnet werden kann, oder auch als „Selbstorganisation". Dies bedeutet vor allem, daß die Beteiligten an einem sozialen Prozeß selbst Organisation sind. Menschliche Bedürfnisse gewinnen dann die Bedeutung von Triebfedern der Organisation, nach Maßgabe je neu ausgehandelter Bedürfnisorientierungen. Bei der Entwicklung solcher Organisationsformen kann es nicht darum gehen, einfach Modelle einer genossenschaftlichen Demokratie zu übernehmen, sondern es geht dabei um einen Lernprozeß, in dessen Verlauf sich auch Minderheiten zu artikulieren lernen und zu Interessenvertretungen zusammenschließen können, ohne „neben" der Organisation bestehen zu müssen.
Die Chancen für derartige Lernprozesse sind innerhalb der kirchlichen Jugendarbeit besonders groß, weil erstens in der Regel eine druckfreie Situation herrscht und zweitens die Freiwilligkeit als eine der obersten Maximen gilt.
Der Vorwurf, daß es sich dabei um eine modifizierte Form von „Dauerreflexion" handeln könnte, trifft deswegen nicht zu, weil junge Menschen in solchen Prozessen gerade lernen können, sich wechselseitig wahrzunehmen und Handeln als Ausdruck spezifischer eigener Fähigkeiten zu verstehen.
Für die Leitung einer Gruppe oder eines Offenen Treffs bedeutet dies vor allem, sehr viel Raum und Zeit für authentische soziale Prozesse zur Verfügung zu stellen und sich dabei selbst so einzubringen, daß eigene Wert- und Normvorstellungen modifiziert werden können. Wenn auch in der gegenwärtigen Gesellschaft der Idealfall gänzlich „selbst-organisierter" Gruppierungen selten wirklich sein wird, scheint es gerade in kirchlichen Organisationsformen um so wichtiger, immer mehr Aufmerksamkeit solchen Möglichkeiten zuzuwenden, damit Veränderungen nach Maßgabe menschlicher Bedürfnisse erfolgen können.

4. Religiöse Bedürfnisse und Tradierungschancen des Christentums

Wenn innerhalb der kirchlichen Jugendarbeit die Orientierung an menschlichen Bedürfnissen in dem hier verstandenen Sinn mit Argwohn betrachtet wird, verbirgt sich dahinter nicht selten das Mißtrauen gegenüber einer allzusehr vom „Menschlichen“ ausgehenden Deutung religiöser Prozesse und Erfahrungen. Man möchte dann gern unterscheiden zwischen methodischen Möglichkeiten, die zwischenmenschlichen Beziehungen zu fördern, und den eigentlichen „religiösen Elementen“, die weithin aus dem sozialen Kontext ausgeklammert werden. So entsteht nicht selten eine unerträgliche Spannung zwischen dem Anspruch, „kirchliche“ Jugendarbeit leisten zu wollen oder vom Auftrag des Trägers her leisten zu müssen und dem tatsächlichen Stellenwert religiöser Erlebnisfähigkeit innerhalb des Gruppengeschehens. So wie ein junger Mensch nicht dauernd auf eine bestimmte Gemeindevorstellung verpflichtet werden kann oder dazu erzogen werden soll, wird er auch religiöse Erfahrungen nicht ständig in der dafür gewissermaßen „zuständigen“ religiösen Organisation machen können. Die Chance, Religion als Möglichkeit zur Subjektwerdung zu verstehen, bietet sich innerhalb kirchlicher Jugendarbeit jedoch nur dann, wenn Religion nicht außerhalb des erlebten sozialen Kontextes gestellt wird.

Wenn sich kirchliche Jugendarbeit von einer expliziten Praxistheorie kommunikativen Handelns her versteht, wird sie mit derjenigen Tradition christlichen Handelns in Einklang gebracht werden können, nach der durch die Rekonstruktion des normativen Kerns kommunikativen Handelns deutlich wird, wovon die Rede ist, wenn von Gott gesprochen wird. Dies bedeutet vor allem, daß weder von einem abstrakten Gott noch von einem abstrakten Menschen geredet werden kann. Wenn die Bedingung der Möglichkeit von Subjektivität die freie gegenseitige Anerkennung der Kommunikationspartner ist, trifft das nicht nur den Kern des Bedürfnisansatzes, sondern in gleicher Weise den Kern jüdisch-christlicher Tradition, nach der die unbedingte Anerkennung und das unbedingte Erwünscht-Sein des einzelnen, unverwechselbaren Menschen durch Gott Voraussetzung gegenseitiger Anerkennung und gegenseitigen Erwünscht-Seins ist.

Die Schwierigkeit, einen bedürfnisorientierten Ansatz von Jugendarbeit in den theologisch-kirchlichen Kontext einzubinden, resultiert sicher nicht zuletzt aus den kommunikativen Defiziten vorhandener kirchlicher Organisationsstrukturen. Die häufig fehlende soziale Kompetenz, die erforderlich wäre, um Situationen unter gleichberechtigten Partnern auszuhandeln, fördert verzerrte Situationen, und reflexive Momente im Gruppengeschehen können nicht mehr hilfreich zur Vertiefung sozialer Kompetenz erlebt werden. Religion kann diesem Bereich reflexiver Momente zugerechnet werden. Wenn religiöse Erlebnisbereiche nicht mehr in einen sozialen Kontext eingebunden sind und stattdessen auf das Gruppengeschehen „aufgestülpt" werden, entstehen verzerrte religiöse Vorstellungsgehalte, die innerhalb einer Gruppe fremd wirken.

Auf die Aushandlung menschlicher Bedürfnisse angewandt, läßt sich sagen, daß in authentischen Aushandlungsprozessen genügend soziale Kompetenz ausgebildet wird, um Religion als Bedürfnis zur Sprache zu bringen. Für die Tradierung des Christentums hat dies weitreichende Folgen, und wenn innerhalb kirchlicher Jugendarbeit christliche Tradition zur Sprache kommen soll, wird es auch Bedürfnisorganisation von religiösen Bedürfnissen geben müssen, die frei und unabhängig von bestehenden Organisationsmustern entwickelt werden. Dabei kann es nicht darum gehen, jede Artikulation religiöser Bedürfnisse kritiklos hinzunehmen oder gar zu vermarkten, sondern gemäß eines Bedürfnisansatzes, der von authentischen und wechselseitigen Wahrnehmungs- und Aushandlungsprozessen her sich versteht, können religiöse Bedürfnisse mit der christlichen Tradition konfrontiert werden. Nicht alle religiösen Impulse vermögen dieser Tradition standzuhalten. Dies miteinander auszuhandeln und festzustellen ist aber nur möglich, wenn christliche Überlieferung selbst als kommunikatives Geschehen verstanden wird und daher auch Entscheidungen und Handlungsimpulse nicht ohne die gegenseitige Aushandlung religiöser Bedürfnisse getroffen werden können. Bedürfnisorientierung und Bedürfnisorganisation im Zusammenhang mit religiösen Bedürfnissen heißt daher niemals, auf dem kleinsten gemeinsamen Nenner eines verschwommenen Religionsbegriffs alle möglichen religiösen Bedürfnisse zu offerieren, vielmehr artikulieren und modifizieren sich diese religiösen Bedürfnisse erst in gemeinsamen sozialen Prozessen.

Literatur

Artikel „Bedürfnis" in: Geschichtliche Grundbegriffe. Historisches Lexikon zur politisch-sozialen Sprache in Deutschland, Band I, A–D, Stuttgart 1972, 440–489.

Etzioni, Amitai, Die aktive Gesellschaft, (deutsch) Opladen 1975 (Westdeutscher Verlag).

Gasiet, Seev, Menschliche Bedürfnisse. Eine theoretische Synthese, Frankfurt/New York 1981 (Campus).

Hondrich, Karl Otto, Menschliche Bedürfnisse und soziale Steuerung, Reinbek 1975 (Rowohlt).

Schneider, Gert, Grundbedürfnisse und Gemeindebildung, München/Mainz 1982 (Chr. Kaiser/Grünewald).

Steinkamp, Hermann, Jugendarbeit als soziales Lernen, Mainz ^{2}1979 (Chr. Kaiser/Grünewald).

Norbert Copray

Jugendkultur

1. Begriffe und Wortbedeutungen

Allein schon über das Wort „Kultur" und seinen begrifflichen Inhalt besteht sowohl alltagssprachlich wie wissenschaftlich keine Einigkeit. Um so mehr sind die beiden Substantive „Jugend" und „Kultur" im Doppelwort „Jugendkultur" äußerst verschiedenen Interpretationen ausgesetzt. Sie sind vor allem vom Standpunkt und von den Interessen des Interpreten abhängig, der sich um eine Bestimmung der „Jugendkultur" bemüht. Die Spannbreite der Verstehensansätze reicht schließlich von der Behauptung, es gebe überhaupt keine Jugendkultur[1] bis hin zur Schwärmerei des Jugendstils um die letzte Jahrhundertwende, alles sei Jugendkultur (*Jugend* 1896). Auch der Versuch, Jugendkultur als Teil- oder Subkultur oder als Summe verschiedener jugendlicher Subkulturen zu begreifen, gehört dazu. Darunter wird entweder verstanden: Jugendkultur ist ein Teil der gesellschaftlichen Gesamtkultur, als Begriff eine spezifische Form des allgemeinen Kulturbegriffs, oder: Jugendkultur manifestiert sich in relativ eigenständigen „Unter"-(Sub-)Kulturen - vorwiegend im Bereich des Freizeitverhaltens -, die sich unter Umständen zum „Untergrund" (Underground) mit dem Ziel verselbständigen können, sich von institutionell verfaßter Gesellschaft und Kultur völlig zu lösen.[2] Um insgesamt solchen banalen wie spekulativen Plattheiten, die kaum zu begrifflicher Klarheit beitragen, zu entgehen, muß Jugendkultur kritisch sowohl im Blick auf die Erkenntnisse der unterschiedlichen Behandlungsformen und Ausformungen von Jugendkultur wie auch im Blick eines praktischen Erkenntnisinteresses bearbeitet werden.

Erforderlich dazu sind vorerst Begriffserklärungen, die die Diskussion um Kultur, Jugend, Jugendkultur aufnehmen und für eine enzyklopädische Bearbeitung pragmatisch zuspitzen.

[1] Vgl. *R. und H. Hauser,* Die kommende Gesellschaft, München 1971.

[2] Vgl. *D. Baacke,* Kommunikation und Kompetenz. Grundlegung einer Didaktik der Kommunikation und ihrer Medien, München 1973.

1.1. „Kultur" ist:

- ein Kommunikationsprozeß,
- in dem sich Menschen,
- in bezug auf Werte, Ideen, Symbole
- durch Aneignung, Orientierung und Gestaltung
- so miteinander argumentativ oder praktisch verständigen,
- daß sie sich wechselseitig verbindlich beanspruchen können.

In vereinfachender Kurzformel: Kultur ist ein gemeinsamer Ausdruck der Verbindlichkeit bestimmter Menschen. Insofern ist Kultur grundsätzlich immateriell, wenn auch etwa Werte, auf die Bezug genommen wird, mit materiellen Dingen identifiziert werden können. Davon abzugrenzen ist „Zivilisation", da es sich dabei um einen Prozeß der materiellen und technischen Entfaltung von Ressourcen handelt, der auf die Kultur einwirkt.
Diese Definition von „Kultur" erlaubt es, sogenannte Bindestrich-Kulturen wie Alternativ-Kultur, Volks-Kultur, Fernseh-Kultur, Massen-Kultur usw. zu erklären. In solchen Worten wird jeweils ein in der Definition genanntes Begriffselement besonders herausgehoben; beispielsweise „in bezug auf Werte, Ideen und Symbole" (Körper-Kultur, Fernseh-Kultur) oder in Anbetracht der „Aneignung, Orientierung und Gestaltung" (Alternativ-Kultur, Video-Kultur, Industrie-Kultur) oder in Hinsicht auf die Menschen (Volks-Kultur, Arbeiter-Kultur, Jugend-Kultur).
Von „Kultur" ist grundsätzlich „Kult" zu unterscheiden, obwohl der historische Ursprung gemeinsam ist. Von „Jugendkult" ist - zumindest in der ersten Hälfte dieses Jahrhunderts - häufiger die Rede gewesen. „Kult" meint im positiven Sinn eine symbolische Handlung, mit der die Wirklichkeit und Existenz des Menschen praktisch oder/und argumentativ gedeutet und exemplarisch vollzogen wird. Im besonderen Sinn also wird die Lebensphase „Jugend" in einem Jugendkult gedeutet und exemplarisch vollzogen. Im negativen Sinn meint „Kult" die übersteigerte Form der Kultur, in der ein Wert, Symbol, Ideal oder eine bestimmte Gruppe von Menschen zur alleinigen Verbindlichkeit für andere verabsolutiert wird. Im besonderen Maß wird dies Jugendlichen und der Freizeit- und Werbeindustrie vorgeworfen, weil sie „Jugendlichkeit" in einer Art ‚Jugendkult' zum zentralen Lebenswert hochstilisieren.

1.2. „Jugend" ist:

- eine Lebensphase von Menschen,
- die nach interkulturellem Vergleich die Jahre 10 bis 30 umfaßt, mitunter bis Ende 35 geht
- und gegen Kindheit und mittleres Erwachsenenalter abgegrenzt ist,
- was durch Symbole oder symbolische Handlungen gekennzeichnet wird.

Der teilweise wissenschaftliche, verbreitet alltagssprachliche Gebrauch von „Jugend“ zur Bezeichnung der Menge derer, die Jugendliche - als in der Lebensphase Jugend befindliche Menschen - sind, ist nicht nur ungenau, weil er unzulässig aus einem zeitlichen einen „gegenständlichen“ Begriff macht, sondern täuscht fälschlicherweise auch vor, sämtliche Jugendliche einer Gesellschaft, eines Kontinents, gar der Welt ließen sich zu einer klar erkennbaren und ansprechbaren Gruppe zusammenfassen. Dahinter verbirgt sich das Interesse, den Eindruck zu erwecken, die „Jugend“ gebe ein einheitliches Phänomen als Objekt von Untersuchungen oder als Subjekt von bestimmten Haltungen ab. Außer den oben genannten Begriffselementen läßt sich kaum weiteres zu einem einheitlichen Phänomen Jugend beisteuern, ohne nicht eigenen Projektionen zu erliegen. Jugend ist also nur vermeintlich eine einheitlich benennbare Menschenmenge, letztlich eine Abstraktion („die Jugend“), bei der so wenig Bestimmungen übrig bleiben, daß vielleicht Wesentliches vermerkt, aber aufgrund notwendiger Konkretion in politisch-gesellschaftlichen Dimensionen nicht einmal mehr informativ beschrieben werden kann.
Die Lebensphase „Jugend“ - und nur in dieser Weise wird hier das Wort verwendet - läßt sich in die Abschnitte Vorpubertät, Pubertät, Voradoleszenz, Adoleszenz, Spätadoleszenz, Postadoleszenz einteilen.[3] Viele Autoren unterscheiden zwischen der Pubertät, die die körperlichen Veränderungen bezeichnen soll und mit etwa 17 Jahren abgeschlossen sei, und der Adoleszenz, die auf die psychosozialen Veränderungen abziele und mit etwa 30 Jahren als abgeschlossen betrachtet wird. Da beide Begriffe urtümlich in gleicher Weise den Entwicklungsprozeß, mal der jüngeren, mal der älteren Jugendlichen meinen, scheint eine phasenspezifische Benennung zur Differenzierung angebracht. Demzufolge reicht die Vorpubertät etwa von 9 Jahren (beginnend bei den Mädchen) bis 12/13 Jahre, die Pubertät von 13/14 bis 16/17 Jahre, die Voradoleszenz von 15/16–17/18 Jahre, die Adoleszenz von 17/18–22/23 Jahre, die Spätadoleszenz von 22/23 bis 27/28 Jahre und die Postadoleszenz von etwa 28 bis 33/35 Jahre. Jugend umfaßt also auch den Abschluß der Kindheit und den Anfang des Erwachsenenalters, wobei hier auch kulturelle Unterschiede bestehen: In vielen Kulturen gilt erst als Jugendlicher, wer als Mädchen die erste Monatsblutung, als Junge Stimmbruch hat; als Erwachsener, wer geheiratet hat; in anderen gilt als Jugendliche, deren erste Monatsblutung erwartet, als Jugendlicher, wer auf seine Zeugungsfähigkeit vorbereitet werden kann; als Erwachsener, wer dauerhafte Entscheidungen über Intimbeziehungen und Beruf getroffen hat. Jugendkultur verdankt sich auch der Unschärfe einer eindeutigen Grenzziehung zwischen Kindheit und Erwachsenenalter, denn die konkrete, aktuelle

[3] Vgl. *P. Blos,* Adoleszenz, Stuttgart 1973.

Abgrenzung zur Kindheit und zum Erwachsensein ist selbst Inhalt der Jugendkultur.
Keine andere Lebensphase (Kindheit, Alter) hat einen spezifischen Begriff von seiner Kultur ausgeprägt. Um so wichtiger ist es, bei der Verwendung des Begriffs auf den Kontext, auf seinen Verwertungszusammenhang und auf die Subjekte mit ihren Interessen zu achten, die sich dieses Begriffs bedienen. Denn die Funktion des Begriffs begründet gerade hier oft seinen Inhalt.

1.3. Abschließend soll unter „Jugendkultur" verstanden werden:

- ein Kommunikationsprozeß in der Jugend,
- in dem sich Jugendliche
- in bezug auf Werte, Ideen und Symbole
- durch Aneignung, Orientierung und Gestaltung
- miteinander argumentativ oder/und praktisch so verständigen,
- daß sie sich wechselseitig verbindlich beanspruchen können.

In vereinfachender Kurzformel: Jugendkultur ist der gemeinsame Ausdruck von Verbindlichkeit von Jugendlichen.
In Kenntnis der Sachverhalte ist damit von vornherein klar, daß Jugendkultur auch einander widerstrebende gemeinsame Ausdrücke von Verbindlichkeit bestimmter Jugendlicher umfaßt, also damit ein Oberbegriff für unterschiedlich verstandene, praktizierte und erlebte Stile und Typen von Jugendkultur ist.
Damit wurde nun ein Begriff gewonnen, der zunächst auch als methodisches Werkzeug tauglich ist. Denn er löst eine Reihe von Hinsichten bzw. Fragestellungen aus, die eine Untersuchung von Jugendkultur eröffnen und leiten können: Auf welche Werte, Ideen und Symbole beziehen sich Jugendliche in welchen Gesellschaften zu welcher Zeit? Welche Ausdrücke von Verbindlichkeit werden geschaffen? Von wem? Wie werden sie durchgesetzt? Welche konkurrieren miteinander? Welche schließen sich aus? Fragen, auf die direkt oder indirekt die literarische und wissenschaftliche Behandlung der Jugendkultur durch die Erwachsenen (!) seit jeher Antworten suchen, ohne in der Regel über ihr Frageinteresse Rechenschaft abzugeben.

2. Historische Vergewisserung

Mehr als eine historische Vergewisserung ist hier nicht möglich; diese aber ist zumindest nötig, um Jugendkultur als historische Erscheinung zu würdigen. Der Versuch, Jugendkultur literarisch und wissenschaftlich (heute eher journalistisch) zu untersuchen, wird von der Absicht (mit-)getragen, durch ein Wissen von Jugendkultur Einfluß auf Jugendliche zu gewinnen, sie in den Griff zu bekommen, ihr (vermutetes) kritisches Potential zu kanalisieren und zu binden, ihre (angenommene) natürliche Opposition für die Interessen von Erwachsenen zu nutzen, die unter anderem in der Kritik am herrschenden System, in der Abarbeitung eigenen unerfüllten Jugendalters, in der Einbindung in die Erwachsenenwelt und im Verkauf von Konsumgütern bestehen. Von einem kleinen Teil der Jugendlichen wird diese Absicht durchschaut und deshalb der Versuch unternommen, sich durch Verweigerung, Abschottung, Generationsbruch zu schützen. Wo Jugendliche selbst ein Interesse an der Erforschung der Jugendkultur äußern, geht meistens die Animation der Erwachsenen voraus, die Jugendlichen dadurch die Lösung ihrer Probleme versprechen. Die Geschichte der Aneignung der Jugendkultur durch Erwachsene ist zugleich eine Geschichte der (pädagogischen, literarischen und journalistischen) Erfindung und (gesellschaftlichen und ökonomischen) Ausnutzung der Jugendkultur.[4] Die literarische Ausbildung von Jugendkultur beginnt im 18. Jahrhundert mit dem Wirken politisch interessierter „Jünglinge" und Schriftsteller; die wissenschaftliche Bearbeitung setzt mit dem beginnenden 20. Jahrhundert nach Vorarbeiten von Rousseau (1762) ein (Hall 1904; Spranger 1914; Bühler 1921; Bund der Wanderer 1905; Wyneken 1908). Diese Anfänge gipfeln schließlich durch die Ende des 19. Jahrhunderts einsetzende Jugendbewegung (seit 1896) im Bestreben, eine ganzheitliche Jugendkultur zu schaffen, durch die das Geistesleben und die deutsche Kultur verändert und verjüngt werden (1913). Nicht nur das immer intensivere Eindringen Erwachsener in diese Jugendkultur und ihre Organisation durch straff geführte „Bünde" erledigten einen großen Teil des vorhandenen schöpferischen Potentials, sondern auch das Aufkommen des Nationalsozialismus, der es verstand, sich geschickt der – passenderweise autoritär von Erwachsenen beeinflußten – Jugendkultur zu bedienen, um Jugendliche für eigene Zwecke einzuspannen. Oppositionelle Jugendkultur (z.B. Weiße Rose) hatte keine Überlebenschance. Nach dem Zweiten Weltkrieg bestimmen abwechselnde Trends der Jugendkultur das Erscheinungsbild, wobei sich wissenschaftliche, journalistische und ökonomische „Verarbeitung" der Jugendkultur und die konkreten Vollzüge der Jugendkultur wechselseitig bestimmen. Was sich etwa als Punk- oder Skinhead- oder Jugendbandenkultur entwickelt, was auch an alternativen kulturellen Entwürfen in der Jugendkultur Mitte/Ende der 80er Jahre existiert, ist mit anderen Vorzeichen bereits in den 50er (Halbstarkenbanden) und 60er (Hippiebewegung) Jahren der Fall gewesen. Heute spaltet sich die Jugendkultur in immer weiter verzweigte Gruppenstile auf oder geht als „Jugend-

[4] Vgl. *L. Roth,* Die Erfindung des Jugendlichen, München 1983.

lichkeit“ in Werbung und Kommerz, als „Opposition“ in alternativkulturellen Lebensweisen unter. Zweierlei jedoch wird sichtbar:
Erstens hat sich die Verfügbarkeit von Jugendkultur zu einem subtilen Mechanismus der Kommerzialisierung verfeinert. Sobald neue Elemente auftauchen (z.B. Punk, New Wave), werden sie von sensationsinteressierten Journalisten ins Licht der Öffentlichkeit gezerrt, zum Teil entsprechend zur Auffälligkeit und zum „letzten Schrei“ frisiert. Die auf Öffentlichkeit angewiesene Jugendkultur fällt aber dank ihrer Veröffentlichung sofort den Mode- und Konsummachern in die Hände, die Jugendkultur-Elemente stilisieren und ihrer gesellschaftsoppositionellen Rolle berauben und zur „Jugendmode“, zur Jugendkultur für alle verordnen. Das gilt für Musik ebenso wie für Kleidung, für Anhänger und Literatur, für Reisen und für Wohnen. Der Mechanismus weist mittlerweile eine atemberaubende Geschwindigkeit auf: Manchmal noch bevor die Jugendlichen selbst mit neuen Momenten von Jugendkultur an die Öffentlichkeit gelangt sind, werden sie bereits als Objekte Jugendkultur machender Medien in die Erwachsenenwelt transportiert, bestaunt, beschimpft, integriert und vergessen gemacht. In Ermangelung genügend auffälliger Jugendkultur kommt es nicht selten in Illustrierten und anderen Massenmedien vor, daß die Journalisten eigens publikumswirksame Spektakel um selbst initiierte Jugendkultur entfachen (z.B. Reportagen über „neue Jugendgangs“ in Großstädten).
Zweitens haben sich Jugendalter und Jugendkultur gesellschaftlich etabliert, und zwar selbst durch ihre Bestreitung. Als 1979 Schelsky die Philosophie Ernst Blochs heftig angreift, erklärt er Bloch abschätzig zu einem „Jugendbewegten“.[5] Bloch hatte in seinem Hauptwerk „Das Prinzip Hoffnung“ (1959) „die Jugend“ als symbolisches Subjekt von Sehnsucht, Hoffnung, Zukunft, Träumen des Noch-Nicht-Seienden in sein Werk eingeführt, als Träger einer Praxis der Sehnsüchte und Hoffnungen auf das Noch-Ausstehende, Künftige, auf Heimat hin. Schelsky, der selbst „die Jugend“ analytisch standardisiert hatte, unterstellte vielmehr: „Die Jugend träumt nach rückwärts“[6], und verwies auf die reaktionären Elemente von Jugendbewegungen und Jugendkultur, die es immer parallel oder im Gefolge progressiver Strömungen unter Jugendlichen gegeben habe. Auch die intellektuellen Väter der Studentenbewegung wie Herbert Marcuse, Jürgen Habermas, Theodor W. Adorno und Max Horkheimer hielten sich anfangs an das progressive Moment der neuen Jugendkultur, dem sie eine grundverändernde Funktion der bundesrepublikanischen Gesellschaft zutrauten. Doch schon bald sahen sie sich getäuscht, teilweise verbunden mit heftigen Angriffen gegen die studentische Jugend. Glasklar wird: Die Jugendkultur mag kommerzialisierbar,

[5] Vgl. *H. Schelsky,* Die Hoffnung Blochs, Stuttgart 1979.
[6] *Ders.,* Die skeptische Generation, Düsseldorf 1975, 114.

mag theoriefähig, mag funktionstüchtig für progressive oder konservative Interessen sein; vorhersagbar ist sie nicht, vereinheitlichen läßt sie sich nicht; in den theoretischen wie praktischen Griff bekommt sie niemand. Als Gesamtphänomen ist Jugendkultur - in welche Richtung und mit welchem ihrer Momente auch immer - innovatorisch. Insofern haben Bloch und Schelsky Recht. Was aber ihr Streit und die Auseinandersetzung der Erwachsenen über die Jugendkultur besagen, ist dies: Sie kann selbst durch ihre Bestreitung nicht mehr zum Verschwinden gebracht werden. Jugendkultur ist etablierter Teil der Kultur hochindustrialisierter Gesellschaften. Vielleicht dermaßen etabliert, daß sie als selbstverständlicher Bestandteil ökonomisch und kulturell schon wieder zum Verschwinden gebracht werden kann.

3. Jugendkultur moderner Gesellschaft

Jugendkultur ist ein geschichtliches Phänomen. Seine Entwicklung kann weder prognostiziert noch abschließend beurteilt werden. Mit der Änderung seiner Erscheinung ändert sich auch der Inhalt und umgekehrt. Zugleich kann nicht von aktueller Jugendkultur auf grundsätzliche Momente geschlossen werden. Jugendkultur kann in 100 Jahren völlig anders aussehen, einen anderen Status haben, von anderen Funktionen und Subjekten ihren Ausgang nehmen, die heute nicht im Blick sind oder sein können. Kurz sollen also lediglich Grundlinien benannt werden, durch die Jugendkultur seit ihrer Erfaßbarkeit durch Erwachsene Konturen zu haben scheint.

3.1. Verstehensbedingungen

3.1.1. Ansatz: Ein enzyklopädischer Artikel über Jugendkultur steht selbst unter dem Verdacht, Jugendkultur aus der Sicht der Erwachsenen interessegeleitet (fremd-) zu bestimmen und so auch selbst zu pädagogischer Verfügbarkeit von Jugendkultur als Vehikel der Interessen etablierter Institutionen (Familie, Kirche, Jugendarbeit) beizutragen. Auch wenn der Artikel mit dem hier erklärten Interesse verbunden ist, der möglichen Verfügbarkeit von Jugendkultur zu entsagen und eher ihrer autonomen Öffentlichkcit sclbstbestimmten Raum zu gewähren, kann er doch gegen seine Intention verstanden und verwendet werden. Daher wird hier einer Entpädagogisierung von Jugendkultur das Wort geredet - und entsprechend werden die Ausführungen angelegt.

3.1.2. Formale Grunddifferenz: Es liegt nahe, Jugendkultur in autonome (von Jugendlichen selbst ohne erwachsene Hilfe oder Animation erzeugte), in heteronome (von Erwachsenen oder entsprechenden Repräsentanzen wie

Familien- oder Pfarreistrukturen), in assimilierte (in die Erwachsenengesellschaft integrierende), in oppositionelle (Verweigerung bis Abbruch von Bezügen zur herrschenden Kultur) und schließlich in kommerzielle Jugendkultur zu unterscheiden. Autonome Jugendkultur kann sowohl oppositionell wie assimiliert sein, im letzten Fall wird sie in der Regel heteronom und kommerziell. Auch autonome Jugendkultur kann kommerziell sein, wenn beispielsweise Schüler eine umsatzstarke Disco für ihre Mitschüler aufziehen.

3.1.3. Materiale Grunddifferenz: Da nach übereinstimmenden Untersuchungen[7] mehr als 50% der Jugendlichen eher an Werten der Erwachsenengesellschaft orientiert sind, ist eine eher autonome, oppositionelle Jugendkultur bei maximal 40% der Jugendlichen zu vermuten, eher bei weniger, da vielfach autonome Jugendkultur sowohl von Erwachsenen wie von Jugendlichen selbst permanent zugunsten assimilierter Jugendkultur verändert wird. Abhängig ist dies von dem enormen Druck und der gewaltigen Einflußnahme, der autonome Jugendkultur durch Pädagogen, Medien, Untersuchungen, Freizeitindustrie, ökonomische Zwänge usw. ausgesetzt sind.

3.1.4. Begriffsproblem: Jugendkultur theoretisch bestimmen wollen heißt: wissen, was Jugendkultur ist. Zu wissen, was Jugendkultur ist, ist aber nur möglich, wenn aus der Praxis der Jugendkultur deren Begriffsbestimmung hervorgeht. Aufgelöst wird der Zirkel nur scheinbar, denn er ist erstens notwendig, um überhaupt auf Jugendkultur aufmerksam zu werden (ohne Fernrohr keine Vergrößerung; Vergrößerung heißt aber auch Selektion anderer Sachverhalte und vor allem von Komplexität), zweitens ist er der Jugendkultur inhärent: Der Übergang von ihrer konstituierenden Veröffentlichung zu ihrer Öffentlichkeit wird durch ihre Begriffsbestimmung von innen (durch Jugendliche) und außen (Erwachsene) geleistet. Gelöst wird der Zirkel - so auch hier - durch „methodischen Anachronismus": Wer über Jugendkultur schreibt, schreibt über die Jugendkultur, an der er selbst teilgenommen hat oder noch teilnimmt, bewußt oder unbewußt der tatsächlichen Entwicklung der Jugendkultur nachhinkend. Jugendkultur entzieht sich aktuell theoretischem Zugriff.

3.1.5. Geographischer Ort: Jugendkultur wird hier aus der Sicht eines in der Bundesrepublik Deutschland lebenden Mannes begriffen. Zwar ist es möglich, durch Lektüre außerdeutsche, außereuropäische, historische und feminine Betrachtungsweisen einzubeziehen, aber sie bleiben einer Perspektive unterworfen, die sich auf einen bestimmten Standort zurückführen läßt. Die Bestimmung von Jugendkultur ist also nicht nur zeitlich, sondern auch geographisch, geschlechtsspezifisch, ausbildungsabhängig usw. vorbestimmt.

[7] Vgl. Jugendwerk der Deutschen Shell (Hrsg.), Jugend '81 (3 Bände), Hamburg 1981; prognos 1982; SINUS-Institut, Die verunsicherte Generation, Opladen 1983.

In die Bestimmung von Jugendkultur gehen somit eigene „geo-kulturelle" Momente ein. Sie ist damit ein Fremdverständnis eines Selbstverständnisses von Jugendlichen, Fremd-Ausdruck des Selbst-Ausdrucks der Verbindlichkeit zwischen Jugendlichen.

3.2. Grundlinien

Grundlinie 1: Jugendkultur ist innovatorisch. Im Umgang mit vorgegebenen Werten, Sachen, Symbolen, Personen, Ideen, Strukturen usw. werden von gängigen Klischees abweichende Akzente gesetzt, die nostalgisch oder antizipierend andere Verbindlichkeiten herstellen. Sie schlagen sich in der Bekleidung, in der Sprache, in der Zeiteinteilung, Beziehungsdefinition, in kulturellen und politischen Erlebnisfeldern nieder. Gegen diese innovatorische Grundlinie von Jugendkultur helfen weder Verbot und Unterdrückung noch Förderung und Anbiederung durch Erwachsene. Die Kommerzialisierung von Jugendkultur ist für die Erwachsenen der sanfteste und einfachste Weg, auf die Innovation zu reagieren bzw. ihr auszuweichen. Die innovatorische Grundlinie ist der (äußere) Ausdruck für die biopsychische Veränderung in Pubertät und Adoleszenz: Die neu entstehende Innerlichkeit (Subjektivität) findet ihre Entsprechung in neu entstehender Verbindlichkeit (Intersubjektivität) und umgekehrt. Das ist die Struktur der Identitätsfindung, die nur mit einer Ich-Balance zwischen Subjektivität und Intersubjektivität erfolgreich abgeschlossen werden kann. Gleichwohl hat sich bislang die technologische Innovationsfähigkeit der Zivilisation gegenüber der kulturellen Innovation der Jugendlichen als überlegen erwiesen.
Grundlinie 2: Jugendkultur ist gruppenbezogen. Subjekt der Jugendkultur ist in der Regel nicht der einzelne (so wirkt es nur bei den Idolen der Jugendkultur), sondern die zwei bis drei oder mehr Jugendliche umfassende Gruppe bzw. Clique.[8] In ihr organisieren sich Jugendliche zum Schutz ihrer psychosozialen Sphäre gegen die Erwachsenengesellschaft und zugunsten einer gruppengeprägten, stark gruppenbezogenen Sozialisation als Jugendlicher. In der „peergroup" lernen sich Jugendliche als Jugendliche praktisch und verbal verstehen. Die peergroup ist Träger der Jugendkultur und auch Anlaß (Grund) und eben in diesem Sinn Subjekt der Jugendkultur: Die peergroup macht Kommunikationsprozesse erforderlich, die die Interaktionen und ihren Bezug auf bestimmte und zu bestimmende Werte, Symbole usw. so regeln, daß gegenseitige Verständigung oder Bestreitung, kurz: Verbindlichkeit, ermöglicht wird.
Grundlinie 3: Jugendkultur ist definitorisch. Da die Grenzen zur Kindheit und zum Erwachsenenalter in der modernen Gesellschaft unscharf sind,

[8] Vgl. *K. Allerbeck/W. Hoag,* Jugend ohne Zukunft?, München 1985, 38ff.

kommt der Jugendkultur die Funktion der Grenzziehung zu. Sie definiert gewissermaßen das Jugendalter und ist doch zugleich Ausdruck seiner Verbindlichkeit. Daher resultieren nicht nur Auseinandersetzungen zwischen Jugendlichen und Erwachsenen (die sich vielleicht aus falschem Verständnis als Pädagogen für Noch-Jugendliche halten), sondern auch Auseinandersetzungen unter den Jugendlichen bzw. bestimmten Jugendgruppierungen und Gruppenstilen selbst (vgl. Konflikte zwischen Skin-Heads und Punks Anfang/Mitte der 80er Jahre). In diesen Auseinandersetzungen geht es darum, wer wie Jugendkultur definiert, beeinflußt, kurz: wie die Verbindlichkeiten unter Jugendlichen selbst und gegenüber der Erwachsenenwelt aussehen. Zweifellos setzen solche Auseinandersetzungen zumindest unartikuliert bestimmte Verbindlichkeiten voraus (= Streitwert). Einerseits trägt die gemeinsame Ansicht, es sei entscheidend, wer welche Jugendkultur bestimmt und prägt, andererseits eint die Uneinigkeit darüber, was „die Wahrheit der Jugendkultur" ist.

Grundlinie 4: Jugendkultur ist schülerorientiert. Obwohl die Schüler nicht die größte Gruppe unter sämtlichen jugendlichen Menschen ausmachen, geben sie doch in der Jugendkultur weithin den Ton an. Voraussetzung dafür sind eine Reihe von Bedingungen[9], die den Schülern (und Studenten) eine privilegierte Stellung zuweisen: größerer Grad, die eigene Zeiteinteilung vorzunehmen; geringere ökonomische Abhängigkeit durch Versorgung im Elternhaus oder Jobs; starke Konsumentengruppe in der Freizeitindustrie (Musik, Konzerte, Kino, Kneipen, Video); geringe Verbindlichkeiten in der Erwachsenenwelt (verlängerte Adoleszenz durch lange Ausbildungszeit; Verschonung durch die Arbeitswelt). Jugendkultur nutzt Schulung abstrakten Denkens und verbaler Auseinandersetzung zur eigenen Interessenvertretung; ist aufgrund erkannter Defizite in Elternhaus, Schule, Kirche, Gesellschaft zu selbstbestimmter Suche ganzheitlichen Lebens hochmotiviert; kann intensiv die Vorteile der peergroup nutzen, da sie auch Grundlage der sozialen Lernform in der Schule ist. An diesem formalen Standard von Jugendkultur messen sich sogar die Nicht-Schüler unter den Jugendlichen; oft löst gerade das Streit unter Jugendlichen aus, zumal darin auch klassen- und schichtspezifische Aspekte der Gesellschaftsordnung zum Ausdruck kommen.

Grundlinie 5: Jugendkultur ist unorganisiert. Obwohl sowohl die Jugendverbände der Parteien wie der Kirchen wie der Sportvereine und selbst die Schallplattenindustrie viel Energie und Personal aufwenden, ist es ihnen doch nicht gelungen, die Mehrheit der Jugendlichen zu organisieren oder auf die Jugendkultur im vorhinein nachweislich gravierenden Einfluß zu

[9] Vgl. *N. Copray,* Die Situation spaltet das Bewußtsein, in: Katechetische Blätter 109 (1984) 179–185.

nehmen. In der Regel nehmen diese Instanzen Strömungen der Jugendkultur erst im nachhinein wahr; insbesondere die kirchlich organisierte Jugendarbeit greift oft Trends in der Jugendkultur gerade dann auf, wenn sie für die orginären Subjekte gerade out werden (vgl. die Politisierung der Jugendverbände zu einem Zeitpunkt, als das Moment der politischen Opposition gerade nachläßt und der Eindruck entpolitisierter Jugendlicher entsteht, während zur Zeit heftiger politischer Opposition in der Jugendkultur die kirchlichen Jugendverbände noch auf biedere Ziele hinarbeiten). Selbst die freien Initiativgruppen und Jugendzentren sind nur Einsprengsel der Jugendkultur: Gelegentlich rückt mal das eine oder andere Zentrum zu einem Kristallisationspunkt von Jugendkultur auf, muß sich aber meistens mit einer sehr alltäglichen Funktion als Treffmöglichkeit für Jugendliche zufrieden geben.
Grundlinie 6: Jugendkultur ist angloamerikanisch. Wenn von „der Jugend der Welt“ gesprochen wird (UNO-Jahr 1985), wird meist unterschlagen, daß die Menschheit überwiegend aus Menschen unter 35 Jahren besteht, die zum großen Teil nur wenige oder gar keine Lebenschancen haben und sich nicht den Luxus leisten können, sich als Jugendliche im Jugendalter zu kultivieren. Trotzdem ist der Standard der Jugendkultur weltweit angloamerikanischen Zuschnitts: Aus England und den USA werden in der Regel neue Trends der Jugendkultur in die anderen Länder transformiert; Jugendliche in östlichen Ländern orientieren sich entgegen den Erwartungen ihrer staatstragenden Instanzen an westlichen Mustern der Jugendkultur. Finanzielle und zeitliche, moralische und rechtliche, psychische und körperliche Spielräume oder Diskriminierungen spielen eine erhebliche Rolle bei der Entstehung neuer Trends. Die Cola-Industrie beispielsweise hat es geschickt verstanden, sich das Image, Teil der Jugendkultur zu sein, zu geben. Ebenso die Jeans-Industrie – und nicht zuletzt läuft ohne den Touch der Jugendlichkeit in der Musikindustrie nichts mehr. Die Mode-Wellen, das, worin sich Verbindlichkeit von Jugendlichen ausdrückt, kommt in regelmäßigen Schwingungen medienwirksam über den Atlantik, ergreift Europa und verliert sich dann – längst kommerziell und assimiliert zugerichtet – in die Cassettenrecorder und Kleidermärkte aller Welt, als Jugendkultur unerkennbar geworden.
Grundlinie 7: Jugendkultur ist kultisch. Damit ist nicht gemeint, daß Jugendkultur ein wertvoller kultureller Beitrag zur Erwachsenengesellschaft sein kann (das ist unbestritten), sondern die Tatsache, daß mit Jugendkultur das Jugendalter sich selbst „zelebriert“, feiert, auf den Sockel hebt, auffällig macht, öffentlich – und das in je eigenen Riten, Gesten, Symbolen und Mythen. Auf diese Art und Weise wird das Jugendalter und werden die Jugendlichen (durch sich) selbst „gepflegt“, also sowohl geschützt gegenüber Ansprüchen der Erwachsenengesellschaft wie auch auf diese vorbereitet.

In der modernen Zeit bedeutet das zusätzlich: Jede Generation, jede Gruppe von Jugendlichen in einer Jugendgeneration bildet bestimmte Formen und Typen von Jugendkultur, in denen sich Selbst- und Fremdverständnis ihrer Jugend so niederschlagen, daß sie als manifeste Ausdrücke (vergangener Verbindlichkeit) in Handlungen und Symbolen verfügbar bleiben und (nach-)vollzogen werden. Nicht von ungefähr ist deshalb der Übergang zum Jugendkult von der Jugendkultur her gegeben; und nicht von ungefähr bleiben die Erwachsenen bei dem Musik-, Literatur-, Einrichtungsgeschmack, bei den Definitionen ihrer Beziehungen zu anderen, ihrer Sexualität und ihrer Lebensform insgesamt, wie sie es zwischen 10 und 35 Jahren entwickelt haben. Jugendkultur ist demnach Antizipation von Erwachsensein ohne deren Kategorien; Erwachsensein ist Nostalgie von Jugendkultur ohne deren Kategorien. Nicht ohne Grund suchen Menschen pädagogische, pastorale Berufe oder jugendspezifische Themen und Anliegen auf: Das kultische Moment der Jugendkultur gestattet nicht nur Kommerz, sondern auch permanente Selbstreflexion der eigenen Möglichkeiten.

3.3. Besonderheiten deutscher Jugendkultur

In einer Vielzahl von Büchern und Untersuchungen sind in der letzten Zeit unterschiedliche Beobachtungen und Einschätzungen von Jugendkultur abgegeben worden, die speziell auf die Jugendkultur in der Bundesrepublik Deutschland gemünzt sind. Die sich teilweise überschneidenden, teilweise widersprechenden Einschätzungen lassen zumindest erkennen, daß jeder Versuch, Jugendkultur konkret und zugleich allgemeingültig erfassen zu wollen, eher in der Gefahr steht, eigene Projektionen zu einem Konzept zu versammeln, als in dem Ruf, noch nicht Erkanntes für alle richtig einzusehen. Allerdings weist die Jugendkultur in der Bundesrepublik einige Besonderheiten auf, die es auch für die nächste Zeit festzuhalten gilt:
Besonderheit 1: Jugendliche in Deutschland leben in zwei verschiedenen Staats-, Gesellschafts- und Machtsystemen, die gewissermaßen eine Folie abgeben für das, was Jugendkultur inhaltlich sein kann. Jugendkultur in Deutschland ist also in besonderem Maß politisiert und unterliegt dem besonderen Mißtrauen der Herrschenden.
Besonderheit 2: Angesichts der Teilung Deutschlands in Teilsysteme zweier Machtblöcke ist die historische Dimension der Jugendkultur oft nur einseitig oder gar nicht zugänglich. Je nach Gesellschaftssystem werden Momente des historischen Bewußtseins verdrängt: in der Bundesrepublik die rebellische, revolutionäre Komponente der Jugendkultur seit dem 18. Jahrhundert. Gängige Schulbücher verraten heutigen Jugendlichen über die Jugendkultur jugendlicher Vorfahren so gut wie nichts.
Besonderheit 3: Proletarische Jugendkultur hat in Deutschland bislang keine

nennenswerte Chance gehabt, weil das Bürgertum durch den Besitz der Massenmedien über deren Öffentlichkeit verfügt.

Besonderheit 4: Erst in jüngster Gegenwart beginnen Elemente von Jugendkulturen, sich auch unabhängig von den jeweils existierenden Jugendlichen durch die Symbiose mit alternativen Bewegungen für längere Zeit zu etablieren[10], während z. B. in den USA schon mehr als fünfzig Jahre solche Lebensformen existieren.

Besonderheit 5: Jugendkultur wird gegenüber politisch Verantwortlichen, in Ermangelung eigener Organisation, nicht durch Jugendliche, sondern durch Erwachsene in Jugendverbänden vertreten.

Besonderheit 6: Eine Auseinandersetzung mit der Vergangenheit des eigenen Volkes bzw. der Zulassung, Duldung und Nichtabschaffung der Nazi-Diktatur findet in der Jugendkultur so gut wie nicht statt. Ansatzhaft gibt es nationalistische und nationalsozialistische Gruppenstile in der Jugendkultur, deren Auffälligkeit in den Medien aber in keinem Verhältnis zu ihrem Einfluß steht.

Besonderheit 7: Aktuelle Jugendkultur unterliegt der Beobachtung und Beurteilung derer, die vor nicht langer Zeit selbst noch Jugendliche und Subjekte von Jugendkultur waren. Das wirkt sich so aus, daß die aktuelle Jugendkultur (im nicht aufgedeckten Vergleich mit vorhergegangen Erscheinungsformen) meist „schlecht" wegkommt, das heißt, es ergibt sich eine Diagnose einer angeblich „kranken" Jugendkultur, die einer Therapie bedürfe. Sie wiederum wird der Jugendkultur-Kiste von gestern entnommen.

Erstes Beispiel: In einer größeren Arbeit „Pubertät und Narzißmus" untersuchte Ziehe[11], ob die Jugendlichen nach der 68er Generation entpolitisiert seien. Natürlich kam er zu dem Schluß, daß das der Fall war; schlimmer noch: die Jugendlichen seien - aufgrund besonderer Familien- und Gesellschaftskonstellationen - nahezu hoffnungslos narzistisch und müßten durch angstfreie, kollektiv eingebundene Metakommunikation therapiert werden. Seitdem war die Diagnose „narzistisch" in aller (Pädagogen ...) Munde, ohne die Differenz zu sehen, die Ziehe zwischen dem narzistischen Jugendlichen und einem neuen Sozialisationstypus gewahrt wissen wollte. Angesichts der Randale der 68er Generation wirkte die Jugendkultur der 70er Jahre wahrlich entpolitisiert; aber war es wirklich „Narzißmus", wenn sich - in der Verarbeitung der Enttäuschungen der 68er Generation - Jugendliche auf die Suche nach neuen Formen von Subjektivität, Intersubjektivität, Religiosität machten?

Zweites Beispiel: In vielen Jugendverbänden ist es Mode (geworden), über das politische Desinteresse und die verbandliche Unverbindlichkeit Jugend-

[10] Vgl. *C. Conti,* Abschied vom Bürgertum, Reinbek 1984; *K. W. Brand/D. Büsser/D. Rucht,* Aufbruch in eine andere Gesellschaft, Frankfurt/New York 1983.

[11] Vgl. *Th. Ziehe,* Pubertät und Narzißmus, Frankfurt/Köln 1975.

licher Klage zu führen. Nicht nachgeben wolle man dem Hang zu „warmen Nestern", zum Rückzug in die eigene Gruppe, hieß es da, es gelte vielmehr, weiterhin emanzipatorische Ziele auf die Fahnen zu schreiben. Was aber, wenn aktuelle Jugendkultur Politik und Verbindlichkeit ganz anders definiert, als erwachsene Mitarbeiter das aus ihrer Jugendkultur her tun? Pech für die aktuelle Jugendkultur oder die Mitarbeiter? Politik heißt heute z.B., mit der eigenen Subjektivität polemisieren, sie schützen und erleben; sich verweigern, wo sie funktionalisiert wird - sei es als Verbandsfunktionär, als Teilnehmer von Seminaren oder in (von Erwachsenen ersonnener) Öffentlichkeit. Verbindlichkeit heißt die direkte, face-to-face-Verabredung - und nicht mehr die sterile, „objektiv" mit Statut einklagbare Präsenz.

4. Konsequenzen für die kirchliche Jugendarbeit

Aus ihrer Entstehung und Eigenart heraus ergeben sich nur wenige Konsequenzen aus der kirchlichen Jugendarbeit für die Jugendkultur selbst. Nach dem Ersten Weltkrieg haben die katholischen Verbände mit wenig Erfolg versucht, die Orientierung an Christus und kirchlichen Traditionen in die Jugendbewegung einzubringen. Kirchliche Jugendarbeit blieb bis heute meist ein innerkirchliches Geschehen, das sich einiger Elemente der Jugendkultur bediente, um eigene Intentionen vermitteln zu können. Erst der Beschluß der Synode der Deutschen Bistümer „Ziele und Aufgaben kirchlicher Jugendarbeit"[12] brachte eine Änderung solcher Einstellung sowie Praxis und zog Folgerungen aus bereits vielfacher Anwendung. Jugendarbeit wird als Dienst der Kirche an der jungen Generation begriffen, um ihr Räume und Lernfelder zu schaffen, „in denen junge Menschen, junge Christen Leben zu erfahren, zu verstehen und zu gestalten lernen".[13] Ihren Ausgang nimmt die Jugendarbeit dabei von der psychischen und sozialen Situation Jugendlicher, von ihren Fragen, Bedürfnissen und Lebensinterpretationen, die stets zu analysieren sind, um den Jugendlichen gerecht begegnen zu können.[14] Gleichwohl unterliegt auch dem Synodenbeschluß ein Konzept, was Jugend, was Jugendkultur „eigentlich" sei[15] und wohin sie zu führen seien[16], wobei die Orientierung an Jesus Christus die kirchliche von jeder anderen Jugendarbeit unterscheide.[17] Wäre dieser jugendorientierte Ansatz der Ju-

[12] Vgl. Gemeinsame Synode der Bistümer in der Bundesrepublik Deutschland; „Ziele und Aufgaben kirchlicher Jugendarbeit", Bonn 1975.

[13] Ebd., 1.

[14] Ebd., 2.

[15] Ebd.

[16] Ebd., 3.

[17] Ebd., 3.1.

gendarbeit nicht gekommen, wäre sicherlich mit einem noch früheren Auszug der Jugend aus der Kirche und einer noch früheren Verarmung kirchlicher Pastoral zu rechnen gewesen. Die praktische Bedeutungslosigkeit des Synodenbeschlusses in der offiziell verfolgten Pastoral ist ein Indiz dafür, daß die großen konservativen Machtpole in der Kirche solche Konzessionen an die Jugendorientierung des Ansatzes nur machten, weil anders die Jugendlichen in hellen Scharen weggelaufen wären und nur ein kleiner Rest autoritätshöriger und liturgiebeflissener Jugendlicher verblieben wäre. Die Konzession an den Einfluß der Jugendkultur in der Kirche erlaubte aber die Sicherung politischen und pädagogischen Einflusses auf die Jugendkultur. In die Jugendkultur kann aber nicht gewissermaßen von oben - auch nicht durch Laientheologen und angestellte Pädagogen - kirchlicher Einfluß und Orientierung an Jesus Christus eingebracht und damit bislang unerreichten Jugendlichen zugänglich gemacht werden. Jugendkultur ist derart, daß Glaube, Religion, Jesus, Kirche von Jugendlichen selbst entdeckt werden muß, damit dies in die Jugendkultur Eingang finden kann. Darum gibt die Jugendkultur den Rahmen für die Jugendarbeit vor, nicht die Jugendarbeit für die (Akzeptanz der) Jugendkultur!

4.1. Ausgangshorizont

Werden Jugendkultur oder deren Verständnis nur benutzt, um sie als Medium pädagogischer, kirchlicher, christlicher Intentionen zu benutzen, dann dürfen sich die Subjekte solcher Vorgehensweise nicht wundern, wenn das Resultat entweder in der Pervertierung ihrer Absichten oder in negativer Selektion Jugendlicher besteht, weil nur die sich solcher Arbeit weiter aussetzen, deren neurotische Struktur entsprechende Formen braucht. Hier wird für den umgekehrten Weg plädiert, der letztlich eine Ent-Pädagogisierung der Jugendkultur und der Jugendarbeit im herkömmlichen Sinn befürwortet. Entpädagogisierung heißt: Da niemand wahrhaft über Jugendliche und Jugendkultur ausreichend Bescheid weiß und zugunsten der Jugendlichen nicht wissen kann, was das Beste für sie ist, werden keine „heimlichen" Lehr- und Lern-, Erlebnis- und Erfahrungspläne für die Jugendlichen entworfen und ihnen als Konzept übergestülpt. Angemessener ist es vielmehr, wenn die, die mit Jugendlichen verantwortlich umgehen, ihre Interessen, ihr Konzept aufdecken und sich der Auseinandersetzung stellen, wobei auch die Vermeidung und Verweigerung einer Auseinandersetzung ein ziemlich klarer Diskussionsbeitrag ist. Sowohl politische Ziele wie auch christliche und kirchliche Glaubensinhalte und die Jugendkultur selbst sind zu existentielle Momente, als daß sie in pädagogische Absichten und Verfahren aufgelöst werden sollten - und auch nicht können. Gelungene Vermittlung von Inhalten zwischen Menschen geschieht nur dort, wo Menschen in der ganzen, persönlichen Existenz einander begegnen: wo in der Begegnung neue Ausdrücke der Verbindlichkeit entstehen können. Dazu taugen keine besserwisserischen Konzepte, sondern nur rückhaltlose Angebote an Kommunikation und Teilnahme.

4.2. Kritische Wechselbeziehung

Gibt Jugendkultur den Rahmen für Jugendarbeit vor, dann heißt das natürlich nicht, daß Jugendkultur ungefragt und naiv hingenommen und vollzogen werden soll. Es kann aber nicht Sinn der Jugendarbeit sein, daß erwachsene Mitarbeiter kritische Fragen an die Jugendkultur stellen (das sollten sie sonst schon tun, nur das nicht hochtrabend Jugendarbeit nennen) oder Jugendliche auf solche kritischen Fragen „draufheben" (die dann doch nur kognitiv nachgesprochen und weitergereicht, aber nicht oder nur selten nachempfunden und praktisch umgesetzt werden). Sinn einer kritischen Wechselbeziehung zwischen Jugendarbeit und Jugendkultur könnte für die Jugendkultur sein, daß methodisches Know how angeboten wird, mit dessen Hilfe sich Jugendliche - wenn sie wollen - mit Jugendkultur, das heißt ja letztlich mit sich selbst und ihren Lebensformen, auseinandersetzen können (vgl. Formen kirchlicher, offener Jugendarbeit; Inhalte von Jugendkulturarbeit beispielsweise im „Haus der Begegnung" in Frankfurt am Main). Die kritische Wechselbeziehung beinhaltet demzufolge einige (ausgewählte) Gesichtspunkte; zuerst im Blick auf die Jugendkultur, dann auf die kirchliche Jugendarbeit:

4.2.1. Jugendkultur ist der Kommerzialisierung, der subtilen Verfügbarkeit durch Pädagogen, Ideologen usw. ausgeliefert. Indem Jugendlichen methodisches Wissen mitgeteilt wird (Selbsterfahrung, Methoden der modernen Psychotherapien, Meditationstechniken und -formen, Metakommunikation, Möglichkeiten der körperlichen und akustischen Darstellung, Umgang mit Medien . . .) werden sie in die Lage versetzt, selber über die Öffentlichkeit und Verfügbarkeit ihrer Jugendkultur mitzubestimmen und sie gegebenenfalls zu bearbeiten.

4.2.2. Jugendkultur ist durch die Kommerzialisierung, aber auch durch eventuelle Pädagogisierung und Ideologisierung (Parteien, Jugendsekten) nur begrenzt davor geschützt, daß ihre ursprünglichen Inhalte durch Erwachsene von außen ausgetauscht werden. Begünstigt wird dies vor allem dadurch, daß sich Jugendkultur mit Elternhaus, Schule, Kirche, Staat arrangieren muß. Jugendlichen Freiraum zu schaffen heißt also, ihrer Jugendkultur nicht nur Akzeptanz entgegenzubringen, sondern sie als autonomere Jugendkultur zu fördern.

4.2.3. Jugendkultur lebt zeit- und momentweise von Provokation und Konfrontation der Erwachsenenwelt, die sich zumeist als geistiger Hohlkörper oder als beharrendes Machtmonopol erweist. Es gilt, Jugendkultur direkt und offen mit christlichen Inhalten und Wegen zu provozieren und zu konfrontieren. Der Weg eines Rockerpfarrers mag vielen unverständlich bleiben; er hat aber den christlichen Glauben bei völlig desinteressierten Jugendlichen mehr ins Gespräch gebracht als manches Pfarrgemeinderat-Mitglied in der eigenen Familie.

4.2.4. Jugendkultur steht stets in der Gefahr, in eigener „Einlullung" zu versacken - so wie die Erwachsenen vor ihren Fernsehern. Niemand hindert Christen, Verbände, Gemeinden daran, selbst innovatorisch in die Jugendkultur einzuwirken, anstatt kulturellen Neuerungen von daher zu parieren. Dann müßten aber fast allerorts kirchliche Instanzen eine riesige Umkehr vollziehen: Bislang trotteln sie meist hinter der Jugendkultur hinterher oder blenden sie einfach aus.

4.2.5. Kirchliche Jugendarbeit gewährt Jugendlichen und ihrer Jugendkultur einen Frei-Raum, der weder an Bedingungen noch an Ziele geknüpft ist, die den Jugendlichen eine andere „Jugendkultur" aufnötigen wollen. Voraussetzung dieses Handelns ist die Einsicht, daß Jugendkultur als gemeinsamer Ausdruck von Verbindlichkeit für die Jugendlichen einen existentiellen Wert hat und damit Anerkennung verdient, wenn denn überhaupt eine wahrhaftige Kommunikation gemeint ist.

4.2.6. Jugendarbeit verdeutlicht von vornherein den von ihr selbst kaum veränderbaren Rahmen, in dem sie stattfindet, und versucht nicht, durch scheindemokratische oder kumpelhafte Vorgehensweisen letztlich nicht einlösbare Vorgaben zu machen.

4.2.7. Kirchenamtliche und Verbandliche Jugendarbeit werden getrennt: Kirchenamtliche Jugendarbeit ist die Jugendarbeit der Kirche durch offiziell dazu berufene oder angestellte Erwachsene; verbandliche Jugendarbeit ist die Möglichkeit, daß Jugendliche selbst in Anerkennung durch die Kirche ihre Arbeit als Christen organisieren. Das setzt voraus, daß die Verbände mit geringem Mitgliederbeitrag auskommen, ihren Anspruchsstandard reduzieren und die hauptamtlichen Mitarbeiter als Berater aufgrund ausgehandelter Kontrakte herangezogen werden können. Nur so besteht jemals die Chance, daß Jugendarbeit zumindest in Teilaspekten an der Innovation der Jugendkultur partizipieren und gewissermaßen „vor Ort" durch Jugendliche (die Christen sind) selbst Elemente in die Jugendkultur einbringen kann.

4.2.8. Es ist für die aktuell vollzogene Jugendarbeit unwichtig, nach welchem Konzept sie stattfindet (emanzipatorisch, bedürfnisorientiert usw.). Entscheidend ist vielmehr, die jugendkulturelle Situation von Jugendlichen wahrzunehmen, sich deuten zu lassen und darauf mit offengelegten Absichten einzusteigen.

4.2.9. Jugendkultur bedeutet auch, daß Jugendliche psychosoziale Wunden, Traumata, Defizite bearbeiten, reproduzieren, verdrängen, symbolisieren.

Nun ist Jugendarbeit sicher nicht das ausreichende Pflaster und Therapeutikum, wohl aber kann die Orientierung an Jesus und kann der christliche Glaube zur Heilung und Rettung werden. Jugendarbeit verfügt nicht über Jugendkultur, sondern stellt die christliche Tradition in Anbindung an die Jugendkultur zur Verfügung. Das beinhaltet: Experimente im liturgischen Raum, Offenheit der Gemeindezentren für nicht kirchlich gebundene Jugendliche, größere Selbstverwaltung der Jugendverbände auch bei möglichem Bedeutungsverlust (der dann ja eine Konsequenz der Jugendkultur ist), Förderung nichtgemeindlicher und nichtverbandlicher Jugendarbeit.

4.2.10. Sowohl Jugendarbeit als auch Jugendkultur sind - auch seitens der Jugendlichen - durch hohe Ansprüche an Kommunikation, Selbsterfahrung, Subjektivität, Verbindlichkeit, Selbst-Verständnis, Beziehungsintensität geprägt, die die Jugendlichen oftmals selbst nicht einhalten können. Ihre Ansprüche und Sehnsüchte legen sie dann oft mit dem Eintritt in die Erwachsenenwelt ad acta und konservieren die geliebte Jugendkultur auf Schallplatten, Postern und Buchpapier. Dabei sind die gesellschaftlich angebrochenen und zerbrochenen Kompetenzen als Erfahrungs-, Kommunikations-, Vertrauens- und Liebesfähigkeit fundamentale Voraussetzungen dafür, daß Menschen sowohl mit ihrer Existenz wie auch mit christlichem Glauben zu ihrem und damit zum Heil aller etwas anfangen können. Wendet sich Jugendarbeit verstärkt der Herstellung und Regeneration solcher Kompetenzen (z.B. durch Kulturarbeit) zu, dann wird ein die Jugendkultur und Jugendarbeit übergreifender Horizont geschaffen, in dem die Zukunft der Menschheit eine neue Chance hat. Doch etabliert und anerkannt tritt die Bedeutung von Jugendarbeit und Jugendkultur gerade jetzt zurück: Neue soziale Bewegungen, neue kulturelle Strömungen quer durch alle Lebensalter übernehmen solche Aufgaben und relativieren die Jugendkultur als Kultur nur einer Lebensphase.

Literatur

Allerbeck, Klaus/Hoag, Wendy, Jugend ohne Zukunft?, München 1985 (Piper).

Brake, Mike, Soziologie der jugendlichen Subkulturen, Frankfurt/New York 1981 (Campus).

Giesecke, Hermann, Das Ende der Erziehung, Stuttgart 1985 (Klett-Cotta).

Hartwig, Helmut, Jugendkultur. Ästhetische Praxis in der Pubertät, Reinbek 1980 (Rowohlt).

Kindt, Werner (Hrsg.), Dokumentation der Jugendbewegung (3 Bände), Köln 1963 (Diederichs).

Roth, Lutz, Die Erfindung des Jugendlichen, München 1983 (Juventa).

Schäfers, Bernhard, Soziologie des Jugendalters, Opladen 1982 (Leske).

Schwendter, Rolf, Theorie der Subkultur, Frankfurt 1978 (Syndikat).

Walter Hornstein

Jugendprobleme und Jugendberatung

In der „großen Politik“, in den Medien, in der Öffentlichkeit ist es um das Thema Jugend in den letzten Jahren fast schlagartig still geworden.[1] Dabei weiß jeder, der in der Praxis der Erziehungs- und Bildungsarbeit steht, daß keineswegs die Rede davon sein kann, daß es im Bereich Jugend keine Probleme mehr gäbe. Vielmehr ist jedem, der aufmerksam zusieht, deutlich, daß gerade in den letzten Jahren Probleme und Schwierigkeiten einer qualitativ neuen Art den Prozeß des Heranwachsens bestimmen. Es gibt eine Fülle von Beobachtungen und Hinweisen darauf, daß sich gleichsam unter der Hand die Problemlagen des Jugendalters und die Art der Verarbeitung der Probleme durch die Heranwachsenden tiefgreifend gewandelt haben, daß ganz neue Problemkonstellationen und -ausprägungen entstanden sind, die die pädagogische Praxis vor eine neue Situation stellen und die vor allem unser herkömmliches Verständnis von Jugend in Frage stellen.[2]
Sicherlich läßt sich die These aufstellen, daß es gerade in den letzten Jahren, und zwar auf einer Ebene, die unabhängig von der Behandlung des Themas Jugend auf der Ebene der großen Politik ist, für die Jugendlichen in einer dramatisch zu nennenden Weise schwieriger geworden ist, in dieser Gesellschaft Fuß zu fassen, daß Konflikte bei diesem Versuch beinahe die Regel und in ihrer Qualität gravierender geworden sind, daß die Belastungen und der Druck, dem vor allem die Familien in diesem Zusammenhang ausgesetzt sind, größer geworden sind, daß die Symptome für fragwürdige „Lösungen“ in Drogengebrauch, Alkoholmißbrauch, Aussteigen in vielerlei Formen zugenommen haben.

[1] H. Junge hat mit Recht beklagt, daß es ein fragwürdiges Kennzeichen der politischen Kultur unseres Landes zu sein scheint, daß Themen der politischen Diskussion, kaum daß sie ihre Konjunktur haben, auch schon wieder „abgehakt“ werden, ehe sie wirklich differenziert wahrgenommen, analysiert, diskutiert wurden und bevor die entsprechenden Konsequenzen gezogen sind. Vgl. *H. Junge,* Jugendprotest im demokratischen Staat, in: Caritas ’84. Jahrbuch des deutschen Caritasverbandes, Freiburg 1984, 91ff.

[2] Derartige Aussagen sind im Sinn repräsentativer Untersuchungen sehr schwer zu belegen, weil es an Untersuchungen fehlt, die über längere Zeiträume hinweg an gleichen Indikatoren gemessene Veränderungen in der Problembelastung dokumentieren, aber sie sind, gemessen an Erfahrungen, Beobachtungen insbesondere der Praxis, zumindest plausibel. Vgl. z.B. den Erfahrungsbericht von *R. Berg/R. Wortmann,* Gratwanderungen. Erfahrungen in der offenen Jugendhilfe, Frankfurt/New York 1983.

Die Erscheinungsformen dieser Probleme, dies eine zweite These, gehen auf einen tiefgreifenden Strukturwandel, auf Veränderungen in Lebenszuschnitt und Lebenslage der Jugend zurück, die in vielerlei Hinsicht das herkömmliche Bild der Entwicklung im Jugendalter, der damit verbundenen Problemlagen in Frage stellen. Das bedeutet für die pädagogische Praxis eine Herausforderung, mit der sie sich aus den verschiedensten Gründen schwertut.
In dieser Situation scheint es sinnvoll, folgende Fragen zu erörtern: *einmal* danach zu fragen, welche gesamtgesellschaftlichen Veränderungen zu dem behaupteten Strukturwandel von Jugend und zur Veränderung der sozialen Lebenslage Jugend geführt haben; in einem *zweiten* Schritt möchte ich zeigen, wie heutige Verhaltensweisen und Ausdrucksformen der Jugend als „Antworten" auf diese neue Lage verstanden werden können. Überlegungen in einem *dritten* Abschnitt sollen dazu dienen, aufzuzeigen, wie aufgrund dieser Situation herkömmliche Sichtweisen von Jugend, insbesondere auch unter dem Aspekt „Normalität und Abweichung", fragwürdig geworden sind, und mögliche Konsequenzen aus der skizzierten Veränderung der jugendlichen Problemlagen für die Aufgaben der Jugendberatung zur Diskussion zu stellen.

1. Jugend im gesellschaftlichen Wandlungsprozeß

1.1. Zerstörung des individuellen und gesellschaftlichen Sinns des Jugendalters

Wenn man nach den gesamtgesellschaftlichen Wandlungsprozessen fragt, die die soziale Lebenslage Jugend in den vergangenen Jahren am meisten verändert haben, so liegt die Antwort auf der Hand: Es sind vor allem die mit dem Ende des wirtschaftlichen Wachstums und den damit verbundenen tiefgreifenden strukturellen Veränderungen auf dem Arbeitsmarkt einhergehenden Ausbildungsplatz- und Arbeitsplatzprobleme, die von einschneidender Wirkung gewesen sind und offensichtlich auf lange Sicht noch sein werden. Die Diskussion über Gründe und Hintergründe dieser Entwicklung ist ausführlich geführt worden[3], sie braucht hier nicht wiederholt zu werden. Wichtiger scheint mir herauszustellen, was diese Situation für die jungen Leute bedeutet, welche Konsequenzen verbunden sind für die Art und Weise, wie die heute Heranwachsenden ihr Jungsein erfahren.
Was dies heißt, wird sichtbar, wenn man sich folgendes klarmacht: Herkömmlich war das Jugendalter, also die Zeit vom 12., 14. Lebensjahr bis zum

[3] Vgl. dazu die ausführliche Bibliographie von *F. Braun/B. Gravalas,* Bibliographie Jugendarbeitslosigkeit und Ausbildungskrise, Band I und Band II, Bundesinstitut für Berufsbildung und Deutsches Jugendinstitut (Hrsg.), Berlin/Bonn/München 1980.

18., 20. eine Zeit des Lernens für später - und zwar zunehmend für immer mehr junge Leute; der Sinn dieser Altersphase lag darin, sich auf das spätere Leben mit seinen Anforderungen vorzubereiten, und man wußte, daß diese Anstrengung belohnt würde: mit einem Arbeitsplatz, einem Beruf, sozialem Ansehen, zumindest einem Einkommen, das materielle Unabhängigkeit sicherte. Die Entwicklungen der letzten 10 Jahre haben diesen „Sinn" des Jugendalters weitgehend zerstört, und sie haben damit auch den einzelnen Jugendlichen, zumindest vielen, jenen Halt und jene Orientierung genommen, die mit diesem Sinn verbunden war. Heute kann kaum mehr ein Jugendlicher seine Jugendzeit in dieser Sicherheit erfahren. 1981 durchgeführte Erhebungen zeigen, daß praktisch über die Hälfte der heute heranwachsenden Jugendlichen damit rechnet, einmal oder mehrmals im Leben arbeitslos zu sein bzw. keinen oder nicht den erhofften Ausbildungsplatz zu erhalten.[4]

Die darin liegenden Probleme für junge Leute verschärfen sich aber dadurch, daß wir Erwachsene, als Eltern, besorgt wie wir sind, und die Schule ebenfalls, die Lehrer, nicht müde werden, den jungen Leuten einzureden, daß heute nur derjenige eine Chance hat, der sich anstrengt; von den Eltern, der Schule, der Öffentlichkeit wird also *Druck* geltend gemacht, in dem Sinn, daß - gerade angesichts der heutigen Arbeitsmarktsituation - nur derjenige eine Chance hat, der Leistung bringt, der sich anpaßt, der gute Zeugnisse hat - nach der Formel: „Wenn Du später was werden willst . . ."[5]

Auf der anderen Seite aber wissen die meisten Jugendlichen nur zu gut, daß gute Schulabschlüsse, Zeugnisse keineswegs eine Lehrstelle garantieren oder den Weg zu dem erhofften Beruf eröffnen. Sie leben also in einer widersprüchlichen, im wahrsten Sinn des Wortes „sinnlosen" Situation. Das heißt gesellschaftlich, daß wir auf der einen Seite - rein quantitativ und formal und als Entlastungseffekt für den Arbeitsmarkt auch politisch erwünscht - immer mehr junge Leute und für immer längere Zeit in den Schulen halten, daß diese eine Art Rückhaltebecken darstellen[6], mit anderen Worten: daß wir immer mehr Jugend erzeugen; auf der anderen Seite aber zerstört die geschilderte Situation den inneren Sinn dieser Jugendphase. Für die *Schule* bedeutet dies, daß sie in eine gänzlich hoffnungslose Situation gerät, weil sie so tun muß, als ob sie etwas garantieren könne, was sie in Wirklichkeit gar nicht kann; sie steht gleichsam auf verlorenem Posten und muß dies durch verschärften Druck überspielen; die Lernprozesse, die in der

[4] Vgl. dazu Jugendwerk der Deutschen Shell (Hrsg.), Jugend '81. Lebensentwürfe, Alltagskulturen, Zukunftsbilder (3 Bände), Hamburg 1981, hier: Band I, 199.

[5] Vgl. dazu *M. Furtner-Kallmünzer,* Wenn du später etwas werden willst . . . Berufsbezug und Sinn der Schule, München 1983.

[6] Eindrucksvolle Zahlen über den relativen Schulbesuch, die die im Text formulierte These belegen, siehe in der Shellstudie, a.a.O., Band I, 113.

Schule stattfinden sollten, haben in dieser Situation keine gesellschaftliche Abstützung[7], deshalb tut sich die Schule heute so schwer. Was die *Jugendlichen* betrifft, so ist es kein Wunder, daß viele auf diese Entstrukturierung mit eben den Verhaltensweisen und Konflikten reagieren, die wir kennen: mit ungerichteter Aggressivität und Wut über eine meist nicht durchschaute, aber instinktiv als unmöglich erlebte Situation, mit dem, was man die „Motivationskrise" der heutigen Jugend genannt hat, mit Aussteigen in vielerlei Formen. Und selbstverständlich führt dies auch zu einer Verschärfung der *familiären Konflikte* und zu schwierigen, konfliktbelasteten Formen der Ablösung vom Elternhaus; das ist kein Wunder, wenn die ökonomische Abhängigkeit sich immer mehr verlängert, die finanzielle Belastung steigt, Möglichkeiten des Selbstverdienens geringer werden.
Ich nenne diesen Vorgang mit einem hart klingenden, aber – wie ich finde – zutreffenden Ausdruck „die Zerstörung des Sinns des Jugendalters", und zwar sowohl für das Individuum, den einzelnen Jugendlichen, wie gesellschaftlich gesehen. Wir sehen und beklagen die Folgen, sind aber derzeit offensichtlich nicht in der Lage, die Ursachen dieses Vorgangs zu beheben.

1.2. Abnehmende Integrationsfähigkeit des spätkapitalistischen Systems und die Entstehung neuer Wertorientierungen

Die soziale Lebensform Jugend wird zweitens von Wandlungsprozessen berührt, die sich auf der Ebene kultureller Werte und damit verbundener Orientierungen abspielen. Hier gibt es zunächst einen Prozeß, den ich mit dem Stichwort der abnehmenden Integrationsfähigkeit des spätkapitalistischen Gesellschaftssystems bezeichnen möchte. Gemeint ist damit die Tatsache, daß es den heutigen spätkapitalistischen Gesellschaften immer schwerer fällt, die zur Aufrechterhaltung und Erbringung der System-Loyalität erforderlichen Gratifikationen zu erbringen.[8] Das sind zunächst materielle Güter, „Wohlstand für alle"; dann aber auch solche der politischen Teilhabe, die Möglichkeit der Mitwirkung im politischen Prozeß. Wenn aber infolge ökonomischer Krisen die Befriedigung materieller Ansprüche nur noch bedingt möglich ist, wenn auf der anderen Seite politische Teilhabe bei zunehmender Bürokratisierung des politischen Apparats, bei Anonymisierung und Undurchschaubarkeit der Vorgänge fraglich geworden ist – dann ist nicht verwunderlich, wenn grundlegende Orientierungen, wie z.B. Leistungsstreben, die insbesondere die Motivationsbasis des gesellschaftlichen

[7] Die Probleme, die sich aus dieser Situation ergeben, und mögliche Alternativen zum heutigen Lernen sind dargestellt bei *Th. Ziehe/H. Stubenrauch,* Plädoyer für ungewöhnliches Lernen, Reinbek 1982.
[8] Vgl. dazu vor allem *J. Habermas,* Legitimationsprobleme im Spätkapitalismus, Frankfurt 1973.

Produktionsprozesses betreffen, zunehmend abbröckeln. Das ist nicht jugendspezifisch, gehört aber zum Verständnis der Situation.
Es gibt aber heute, viele Beobachtungen sprechen dafür, nicht nur den Vorgang der Erosion, des Brüchigwerdens überkommener, für unsere Gesellschaft und ihre industriekapitalistische Verfassung grundlegenden Orientierungen, sondern es gibt zugleich, um es abgekürzt zu sagen, Ansätze zu etwas Neuem. Ich denke dabei an gesellschaftliche Prozesse, die mit dem Stichwort der „neuen sozialen Bewegungen" charakterisiert werden[9], also Bewegungen wie Ökologie-Bewegung, Friedensbewegung, Frauenbewegung, Bürgerinitiativbewegung, Jugendbewegung usw. Was diese Bewegungen eint, ist der Protest gegen das, was man das „industrielle Entwicklungsparadigma" genannt hat, also die Prinzipien, die unsere moderne Welt hervorgebracht und nach Auffassung der Bewegungen an den Rand der Katastrophe gebracht haben.
Die Programmatik der genannten neuen sozialen Bewegungen geht davon aus, daß in der industriellen Gesellschaft der Subjektcharakter des Menschen zerstört wird, daß die Folgeprobleme des industriellen Wachstums (Umweltverschmutzung, Zerstörung der natürlichen Lebensgrundlagen wie Luft, Wasser usw.) nicht mehr in einem erträglichen Rahmen gehalten werden können und daß schließlich die technobürokratischen Problemlösungsstrategien sich zunehmend als unwirksam, ja eher problemverschärfend denn als problemlösend erweisen.[10] Dadurch, so wird in diesem Zusammenhang argumentiert, wird die Geltung des „industriellen Entwicklungsparadigmas" zutiefst problematisiert, und die von dieser Entwicklung besonders Betroffenen entwickeln entweder Protest, Kritik oder aber gegenkulturelle und subkulturelle Lebenszusammenhänge. Insofern die Jugend zu den Gruppen gehört, die aufgrund ihrer Lebenslage derartige Prozesse besonders sensibel wahrnimmt, ist es naheliegend, daß sie auf derartige Prozesse stärker als andere Gruppen in der Gesellschaft eingeht. Ich denke in diesem Zusammenhang, also wenn es um „das Neue" geht, auch an die Diskussion zum Thema „gesellschaftlicher Wertwandel". Ich stütze mich dabei auf die in den letzten Jahren auch einer breiteren Öffentlichkeit bekanntgewordenen Forschungen von Inglehart zu diesem Thema.[11] Inglehart hat in mehreren Untersuchungen und darauf aufbauenden Veröffentlichungen den Nachweis zu führen versucht, daß es in den westeuropäischen Ländern – nur dafür liegen vergleichbare Untersuchungen vor – einen langfristig zu beobachtenden Wandel in den vorherrschenden Normen und Wertorientierungen gibt,

[9] *K. J. Brand,* Neue soziale Bewegungen. Entstehung, Funktion und Perspektive neuer Protestpotentiale, Opladen 1982.
[10] Ebd., 8 f.
[11] Vgl. vor allem *R. Inglehart,* The silent revolution. Changing values and political styles among Western Publics, Princeton 1977.

der sich als Wandel von einer „materiellen“ Wertorientierung zu einer „postmateriellen“ charakterisieren läßt, und daß sich dieser Wandel, dies ist der zweite Teil seiner These, stärker bei den Angehörigen der jüngeren Generation als bei denen der älteren konstatieren läßt.
„Materielle Werte“ sind dabei solche, die in einer engen Beziehung zu wirtschaftlichem Wachstum stehen, also Leistungsstreben, Disziplin, Fleiß, Ordnungliebe; dazu gehören auch Werte, die Vorbedingungen und Sicherung wirtschaftlicher Güter darstellen, also starke Verteidigung, Ordnung und Ruhe, Kampf gegen Verbrechen; „postmaterielle Werte“ sind dieser Auffassung zufolge: mitmenschliche Solidarität, Hochschätzung der Persönlichkeit und Selbstverwirklichung, verstärktes Mitspracherecht in Betrieb, Gemeinde, Politik, in der Gestaltung gesellschaftlicher Verhältnisse; dann im intellektuell-ästhetischen Bereich: Betonung einer dem Menschen dienenden, schönen Umwelt, freie Meinungsäußerung, die Hochschätzung von Ideen, geistigen Gehalten ganz allgemein gegenüber Geld und anderen materiellen Werten.
Bei aller Kritik[12] scheinen die Befunde doch so stabil, daß das Phänomen eines gesellschaftlichen Wertwandels identifizierbar zu sein scheint und als belegt gelten kann.
Zum *zweiten* Teil der These: Dieser Wertwandel ist offensichtlich bei Jüngeren stärker feststellbar als bei Angehörigen der heute erwachsenen, älteren Generation.[13] Es würde zu weit führen, diesen Sachverhalt theoretisch zu erklären bzw. mit anderen gesellschaftlichen Prozessen zu verknüpfen.[14] Festzuhalten aber ist, daß das, was heute im Prozeß des gesellschaftlichen Wertwandels, in sozialen Bewegungen, also in Jugendprotest, Frauenbewegung, Öko- und Alternativ-Bewegungen zutage tritt, natürlich auch das traditionelle Konzept von Jugend in Frage stellt, insofern dieses eben durch Momente charakterisiert war, die eher einer „materiellen“ (in dem oben charakterisierten Sinn) Wertsetzung entsprechen. Das würde weiterhin bedeuten, daß Jugendliche sich selbst eher „postmateriell“ verstehen, sich aber Erwartungen und Anforderungen der Erwachsenengesellschaft gegenübersehen, die sich dazu, weil eher „materiell“, in schroffem Gegensatz befinden.

12 Vgl. dazu vor allem *Th. Herz,* Der Wandel der Wertvorstellungen in den westlichen Industriegesellschaften, in: Kölner Zeitschrift für Soziologie und Sozialpsychologie 31 (1979) 282–302.

13 *R. Inglehart,* The silent revolution, a.a.O.

14 Eine der von R. Inglehart selbst angebotenen theoretischen Erklärungen kann als sozialisationstheoretische bezeichnet werden: Die vorherrschende Wertorientierung entwickelt sich aufgrund der in der Jugendphase dominanten Einflüsse; Angehörige einer Generation, für die in der Jugendphase die Sicherstellung materieller Lebensgrundlagen entscheidend war, entwickeln dieser Theorie zufolge eine materielle Wertorientierung, und umgekehrt: Angehörige einer Generation, für die dieses Problem erledigt war, die sich also ideellen Zielen widmen konnten, entwickelten sich dieser Theorie zufolge zu „Postmaterialisten“.

1.3. Die Widersprüchlichkeit gesellschaftlicher Individualisierungsprozesse

Auch in diesem dritten Punkt ist es wiederum eine allgemeinere, die Gesellschaft insgesamt betreffende Tendenz (so wie Arbeitsplatzprobleme ja auch nicht jugendspezifisch sind, sie wirken sich hier nur in einer besonderen Weise aus!), die eine gewaltige Zuspitzung jugendlicher Problemlagen mit sich gebracht hat: Ich meine den Prozeß fortschreitender *sozialer Isolation und Vereinzelung.*[15] Das heißt, der einzelne steht immer mehr allein, handelt und entscheidet nicht mehr aufgrund von Selbstverständlichkeiten, die einfach gelten, die er mit anderen teilt und worin er sich mit anderen einig weiß, sondern auf eigene Faust, als einzelner; er ist Einzelkämpfer, und als solcher muß er wissen, was er tun soll. Ich kann nicht auf die Gründe eingehen, die hinter diesem Vorgang stecken – Bildungsmobilisierung, zunehmende Konkurrenz schon in der Schule, dann aber auch im betrieblichen Bereich, beruflich erzwungene Mobilität spielen hier eine Rolle –, sondern möchte versuchen, herauszustellen, was dieser Vorgang für Jugendliche, für die Entstehung neuer Problemlagen und daraus resultierender sozialpädagogischer Aufgaben bedeutet.

Auch Jugendliche müssen heute mehr und mehr auf eigene Faust, ohne die Sicherheit einer Tradition, ohne sich auf das stützen zu können, was früher galt, wie es der Vater getan hat, was üblich war, ihren eigenen Weg und Lebensplan, ihre eigene Zukunft entwerfen. Bei der Frage, was man werden, wie man leben will, kann man sich nicht mehr am Hergebrachten orientieren (das gilt vor allem für diejenigen sozialen Schichten, die von dem gegenwärtigen Umstrukturierungs- und Wandlungsprozeß besonders betroffen sind!); man muß selbst sehen, was und wie man es macht.

Darin scheint auf den ersten Blick eine große *Chance* zu liegen, die Chance nämlich, sein Leben nach selbstgesetzten Grundsätzen und Maßstäben zu gestalten; bei genauerem Zusehen zeigt sich allerdings auch hier etwas sehr Widersprüchliches: Einerseits wird der Jugendliche gesellschaftlich aufgefordert, sich als einzelner, als Individuum, seinen je eigenen Lebensplan zu machen; das sieht so aus, als ob es um persönliche Entfaltung, Gestaltung eines Stücks eigenen Lebens ginge. Aber andererseits stoßen die daraus resultierenden Ansprüche immer wieder auch sofort an ihre *Grenzen.* Das sind zunächst solche, die sich aus den ganz harten, eingangs erörterten Fakten ergeben; diese Grenzen sind aber auch grundsätzlicher Art: Jugendliche erfahren nämlich, daß ihr Anspruch, sie selbst werden zu wollen, nur

[15] Ausführlich analysiert sind die entsprechenden Prozesse bei *U. Beck,* Jenseits von Stand und Klasse? Soziale Ungleichheiten, gesellschaftliche Individualisierungsprozesse und die Entstehung neuer sozialer Formationen und Identitäten, in: R. Kreckel (Hrsg.), Soziale Ungleichheiten. Sonderband 2 der Zeitschrift Soziale Welt, Göttingen 1983, 35–74.

soweit akzeptiert wird, als dieser Anspruch in verwertbare, im Produktionsprozeß brauchbare Fähigkeiten sich ummünzen läßt. Auch daraus resultieren Enttäuschung, Frustration, Verzicht darauf, eigene Ansprüche und individuelle Lebensentwürfe überhaupt geltend zu machen. So ist es kein Wunder, daß wir immer wieder feststellen zu müssen glauben, daß junge Leute heute nicht eigentlich wissen, was sie wollen. Wie sollten sie angesichts dieser Lage!

Auch diesem Vorgang lassen sich Beobachtungen in der Jugendszene zwanglos zuordnen; es ist auf der einen Seite die heute in verstärktem Maß zu beobachtende Suche vieler Jugendlicher nach Zusammenschluß, Bindung, kollektiver Sicherheit - in sehr unterschiedlichen Gesichtern, die hier nicht alle nachgezeichnet werden können. Diese Suche läßt sich verstehen als Antwort auf die Überforderung und Belastung, die in dem Anspruch steckt, einerseits sich allein, auf eigene Faust durchzuschlagen, aber andererseits die Erfahrung machen zu müssen, daß das nicht geht; in den geschilderten Sachverhalten liegen also Kompensationsversuche, Antworten auf soziale Isolation und das Gefühl, überfordert zu sein.

Das zweite Phänomen, das in diesen Zusammenhang gehört: es gibt neuerdings - und mit zunehmender Tendenz - eine sehr starke *Polarisierung* innerhalb der Jugend und zugleich eine *ungeheure Aggressionsdynamik in der jungen Generation*. Es gibt so etwas wie einen Profilierungskampf, den Versuch, sich selbst, seine eigene Gruppe, durch Abgrenzung zu betonen. So grenzt sich der strebsame 1,5er Abiturient mit Abscheu von dem Punker ab, der langhaarige junge Arbeitslose vom gefönten Popper, der alternative Körner- und Müsli-Esser vom verschwitzt joggenden muskulösen Sportjugendlichen. Meiner Meinung nach handelt es sich hier um den auf die Jugendszene durchschlagenden gesellschaftlichen Polarisierungsprozeß zwischen denen, die sich auch und vielleicht gerade unter schwieriger gewordenen Wettbewerbs- und Konkurrenzverhältnissen in einer fast schon sozialdarwinistisch anmutenden Weise behaupten und darin ihre Chance wahrnehmen, und denen, die längst „abgeschnallt" haben, weil sie nicht mithalten können oder wollen. Die in ihrer Konkurrenz- und Arbeitsfähigkeit Beeinträchtigten, Behinderten im weitesten Sinn des Wortes werden so zu einer offensichtlich immer weiter anwachsenden Randgruppe.

Beide Tendenzen, die Suche nach kollektiver Sicherheit - die ja übrigens auch in problematischen Formen, z.B. als Suche nach dem starken Mann stattfindet - und die Problematik der Aggressions- und Abgrenzungsdynamik innerhalb der Jugendlichen stellen eine gewaltige, zunächst gesellschaftspolitische, dann aber auch pädagogische Herausforderung dar.

1.4. Jugend – kein Thema der Politik mehr

Diese Feststellung leitet unmittelbar über zum vierten Punkt, der von der Überlegung ausgeht, daß es für die objektive Lage, die Lebensverhältnisse der Jugend wie auch für die Art, wie Jungsein erfahren wird (natürlich auch für die pädagogische Arbeit), einen großen Unterschied macht, welche Rolle Jugend als soziale Gruppe in der Politik spielt. Die entscheidende Feststellung, die es in diesem Zusammenhang zu machen gilt, ist eingangs getroffen worden; in der Tat ist die Jugend gegenwärtig aus dem Aufmerksamkeitsspektrum der Politik so gut wie ganz ausgeblendet. Diese Aussage gilt trotz Enquête-Kommission, trotz Bundestagsreden und Bundestagsdebatten zum Thema Jugend in den Jahren 1979 bis 1982; denn diese Diskussion hatte zwar Jugendprotest, Jugendunruhen zum Anlaß, war aber letztlich schon rasch zu einer Diskussion über allgemeine gesellschaftliche Fragen und über Zukunftsfragen der Gesellschaft geworden.[16]

Und seit etwa drei Jahren spricht in der Politik nun wirklich niemand mehr über Jugend.[17] Zwar ist die problematische Situation vieler Gruppen der Jugend unübersehbar, z.B. der arbeitslosen Jugendlichen, der Ausländer-Jugendlichen, der Mädchen mit ihren wesentlich schlechteren Berufsaussichten usw.; aber das hat nicht dazu geführt, Jugend als Gegenstand der Politik, politischer Maßnahmen zu ihren Gunsten besonders zu betonen. Jugend hat als Zielgruppe aktiver Gesellschaftspolitik jegliche Bedeutung verloren; sie gerät aus dem Blick und wird nur noch wahrgenommen, wenn sie selbst von sich reden macht, „auffällt“, und wird dann zum Gegenstand von Versorgungs- oder Kontrollmaßnahmen. Dies bedeutet auch: Risiken und Chancen des Erwachsenwerdens, das, was da geschieht, wird ausschließlich – zumindest weitgehend – als Leistung des *einzelnen* gesehen, in den Bereich individueller Anstrengung zurückverlagert und zugleich privatisiert; auch hier sollen und gelten faktisch Marktgesetze. Jung ist man gleichsam auf eigenes Risiko. Dem entspricht, daß die *Familie* wieder als der Ort und die Instanz betrachtet wird, die die Probleme auffangen und soziale und gesellschaftliche Integration sichern soll – wobei der Widerspruch zwischen der proklamierten Hochschätzung der Familie einerseits und ihrer tatsächlichen gesellschaftlichen Unterstützung andererseits hier nicht weiter erörtert, aber zumindest erwähnt werden soll (vgl. z.B. Mietpreisfreigabe, Erhöhung der Sozialmiete, Reduzierung des BAföG, Verminderung der Zuschüsse für Familien mit behinderten Kindern).

[16] Vgl. dazu die ausführliche Diagnose in: Deutsches Jugendinstitut (Hrsg.), Die neue Jugenddebatte. Was gespielt wird und um was es geht: Schauplätze und Hintergründe, München 1982.

[17] Einzige Ausnahme: die Vorlage des Berufsbildungsberichts; aber selbst die darin Jahr für Jahr eklatant zum Ausdruck kommenden Defizite in der Versorgung der Jugendlichen mit Ausbildungsplätzen hat die Bundesregierung in den letzten Jahren nicht dazu veranlassen können, die für diesen Fall gesetzlich mögliche Berufsbildungsabgabe zu erheben.

Damit stellt sich das Verhältnis von Jugend, Staat und Gesellschaft heute in einer neuen Form dar: Im gegenwärtigen Selbstverständnis der Politik hat der Staat aus den genannten Gründen kein ausdrückliches Interesse an Jugend; er fordert sie zur Selbsthilfe auf oder zur „zupackenden Mitarbeit"; er will ihr „Hoffnung geben", er will den Jugendlichen „auf dem Weg in die Gesellschaft beistehen"[18]. Aber das ist etwas grundlegend anderes, als der Jugend eine Rolle im Prozeß einer konstruktiven gesellschaftspolitischen Programmatik und Entwicklung zuzugestehen. Heute stehen „Jugendprobleme" in einem Bezugsrahmen, der durch die beiden Stichworte „Krise des Sozialstaates" einerseits und „Wiederbelebung der Marktwirtschaft" andererseits umrissen ist. Daß der Sozialstaat „überfordert" ist, heißt auch, daß man für die Chancen der Jugend nicht mehr so viel tun kann; daß die Marktwirtschaft die Probleme lösen soll, heißt, daß die Jugendlichen die Auswirkungen des Grundsatzes zu spüren bekommen: „Jeder ist - und zwar gerade unter ungünstigen äußeren Umständen - seines eigenen Glückes Schmied!"

Und auch hier läßt sich die entsprechende „Antwort" der Jugend leicht ausmachen: Es ist die unter den Jugendlichen heute weit verbreitete Einstellung, daß man am besten *nicht* auf gesellschaftliche Institutionen, den Staat usw. vertraut, sondern möglichst selber seine Probleme löst. Das erklärt auch die Kluft, die gewaltige Kluft, die zwischen den Heranwachsenden und Staat und Gesellschaft weithin besteht. Das, scheint mir, ist die Folge des Abschiebens der sozialen und pädagogischen Folgeerscheinungen ungelöster gesellschaftlicher Strukturprobleme. Das geschieht schleichend, lautlos, wirksam und tiefgreifend, und vor allem ohne öffentliche Diskussion - ganz im Gegensatz zu den Debatten, die geführt werden, wenn es um Privatisierung öffentlicher Dienstleistungen, etwa im Bereich der Müllabfuhr, geht.

2. Erscheinungsformen des Jugendlebens als „Antworten"

Schon bei der Analyse der gesellschaftlichen Wandlungsprozesse, die als maßgebend für die Veränderungen der inneren Qualität des Jugendalters angesehen werden können, ist auf einige Ausdrucksformen des Jugendlebens heute aufmerksam gemacht worden, die als „Antworten" auf die skizzierte Situation verstanden werden können: Die der heutigen Jugend immer wieder zugeschriebene „Motivationskrise" erklärt sich ebenso leicht aus der widersprüchlichen Situation, in der sie sich in Schule und Ausbildung befindet, wie die offensichtlich zunehmenden Konflikte im häuslichen Bereich

[18] Stellungnahme der Bundesregierung zum Sechsten Jugendbericht, Deutscher Bundestag, 10. Wahlperiode, Drucksache 10/1007, XIII.

als Folge verlängerter ökonomischer Abhängigkeit bei gestiegener finanzieller Belastung der Familie verstanden werden können; daß Sinn- und Orientierungsfragen in den Mittelpunkt rücken, liegt ebenso auf der Hand, wie es verständlich wird, daß gesellschaftliche Polarisierung, wie sie beschrieben wurde, nicht haltmacht vor der Jugendszene: daß es auch hier einen „industriellen Leistungskern“ und eine immer größere Zahl von marginalisierten Randgruppen gibt, ist naheliegend. Daß Resignation, Apathie, Brüche in der Biographie auftreten, wo widersprüchliche Individualisierungsanforderungen geltend gemacht werden, nämlich einerseits man selbst sein zu sollen, andererseits dies aber nur in reduzierter Form verwirklichen zu können, ist ebenso wahrscheinlich, und der Antiinstitutionalismus erklärt sich leicht aus den schlechten Erfahrungen, die Jugendliche überall da machen, wo sie Hilfe bei der Lösung ihrer Probleme bei Institutionen erwarten.

Darüber hinaus scheint mir aufschlußreich, zwei „Antworten“ noch etwas ausdrücklicher zu behandeln. Mir scheint charakteristisch für die heutige Jugendsituation, daß sich - neben den skizzierten Reaktionsformen - deutlich herauskristallisiert das, was ich eine spezifische Form des Ritualismus, also der bloß oberflächlichen Übernahme von Verhaltensanforderungen nennen möchte (die wiederum angesichts der skizzierten Situation höchst verständlich ist!), und eine veränderte Funktion und verstärkte Bedeutung der jugendlichen Subkultur. Die beiden Punkte hängen miteinander zusammen; deshalb will ich sie auch zusammenhängend behandeln und in folgende These kleiden:

Es war in den letzten Jahren viel von Jugendprotest die Rede. Aber es gibt ja auch die Tatsache, daß die Mehrzahl der Jugendlichen keineswegs dramatische, äußerlich spektakuläre Antworten auf die geschilderte Situation wählt. Es gibt auch so etwas wie einen „stillen“ Weg, der sich vielleicht durch zwei Sätze charakterisieren läßt: *Erstens* setzt sich angesichts der skizzierten Lage eine strategisch-berechnende und selektive Art des Umgangs mit den Institutionen und Ansprüchen der Erwachsenengesellschaft durch; weil das alles so widersprüchlich und fragwürdig erscheint, hat es auch keinen Sinn, sich selbst über das notwendige Maß hinaus zu engagieren. Zugleich wird *zweitens* die jugendliche Subkultur kompensatorisch gegenüber den Frustrationen und Sinnlosigkeiten der offiziellen Institutionen zum Ort der eigentlichen, wirklichen Existenz. (Und gleichsam in Klammern: Die Erwachsenen tun alles, um dieses Muster zu verstärken. Sie können es sich erlauben, dies zu tun, und es bringt für sie Vorteile - wenn es auch, pädagogisch und gesellschaftspolitisch betrachtet, mit höchst fragwürdigen Konsequenzen verknüpft ist.) „Strategisch-berechnender Umgang mit den Institutionen und den Anforderungen der Erwachsenenwelt“ - das heißt: Sich-Einlassen höchstens in dem Maß, wie es unbedingt erforderlich ist, um die individuell notwendigen, für das Überleben unerläßlichen Ziele zu erreichen (= Instrumentalisierung der Schule für künftige berufliche Karriere). Es handelt sich um ein Sich-Einstellen auf das Unausweichliche, um ein ritualistisches Sich-Anpassen an die Verhaltens- und Leistungsanforderungen für eine begrenzte Zeit, um dann – und dies ist die andere Seite der Medaille – innerhalb der Gruppe der Gleichaltrigen in der Disco, in der Band das zu suchen, zu finden und zu tun, was einem wirklich wichtig ist.

Ein Zusammenhang scheint mir vor allem wichtig, der auch durch tiefgreifende Analysen als gesichert gelten kann: nämlich die problematische Rolle, die die Schule als Institution für die Identitätsentwicklung spielt.[19] In einem eben zu Ende gehenden Forschungsprojekt im Rahmen des Schwerpunktprogramms „Pädagogische Jugendforschung" haben Breyvogel und seine Mitarbeiter aufgezeigt[20], wie durch die Ausgrenzung wichtiger Anteile des Selbst durch die Schule Grundstrukturen der kindlichen und jugendlichen Affektivität betroffen und angegriffen werden. Schulisches Lernen erfolgt unter Ausblendung der sinnlich-körperlichen Anteile, das spezifisch Individuelle der jugendlichen Lebensgeschichte wird negiert. Dies wird von den Betroffenen als eine Form der Bedrohung des Selbst erfahren, eine Erfahrung, die dann ungerichtete und diffuse Aggressivität freisetzt und zur Etablierung subkultureller Nischen sowohl innerhalb der Institutionen wie außerhalb führt, in denen die freigesetzten emotionalen Suchbewegungen sich aktualisieren.

Was dem oberflächlichen Beobachter als bloß ritualistisches Verhalten oder als Abwehr und Ablehnung erscheint, kann wohl auch in einem solchen Zusammenhang gesehen werden.

Jugendforschung ebenso wie pädagogische Erfahrung haben immer schon *die Bedeutung der jugendlichen Altersgruppe* für die Prozesse der Loslösung des Jugendlichen von der Herkunftsfamilie, für die Befriedigung emotionaler Bedürfnisse und als „Verbindungsstück" zur Gesellschaft[21] herausgestellt.

Heute haben sich hier offensichtlich die Akzente verschoben, eine Funktionswandlung hat stattgefunden. Es haben alle diejenigen Qualitäten eine Verstärkung erfahren, die kompensatorisch gegenüber den frustrierenden Anforderungen der gesellschaftlichen Institutionen etwas vom wirklichen, wahren Leben versprechen; zurückgetreten sind demgegenüber diejenigen

[19] Vgl. dazu vor allem *H. Rumpf,* Schulisches Lernen und Identität. Perspektiven für ein humanes Lernen, München 1976; *F. Wellendorf,* Schulische Sozialisation und Identität. Zur Sozialpsychologie der Schule als Institution, Weinheim/Basel 1973.

[20] Vgl. *Bietau/Breyvogel/Helsper,* Zur Selbstkrise Jugendlicher in Schule und Subkultur, in: Zeitschrift für Pädagogik 27 (1981) 339–362.

[21] Grundlegend für den damit bezeichneten Zusammenhang ist immer noch *S. N. Eisenstadt,* From generation to generation. Age-groups and social structur, Glencoe 1966, deutsch: Von Generation zu Generation. Altersgruppen und Sozialstruktur, München 1966.

Momente, die als Vorbereitung auf das Erwachsenenalter gelten könnten. So gibt es in der jugendlichen Subkultur *keine Leistungsanforderungen,* zumindest nicht von der Art, wie sie von gesellschaftlichen Institutionen und von seiten der Eltern gestellt werden. Zweitens: Die jugendliche Subkultur befriedigt die Bedürfnisse nach einem bestimmten *Kommunikationsmuster;* sie erlaubt Zustände rauschartiger Wir-Erfahrung in extremer Form - aber qualitativ durchaus nur als Steigerung einer in der subkulturellen Situation jederzeit angelegten Dimension.[22] Und drittens schließlich: Die jugendliche Subkultur ermöglicht *Formen der Sexualität* und Erotik, die nicht mit Überbeanspruchung verbunden sind, der man sich nicht gewachsen fühlt. Diffusität, wortloses Verschmelzen in rauschartigen Zuständen - dies sind die Elemente auch in diesem Bereich.
Auch hier muß differenziert werden: Das Erscheinungsbild dessen, was mit dieser ja auch etwas fragwürdigen Etikette der jugendlichen Subkultur bezeichnet wird, ist außerordentlich bunt: Es reicht von der Disco-Kultur über die informelle Gruppe Gleichaltriger, die sich eben trifft, um gemeinsam etwas zu unternehmen und Spaß zu haben, über die Fan-Clubs usw.
Versucht man, aus dem Vorausgegangenen eine Art *Fazit* zu ziehen, und das, was eingangs als „Strukturwandel" der Jugend bezeichnet wurde, stichwortartig zu charakterisieren, so lassen sich folgende Momente benennen:
- Es gibt erstens so etwas wie eine Entstrukturierung des Jugendalters - bedingt durch das Zusammenbrechen des Mechanismus, den Jugend traditionell ausgemacht hat (Verzicht und Anstrengung im Hinblick auf spätere Gratifikationen im Leben); in diesen Zusammenhang gehört auch die Diskussion zur Postadoleszenz; damit ist die These gemeint, daß sich heute zwischen Jugendalter und Erwachsenenstatus eine Nach-Jugendalter-Phase schiebt;
- dies ist verknüpft mit Wandlungen in der inneren Qualität des Jugendalters, seiner Zeitstruktur; es ist nicht mehr so sehr auf die Zukunft gerichtet, sondern auf die Gegenwart; das Prinzip des „Leben ist jetzt" tritt an die Stelle der Vorbereitung für Späteres; Soziales und Emotionales an die Stelle instrumenteller leistungsbestimmter Faktoren;
- es hat eine Zersplitterung des sozialen Status Jugend stattgefunden; das heißt, an die Stelle einer eher homogenen Gruppe Jugend ist eine Vielzahl von sozialen Lebensverhältnissen Jugendlicher getreten, die es schwer machen, von Jugend als *einer* sozialen Gruppe in der Gesellschaft zu sprechen; einer formalen Homogenisierung der Jugend (immer mehr sind in Ausbildung und Schule) kontrastiert eine Vielzahl von konkreten Lebensverhältnissen, die es verunmöglichen, Jugend als eine einheitliche Lebenslage zu betrachten;

[22] *Th. Ziehe,* Pubertät und Narzißmus, Frankfurt 1975.

- in den gleichen Zusammenhang gehört die Schwierigkeit, so etwas wie identitätsverbürgende und -sichernde Lebensentwürfe und Selbstdefinitionen zu entwickeln; auf der einen Seite sind durchaus neue Selbstdefinitionen vieler Jugendlicher zu beobachten, die sich kontrastreich abheben von den Festlegungen, die die Erwachsenen - orientiert an der Erinnerung daran, wie die eigene Jugend war - geltend machen; aber zugleich gibt es auch auf der anderen Seite die Schwierigkeit für viele Jugendliche, Lebensentwürfe, Zukunftsvorstellungen überhaupt zu entwickeln;
- schließlich: Traditionell war Jugend definiert durch ihre Offenheit für Lernprozesse im Hinblick auf späteres Erwachsenendasein in einem für Zwecke des Lernens und der Vorbereitung auf Späteres abgeschirmten Jugendraum (Stichwort: „Moratorium"); heute entziehen sich große Teile der Jugend diesen Anforderungen bzw. gehen ritualistisch damit um, das heißt Prozesse der inneren Identifikation finden kaum statt.

3. Perspektiven auf eine zeitgemäße Form der Jugendberatung

Es liegt auf der Hand, daß die skizzierten Wandlungen in Struktur und Qualität des Jugendalters nicht nur die alltäglichen Vorstellungen davon, wie Jugend zu sein hat, wie wir sie alle als Erwachsene mit uns herumtragen und wie sie vor allem aus der Erinnerung an die eigene Jugendzeit stammen, tiefgreifend in Frage stellen, sondern auch die wissenschaftlichen Konzepte von Jugend, wie sie vor allem in Jugend- und Entwicklungspsychologie und in der Jugendsoziologie entwickelt worden sind. Gerade in bezug auf *jugendpsychologische* Theorien, die vermutlich in der Beratungspraxis am ehesten handlungsleitend sind, gilt, daß sie selbst nicht unabhängig von den gesellschaftlich-geschichtlichen Konstellationen zu sehen sind, innerhalb derer und auf die bezogen sie entwickelt wurden. Wenn es zutrifft, daß diese sich wirklich verändert haben, wie es im vorausgegangenen entwickelt wurde, stehen sie in Frage.

Eine detaillierte Kritik und Auseinandersetzung mit psychologischen Jugendtheorien, die sich daraus nahelegen würde, ist hier nicht möglich.[23] Statt

[23] Eine derartige Aussage und Kritik müßte insbesondere die psychoanalytischen Theorien zum Jugendalter, wie sie vor allem von A. Freud und im Anschluß daran von P. Blos und, in modifizierter Form, von E. H. Erikson entwickelt wurden, in den Mittelpunkt stellen und vor allem auch die Thesen von *Th. Ziehe,* die den „neuen Sozialisationstyp" betreffen, einbeziehen. In den gleichen Zusammenhang gehören die Theorien zur Entwicklung der kognitiven und moralischen Kompetenz von Piaget und Kohlberg, die vor allem den Untersuchungen von *Döbert/Nunner-Winkler,* Adoleszenskrise und Pubertät, Frankfurt 1975, als theoretischer Bezugsrahmen zugrunde liegen.

dessen sollen einige Leitsätze formuliert werden, die Perspektiven für eine auf die gegenwärtigen Problemlagen bezogene Form der Beratung enthalten.

3.1. Jugendberatung in gesellschaftlichen Zusammenhängen

Die skizzierte Lage führt zu der Erkenntnis, daß Jugendberatung in einer solchen Situation schwieriger, konfliktreicher, in einem gewissen Sinn unmöglicher geworden ist, und zwar deswegen, weil die Problemlagen so eng und unauflöslich mit Momenten der geschichtlich-gesellschaftlichen Situation zusammenhängen, daß sie kaum daraus herausgelöst, präpariert und dann für sich bearbeitet werden können. Sinn- und Orientierungsprobleme, wenn ich dies als Beispiel für *eine* Kategorie von Problemen herausgreife, sind so eng mit einer allgemeinen geschichtlichen Sinn- und Orientierungskrise unserer Gesellschaft verbunden und so unmittelbar Ausdruck derselben, daß es kaum möglich, ja höchst problematisch wäre, die daraus resultierenden Probleme als rein psychische und individuelle definieren und beheben zu wollen. Dies bedeutet, daß psychologische Konstrukte, sowohl genereller Art, wie sie etwa in der Verhaltenstheorie und -therapie zugrunde gelegt werden, wie solche jugend-psychologischer Art, kaum geeignet sind, als theoretische Orientierung für die Bearbeitung der heutigen Probleme zu dienen. Wenn es zutrifft, daß Prozesse der Vergesellschaftung, also der Einfluß der Faktoren gesellschaftlicher Art, auf das Subjekt bis in seinen Kern hineinreichen, dann können Theorien, die das Psychische isoliert betrachten, nicht als Leitorientierung für die Behandlung der Probleme dienen; sie können nicht als bloß „psychische" behandelt, sondern müssen in ihrer gesellschaftlichen Produziertheit verstanden werden.[24]

Das bedeutet nicht Ausklammerung des Subjekts, sondern im Gegenteil: Orientierung an der Subjekthaftigkeit, diese allerdings verstanden in ihren lebensgeschichtlichen, lebensweltlichen und gesellschaftlichen Zusammenhängen.

[24] Insofern möchte ich der Auffassung von *F. J. Schermer* in seinem Beitrag in: jugendwohl 65 (1984) 261 ff. entschieden widersprechen, daß ein „methodologisch verstandener, verhaltenstherapeutisch ausgerichteter Ansatz praktisch für die Behandlung aller Probleme geeignet" sei, ebd., 266; dem liegt eine Auffassung zugrunde, die „Störungsbilder", aber nicht Problemlagen in ihrem gesellschaftlich-individuellen und sozialen Zusammenhang zur Grundlage macht; demgegenüber sieht der Beitrag von *T. Nerall,* in: jugendwohl 65 (1984) 267 ff. die Notwendigkeit der Einbeziehung der gesellschaftlichen Dimension mit großer Deutlichkeit.

3.2. Entschlüsselung und Verstehen anstatt Klassifikation und einseitiger Problemzuschreibung

Aus der skizzierten Situation ergibt sich zweitens die Notwendigkeit, von den häufig praktizierten Formen der Problemklassifikation und Problemzuschreibung, von den dabei zugrunde gelegten Schemata und „Störungsbildern“ Abschied zu nehmen zugunsten mehr hermeneutischer Sichtweisen und eindringender Verstehensprozesse.[25]

Insbesondere die Ausführungen über Wertwandel und über die neuen sozialen Bewegungen machen deutlich, wie wichtig es ist, die Frage von „Normalität“ und „Abweichung“ neu zu bedenken, das heißt, jugendliche Verhaltensweisen und Lebensformen nicht nach hergebrachten „Störungsbildern“ zu klassifizieren, sondern gleichsam zu entschlüsseln, sie in ihrer Intentionalität, in ihrem subjektiven Sinn, den sie für die Jugendlichen haben, zu erfassen. Sonst erfolgen fragwürdige Prozesse der Uminterpretation; abgekürzt formuliert: Alternative Wertorientierung (also: etwas anderes wollen, als die Institutionen verlangen) wird als abweichendes Verhalten behandelt, diskriminiert und therapiert.

Heuristisch mag es in diesem Zusammenhang nützlich sein, eine Unterscheidung zwischen „alten“ und „neuen“ Problemlagen zu machen. Das liegt nahe, weil sich in der gegenwärtigen geschichtlichen Situation alte, traditionelle, noch gar nicht erledigte Probleme, wie solche der sozialen Deklassierung und Benachteiligung, materieller Not und ungünstiger sozialer Lebensverhältnisse, mischen mit Problemen, die sich aus Sensibilität für eine neue geschichtliche Situation ergeben, wie sie geschildert wurde. Auch Beratung kann nicht davon absehen, daß sich in der Gegenwart aus der Erfahrung des Brüchigwerdens überkommener gesellschaftlicher Wert- und Zielvorstellungen unterschiedliche Reaktionsformen entwickeln: übersteigerte, forcierte Anpassung mit ihren problematischen, das Individuum krankmachenden Folgen ebenso wie resignative Abwendung und zugleich die Entwicklung und praktische Erprobung des Neuen.

Das Verstehen dieser Konstellation erfordert reflektierte Sensibilität für soziale und gesellschaftliche Zusammenhänge, also „reflexive Kompetenz“ und nicht nur „instrumentelle“, die Fähigkeit der Rekonstruktion der Art und Weise, wie Einflüsse des „Systems“ auf die „Lebenswelt“ durchschla-

[25] Zur Verstehensproblematik vgl. den Tagungsbericht: „Verstehen oder Kolonialisieren?“, Bielefeld 1984, darin insbesondere den Beitrag von *H. Thiersch*, Verstehen oder Kolonialisieren?, und die im Umkreis dieser Diskussion geführten Debatten auch zur Frage der sozialpädagogischen Handlungs- und Beratungskompetenz; daß in der hier vertretenen Position auch eine Kritik an den Modellvorstellungen liegt, die mit dem unscharfen Begriff des „medizinischen Modells“ bezeichnet werden, liegt auf der Hand; vgl. die Literatur dazu: *Keupp/Zaumseil* (Hrsg.), Die gesellschaftliche Organisierung psychischen Leidens, Frankfurt; ferner *W. Hornstein,* Unsere Jugend. Über Liebe, Arbeit, Politik, Weinheim/Basel 1982.

gen; mit anderen Worten: Beratung muß die dem subjektiven Erfahren und problemhaften Erleiden zugrunde liegenden komplizierten Zusammenhänge rekonstruieren, um zu einer adäquaten Art des Problemverständnisses zu kommen, also Abstand nehmen von allen „einseitigen" Formen der Problemzuschreibung.

3.3. Im Mittelpunkt: Sinn und Orientierungsfragen

Sowohl theoretische Analysen wie die Erfahrungen der Praxis bestätigen, daß Sinn- und Orientierungsfragen im weitesten Sinn des Wortes heute allenthalben in den Vordergrund treten. Das liegt nahe in einer geschichtlichen Situation, in der die ganz brutalen und alltäglichen Probleme des Lehrstellenmangels, der verschlossenen Tore zur gewünschten und ersehnten Berufsausbildung, die alltägliche Erfahrung sind, in der die Widersprüchlichkeit, eigenes Leben zu gestalten, als Aufforderung erfahren wird, aber in ihrer äußeren Unmöglichkeit ebenso drastisch zum Bewußtsein kommt.
Für die Beratung heißt dies, daß die Frage nach Lebensentwürfen und Lebensplanung einen zentralen Stellenwert bekommt. Dies verlangt in einer Situation, in der viele traditionelle Wege verschlossen sind, soziale Phantasie, Arbeiten an und Aufzeigen von alternativen Möglichkeiten sinnvoller Lebensgestaltung, Erkennen der Tatsache, daß sich in den „Problemen" vieler junger Menschen nichts anderes spiegelt als die Suche nach neuen Wegen sinnvollen, besseren Lebens.
Das erfordert eine neue Form des Sich-Einlassens auf die subjektive Problemsicht des Ratsuchenden und in Konsequenz dessen die Entwicklung von Arbeitsformen, die die Artikulation dieser Problemsichten und Selbstdefinitionen erleichtern. Das erfordert sicherlich Arbeitsformen, die die herkömmliche Beschränkung auf eine Arbeit innerhalb der vier Wände des Beratungszimmers sprengen. Ermöglichung des praktischen Erprobens von neuen Lebensformen, soziales Experiment, Öffnung der Beratung zur Lebenswelt, zum Gemeinwesen, generationenübergreifende Arbeitsformen, lebensweltbezogen - das sind die Stichworte, die hier wichtig wären und deren Verwirklichung die Lockerung vieler institutioneller Barrieren[26] voraussetzen würde, die - mehr als im allgemeinen bewußt - die Handlungsmöglichkeiten beschränken.

[26] Zur Bedeutung und Problematik der institutionellen Rahmenbedingungen für Konzepte und Praxis der Beratung siehe *J. Gerstenmaier/F. Nestmann,* Alltagstheorien von Beratung, Opladen 1984; *W. Hornstein,* Probleme der Organisation der Beratung, in: W. Hornstein u. a., Funkkolleg Beratung in der Erziehung (2 Bände), Frankfurt 1977, 717-755.

3.4. Auf dem Weg zu einem neuen Selbstverständnis des Beraters

Auch Situation und Selbstverständnis des Beraters, dies ergibt sich aus dem vorausgegangenen, erfahren in dieser Situation weitreichende Konsequenzen: Er befindet sich nicht mehr in einem festgefügten gesellschaftlichen Zusammenhang, für den, auf den hin er berät, sondern mitten in einem konflikthaften, sich rasch wandelnden und durch eine höchst komplexe Gemengelage charakterisierten gesellschaftlichen Zusammenhang.

Vor allem das Stichwort „gesellschaftlicher Wertwandel" signalisiert die grundlegende Problematik: Berater sind als Angehörige der meist älteren Generation, zumindest aber von ihrer Zugehörigkeit zu Institutionen, die eher den herrschenden Werten verpflichtet sind, in einem Dilemma: Sie sollen, wenn sie sich mit Jugendlichen einlassen, Wertorientierungen akzeptieren, sich mit ihnen vielleicht sogar identifizieren, die eher „postmaterieller" Art sind, oder gesellschaftskritisch Ansprüche durchsetzen, die ebenfalls gegen die herrschenden Wertvorstellungen gehen. Die Eltern, die Lehrer, die Anstellungsträger erwarten Ergebnisse einer bestimmten Art – die angesichts der geschilderten Situation oft nicht eingelöst werden können. Das Dilemma, das sich hier stellt, teilt der Berater mit anderen pädagogischen Berufen. Er muß Wege suchen, damit fertig zu werden. Die dabei angewandten Strategien reichen vom Verzicht darauf, sich auf diese konflikt- und spannungsbelastete Konstellation überhaupt einzulassen, bis zu einer höchst widersprüchlichen Teilung der Existenz in Berufs- und Privatsphäre, wobei im Extremfall an das bezeichnende Beispiel des Architekten zu denken ist, der sich tagsüber mit der Entwicklung von Sanierungsplänen sein Brot verdient und sich abends in einer Bürgerinitiative gegen Sanierung betätigt.

Eine zweite Konsequenz für Selbstverständnis und Anforderungen an den Berater liegt darin, daß diese Situation von ihm die Entwicklung eines Sensoriums für die geschichtliche Situation der Gegenwart verlangt. Die Ausblendung dieses Zusammenhangs, wie sie für das herkömmliche Selbstverständnis therapeutisch und klinisch-psychologisch sich verstehender Berater charakteristisch ist, scheint nicht mehr möglich. Wenn die Probleme des einzelnen so tiefgehend und bis in seine Subjektivität hinein von der geschichtlichen Lage beeinflußt sind, dann kann Beratung dies nicht ausblenden. Historische „Ortsbestimmung" ist also ein notwendiger Bestandteil der Beraterkompetenz in der Gegenwart.[27] Nur von daher ergeben sich dann auch theoretische Perspektiven, die die Zusammenhänge aufdecken, das

[27] Zur „Ortsbestimmung" der Erziehungs- und Bildungsproblematik in der Gegenwart vgl. *W. Hornstein,* Neue soziale Bewegungen und Pädagogik, in: Zeitschrift für Pädagogik 30 (1984) 147–167.

Übliche überschreiten, ja das Mögliche überhaupt zu sehen erlauben, ohne sich an das Gegebene zu fixieren.

Damit sind Kompetenzen angesprochen, um die das traditionelle Bild des Beraters erweitert werden müßte, nämlich soziale Phantasie, ein „Möglichkeitssinn“, der in der Erarbeitung von Alternativen zum Bestehenden sein zukunftsorientiertes Feld findet und damit neue Perspektiven eröffnet.

Literatur

Berg, Regina/Wortmann, Raoul, Gratwanderungen. Erfahrungen in der offenen Jugendhilfe, Frankfurt/New York 1983 (Campus).

Brand, Karl Jürgen, Neue soziale Bewegungen. Entstehung, Funktion und Perspektive neuer Protestpotentiale, Opladen 1982 (Westdeutscher Verlag).

Furtner-Kallmünzer, Maria, Wenn du später etwas werden willst ... Berufsbezug und Sinn der Schule, München 1983 (Verlag Deutsches Jugendinstitut).

Gerstenmaier, Jochen/Nestmann, Frank, Alltagstheorien von Beratung, Opladen 1984 (Westdeutscher Verlag).

Hornstein, Walter, Probleme der Organisation der Beratung, in: ders. u.a., Funkkolleg Beratung in der Erziehung, 2 Bände, Frankfurt/Main 1977, 717-755 (Fischer Tb).

Ders., Unsere Jugend. Über Liebe, Arbeit, Politik. Weinheim/Basel 1982 (Beltz).

Keupp, Heinrich/Zaumseil, Manfred (Hrsg.), Die gesellschaftliche Organisierung psychischen Leidens, Frankfurt (Suhrkamp).

Martin Blachmann

Jugendreligionen

Der Guru - ganz in weiß gekleidet - wirbt vom Plakat her für den Frieden: Sri Chinmoy lädt ein zu einem Friedenskonzert. Tausende fahren jährlich nach Oregon (USA), um Bhagwan Shree Rajneesh zu sehen. Die Kinder Gottes sind fast verschwunden, das Heimholungswerk Jesu Christi breitet sich aus, und die Bettelmönche der Hare Krsna Bewegung tauchen nur noch sporadisch in den Fußgängerzonen auf.
Astrologie, Hexenkulte, Magie, östliche Meditation, Geistheilung und Wahrsagerei - die neue religiöse Szene ist bunt und schillernd, die Grenzen sind fließend und die Angebote kaum überschaubar.

1. Kulte, Sekten, Religionen - das Problem der Begriffe

Seit den 70er Jahren wird in unterschiedlichster Weise - sensationsgierig bis religionswissenschaftlich - über die Gruppen berichtet, die bis heute mißverständlich als Jugendreligionen bezeichnet werden. 1974 sprach der evangelische Sektenbeauftragte, Pfarrer F. W. Haack, zum ersten Mal von Jugendreligionen. Zu dieser Zeit war der Begriff zutreffend, war doch folgendes festzustellen: In fast allen großen Städten der Bundesrepublik tauchten ungefähr gleichzeitig verschiedene Gruppen auf, die in den Fußgängerzonen missionierten, Broschüren verteilten, zu Teestuben einluden und sich durch Beten und Singen öffentlich zu ihrem neuen Gott, Messias oder Guru (geistiger Lehrer im Hinduismus) bekannten. Trotz großer Unterschiede hatten alle Gruppen zwei Aspekte gemeinsam: Sie sprachen primär junge Menschen an und offerierten ein religiöses Angebot.
Hatte der Begriff „Jugendreligionen" zu dieser Zeit noch seine Berechtigung, so wurde er im Lauf der Jahre immer fragwürdiger, zumal jede neue religiöse Bewegung, die auftauchte, unter diese Kategorie gefaßt oder mindestens mit dieser in Zusammenhang gebracht wurde.
Keine jugendlichen Mitglieder: Alle Mitglieder sind 18 Jahre alt, überwiegend sind es junge Erwachsene (zwischen 18 und 30 Jahren). Die neue Religiosität ist keineswegs jugendspezifisch, sondern umfaßt alle Altersstufen.
Religion: Alle Gruppen haben einen religiösen Usprung bzw. religiösen Charakter oder erfüllen die Funktion des Religionsersatzes. Die Sicht der

Gruppen selbst ist unterschiedlich. So versteht sich z.B. die Transzendentale Meditation als Technik, die Bhagwan-Gruppe lehnte Religion zunächst ab, bezeichnet sich aber seit 1983 selbst als Religion (Rajneeshismus).
Kritiker sehen in dem Begriff Religion zusätzlich eine Aufwertung und wollen durch andere Begriffe stärker die negativen Seiten einer Mitgliedschaft deutlich machen.
Sekte: Dieser Begriff ruft in unserem Sprachgebrauch negative Assoziationen hervor. Auch diese Bezeichnung ist im Hinblick auf die Gruppen fragwürdig, da er von seiner Herkunft (lat. secare = teilen) nicht anwendbar ist. Sekten spalten sich von einer bestehenden Religionsgemeinschaft ab. Die zu definierenden Gruppen sind jedoch gekennzeichnet durch Anleihen bei den verschiedensten Religionen und Ideologien, die auf den jeweiligen Gründer zugeschnitten sind.
Destruktive Kulte: Der aus den USA kommende Begriff „destructive cults" wird gern von den vehementesten Kritikern und den Elterninitiativen (Zusammenschluß betroffener Eltern) benutzt, ist aber nicht übertragbar. „Cults" meint im Englischen immer religiöse Gruppen, das deutsche Wort Kult oder Kulte bezieht sich auf den Vollzug religiösen Handelns (z.B. Gottesdienst). Alle Gruppen pauschal als destruktiv zu bezeichnen, ist höchst fragwürdig. Wenn auch bei einer Vielzahl von Mitgliedern während der Mitgliedschaft zum Teil erhebliche Probleme und Schädigungen auftreten, so ist dennoch der Vorwurf nicht haltbar, daß eine Mitgliedschaft grundsätzlich destruktiv auf die Persönlichkeit wirkt.
Neue religiöse Bewegungen: Ist der Begriff „destructive cults" zu hart, und trägt er zur Verschärfung der Diskussion mit den Gruppen bei, so erscheint der Begriff „neue religiöse Bewegungen" möglicherweise zu harmlos. Zudem besteht die Gefahr der Verwechslung mit solchen Bewegungen innerhalb und außerhalb der Kirchen, die durchaus positive Auswirkungen haben (z.B. charismatische Erneuerungsbewegung oder Taizé).
Sektenformationen mit erhöhtem Konfliktpotential: Diese von Reinhart Hummel (Evangelische Zentralstelle für Weltanschauungsfragen) in die Diskussion gebrachte Definition ist sicher die genaueste, wird sich im allgemeinen Sprachgebrauch aber nicht durchsetzen.
Nicht theologisch, aber soziologisch haben wir es bei diesen Gruppen mit sektiererischem Verhalten zu tun. Eine Mitgliedschaft erhöht die Möglichkeit, mit seiner gesamten Umwelt in zum Teil unlösbare Konflikte zu kommen.
Die Tatsache, daß sich die sogenannten Sektenexperten in zehn Jahren nicht auf einen einheitlichen Begriff einigen konnten, hat verschiedene Ursachen:
- Das Phänomen der neuen Religiosität ist interdisziplinär zu sehen, d.h., verschiedene Fachrichtungen bemühen sich um Zugang zu der Thematik: Theologen, Sozialwissenschaftler, Psychologen, Soziologen, Pädagogen. Zu-

sätzlich bemühten sich Fachleute aus Jugendschutz und Politik um juristische Aspekte.
- An Begriffen wird auch die unterschiedliche Haltung deutlich. Das Spektrum reicht von Wissenschaftlern, die überhaupt keine Probleme sehen, bis zu Eltern, die nach radikalen Gesetzen suchen.
- Trotz einiger Gemeinsamkeiten sind die Gruppen so unterschiedlich, daß eine einheitliche Bestimmung unmöglich gemacht wird.

2. Die neu-religiöse Szene

Die Szene der neuen religiösen Gruppen hat sich in den vergangenen zehn Jahren permanent verändert. Gruppen entstehen und verschwinden, bilden Unterorganisationen oder passen sich der Gesellschaft an. Die Szene erweitert sich ständig und ist unüberschaubar geworden.
Von daher ist eine Auflistung und Beschreibung der Gruppen immer nur eine Momentaufnahme, jederzeit können sich Methoden und auch Inhalte verändern. Mal steht mehr die eine Gruppe, mal die andere im Mittelpunkt des Interesses, je nach Größe oder Auffälligkeiten.
Von daher soll an dieser Stelle ganz auf eine Beschreibung verzichtet und auf die Literatur bzw. Informationsstellen verwiesen werden. Eine Kurzinformation über die zur Zeit existierenden Gruppen wird der Sache nicht gerecht.
Somit werden nur die Hauptströmungen aufgezeigt und die Gruppierungen zugeordnet, die zur Zeit in der Diskussion sind. Wenn auch festgestellt wurde, daß sich die sogenannten Jugendreligionen von den klassischen Sekten dadurch unterscheiden, daß sie in der Regel eine Mischung aus verschiedenen Religionen darstellen, so lassen sich dennoch drei Richtungen ausmachen:
a) Gruppen mit (pseudo-)christlichem Hintergrund
- Vereinigungskirche des Koreaners San Myung Mun
- Heimholungswerk Jesu Christi der „Prophetin“ Gabriele Wittek aus Würzburg
- The Way International des Amerikaners Victor Paul Wierville
b) Meditationsbewegungen auf hinduistischer Basis
- Ananda Marga (Weg zum Glück) des Inders Shrii Shrii Anandamurti
- Divine Light Mission (Botschaft des göttlichen Lichts) des Inders „Guru Maharaj Ji“
- Hare Krishna/ Internationale Gesellschaft für Krsna-Bewußtsein des 1977 verstorbenen Inders Bhaktivedanta Swami Prabhupada
- Transzendentale Meditation des Inders Maharishi Mahesh Yogi
- Die Meditationsbewegung des Inders Sri Chinmoy

c) Psycho-Kulte
Hierunter versteht man solche Gruppen, die Erkenntnisse der Psychologie mit religiösen Elementen vermischen oder Psychologie zu Religion bzw. Religionsersatz werden lassen:
- Scientology-Kirche des Amerikaners L. Ron Hubbard
- Rajneeshismus des Inders Bhagwan Shree Rajneesh
Gerade bei der letzten Gruppe wird deutlich, daß eine genaue Einteilung nicht vorgenommen werden kann, da auch hier die Grenzen fließend sind. So kann die Gruppe um Rajneesh durchaus den hinduistischen Meditationsgruppen zugeordnet werden.

3. Die Faszination der religiösen Gemeinschaften

Literatur und Medien haben uns in den vergangenen Jahren teilweise erschreckende Berichte über die Mitgliedschaft in „Jugendsekten" vermittelt: Von Selbstmorden war die Rede, von finanziellem Ruin, seelischen Erkrankungen, Abhängigkeit, Zerwürfnissen mit den Familien und vielen Dingen mehr.
All diese Berichte und Aufklärungsbroschüren verhindern jedoch nicht, daß sich immer weiter junge Erwachsene diesen und anderen Gruppen anschließen. Was fasziniert junge Menschen - und nicht nur junge - an diesen Gurus, Propheten und religiösen Gruppen?
Generelle Erklärungsansätze scheinen nur schwer möglich:
- Die Gruppen sind - trotz einiger Gemeinsamkeiten - sehr unterschiedlich;
- bei den Mitgliedern sind die je eigenen Biographien und Motive zu berücksichtigen;
- Motive, sich einer religiösen Gemeinschaft anzuschließen, sind nur schwer zu erfassen.

Ich fühle mich angesprochen: Vielleicht helfen Aussagen einzelner Mitglieder, die Faszination deutlich zu machen:
„Weißt Du, das ist das, was ich schon immer gesucht habe. Irgendwie habe ich gespürt, daß da was fehlt. Und als ich zum ersten Mal zu der Gruppe kam, da wußte ich, das ist es. Ich spürte soviel Liebe - Liebe, die mir unheimlich gefehlt hat."
„Ich war nicht sehr religiös und hatte bisher niemals gebetet. Aber ich wollte die Ideen der Mitglieder kennenlernen. Ich wurde inspiriert, begann zu beten, wollte mein Leben verbessern und fühlte mich wie neugeboren. Ich wollte neue Erfahrungen machen. Deshalb wurde ich Mitglied."
„Ich akzeptierte nicht alles, aber die Lehre der Gruppe füllte in mir einen Platz aus, der für sie vorbereitet war."

„Ich beschäftige mich schon seit längerer Zeit mit dem Sinn des Lebens, dem Ich und dem Tod, und habe das, was ich schon selbst entdeckt habe, in Eurem Glauben wiedergefunden.“
„Durch puren Zufall bin ich auf ein Buch gestoßen und las und las. Da war ja plötzlich die offene Tür. Ich spürte, hier ist die Wahrheit. Ich besuchte die Gruppe und begegnete zum ersten Mal einem spirituellen Meister.“
In diesen fünf mehr zufällig ausgesuchten Aussagen von Mitgliedern wird deutlich, wie der Kontakt zu solchen Gruppen entsteht und was in diesen Gemeinschaften gesucht wird.
Neben diesen Antworten können die folgenden Überlegungen nur ein Versuch sein, einige Aspekte zu verdeutlichen, die in der direkten Begegnung, in Briefen und Texten, in Gesprächen mit Ehemaligen und betroffenen Eltern mal mehr, mal weniger angedeutet oder konkret ausgesprochen wurden.
Vermeintliche Antworten auf drängende Fragen: Die Faszination – so Reinhart Hummel – entspringt „einer Dynamik, die aus der Wechselwirkung zwischen Krise und Defizit auf der einen Seite und Missionswillen und Sendungsbewußtsein auf der anderen Seite lebt“. Die westliche Zivilisation läßt Fragen aufkommen, die vermeintlich von den neuen Propheten beantwortet werden. Damit wird die These hinfällig, es handle sich bei den neuen Gurus ausschließlich um „Rattenfänger, die nach der Seele greifen“. Wesentlich ist auch immer das Defizit, in das sie gezielt hineinstoßen.
Sehr deutlich wird dies bei der existentiellen Frage nach Frieden und atomarer Bedrohung. Gerade junge Menschen stellen diese Frage und finden in der immer komplizierteren Welt keine oder nur unbefriedigende Antworten. Und genau da setzen die Heilsangebote ein und bieten einfache Lösungsmöglichkeiten: „Weltfriede kann nur aus dem inneren Frieden einzelner Menschen entstehen“, sagt Sri Chinmoy. Bhagwan spricht von einer Krise von ungeheuren Ausmaßen, von Kriegen und atomaren Explosionen. Diejenigen, die überleben, werden nach seiner Auffassung seine Mitglieder sein, „die übrigen werden Affen bleiben oder Selbstmord begehen, aber auf die übrigen kommt es nicht an“. Die Transzendentale Meditation wirbt mit dem Slogan: „Abrüstung durch Frieden“: Wenn der Mensch durch Meditation zu innerem Frieden gefunden hat, wird sich die Abrüstung von selbst einstellen. Die Auswirkung auf andere wird erreicht durch den sogenannten Maharishi-Effekt: Nur 1% der Bevölkerung einer Stadt muß nach der Lehre der Transzendatalen Meditation die Technik anwenden. Dies hat Auswirkungen auf die restliche Bevölkerung. Die Scientology-Kirche hat sogar einen sogenannten „Reinigungs-Rundown“ erfunden, ein spirituelles Sauna-Programm, das gegen Atomstrahlen immun macht.
Für viele mag es ein Widerspruch sein, daß ausgerechnet diese doch so aufgeklärte junge Generation auf solche „Lösungen hereinfällt“, die sich – so gelesen – doch recht merkwürdig anhören. Zwei Aspekte hierzu: Zum einen

sind theoretische Aussagen dieser Art in der Regel immer gekoppelt mit einem Gruppenerlebnis, also mit einer emotionalen Komponente. Zum anderen sehen manche Mitglieder in ihrer Ausweglosigkeit die Gruppe und die damit verbundenen Inhalte wie einen letzten Strohhalm.
„Es mag ja sein, daß diese Gurus Scharlatane sind. Aber es ist immer noch besser, hier und jetzt bei einem solchen Guru glücklich zu sein, als in einer Welt unglücklich zu werden, die sowieso keine Zukunft hat“, schrieb ein junges Mädchen.
„Es muß im Leben doch mehr als alles geben!“ Dieser Ausspruch bzw. Buchtitel ist gleichsam eine Antwort von vielen Jugendlichen auf den Vorwurf der Erwachsenen: „Was wollt Ihr eigentlich? Ihr habt doch alles!“ – Da muß eben mehr sein als dieses „Alles“, das nicht befriedigt. Doch der Eindruck entsteht, daß dieses „Mehr“ – hier in religiöser oder menschlicher Hinsicht – in gleicher, in gelernter Weise konsumiert wird: schnell und unkompliziert, hier und jetzt. Keine rationale Auseinandersetzung, sondern Bedürfnisbefriedigung aus der Situation heraus. Einfache Denkmuster für die Glückseligkeit.
Die Suche gerader junger Menschen ist sehr ernst zu nehmen. Neben vielen anderen Aspekten scheinen folgende vier Defizite wesentlich für die Faszination der neuen religiösen Bewegungen:
Suche nach religiöser Erfahrung: Man könnte auch sagen: die Suche nach dem Sinn des Lebens. Gemeint sind nicht unbedingt Gott oder Kirche. Gesucht wird etwas, was über allem steht: das Heilige, das Mystische, das Transzendente. Die Überbetonung des Technischen, des Rationalen, des Machbaren ruft diese Suche geradezu hervor. Vor allem dann, wenn Menschen an Grenzen stoßen und deutlich wird, daß doch nicht alles machbar ist. Die beiden großen Kirchen scheinen für viele nicht mehr der Ort zu sein, wo Glaube erfahrbar ist, wo Religion gelebt wird.
Suche nach der kleinen Gemeinschaft: Junge Erwachsene haben oft das Gefühl, anonym und isoliert in der großen Masse zu leben. Sie suchen nach der kleinen, überschaubaren Gemeinschaft, in der Leben und Arbeiten möglich ist. Die Wünsche, die mit der Suche nach solchen Solidargemeinschaften verbunden sind, wurden in einer Alternativzeitung so ausgedrückt: „Der Wunsch nach Stallwärme von denjenigen, die keine Familienwärme hatten. Der Wunsch nach Gesprächen von denjenigen, die stumm gehalten wurden. Der Wunsch nach Gleichheit von denjenigen, die sich ungleich fühlten.“
Suche nach dem Selbst: Selbsterfahrung und Selbstverwirklichung sind angesichts immer stärker erlebter Entfremdung zu wesentlichen Zielen, vielleicht auch Schlagworten geworden. Gemeint ist die Ich-Findung, das Erreichen einer eigenen Identität. Und dies scheint angesichts eines aus den Fugen geratenen Wertesystems immer schwieriger zu werden.
Suche nach dem glaubwürdigen Vorbild: Staat, Politiker, Kirchen und Perso-

nen im Umfeld des Jugendlichen scheinen in zunehmendem Maß unglaubwürdig im Hinblick auf Werte und Normen. Nicht nur in den neuen religiösen Bewegungen suchen junge Leute verstärkt die sichere Autorität des charismatischen Leiters, dem man vertrauen kann und der die Verantwortung übernimmt bzw. abnimmt. Wesentlich hierbei ist, daß der Guru oder Prophet in den Augen der Mitglieder seine Inhalte nicht nur verkündet, sondern auch glaubwürdig vorlebt.

4. Probleme und Gefahren

Eingangs wurde bereits erwähnt, daß die Mitgliedschaft in einer der sogenannten Jugendreligionen das Konfliktpotential erhöhen kann. Auf die Gefahren einer Mitgliedschaft muß aufmerksam gemacht werden, ohne jedoch in einer Art Kreuzzug gegen diese Gruppen vorzugehen. Überzogene Verurteilung wird das Gegenteil von dem bewirken, was erreicht werden soll. Bhagwan's Discos zu verbieten, wird genauso wenig fruchten wie das ständige Anrennen gegen die Straßenmission. Und ob die Mitgliedschaft gefährlich wird, hängt auch von der psychischen Situation des einzelnen ab. Die folgenden Kritikpunkte sind in unterschiedlichem Ausmaß bei den einzelnen Gruppen vorhanden und erheben keinen Anspruch auf Vollständigkeit.

- Machtmißbrauch des Gründers und Führers: In vielen Gruppen ist es ein Prinzip, sich selbst aufzugeben und die totale Hingabe an den Guru oder Propheten zu leben.
- Suchtverhalten: Ohne hier eine Parallele zur Drogenproblematik ziehen zu wollen, gibt es auch in der Sektenszene Verhaltensweisen, die an Suchtverhalten erinnern. Alles wird getan, um das nötige Geld für den nächsten Meditationskurs oder die nächste Reise zum Hauptzentrum zu finanzieren. Selbst wenn man spürt, daß die Meditation nicht den gewünschten Erfolg zeigt, wird weitergemacht, sieht man doch in dieser Form den absoluten Weg zur Glückseligkeit.
- Anti-Rationalität: Die Überbetonung der Ratio führt möglicherweise zum anderen Extrem. Alles wird nur noch vom Gefühl her gesehen und beurteilt. Die Aussagen des Meisters sind richtig, weil der Meister sie sagt, ganz gleich, was dagegen spricht.
- Erfahrungen über Entscheidungen stellen: „Das kann man nicht erklären, das mußt Du erfahren“, hört man oft aus diesen Gruppen. So notwendig die Erfahrungen sein mögen, genauso wichtig ist die Reflektion der Erfahrungen. Genau dies wird aber nicht umgesetzt.
- Isolation und soziale Gleichgültigkeit: Vielfach steht die eigene Glückseligkeit im Vordergrund. Sie wird gelebt in der Gruppe, die Außenwelt ist weitgehend uninteressant, wenn überhaupt, nur als missionarisches Gebiet.

- Suche nach transkultureller Identität: Die in der Gruppe geschaffene Identität entpuppt sich möglicherweise nur als Identitätsanleihe. Zudem wird sie gerade bei hinduistischen Gruppen geformt durch einen anderen Kulturkreis, was notwendigerweise zu Konflikten im Alltagsleben führt.
- Wirtschaftliche Abhängigkeit: Ein Teil der Mitglieder stellt sein Leben ganz der Gruppe zur Verfügung, arbeitet ohne Lohn für die Gemeinschaft und schenkt oft noch seinen Besitz. Eine Loslösung von der Gruppe wird damit erschwert.
- Krankheiten: Die Mitgliedschaft kann zu seelischen Erkrankungen führen. Das bedeutet jedoch nicht, daß die Ursache für eine solche Erkrankung immer in der Gruppe zu suchen ist. Die intensiven Gruppenerlebnisse können auch Auslöser für Erkrankungen sein.

5. Die Suche nach Alternativen

Bei allen Problemen, die eine Mitgliedschaft in einer Gruppe mit sich bringen kann, darf nicht übersehen werden, daß die Jugendreligionen der Suche junger Menschen in unserer Gesellschaft entgegenkommen. Für viele sind sie zunächst einmal eine Entlastung ihrer verschlechterten Lebenssituation. Vielfach erlebt der junge Erwachsene hier zum ersten Mal, daß er gebraucht und angenommen wird. Auch von daher scheint es wenig Sinn zu haben, den Gruppen den Kampf anzusagen. Sie zeigen, wie auch andere Jugendkulturen, die Probleme von Gesellschaft, Politik, Familie und Kirche auf und müssen als Anfragen an die herkömmlichen Institutionen verstanden werden.
Jugendreligionen und andere Erscheinungsformen machen deutlich, daß sich alle Verantwortlichen einsetzen müssen für Alternativen. Alternative Angebote und alternative Gemeinschaften können nicht „gemacht" werden. Auch besteht die Gefahr, sich der gleichen Mechanismen zu bedienen und in ähnlicher Weise vorzugehen.
Eine Antwort schlechthin auf das Phänomen „Jugendreligionen" kann es nicht geben. Es gibt eine Alternative zur Vereinigungskirche, eine zu Hare Krishna und eine zu Bhagwan. Alternative Angebote müssen sich unterscheiden und sollen gerade nicht geprägt sein von Vereinnahmung, Ausnutzen von verschlechterter Lebenssituation junger Menschen und kritikloser Übernahme von Lehren irgendwelcher Gurus oder Propheten.
Alternative Gemeinschaften sollten das aufgreifen, was Jugendliche verstärkt suchen: Gemeinschaft, Kommunikation, Geborgenheit, neue Lebensräume, überschaubare Gruppen. Hier scheinen bei den traditionellen Gruppen in unserer Gesellschaft Defizite vorzuliegen: eine Fahrt nach Taizé, ein Meditationswochenende oder die Halleluja-Stimmung bei Kir-

chen- und Katholikentagen. Das allein hilft so wenig wie die einschnürende Enge der neuen Sekten.

6. Konsequenzen für die Jugendarbeit

Sicher ist es schwierig, aus dem Problem der neuen religiösen Gruppen Konsequenzen für die Jugendarbeit zu ziehen, die gültig sein sollen für Hamburg und den bayrischen Wald. Dennoch scheinen einzelne Erkenntnisse bedenkenswert.

Alle Jugendstudien weisen auf die Phänomene Rückzug und Flucht hin. Wurde in früheren Zeiten das Fehlen von Angeboten beklagt, so glauben Jugendliche heute kaum noch, daß die mittlerweile geschaffenen Angebote ihre wirklichen Fragen aufgreifen bzw. Lösungen anbieten können.

Statt dessen flieht man in die neue deutsche Innerlichkeit, Privatsphäre, Massenveranstaltungen, touch-me-feel-me-Pastoral, Guru- oder Alternativ-Szene, die Hier-und-Jetzt-Mentalität.

Im Augenblick ist Glück, die Zukunft sieht düster aus. Das weitverbreitete Grundgefühl, daß alles keinen Sinn mehr hat, ist einerseits durch die Medien verstärkt worden, andererseits auch durch die Tagespolitk begründet. Dies bedeutet allerdings nicht, daß Jugendliche nichts mehr interessiert. Im Gegenteil - sie werden stärker mit existentiellen Dingen belastet, als ihre Kindheit es erahnen ließ.

Die folgenden Überlegungen müssen verstanden werden aus der Beschäftigung mit Jugendreligionen und den subjektiven Gefühlen der Mitglieder:

a) Jugendreligionen lösen Probleme: Jugendliche fühlen sich bedroht durch Arbeitslosigkeit, Umweltzerstörung und Kriegsgefahr. Kirchliche Jugendarbeit ist nur dann glaubwürdig, wenn sie hier nicht nur Aussagen macht, sondern Handeln ermöglicht.

b) Jugendreligionen bieten (vordergründig) Lebensräume: Jugendliche suchen Lebensräume, in denen sie Sinn, Orientierung und Gemeinschaft erfahren können. Jugendarbeit muß mindestens ansatzweise dem Bedürfnis nach gemeinsamem Leben entgegenkommen. Oft erleben Jugendliche nur eine Kirche, in der sie als Funktionsträger mitarbeiten können, nicht aber mitleben können, nicht mitgetragen werden.

c) Jugendreligionen schaffen ein neues Verhältnis zur Arbeit: Jugendarbeit kann verstärkt ein neues Verhältnis Jugendlicher zur Arbeit aufgreifen und Modelle entwickeln, in denen Arbeit als sinnvoll erfahren wird und in denen eine Einheit von Leben und Arbeiten ermöglicht werden kann (Ansatz: ora et labora in Altenberg).

d) Jugendreligionen bieten religiöse Erfahrungen: Gerade hier hat kirchliche Jugendarbeit die Möglichkeit, dem Bedürfnis junger Menschen nach religiöser Erfahrung nachzukommen. Problematisch wird dies, wenn man nur Fluchttendenzen aufgreift, wenn Jugendarbeit ausschließlich dem momentanen Bedürfnis nach Innerlichkeit nachkommt und den Gewinn solcher Erfahrung nicht in Handeln umsetzt.

e) Jugendreligionen geben Antworten: Die Suche nach religiösen Erfahrungen ist gekoppelt mit der Hoffnung auf Antworten zu Fragen, dic innerhalb der Gesellschaft tabuisiert sind oder unbeantwortet bleiben: Angst, Leid, Krankheit, Tod, Zukunft, Sinn usw.

f) Jugendreligionen haben ein personales Angebot: Die Suche nach dem Leiter, dem charismatischen Führer, birgt immer auch die Gefahr der Fixierung in sich. In den vergangenen Jahren schien innerhalb der Jugendarbeit die Meinung vorherrschend, solche Rollen überhaupt nicht anzunehmen. Das andere Extrem wirft den Jugendlichen aber auf sich selbst zurück und führt hin zu Idolen und Gurus, die dieses Defizit ausbeuten. Verantwortliche Jugendarbeit heißt nicht, den Jugendlichen zu vereinnahmen, wohl aber, ihm ein verbindliches Angebot zu machen.

g) Jugendreligionen sind zusätzliche Hinweise für neue sinnstiftende Angebote: Die beiden christlichen Kirchen sind längst nicht mehr das allein sinnstiftende Angebot. Die Zunahme von anderen Weltanschauungen und synkretistischen Gruppen hat zu einem Pluralismus geführt, der nicht mehr überschaubar ist. Je stärker sich kirchliche Jugendarbeit eingrenzt und sich angesichts vielfältiger Probleme nur noch den Zielgruppen zuwendet, die angenehm erscheinen, desto größer wird das Feld für neue religiöse Gemeinschaften.

h) Jugendreligionen nehmen Verantwortung ab: Die Hinwendung zu neuen religiösen Gruppen geschieht nicht selten nach einer langen Zeit auch innerkirchlichen Engagements. „Fünf Jahre gegen den Pfarrgemeinderat und dann zu Bhagwan“ oder „besser in der Meditation schweben, als in der Gemeinde ständig auf die Nase zu fallen“. Die Fluchttendenzen in die Verantwortungslosigkeit werden unterstützt, wenn Jugendliche nicht das Gefühl haben, ernst genommen zu werden, und wenn die Erwachsenen ihnen nicht den nötigen Rückhalt geben.

i) Jugendreligionen schaffen neue Modelle: Wenn auch die neuen Gruppen straff organisiert sind, so erleben die Mitglieder subjektiv Phantasie und Kreativität. Sic haben mindestens das Gefühl, sich in diesen Gemeinschaften frei entfalten zu können. Behinderung geschieht ausschließlich durch die Umwelt.

Andererseits sind neue Bewegungen in der Tat findiger im Aufgreifen aktueller Bedürfnisse. Ohne jedwedem Trend nachlaufen zu müssen, sollte sich die Jugendarbeit – vor allem die organisierte – fragen lassen, ob die bestehenden Strukturen hilfreich sind, neue Modelle zu entwickeln, oder ob dies heute vielfach nicht nur neben den bestehenden Strukturen möglich ist.

Informationsstellen

- *Evangelische Zentralstelle für Weltanschauungsfragen*
  Hölderlinplatz 2A
  7000 Stuttgart 1
- *Katholische Sozialethische Arbeitsstelle e.V.*
  Referat Sekten und Weltanschauungsfragen
  Haus Hoheneck
  Jägerallee 5
  4700 Hamm 1

Literatur

Gascard, Johannes R., Neue Jugendreligionen, Freiburg 1984 (Herder).

Hummel, Reinhart, Gurus in Ost und West, Stuttgart 1985 (Kreuz).

Katholische Sozialethische Arbeitsstelle (Hrsg.), Die neue religiöse Welle. Pastorale Arbeitshilfe zur Auseinandersetzung mit neuen religiösen Bewegungen außerhalb der Kirchen, Hamm 1985.

Mildenberger, Michael / Schreiner, Lothar, Christus und die Gurus, Stuttgart 1980 (Kreuz).

Ruppert, Hans-Jürgen, New Age - Endzeit oder Wendezeit, Wiesbaden 1985 (coprint).

Martin Affolderbach

Kirche und Gemeinde

„Kirche“ und „Gemeinde“ sind Begriffe, die manchmal im gleichen Sinn verwendet werden, dann wieder ganz unterschiedliche Vorstellungen wachrufen. „Gemeinde“ erinnert an die neutestamentliche Zeit der frühen Christen, an eine noch überschaubare und untereinander vertraute Gruppe von Gläubigen. Bei „Kirche“ denkt man an die Institution und Großorganisation. Jugendliche haben ähnliche Assoziationen. Bei „Kirche“ denken sie meist an die ihnen kaum zugängliche Institution, deren Hierarchie und Gremien über Tradition und Lehre, Geld und Einfluß wachen. Man achtet die Kirche, liebt sie aber eigentlich nicht. „Gemeinde“ ist die im Nahraum erfahrbare Gestalt von Kirche. Mit ihr verbinden sich leibhaftige Personen. Doch das öffentliche Image prägt „die Kirche“.

1. Jugend und Kirche – ein spannungsreiches Verhältnis

Das Verhältnis von Jugend und Kirche ist spannungsreich und widersprüchlich. Das belegen nicht nur eigene Erfahrungen, sondern auch Erhebungen und Statistiken.

Annähernd alle getauften Jugendlichen gehen zur Erstkommunion, werden gefirmt bzw. konfirmiert und bekunden damit eine wie auch immer motivierte Verbindung zur Kirche.[1] Auf der anderen Seite zeigt die neueste Umfrage der EKD, daß nach ihrer eigenen Einschätzung nur 3% der 14–24jährigen sich als „sehr verbunden“ mit der Kirche empfinden. 53% halten sich für „kaum“ oder „überhaupt nicht“ verbunden.[2] Im Vergleich mit anderen Altersstufen ergibt sich, daß gerade die Jugendlichen dieses Alters nach ihrer eigenen Einschätzung die stärkste innere Distanz zur Kirche empfinden.[3]

Dies spiegelt sich auch in der Wertschätzung des Gottesdienstes als des zentralen Ereignisses der Gemeinde wider. Der Anteil der Jugendlichen am Gottesdienstbesuch ist im Durchschnitt sehr gering, und ihre Erfahrungen

[1] Vgl. Amtsblatt der EKD, 15. Februar 1985, Statistische Beilage Nr. 76, 11.

[2] *J. Hanselmann/H. Hild/E. Lohse,* Was wird aus der Kirche? Ergebnisse der zweiten EKD-Umfrage über Kirchenmitgliedschaft, Gütersloh 1984, 151.

[3] Ebd., 152 (Tabelle).

mit dem Gottesdienst, wie sie zum Beispiel in der Studie von Andreas Feige „Erfahrungen mit Kirche" zusammengestellt sind, gleichen einem Lasterkatalog.[4] Im „Wort der Mitarbeiter der evangelischen Jugend an die Synodalen" der EKD-Synode 1980 wird dies so formuliert: „Viele von uns verstehen die althergebrachten Formen des Gottesdienstes nicht, wie auch die Sprache der Kirche nicht mehr verstanden wird. Sie drücken nicht das Lebensgefühl junger Leute aus. Dadurch sind viele ausgeschlossen."[5]

Anders verhält es sich mit den Erinnerungen an Freizeiten oder den kirchlichen Unterricht, die demgegenüber eine sehr positive Bewertung erhalten.[6] Ebenso zeigt sich auch eine gegenteilige Entwicklung beim Interesse Jugendlicher an Kirchen- und Katholikentagen. Beim Kirchentag sind die Teilnehmerzahlen von 1973 bis 1983 um das 15fache gestiegen, wobei die bis 24jährigen allein schon 66% der Besucher ausmachen.[7] Das Bild von Katholikentagen dürfte sich davon nicht wesentlich unterscheiden.

In der erwähnten Untersuchung von Feige wird die These vertreten, daß sich dieses widersprüchliche Bild am ehesten erklären läßt, wenn man unterstellt, daß bei den meisten Jugendlichen eigentlich zwei Bilder von Kirche bestimmend sind.[8] Auf der einen Seite gibt es das Bild von Kirche als einer „geschlossenen Gesellschaft", deren Erwartungen und Normen man sich nicht ganz entzieht, die man aber innerlich nicht akzeptieren kann. Deshalb bleibt man zu ihr auf Distanz. So sieht man sich nur in der Lage, seine „Zustimmung im Prinzipiellen" zu bekunden, ohne sich mit allem „Ballast" an Lehre und Tradition voll zu identifizieren. Aus kirchenamtlicher Sicht neigt man dann zu der Deutung, Jugendliche wollten im „definitorischen Niemandsland" bleiben und scheuten den bewußten Schritt zur Kerngemeinde.

Auf der anderen Seite scheint es aber aus der Sicht der Jugendlichen auch die Kirche zu geben, deren Begleitung man schätzt, sofern man sich mit seinen persönlichen Fragen darin wiederfinden kann, und deren Orientierungshilfe man vertraut, sofern auf Herrschaftsanspruch und versteckte Drohung verzichtet und der persönliche Entscheidungs- und Freiheitsspielraum nicht in Frage gestellt werden.

Dies könnte in der Tat erklären, daß man sich einerseits den Selbstverständlichkeiten kirchlich-religiöser Praxis – wie Taufe, Firmung oder Konfirmation – verpflichtet fühlt, ohne sich aber innerlich zu binden, daß man aber

4 *A. Feige,* Erfahrungen mit Kirche, Daten und Analysen einer empirischen Untersuchung über Beziehungen und Einstellungen junger Erwachsener zur Kirche, Hannover 1982, 106ff.

5 Jugend und Kirche, Materialheft zum Hauptthema der EKD-Synode November 1980 in Osnabrück (aej-Materialien 10), Stuttgart 1981, 26.

6 *A. Feige,* Erfahrungen mit Kirche, a.a.O., 13ff.

7 Vgl. dazu auch *T. Schmieder/K. Schuhmacher* (Hrsg.), Jugend auf dem Kirchentag, Stuttgart 1984, 18.

8 *A. Feige,* Erfahrungen mit Kirche, a.a.O., 156ff.

auf der anderen Seite, wenn es um die persönlichen Überzeugungen und Fragen geht, ein gewisses Maß an Distanz und Vorsicht gegenüber den vermeintlichen oder tatsächlichen Ansprüchen der Amtskirche braucht. Diese Spannung hat eine Reihe von Ursachen:

(1) Die Kirche ist ebenso wie Familie und Schule mit der Ablösung der Jugendlichen von den inneren Bindungen der Kindheitsphase und ihrer Neuorientierung konfrontiert. Kirche kann in die Reihe der Institutionen der Erwachsenengesellschaft eingereiht werden, die Jugendliche - vor allem solche, die sich stark an der Gleichaltrigengruppe und deren Musik- und Jugendkultur orientieren - in dieser Lebensphase aus Prinzip ablehnen. Auf der anderen Seite können auch unter dem Dach der Kirche oder im Bereich der Jugendarbeit solche Kontakte gefunden werden, die gerade die Ablösung vom Elternhaus ermöglichen bzw. Gegenerfahrungen schaffen.

(2) Im Verhältnis von Jugend und Kirche spiegelt sich auch die Spannung zwischen den Generationen. In der Diskussion um die neuen Jugendbewegungen wurde eine Skepsis unter Jugendlichen gegenüber Institutionen insgesamt beschrieben, weil sie die „alte Kultur" verkörpern. Dies wurde in der Jugendforschung mit der Gegenüberstellung von „materieller" und „postmaterieller Orientierung" zu beschreiben versucht.[9] In der Kirche findet sich dieser Konflikt auch in der Gestalt einer Auseinandersetzung zwischen Älteren als Hütern überkommener Frömmigkeitsformen auf der einen Seite und der Suche der Jüngeren nach neuen Ausdrucksformen zeitgemäßer Religiosität und jugendgemäßem Lebensgefühl andererseits. Hier findet dann zweifellos der Machtkampf darum statt, welches Maß an Tradition oder Offenheit erlaubt, gewünscht oder möglich ist.

(3) Drittens ist dies eng verflochten mit der Frage nach der Rolle der Kirche im Prozeß der fortschreitenden Säkularisierung. Die Kirche steht unter einem hohen Anpassungsdruck, nämlich den Herausforderungen der langsam schwindenden Mitgliederzahlen, des allmählichen Rückgangs ihres öffentlichen Einflusses, der neuen ethischen und globalen Probleme und den veränderten Anforderungen an ihre Struktur (z.B. im Hinblick auf Demokratisierung) angemessen gerecht zu werden. Diese Fragen stellen sich im Umgang mit Jugendlichen noch einmal mit besonderer Dringlichkeit. „Das Kommunikationsproblem, das die Institution Kirche unter den Bedingungen des volkskirchlichen Systems allgemein mit ihrer Mitgliedschaft hat, hat sie noch einmal mit der Jugend; es verdoppelt sich sozusagen im Verhältnis von Kirche und Jugend."[10]

In der Arbeit mit Jugendlichen spürt die Kirche am nachhaltigsten und elementarsten den Erwartensdruck, tragfähige und überzeugende Antwor-

[9] Vgl. dazu Jugendforschung in der Bundesrepublik. Ein Bericht des SINUS-Instituts im Auftrage des Bundesministers für Jugend, Familie und Gesundheit, Opladen 1984, 32ff.

[10] *J. Matthes,* Kirche und Jugend: Bundesrepublik Deutschland, (Manuskript) Bielefeld 1984, 12.

ten auf die Herausforderung der Säkularisierung zu geben oder - positiv gesprochen - den Chancen der Kirche angesichts der gegenwärtigen epochalen Perspektiven zu entsprechen.
(4) Nicht unabhängig davon zu sehen ist die Spannung zwischen Amtskirche und Basis, wie auch zwischen Amtskirche und Jugendverbänden - wobei zur Zeit auf katholischer Seite weitreichendere Konflikte anstehen als auf evangelischer Seite. Gesellschaftlich-politisches findet selten in den überkommenen kirchlichen Strukturen ausreichenden Raum. So entstehen gerade durch jüngere Leute engagierte Gruppen unter dem Dach, am Rand oder unabhängig von der offiziellen Kirche, die sich bewußt als christliche Initiativen verstehen, in Wahrnehmung christlicher Verantwortung für bestimmte aktuelle und konkrete Probleme, die aber selbst Bewegung bleiben und institutionelle Vereinnahmung auf alle Fälle vermeiden wollen. Denn jedes Engagement braucht seine eigene Sozialgestalt.
Die Beobachtungen im Hinblick auf die Spannungen zwischen Jugend und Kirche führen somit auf die Frage nach der Identität von Kirche, ihrer Sozialgestalt unter den Bedingungen der gegenwärtigen Gesellschaft und ihrer Lernfähigkeit und Veränderungsbereitschaft angesichts der offenkundigen Herausforderungen. Diese Frage wird man natürlich nur teilen können, wenn man die geschichtlich gewachsene Gestalt der Kirche hier und die Erwartungen und Hoffnungen Jugendlicher dort nicht als sich potentiell ausschließende Gegensätze versteht, sondern davon ausgeht, daß Kirche immer Kirche im Werden ist, also im Prozeß, sich selbst und ihren Auftrag besser zu verstehen und wahrzunehmen.

2. Jugendarbeit und Gemeinde

Wie ist der Ort der Jugendarbeit in diesem Spannungsfeld näher zu bestimmen?
Es dürfte hilfreich sein, einige Beobachtungen im historischen Rückblick festzuhalten.

2.1. Jugendverbände als freie Initiativen

In den vergangenen Jahrhunderten waren Familie und Schule tragende Säulen der christlichen Erziehung. Unter der Autorität eines umfassenden christlichen Erziehungssystems und gestützt durch die Verbindung von Kirche und Staat konnte sich die Kirche mit Unterricht und Konfirmation auf die Rolle der Bestärkung und Bestätigung beschränken, weil die Jugendlichen immer schon als christlich geprägte und unterrichtete Bürger aufwuchsen.[11]

Es ist deshalb verständlich, daß sich die Entstehung der Jugendarbeit im letzten Jahrhundert auf einer gänzlich anderen Schiene entwickelte. Bekanntlich war es ja nicht die Kirche als Institution, die sich zur Jugendarbeit entschloß, sondern es waren einzelne Christen, die aus persönlicher Motivation, meistens in Vereinsform, Angebote für Jugendliche machten. Es waren in den Anfängen Initiativen in den Bereichen von Mission und Diakonie, in denen diese Jugendverbände tätig wurden; bezeichnenderweise nicht im katechetischen Bereich.
Aus diesen geschichtlichen Wurzeln heraus erklärt sich, daß die Jugendarbeit andere Voraussetzungen hat als die unterrichtliche und katechetische Arbeit der Kirche. Dies zeigt sich auch heute noch darin, daß Erstkommunion und Konfirmation volkskirchlich fest verankert sind und von fast allen getauften Jugendlichen in Anspruch genommen werden; dagegen ist die Jugendarbeit in ganz anderer Weise „freiwillig". Sie wird nur von ca. 10 bis 20% dieser Jugendlichen wahrgenommen und scheint ihren „Vereinscharakter" im Bewußtsein der Kirchenmitglieder noch weitgehend behalten zu haben.

2.2. Die Verantwortung der Gemeinde für die Jugendarbeit

Die Verantwortung der Gemeinde für die Jugendarbeit ist geschichtlich gesehen gerade ein halbes Jahrhundert alt und steht in engem Zusammenhang mit der Auflösung der freien Jugendverbände im Dezember 1933. Obwohl es zumindest auf evangelischer Seite schon vereinzelt Jugendpfarrer vor dieser Zeit gegeben hat, ist doch die akzeptierte und rechtlich verankerte Wahrnehmung der Jugendarbeit durch verfaßte Kirche und Ortsgemeinde erst durch den Druck des Nationalsozialismus entstanden. In den „Grundsätzen der Vorläufigen Leitung der Deutschen Evangelischen Kirche für die Neuordnung der Jugendarbeit der Bekennenden Kirche vom 26. April 1935" heißt es: „Das Ziel ist ein einheitliches Jugendwerk der Kirche mit den Gliederungen, die sich aus sachlichen Notwendigkeiten ergeben. Dazu sind die verschiedenen bisherigen Jugendwerke zusammenzufassen zu einem einheitlichen männlichen und weiblichen Jugendwerk mit den entsprechenden Untergliederungen. Die sogenannte Zweigleisigkeit, d.h. das Nebeneinander von kirchenbehördlich angeordneter Jugendarbeit und der Jugendarbeit der freien Verbände, ist ebenso wie die Zweiteilung zu beseitigen, nach der die Jugendlichen unter 18 Jahren der kirchenbehördlichen Betreuung, die Jugendlichen über 18 Jahren der Betreuung der freien Verbände unterstellt sein sollen. Vielmehr ist ein dem Wesen der evangelischen Kirche entsprechender organischer Aufbau anzustreben."[12] Katholischerseits ent-

[11] Ebd., 10f.
[12] Zit. nach *O. Riethmüller,* Evangelische Jugendführung heute, Berlin 1936, 35.

spricht dieser Entwicklung die Gründung von Jugendämtern durch die Bischöfe mit rein „seelsorgerlichem" Arbeitsschwerpunkt sowie die 1936 erlassenen „Richtlinien für die Katholische Jugendseelsorge".
Die Entwicklung nach dem Zweiten Weltkrieg ermöglichte den Wiederaufbau der Jugendverbände, die unter den neuen Bedingungen als Ziel festhielten: „nicht organisierte Einheit, aber organische Gemeinsamkeit". Man knüpfte in beiden Kirchen an die verbandliche Tradition an, die 1933 unterbrochen wurde, gleichzeitig hielt man an der „zweiten" Struktur, d.h. der gemeindlich-kirchenamtlichen, fest.
Es ist deshalb verständlich, daß in dem Studiendokument der Vereinigten Evangelisch-Lutherischen Kirche Deutschlands (VELKD) 1963[13] die Hinführung und Beheimatung Jugendlicher in der Gemeinde als wesentliche Aufgabe beschrieben wurde. „Die Aufgabe einer neuen Orientierung ist allen Verbänden und Gruppierungen evangelischer Jugendarbeit gleichermaßen gestellt. Sowohl das Festhalten an traditionellen Arbeitsformen als auch die neuen Ansätze und Experimente wollen an dem gemeinsamen Auftrag gemessen sein: das Evangelium von Jesus Christus dem jungen Menschen in seiner jeweiligen Lebensentwicklung zu bezeugen und ihn in der Gemeinde des auferstandenen Jesus Christus zu beheimaten.
Daß die Notwendigkeit der Hinführung zur Gemeinde allgemein anerkannt wird, ist eine Frucht des Kirchenkampfes und erweist sich gegenwärtig als ein weiterführender Ansatz für einen sachgerechten Ausbau kirchlicher Jugendarbeit."
Christof Bäumler hat diesen Ansatz kritisch weitergeführt, wenn er unter Aufnahme von Karl Barths Kirchenlehre die Weitergabe des Glaubens in der Folge der Generationen (vgl. dazu Dtn 6,20) nicht als eine einlinige Belehrung verstanden wissen möchte, sondern als einen wechselseitigen Prozeß. Denn oft sind die Glaubensantworten „durch die schweigende Gegenpredigt" der gemeindlichen Erfahrungen Jugendlicher unglaubwürdig geworden.
„Von hier aus kann die Aufgabe kirchlicher Jugendarbeit so formuliert werden: Die Erwachsenen in der Gemeinde haben ihre heranwachsenden Gemeindeglieder befreiend und verbindend in die Wirklichkeit ihres Lebens zu begleiten, um sie in den ‚sachgemäßen Gottesdienst' (Röm 12, 1f.) in ihrem Alltag einzuüben."[14]
Jugendarbeit in der Gemeinde ist also wesentlich definiert durch die Weitergabe des Glaubens im wechselseitigen Dialog zwischen den Generationen.

[13] Abgedruckt in: *M. Affolderbach* (Hrsg.), Grundsatztexte zur evangelischen Jugendarbeit, Stuttgart/Gelnhausen 1982, 45ff. (Zitat: 47).
[14] *Chr. Bäumler,* Unterwegs zu einer Praxistheorie. Gesammelte Aufsätze zur kirchlichen Jugendarbeit 1963–1977, München 1977, 28.

„Grundformen dieser Begleitung werden deshalb das Gespräch und das Beispiel sein. Dem Gespräch fällt dabei die Aufgabe zu, die eigentlich bedrängenden und auch kritischen Fragen der jungen Generation zu Gehör zu bringen und das verantwortliche Zeugnis der Erwachsenen als Antwort herauszufordern."[15]

2.3. Jugendarbeit in einer „Kirche für andere"

Sowohl Kirche als auch Jugendarbeit sahen sich in den letzten Jahrzehnten vor der für sie neuen Aufgabe, ihren Ort in einer pluralistischen und demokratischen Gesellschaft zu bestimmen. Nicht zuletzt wirtschaftlicher Aufschwung und industrielle Entwicklung haben einen Prozeß der Säkularisierung gefördert. Für gemeindliche und verbandliche Jugendarbeit entstand eine Vielzahl neuer Aufgabenbereiche, die weniger aus einem zentralen theologischen Selbstverständnis erwuchsen, sondern mehr aufgrund von Aufgaben, die „vor den Füßen" lagen. Dies trifft für die Angebote der Offenen Türen in der Nachkriegszeit zu, wie für Lehrlingswerkstätten, Arbeitslosenprojekte usw., die teils von Kirchengemeinden, teils überörtlich und überregional, aber eben „kirchenamtlich" getragen werden. Auf eine sich differenzierende Gesellschaft reagierten Kirche und Jugendarbeit mit einem sehr differenzierten Angebot für bestimmte Zielgruppen, Bedürfnisse und Problemlagen.
Diese Situation machte es notwendig, Jugendarbeit im Kontext von Kirche und Gesellschaft neu zu durchdenken. Bäumler versuchte dies im Rückgriff auf Dietrich Bonhoeffer, der bereits zur Zeit des Dritten Reiches die Rolle des Christentums in einem religionslosen Zeitalter zu durchdenken begonnen hatte. Bonhoeffer hatte seine Überlegungen zur Lehre von der Kirche aus der Christologie abgeleitet. „Kirche ist nur Kirche, wenn sie für andere da ist", wenn sie also „nicht herrschend, sondern helfend und dienend" am menschlichen Gemeinschaftsleben teilnimmt und deutlich macht, „was ein Leben mit Christus ist, was es heißt, ‚für andere dazusein'."[16] Bäumler formuliert dies so: „Mit sich selbst beschäftigte Gemeinden halten sich für die Hüterinnen ewiger Ordnungen und neigen dazu, die bestehenden Verhältnisse zu rechtfertigen. ‚Gemeinden für andere' verstehen sich als Zeugen der kommenden Gottesherrschaft und sind in Hoffnung auf ihre Vollendung an der Veränderung ungerechter gesellschaftlicher Verhältnisse beteiligt. Nur durch sie kann verwirklicht werden, was auf Synoden und Kirchentagen seit 1945 ständig gefordert wurde: die Glieder der christlichen Gemeinden sollen als mündige Christen in einer mündigen Gesellschaft leben."

[15] VELKD-Studiendokument, a.a.O., 48f.
[16] Zit. nach *Chr. Bäumler*, Unterwegs zu einer Praxistheorie, a.a.O., 55; Zitat: ebd.

In diesem Sinn ist Jugendarbeit nicht an den Grenzen, sondern an der Sendung der Gemeinde in die Welt orientiert. Sie hat nicht nur Anteil an dieser Aufgabe, sondern ist für die Gemeinde das „Experimentierfeld", auf dem diese immer wieder neue Aufgabe erprobt werden kann.

2.4. Jugendarbeit als Basisgemeinde

Es ist durchaus konsequent, daß Jugendarbeit sich nicht nur – oder weniger – durch ihre hinführende und integrierende Funktion definierte, sondern durch ihre kirchenkritische und avantgardistische Funktion. Beginnend Ende der 60er Jahre entstanden im Raum der Jugendarbeit zahlreiche Initiativen, die an sehr konkreten Beispielen die gesellschaftliche und ethische Verantwortung exemplarisch wahrnahmen und Kirchenleitungen, staatliche Entscheidungsgremien und die Öffentlichkeit auf Probleme hinwiesen und auf Lösungen drängten. Dritte-Welt-Gruppen, Friedensinitiativen, ökumenische Gruppen u. a. knüpften zum Teil an die Traditionen der Basisgemeinden und deren Betonung des prophetischen Auftrags der Kirche an. Unabhängig von den Rücksichtnahmen und Verflochtenheiten der Amtskirche wird hier versucht, parteilich zu sein für Unterdrückte und Benachteiligte und die christliche Botschaft mit den Augen der Armen besonders in der Dritten Welt zu lesen. Dieses Modell von Gemeinde, das spirituelle Praxis und politisches Engagement aus christlicher Verantwortung verbindet, ist ein Leitmotiv auch für viele Gruppen aus dem Bereich der Jugendarbeit. Das erwähnte Interesse Jugendlicher an Katholiken- und Kirchentagen, die ja besonders solchen Initiativgruppen Raum lassen, basiert auf der Erwartung und der Hoffnung auf eine moralisch, ethisch und spirituell engagierte Kirche und nicht einer, die lediglich Religion und kirchliche Dienstleistungen verwaltet.

2.5. Jugendarbeit und Gemeindepädagogik

Unter dem Eindruck einer zunehmenden Spezialisierung kirchlicher Arbeit sind in den letzten Jahren in der evangelischen Kirche Überlegungen zur sogenannten „Gemeindepädagogik" entstanden[17], die teilweise an frühere Überlegungen zum Gesamtkatechumenat anknüpfen. Die Gemeinde soll für alle Generationen neu als ein Ort gemeinsamer Erfahrung und gemeinsamen Lernens entdeckt werden. Die Orientierung an menschlichen Beziehungsgeflechten im Nahbereich, an elementaren und symbolischen Lebensformen soll angesichts einer fortschreitenden Auszehrung der Volkskirche

17 Kammer der EKD für Bildung und Erziehung, Zusammenhang von Leben, Glauben und Lernen. Empfehlungen zur Gemeindepädagogik, Gütersloh 1982.

ein Netzwerk gemeindlicher Begleitung vor Ort sicherstellen. Neben dem Bezug auf den reformatorischen Gedanken vom Priestertum aller Gläubigen steht hierbei im Hintergrund das - im deutschen Sprachraum vor allem von Karl-Ernst Nipkow[18] entfaltete - Modell der persönlichen und religiösen Stationen innerhalb der Lebensgeschichte. Die Jugendphase wird dabei als eine eigenständige und biographisch zentrale Phase beschreiben.
Dieses Modell, das weniger im Bereich der Jugendarbeit als vielmehr im Bereich von Religionspädagogik und kirchlicher Bildungsplanung entstanden ist, versucht, den Bereich der Jugendarbeit einzubeziehen, ohne daß die Eigengesetzlichkeiten und gewachsenen Strukturen und Traditionen ausreichend bedacht würden.

3. Probleme und Perspektiven

3.1. Bestätigung und Gewinnung

Die bereits oben angedeutete epochale Veränderung im Hinblick auf die Verankerung der Kirche und der religiösen Sozialisation in unserer Gesellschaft bedeuten auch eine Veränderung der Funktion von Jugendarbeit. Die Beobachtung von Joachim Matthes, daß die kirchliche Arbeit mit Jugendlichen sich von einem Vorgang der Bestätigung zu einem der Gewinnung gewandelt hat bzw. wandelt[19], trifft auch auf die Jugendarbeit zu. Der Traditionsbruch sowohl in der Familie als auch in der Öffentlichkeit zwingt die Jugendarbeit dazu, von weniger Voraussetzungen an biblischem Wissen und Vertrautheit mit christlichen Lebensformen auszugehen. Die Bemühungen um eine elementare Theologie, um „Kurzformeln des Glaubens“ und ganzheitliche Formen geistlichen Lebens versuchen dieser Situation gerecht zu werden. In diesem Sinne ist stärker noch als vor einigen Jahrzehnten eine „missionarische Grundsituation“ gegeben.
Erfahrungen aus der evangelischen Jugendarbeit in der DDR zeigen, daß dort der Prozentsatz der Jugendlichen deutlich angewachsen ist, der sich bewußt der Jungen Gemeinde anschließt, ohne im eigenen Elternhaus eine christliche Sozialisation erhalten zu haben. Dies wird als Bereicherung und Chance empfunden, Selbstverständliches neu zu durchdenken oder kritisch zu befragen. Mittelfristig wird der Wandel der Volkskirche in der Bundesrepublik in eine ähnliche Richtung weisen und veränderte Anforderungen an kirchliche Jugendarbeit stellen.

[18] Vgl. auch *K. E. Nipkow,* Grundfragen der Religionspädagogik. Band 3, Gütersloh 1982, 45–138.
[19] *J. Matthes,* Kirche und Jugend: Bundesrepublik Deutschland, a.a.O.

3.2. Kirche als Lerngemeinschaft

Daß Jugendarbeit zu den zentralen Aufgaben der Kirche gehört, ist durch zahlreiche und wiederholte Aussagen von Synoden belegt. Doch ist die Anerkenntnis der Jugendarbeit wie auch der Jugendlichen als Subjekte von Kirche und Gemeinde keineswegs überall selbstverständlich. Wenn Jugendarbeit Grundfunktion der Kirche ist, dann muß Jugendlichen nicht nur Raum, Mitarbeiter und Zeit gewährt werden, sondern es muß auch im Hinblick auf Strukturen, Atmosphäre und Kommunikationsstil der Gemeinden erkennbar sein, daß Jugendliche nicht nur geduldet werden, sondern ihre Mitarbeit und Mitverantwortung erwünscht ist und gefördert wird. Dies setzt die Bereitschaft zu einem partnerschaftlichen Umgangsstil und zu „symmetrischen Kommunikationsstrukturen“[20] voraus. In dem erwähnten „Wort der Mitarbeiter“ heißt es: „. . das Gefälle von Autorität, Geld und Einfluß zerstört Vertrauen.“[21]

Wenn sich die Kirche als Lerngemeinschaft[22] versteht, die gemeinsam auf die christliche Botschaft hört und diese in ihren Konsequenzen stets neu zu verstehen sucht, wird der Generationendialog nicht nur Belehrung einer Generation durch die andere sein, sondern zu einer Verständigung über gemeinsame Fragen aus unterschiedlicher biographischer Betroffenheit beitragen. Matthes hat dies folgendermaßen zugespitzt: „Kirchliche Jugendarbeit sollte sich nicht an dem Grundsatz orientieren, im ‚Raum‘ der Kirche die typische jugendliche Gruppenstruktur unter Gleichaltrigen zu verdoppeln, sondern vielmehr - kontrafaktisch - gerade auf den intergenerationellen Kontakt abheben, der gesamtgesellschaftlich so prekär geworden ist und in der Lebenslaufphase, die wir Jugend nennen, heute so weitgehend reduziert wird, daß darunter eben das künftige Verhältnis der Generationengruppen zueinander immer mehr zu leiden droht. Reine Gruppenarbeit unter Jugendlichen wird den Chancen im Verhältnis von Kirche und Jugend weniger gerecht als offene Formen des gottesdienstlichen Geschehens, die den Besonderheiten des ‚jugendlichen Geistes‘ gerecht werden und ihn dennoch über sich selbst hinauszuführen verstehen. Auch das über die Generationsgrenzen hinausreichende seelsorgerliche Handeln, insbesondere unter Einbeziehung der Herkunftsfamilie, dürfte angemessener sein als die kirchliche Kultivierung jugendlicher Gruppenorientierung als Selbstzweck.“[23]

[20] Vgl. dazu die Untersuchung von *G. Czell,* Lernfeld Gemeinde. Sozialisation durch Jugendarbeit (aej-Studienband 5), Stuttgart 1982.

[21] Jugend und Kirche, a.a.O., 26.

[22] Vgl. dazu auch die Ausführungen von *L. Boff,* Kirche: Charisma und Macht, Düsseldorf 1985, 242–250.

[23] *J. Matthes,* a.a.O., 15.

3.3. Jugendarbeit in der Kirche – Jugendarbeit als Kirche?

Es scheint problematisch, über die angesprochenen Aspekte hinaus nach einer eigenen ekklesiologischen Begründung kirchlicher Jugendarbeit zu suchen. Die Aufgabe von Jugendarbeit darf nicht auf eine bestimmte Funktion – z.B. die katechetische – begrenzt werden, denn damit würde sie sich selbst als ein ganzheitliches Angebot an den Jugendlichen als ganze Person unglaubwürdig machen. Ebensowenig darf ihre relative Selbständigkeit und Eigenverantwortlichkeit in Frage gestellt werden, die aus ihrer Geschichte erwachsen ist und auch in den gegenwärtigen Organisationsformen zum Ausdruck kommt. Erst recht ist es nicht legitim, Jugendarbeit als „ekklesiologisch defizitär" anzusehen und ihr das Kirche-Sein abzusprechen; denn sie hat an allen Aufgaben der Kirche nach ihren Möglichkeiten teil.
Die historisch entstandene Selbständigkeit der Jugendverbände hat schon oft den Effekt gehabt, daß die Kirche auf wichtige, von ihr selbst nicht wahrgenommene Aufgaben hingewiesen worden ist. Die Entstehung von Initiativgruppen unter dem Dach oder am Rande der Kirche in den letzten Jahren sind in ihrer Funktion nicht anders zu sehen. Sie nehmen zum großen Teil Aufgaben wahr, die die Kirche noch nicht oder aus strukturellen oder kirchenpolitischen Gründen nicht wahrnimmt. Dies wird als Bereicherung und Herausforderung zu verstehen sein, was aber auch die wechselseitige Bereitschaft zu Kritik und gegenseitigem Austausch voraussetzt.

3.4. Jugendarbeit als differenziertes Angebot

Unter den gegenwärtigen Bedingungen einer Volkskirche wird Jugendarbeit die Gestalt eines differenzierten Angebotes haben, und zwar sowohl in unmittelbarer Trägerschaft der Ortsgemeinde als auch in überregionalen Trägerschaften:

- Jugendliche brauchen einen Treffpunkt, an dem sie sich mit Gleichaltrigen zusammenfinden können, ohne unter den Zwang von Leistungsanforderungen oder Profitinteressen zu geraten (Treffpunktfunktion der Gemeinde).
- Jugendarbeit bietet in Gottesdiensten, Bibelkreisen, Seminaren, Freizeiten u.ä. Informationen zum christlichen Glauben und Möglichkeiten zur Teilhabe am geistlichen Leben einer Gemeinschaft.
- Kontakte zu Mitarbeitern und Gleichaltrigen ermöglichen eine seelsorgerliche Begleitung zur Gewinnung einer eigenen stabilen Identität und in Situationen persönlicher Krisen und Belastungen.
- Jugendarbeit soll die gesellschaftliche Eingebundenheit des einzelnen deutlich machen und zu kritischem und verantwortlichem Urteilen und Handeln als mündiger Christ und Bürger befähigen.

- Jugendarbeit ist diakonisches Handeln, das sich an den sozialen Problemen Jugendlicher orientiert und (exemplarische) Hilfe anbietet.

Diese Aufgaben haben keine vor- oder nachgeordnete Rangfolge, sondern sind gleichwertig und gleichgewichtig. Denkmodelle, die zwischen „Vorhof" und eigentlicher Arbeit unterscheiden oder sich an einer „Jugendpastoral der konzentrischen Kreise" orientieren, laufen Gefahr, die Jugendlichen in eine Gruppe erster und eine zweiter Wahl einzuteilen oder seelsorgerliche gegen diakonische Begleitung aufzurechnen.

3.5. Jugendarbeit angesichts der ökumenischen Herausforderungen

Es ist vielfach belegt worden, daß für Jugendliche heute die Konfessionalität eine sehr untergeordnete Rolle spielt gegenüber der Frage, was es bedeutet, heute Christ zu sein. Die Konfession bildet in seltenen Fällen noch Barrieren, sei es bei Freundschaften zwischen Jugendlichen, bei Partnerwahl oder in verschiedenen Formen der Zusammenarbeit. Nicht nur aufgrund dieser Entwicklung, sondern auch in deutlicherer Bewußtheit der gemeinsamen Glaubensgrundlage der christlichen Kirchen ist die ökumenische Zusammenarbeit in vielen Bereichen selbstverständlich geworden. Dies bedeutet aber nicht eine Nivellierung der spezifischen Traditionen und Überzeugungen, sondern kann gerade im Austausch helfen, die eigene konfessionelle Prägung besser zu verstehen und schätzen zu lernen.

Darüber hinaus ist zu sehen, daß wir heute in der Bundesrepublik in einer multikulturellen Gesellschaft leben, in der nicht nur verschiedene Volksgruppen, sondern auch verschiedene christliche Konfessionen neben anderen Religionsgemeinschaften leben. Die Frage nach einem konstruktiven Zusammenleben und förderlicher Zusammenarbeit stellt sich nicht nur auf der Ebene der Kirchen- und Gemeindeleitungen, sondern gerade vor Ort, z. B. im Miteinander von protestantischen oder katholischen Jugendlichen mit orthodoxen oder muslimischen Jugendlichen im Jugendhaus.

Gerade hier haben sich für Gemeinde und Jugendarbeit neue Aufgaben gestellt, die es notwendig machen, der Verankerung der Ortsgemeinde in der Kommunalgemeinde und dem Verhältnis von kirchengemeindlicher Arbeit und Gemeinwesenarbeit und Initiativen vor Ort noch mehr Aufmerksamkeit zu schenken.

Literatur

Affolderbach, Martin, Konflikte in der Ortsgemeinde, in: ders., (Hrsg.), Praxisfeld Kirchliche Jugendarbeit, Gütersloh 1978, 21–34 (Gütersloher Verlagshaus).

Bleistein, Roman, Die jungen Christen und die alte Kirche, Freiburg 1975 (Herder).

Czell, Gernot, Lernfeld Gemeinde. Sozialisation durch Jugendarbeit, Stuttgart 1982 (aej).

Feige, Andreas, Erfahrungen mit Kirche. Daten und Analysen einer empirischen Untersuchung über Beziehungen und Einstellungen junger Erwachsener zur Kirche, Hannover 1982 (Luth. Verlagshaus).

Hanselmann, Johannes/Hild, Helmut/Lohse, Eduard, Was wird aus der Kirche? Ergebnisse der zweiten EKD-Umfrage über Kirchengemeinschaft, Gütersloh 1984 (Gütersloher Verlagshaus).

Mette, Norbert, Jugend und Kirche. Sozialisationstheoretische und religionspädagogische Überlegungen, in: Religionspädagogische Beiträge 14/1984, 2–16.

Heinz-Günther Stobbe

Kommunikation

Etude Nr. 1

Schon Kinder und Jugendliche verstehen sich heutzutage bestens auf den Umgang mit Kommunikationssystemen; Wirtschaftsmanager und Behördenleiter wiederum üben den Umgang mit ihren Untergebenen bei teuren Kommunikationstrainings; Städte und Gemeinden dagegen wollen den Umgang ihrer Bürger miteinander durch den eifrigen Bau von Kommunikationszentren fördern; Philosophen und Theologen zerbrechen sich den Kopf wegen einer eigentümlichen Fähigkeit der Menschen, die sie, etwas spröde, ‚Kommunikative Kompetenz' nennen; und obendrein soll nun im folgenden Artikel erläutert werden, was Kommunikation mit kirchlicher Jugendarbeit zu tun hat. – Kurzum: Kommunikation gibt es offenbar überall, und sie scheint ziemlich wichtig zu sein. Da wundert es einen nicht, wenn ein bekannter Soziologe schreibt: „Ohne Kommunikation gibt es keine menschlichen Beziehungen, ja kein menschliches Leben."[1] Wenn das stimmt, kann man auch, ohne zu übertreiben, mit einem berühmten Philosophen, der darüber viel nachgegrübelt hat, sagen: „Alles, was wir sind, sind wir in Kommunikation."[2]

Wahrscheinlich liegt es dann irgendwie an dieser merkwürdigen Allgegenwart von Kommunikation, daß ‚Kommunikation', obwohl bis noch vor wenigen Jahrzehnten im Deutschen wenig gebräuchlich und kaum heimisch[3], mittlerweile zu einem richtigen Allerweltswort geworden ist, bei dem sich anscheinend jeder etwas anderes vorstellt. Da gibt es, nur einmal als Beispiel, welche, die verstehen das Wort als ein „Code-Wort für ‚Zwischen-Menschlichkeit'"[4], was doch recht positiv klingt, aber ein anderer hält es für ein echtes „Schlagwort", „mit dem man nicht mehr ficht, sondern schlägt im Wortgefecht: ein Zu- und Totschlagwort."[5] Woraus man lernen

[1] *N. Luhmann,* Soziologische Aufklärung 3. Soziales System, Gesellschaft, Organisation, Opladen 1981, 25.

[2] *K. Jaspers,* Philosophische Logik, Erster Band: Von der Wahrheit, München 1958, 378.

[3] Vgl. dazu: *H. Saner,* Kommunikation – begriffsgeschichtlich, in: W. Ch. Zimmerli (Hg.) Kommunikation. Codewort für Zwischen-Menschlichkeit, Basel/Stuttgart 1978, 196–202, dort 197/198.

[4] Vgl. den Titel des in Anm. 3 genannten Buches.

[5] So *W. Ch. Zimmerli* in seinem einleitenden Beitrag: „Von der Fähigkeit und Unfähigkeit zu kommunizieren", in: a.a.O., 7–10, dort 7.

kann: Wer Mord und Totschlag vermeiden will, sollte tunlichst ganz klar sagen, was er genau meint, wenn er ‚Kommunikation' sagt, weil das die gesunde Kommunikation ungemein erleichtert.
Leider hört sich das einfacher an, als es ist. Denn um klar über Kommunikation reden zu können, muß man vorher klar wissen, was Kommunikation überhaupt ist. Jedenfalls meinen das viele Leute mit philosophischen Neigungen, die dann gleich unschuldig fragen: „Was ist denn nun eigentlich Kommunikation?" und oft hintersinnig hinzufügen: „ihrem Wesen nach" oder: „als solche und an sich". - Darauf muß dir erst einmal eine vernünftige Antwort einfallen!
Vielleicht sollten wir es vorschlagsweise etwa mit der folgenden probieren: „Die Kommunikation des Daseins ist die das Dasein in Gegenseitigkeit erhaltende und fördernde Gemeinschaft."[6] Was, simpel gesagt, bedeuten soll, Kommunikation sei „das Miteinander von Mensch zu Mensch."[7] - Das wirkt mächtig eindrucksvoll, überzeugend und vor allem: so beruhigend. Man darf bloß nicht zu viele dämliche Rückfragen stellen, die einen wieder völlig durcheinanderbringen. Zum Beispiel die: Heißt das, daß Tiere nicht miteinander kommunizieren (können)? Falls das jemand ernsthaft glaubt, muß er schon eine schlaue Erklärung dafür finden, was die Schimpansen im Zoo miteinander treiben. Empfehle, sich das einmal richtig in Ruhe reinzuziehen. Ist echt tierisch gut. Sieht jeder: klarer Fall von „Biokommunikation"[8]. - Oder, wie steht es mit der Frage: Können Menschen und Tiere kommunizieren? Klaro. Warum sonst wedelt wohl der Dackel von nebenan wie ein Irrer mit dem Schwanz, wenn ihn seine alte Dame anquasselt? - Na, und dann erst das neueste Ei: ‚Mensch-Maschine-Kommunikation'[9]. Kann fast jeder Knirps in der Computerabteilung im Kaufhaus mit links abziehen, läßt sich aber verdammt schwer packen, terminologisch sozusagen, wenn du dich vorneherein total auf menschliche Kommunikation festnagelst. Schnürt einen richtig ein die Idee, ganz böse Restriktion das.
Also, vielleicht lassen wir diese Was- und Wesens-Fragen besser völlig unter den Tisch fallen und gehen die Sache cool an, gewissermaßen angelsächsisch: bescheiden und pragmatisch. Indem wir ungefähr so überlegen: Wie definieren wir den Begriff ‚Kommunikation' am besten, damit wir möglichst reibungslos kommunizieren können? - Definieren ist irgendwie Spitze. Nämlich, du kannst dir dic Klamotten zurechtlegen, wie es dir in den Kram paßt. Oder wenigstens ungefähr. - Du steigst also ein, indem du frechweg

6 *K. Jaspers,* a.a.O., 375.
7 *K. Jaspers,* Philosophie, Berlin/Göttingen 1948, 338.
8 Vgl. *G. Tembrock,* Biokommunikation. Informationsübertragung im biologischen Bereich, Reinbek-Hamburg 1975.
9 Vgl. *Arno Bammé u. a.,* Maschinen-Menschen, Mensch-Maschinen. Grundrisse einer sozialen Beziehung, Reinbek-Hamburg 1983.

definierst: „Unter ‚Kommunikation' will ich im weiteren das und das verstanden wissen." Das wars schon. Du machst deine Klappe wieder zu, und dann hältst du dich halbwegs an den Schmus, den du da verzapft hast, wenn du sie wieder einmal aufreißt. Klappt unheimlich gut: Kein Schwanz versteht dich mehr miß, und Kommunikation läuft wie geschmiert, bis... Ja, bis irgend so ein Pfeifenkopf mit *seiner* Definition angeschwirrt kommt. Haben natürlich schon eine Masse anderer Folks raus, den Dreh mit Definieren. Logo. Ergo gibt's eine Masse verschiedener Definitionen, mindestens 160 (in Worten: einhundertundsechzig), sagt der Klaus Merten.[10] Und der hat echt Kenne davon. - Also nix mit reibungslose Kommunikation. „Die Folge der interdisziplinären Orientierung der Kommunikationsforschung", schreibt die Schoch, Agnes, „sind eine höchst uneinheitliche Nomenklatur und ungewöhnlich divergierende Beschreibungen gleicher Sachverhalte."[11] Die hat's erfaßt, genau. - Und was wird? Alles kracht zusammen, die ganze Kommunikation mit ‚Kommunikation' und über Kommunikation und über ‚Kommunikation'. Macht einen völlig down. Ehrlich.

Etude Nr. 2

Der Schlamassel mit die Definitionen kommt wahrscheins auch von da weg, daß die Jungs, die was Vernünftiges über Kommunikation checken wollen, auf die Art ihren Schotter ranschaffen. Kannst du echt von ausgehen. Ist nämlich harte Maloche, sich ewig was abquetschen müssen, und dabei noch schriftlich, meistens. Wegen dem produzieren die auf Deubelkommraus Kommunikationstheorien - wie Ulli seine Reibekuchen in der Frittenbude. Bergeweise. Und obendrauf noch einen Haufen Kommunikationsmodelle. Stückers zwölf oder mehr Modelle gibt's, meint der Lerg und der Dings, der Zerfaß.[12] Da kriegst du echt zuviel. Nur Komplexität, Komplexität. Bis du einen Komplex hast. - Aber nützt alle nix. Durch den Berg mußt du dich durchfressen. Oder gegen anrennen. Reduktion von Komplexität, zack, zack. Wer sich nicht wehrt, lebt verkehrt, sagt meine Oma. Außerdem ist sowieso alles schwer relativ. Du denkst wohl, Kommunikation, die gibt's so einfach. Denkste. Kommt alles drauf an, von wo du dir den Spaß anschaust. Und mit welcher Brille auf. Jeder trägt eine Brille, sagt meine Oma, und mit der sieht er eh bloß, was er eben sehen will. Ist doch logo. Und eine Theorie, kann man

10 Vgl. *K. Merten*, Kommunikation. Eine Begriffs- und Prozeßanalyse, Opladen 1977 (=Studien zur Sozialwissenschaft Bd. 35) 168–180.

11 *A. Schoch*, Vorarbeiten zu einer pädagogischen Kommunikationstheorie, Frankfurt/Main 1979, 7.

12 Vgl. *W.B. Lerg/R. Zerfaß*, Modelle der Kommunikation, in: verkündigen 3. Jahrbuch der Arbeitsgemeinschaft katholischer Homiletiker 1971, Stuttgart 1972, 17–47, dort 20.

sagen, ist praktisch eine Brille. Manche Sachen siehst du damit scharf, dafür andere so nebelig. Trotzdem läuft nix ohne Theorie, weil ohne bist du blind. Tatsache. Ergo braucht jeder eine Brille. Du auch, sagt meine Oma, da mußt du mit leben lernen. Sonst fehlt dir der Durchblick.

Etude Nr. 3

Stell dir vor, du stehst vor einem Wahnsinnsberg von Theorien, alle irgendwie über Kommunikation, und mußt dir die in die Birne knallen. - Was der Quatsch soll? Also dann stell mal deine Lauscher steil auf: „Pädagogik, Psychologie, Soziologie, Linguistik, Psychiatrie, Nachrichtentechnik, Informationstheorie, Wirtschaftswissenschaft, Medienforschung und, nicht zuletzt, die Philosophie stellen sich heute die Aufgabe, kommunikationstheoretische Fragen zu beantworten."[13] Jetzt fallen dir fast die Ohren ab, was? Aber genauso sieht's nämlich aus. Düster, düster. Und wie steigst du durch den ganzen Theoriekrempel durch? Indem du reduzierst wie verrückt. Komplexitätsreduktion durch Typisierung, so heißt die Parole. Du machst einen Vergleich wie beim Pepsi-Test, packst ähnliche Theorien in einer Gruppe zusammen. Dann läßt du bei jeder Gruppe weg, was nix Besonderes ist - und fertig ist ein Typus.

Du kannst dir aber auch die Mühe sparen, und dir von jemandem eine Typologie organisieren, der Ahnung hat. Zum Beispiel vom Holder. Der hat vier Typen von Ansätzen in der Kommunikationsforschung auseinanderklammüsert: den kybernetischen, den pragmatischen, den psychoanalytischen und den interaktionstheoretischen.[14] - Hört sich schon einfacher an als vorher, oder? Aber im Prinzip kommst du auch mit zweien aus, nämlich mit dem kybernetischen und dem pragmatischen. Damit bringst du's voll, du brauchst dir bloß zu merken, daß die Kybernetiker sich um alles kümmern, was irgendwie nach Informationsaustausch riecht, egal, ob in die Natur, bei uns zuhaus oder in einer Fabrik, wo als einzigste so Roboter rumgurken zum malochen. Kommt für die ziemlich aufs Gleiche raus, weil, das läßt sich alles steuern und regeln. Oder es läßt sich so tun, als ob, und wenns richtig fluppt, dann flippen die aus. Total high. High technology eben. Kleiner Scherz am Rande, Harrharrharr. - Aber weiter im Text: Als letztes mußt du dir eintrichtern, daß die Pragmatiker gegen die Techno-Heinis sind. Die stehen voll auf Humankommunikation, fahren auf nix anderes ab. Übrigens, das sind die mit der kommunikativen Kompetenz von vorhin. Soll jeder haben, spürst du aber nix von. Muß man extra rekonstruieren mit rekonstruktive Theorien.

[13] *A. Schoch,* a.a.O., 7.
[14] *J. Holder,* Kommunikation, Wiesbaden 1975 (=Theorie und soziale Praxis Bd. 2).

Unsereins kanns ja egal sein, Hauptsache man hats. Und ein paar von denen suchen wie bekloppt die ideale Sprechsituation, wo die ideale Kommunikationsgemeinschaft herrschen tut. Da werden die echt lang suchen nach, echt. Wo die wohl sein soll. Vielleicht, wenns hoch kommt, beim Schwoofen. Aber sonst? Im Jugendheim läuft jedenfalls todsicher nix in der Richtung. Bloß Rambozambo. Ist auch Kommunikation, klar, aber was für eine! – Unser Kaplan, der was frisch von der Uni weg kommt, der meint letzten Sonntag bei der Predigt, die Kirche, das wär praktisch die ideale Sprechsituation. Na da wüßt ich aber von. Vielleicht für den, weil er andauernd quasseln kann bei der Predigt. Aber sonst. Wär auch wie im Paradies, die ideale Kommunikationsgemeinschaft. Oder im Himmel. Aber ernsthaft.

Etude Nr. 4

Also das eine steht fest: Wenn du Jugendarbeit machst, bleibst du auf dem Teppich. Eisern. Weil wenn du abhebst, kommunikationstheoretisch oder so, holt dich die nächste Gruppenstunde wieder runter. Immer dran denken, nie davon sprechen. Keiner darf dir was anmerken, daß du alles total blickst mit der Kommunikationstheorie, alles analysieren kannst, wie das läuft und so. – Zum Beispiel: Du trabst locker am Samstag im Jugendheim an und hast Bock auf kickern. Da hängt so eine Pflaume am Gerät und macht dich an. Ballert dir sofort eine voll aufs Sehrohr. Ohne irgendeinen Ton. Dann ist das jetzt praktisch, wenn du das analysieren tust genau, dann ist das eine astreine nonverbale Face-to-face-Kommunikation, wo du mit deinem edlen Pokerface der Empfänger bist und dieser Blödmann der Sender, und das Veilchen, das du morgen hast, mitsamt dem, was dir im ersten Moment im Kopf rumschwirrt, ist die kommunikative Wirkung. Kommunikationstheoretisch ist sein Arm auch kein Arm, sondern der Kanal, durch den er seine Nachricht an dich rüberbringen will. Und was will der Knallkopp von dir? Er will dir zeigen, daß er der Größte ist. Das ist seine Message. Oder er will seiner Alten imponieren, die auch so eine trübe Tasse ist. Kennst du doch. Jedenfalls hat der Typ eine klare Intention, und die muß raus. Aber anstatt sein Gebiß auseinanderzuklappen und einfach verbal auszuspucken: „Ich bin der Größte“, knallt er dir eine. Das nennt man Codierung. Er knallt dir eine, weil er denkt, das gehört sich so, wenn man zeigen will, daß man der Größte ist, damit's aber auch alle schnallen. Deswegen meint er, das wäre der richtige Code. – Jetzt kannst du natürlich sagen, der ist total behämmert. Aber vielleicht ist er bloß eine arme Sau, die nix anderes gelernt hat als Kloppen. Wenn du wo her kommst, wo das Sitte ist, da hast du mirnix dirnix so einen restringierten Code weg, und bloß, weil sie dir zuhause immer eingebimst haben, du sollst labern und labern, ganz gleich, was passiert, und du dadurch einen schwer elaborierten Code hast, deswegen bist du noch lang nicht besser drauf wie der. Der denkt wahrscheins von dir auch, daß du so eine milieugeschädigte Krücke bist. Typischer Oberschichtheini oder so. Kann echt sein, oder?

Das sind so ungefähr die Faktoren, auf die du unheimlich aufpassen mußt. Von denen gibts irre viel, und wenn du die alle auf ein Papier aufmalst, schöne Kästchen drumrum machst und massig Pfeile dazwischen, dann hast du praktisch ein Kommunikationsmodell, das dir zeigt, wo es lang geht. Am besten, du nimmst Filzschreiber, bunte. Dann malst du alle connections, die du im Jugendheim hast, farbig, die guten und die schlechten, bis dein Diagramm so kompliziert ist wie es in echt ist und du wie in echt den Überblick verlierst. Mach dir nix draus. Das ist Wissenschaft. Tatsache.

Etude Nr. 5

Kennst du den? Kommt ein Kaninchen zu einem Hofhund gehoppelt und fragt ihn: Sach ma, hattu Probleme? Muttu kommunizieren! Oder hattu Kommunikationsprobleme? Muttu noch mehr kommunizieren! – Findst du nicht komisch? Na gut, ist aber trotzdem so. Wie sprach doch dereinst der gute alte Charly Jaspers so richtig: „Alles, was ist, ist in irgendeinem Sinne in der Kommunikation, das Nichtige und Verkehrte in einer nichtigen und perversen Kommunikation. Alle Probleme zeigen sich uns erst in der Kommunikation, und zwar so, daß sie als sie selber durch Kommunikation bestimmt sind und ohne Kommunikation ihr Sinn verlorengeht."[15] Uffz. Der hat vielleicht eine Schreibe drauf. Bis du dich da reingefummelt hast, glühen dir echt die Ohren. Recht hat er trotzdem. Weil, irgendwie kommunizierst du immer, da kannst du dich drehen und wenden, wie du willst und magst. – Also zum Beispiel gestern: Du bist unheimlich schlecht drauf, weil dich deine Alte versetzt hat. Null Bock auf Kommunikation. Du brauchst nix zu erzählen, und sieht trotzdem jeder an der Art, wie du in der Landschaft hängst. Total abgelascht. Mit Null Bock auf Kommunikation. Da traut sich keiner mehr, dich anzuquatschen, damit du nicht ausklinkst. Also kommt was rüber von dir, was die anderen kapieren. Also hast du kommuniziert, obwohl du Null Bock auf Kommunikation hast. Logo. Wegen dem, daß du kommunizieren mußt, wenn du gar nicht kommunizieren willst, was ja irgendwie beknackt ist, wegen dem hat der gute alte Watzlawick dieses metakommunikative Axiom verzapft, an dem sich alle hochreißen: „Man kann nicht nicht kommunizieren."[16] Entweder du kommunizierst normal

[15] *K. Jaspers,* Philosophische Logik, Erster Band: Von der Wahrheit, 375.

[16] *P. Watzlawick u. a.,* Menschliche Kommunikation. Formen, Störungen, Paradoxien, Bern-Wien ^{2}1971, 53.

oder du kommunizierst meta. Obwohl, wenn du normal kommunizierst, dann kommunizierst du daneben immer meta mit, und wenn du meta-kommunizierst, ist wieder ein meta dabei, praktisch die Meta-meta-Kommunikation. Das meta kriegst du nie weg, das bleibt. Du kommst höchstens auf immer höhere Meta-Ebenen oder Kommunikationsstufen. Da kommt nie ein Schluß irgendwo, ein allerhöchstes Meta. Oder vielleicht doch. Was weiß ich. Bin ich Gott?

Etude Nr. 6

Apropos Gott. Gut, daß wir auf den noch zu sprechen kommen. Dem sein Verhältnis zu uns, das kannst du nämlich auch ganz klasse mit der kommunikationstheoretischen Brille studiern. Wegen seiner Kommunikationsintention. Nämlich, was Gott am meisten auf den Nägeln brennt, ist das, daß er mit uns Gemeinschaft haben will, weil er irgendwie einen Narren an uns gefressen hat. Weiß Gott, warum. „Gemeinschaft" heißt aber in unserer lateinischen Muttersprache Communio – und für Communio brauchst du unbedingt Communicatio, Mitteilung, Austausch, eben: Kommunikation. Woraus wir wieder lernen können: ohne Kommunikation spielt sich nix ab im Leben. Nicht einmal bei Gott. Bei dem schon garnicht. Im Grund besteht dem sein Leben, also so innerlich, aus nix anderem als aus Kommunikation, weil er selber eine Communio ist. Bloß wegen der Kommunikation mit uns hat er sein Kreuz. Und wie. Das ganze Alte Testament zum Beispiel: dauernd Trouble mit der Kommunikation. „Gott hat geredet! Oft und auf vielerlei Weise hat er zu den Vätern gesprochen durch den Mund der Propheten in vergangenen Zeiten." (Hebr 1,1) Okay. Aber was schaut dabei raus? Außer die paar Cracks wie Abraham und Moses kapiert kaum jemand was. Die Propheten reden sich den Mund fusselig, und praktisch Null Effekt. Kein Wunder, wenn so ein Typ wie der Jeremias zeitweise fix und foxi ist mit den Nerven und den Löffel abgeben will. Ewig abblitzen, das hält der stärkste Stier nicht aus. – Bloß Gott gibt nicht nach, nicht ums Sterben. Ist er sich irgendwie selber schuldig. Wenn ich bin, der ich bin, sagt er sich, dann komm ich auch durch mit meiner Message. Fragt sich bloß wie. Der richtige Code müßt einem einfallen, bei dem nix schiefgehen kann. Das erlösende Wort sozusagen, daß garantiert rüberkommt. – Und dann, nachdem er „auf vielerlei Weise" rumprobiert hat, fällt Gott endlich die rettende Idee ein: „Jetzt aber, in den letzten Tagen der Welt, sprach er zu uns durch den, der sein Sohn ist." (Hebr 1,2) Damit ist natürlich Jesus gemeint. Durch den spricht sich Gott ein für alle Mal und klipp und klar uns gegenüber aus. „Denn ich habe nicht von mir aus gesprochen, sondern der Vater, der mich gesandt hat, hat mir den Auftrag gegeben, was ich sagen und reden soll . . . Was ich also rede, rede ich so, wie der Vater es mir gesagt hat." (Joh 12, 49.50) - Bei Jesus und Gott funkt nichts und niemand dazwischen, es gibt keine Übertragungsverluste, keine Störgeräusche im Kanal, no noise. Jesus, der Sohn, ist mit Haut und Haar Wort, Communicatio in Reinkultur: The medium is the message. Das paßt bei Jesus echt am besten. Deswegen gibts dort, wo Jesus als Wort Gottes kapiert und akzeptiert wird, haargenau die kommunikative Wirkung, die der kommunikativen Intention Gottes voll entspricht, nämlich Communio, Gemeinschaft: „Gott sprach ein Wort. Er sandte Jesus Christus. Er schuf eine Verbindung, ein Gespräch zwischen sich und den Menschen, weil die Menschen umkehren und sich ihm, Gott, aussöhnen sollten. Nun geht dieses Wort weiter, das Wort von der neuen Gemeinschaft mit Gott (2 Kor 5,18)."[17] - Und deswegen heißt die Kirche auch in unserer lateinischen Muttersprache kurz und schlicht: Communio Sanctorum, Gemeinschaft der Heiligen. Logo. Aber da wollten wir eigentlich überhaupt nicht hin, zu Kirchens. Wir wollten über Gott reden, und jetzt steht plötzlich doch wieder die Kirche auf dem Programm. Ewig der alte Trick. Gott, Jesus und dann die Kirche, das kommt wie das Amen im Gebet. Muß wohl so sein irgendwie. Bloß, was das mit uns zu tun hat, kommunikationsmäßig und so, das darfst du mich nicht fragen. Da müßt ich jetzt echt lügen, wenn ich was sagen sollt drüber. Aber tapfer.

Etude Nr. 7

Von unsereins war ja bei dem Konzil damals kein Schwanz dabei. Schon wegen dem Alter. Muß doch total ewig her sein, vor Urzeiten. Unser Kaplan, der raunt da oft von. Und dann kriegt er irgendwie so einen komischen Schmelz in den Augen und stimmenmäßig. Wie einer von den APO-Opas, wenn er von den Demos und Teach-ins palavert. Seufz. Das waren noch Zeiten, als wir wochenlang unter Wasser marschiert sind. Seufz. Seufz. Häuptling Triefauge läßt grüßen. - Also jedenfalls haben die Jungs auf dem Konzil eine Masse von Papieren fabriziert, die extrem wichtig sein sollen. Für uns auch. Kannst du auch leicht abchecken, indem du, selbstredend mit der kommunikationstheoretischen Brille auf der Nase, dieselbe in den Text über die Kirche steckst. Da steht nämlich gleich zu Anfang: „Die Kirche ist . . . in Christus gleichsam das Sakrament, das heißt Zeichen und Werkzeug für die innerste Vereinigung mit Gott wie für die Einheit der ganzen Menschheit." (GS Nr. 1)

[17] Abweichend von den sonstigen neutestamentlichen Zitaten wird hier die Übersetzung von J. Zink übernommen, da sie der Thematik des Beitrages stärker entgegenkommt als der Text der sogenannten Herder-Bibel.

Was will uns, lieber junger Freund, dieser Text hier und heute sagen? Na klar, er sagt uns, daß die Kirche als ganze, mit allem Drum und Dran, der kommunikativen Intention Gottes dient und sich deswegen den Horizont derjenigen aneignen muß, denen Gott etwas mitteilen will. Je neu, wenn du verstehst, was ich meine. Deswegen hat auch die Würzburger Synode, wo sie vom Heilsangebot Gottes spricht, haarscharf gefolgert: „Dieses Heilsangebot Gottes wird durch die Kirche, die selber sichtbares Zeichen dieses Heilsangebots ist, den verschiedenen Menschen, Schichten und Altersstufen in unterschiedlicher Weise vermittelt.“[18] Das findest du justament im Beschluß über die Jugendarbeit. Knuffig, was? Langsam kommt Licht in die Sache. Die ganze Story von Gott, Jesus und Kirche dreht sich von vorne bis hinten nur um Kommunikation zwischen Gott - und uns. Und die Kirche hat, kommunikationstheoretisch gesehen, keinen anderen Nährwert als den, auf allen Kanälen zu übertragen, was Gott uns mitteilen will. Volle Dröhnung, immer die gleiche Platte: Ich bin der Größte und ich steh auf euch. Wer zu meiner Gruppe zählt, dem spuckt keiner in die Suppe mehr. Nicht einmal der Tod. Hängt nicht durch, kommt, schlagt ein, es ist ein faires Angebot. So wahr ich Gott heiße.

Etude Nr. 8

Man will ja absolut nicht stänkern. Hat im Prinzip kein Mensch echt Bock drauf. Aber manchmal, ehrlich, steht unsereins schwer auf dem Schlauch mit seinem kirchlichen feeling. Eigentlich müßt ja die Kirche der Riesenkommunikationsknüller sein. Oder was sonst hat dem Lukas bei seiner Pfingst-Story vorgeschwebt? „Es waren aber in Jerusalem fromme Männer aus jedem Volk unter dem Himmel. Als aber dieses Brausen entstand, kam die Menge zusammen und war bestürzt; denn jeder hörte sie in seiner eigenen Sprache reden. Sie gerieten aber außer sich und staunten und sagten: Sind nicht alle diese, die da reden, Galiläer? Wie kommt es, daß wir sie hören, jeder in der eigenen Sprache, in der wir geboren sind?“ (Apg 2,5–8) – Wenn das keine Kommunikationsexplosion ist! Jeder wird auf der richtigen Wellenlänge angepeilt und whomm, die pure Kommunikation. Da fragt man sich beim Lesen schon leise, warum unsereins heutzutage in der Kirche so oft bloß Bahnhof versteht. Du brauchst nicht erst aus Phrygien oder Pamphylien kommen, es reicht schon Castrop-Rauxel, und du stehst total auf dem Schlauch, verständnismäßig. Zu viele pastorale Sprechblasen, blubb, blubb, und zu viel Theologenchinesisch. Ich nix verstehn, ich Laie. Sein von

[18] Beschluß: Jugendarbeit, in: Gemeinsame Synode der Bistümer in der Bundesrepublik Deutschland. Beschlüsse der Vollversammlung. Offizielle Gesamtausgabe I, Freiburg u. a. 1976, 288–311, dort 298.

kirchliches Ausland, Du verstehn? Irgendwie leidet der ganze Verein ziemlich stark an Ausdrucksverarmung. Code-Atrophie. Nur Reden, Reden, Reden. Wer auf dem Verbalisierungstrip nicht mit abfahren kann, fällt hinten runter. Gnadenlos. Nix gegen Beatmessen, Pfarrfeste oder gar Schwoof. Aber was ist das für so viele? Na ja, mühsam ernährt sich das Eichhörnchen. Was solls. Taucht man eben weg bei der Predigt oder so. Klammerst dich an das „personale Angebot“: „solidarische und engagierte Gruppen, solidarische und engagierte Gruppenleiter und Mitarbeiter.“[19] Das ist manchmal echt der einzige Lichtblick. Bloß, wenn du dir das genauer überlegst, dann ist das auch nur eine Form der Codierung der Großen Message, um die es geht. Wird leicht vergessen, daß das „Sachangebot“ genauso „spricht“. Zum Beispiel ein Jugendheim, das drückt ziemlich klar aus, was läuft und wer was zu melden hat. Braucht man oft bloß von außen anschaun, und man weiß restlos Bescheid. Ist wie bei einer Wohnung. Du machst die Tür auf und siehst ungefähr mit einem Schlag, ob da eine Familie wohnt, wo alle zusammengehörn, oder bloß Eltern mit Kindern. Warst du schon einmal in so einer modernen Eigentumswohnung? Da fallen dir oft die Augen raus. Riesen Wohnzimmer, irre Küche, Mordsschlafzimmer. Und das Kinderzimmer kannst du vergessen. So ein Bau, der kann zwar nix reden und trotzdem spricht er Bände, kommuniziert. Teilt dir etwas mit über den Architekten und seine Kinderfreundlichkeit. Vielen Dank. Und so ähnlich fühlt sich unsereins eben manchmal bei Kirchens auch. Echt tote Hose. Der Heilige Geist im Dauerclinch mit Johnny Controlletti, so siehts aus. Aber denk keiner, daß wir heulen.

Etude Nr. 9

Manchmal, da steckst du bis über beide Ohren voll im Streß und denkst an nix, auf einmal denkst du mittendrin: Wahnsinn. Nix weiter. Einfach bloß: Wahnsinn. In dem Moment fängst du praktisch unweigerlich mit Philosophieren an. Indem daß du dich über irgendwas wunderst, wo dich normalerweis überhaupts nix mehr wundert, gehts schon los mit der Philosophie.
Das bringt einen total aus dem Konzept. Am schlimmsten ist, wenn sich keiner was denkt, bloß du denkst: Wahnsinn, der helle Wahnsinn. Da wirst du glatt wahnsinnig von, auf die Dauer. Zum Beispiel denken alle, alle Menschen wärn Menschen wie wir, und niemand denkt sich was dabei. Aber wenn du genau hinschaust, stimmt das dreimal nicht. In echt besteht nämlich die Menschheit immer aus zwei Teile. Der eine Teil, das sind wir, und der andere, das sind die andern. Das ist irgendwie ein Naturgesetz, wo du nix

[19] Ebd.

gegen machen kannst. Wir sind wir, und die andern sind die andern. Und das funktioniert anders herum genau so: für die andern sind wir die andern, und die sind wir. Jeder denkt, das ist normal und das muß so sein, aber eigentlich ist das Wahnsinn. Nämlich ohne die andern wär die Welt viel einfacher, vor allem kommunikationsmäßig. Zum Beispiel wir verstehen uns untereinander total gut. Bloß die andern verstehen unsereinen nie, und wir verstehen die auch kaum. Oder selten. Warum? Weil die eben anders sind wie wir. Wegen dem kommen die ganzen Probleme mit der Kommunikation und überhaupt. Wenn alle so wärn wie wir, dann gäbs gar keine andern, und wir täten uns alle spitzenmäßig verstehen. Trotzdem gibts ewig welche, die anders sind als wir, und das sind immer die andern. Und genau da drin liegt der Wahnsinn. Du fragst dich, warum müssen die jetzt unbedingt anders sein wie wir, wo das doch nix bringt außer Probleme. Andauernd. Ganz gleich, wen du hernimmst, spielt überhaupts keine Rolle. Die Türken, die Juden, die Homos, die Preußen, die Weiber, die Kommunisten, die Evangelischen – nix als Probleme die ganze Zeit. Und wenn du den Spieß umdrehst, dasselbe in Grün. Dann sind die andern die Amis oder die Katholischen, die Männer oder die Bullen. Alle andern sind anders wie wir, bloß wir sind wir. Deswegen ist es immer am schönsten, wenn wir unter uns sind. Man muß die andern einfach ignorieren. Links und rechts liegen lassen. Hat außerdem einen dicken Vorteil, indem daß jeder seinen speziellen Neger vom Dienst hat, wo er alles dran auslassen kann, was ihn juckt. Und ganz wegkriegen tust du die andern sowieso nicht. Jedenfalls momentan nicht. Oder wenigstens nicht so leicht. Obwohl, streng genommen wär's das allerbeste, alle andern wären weg und bloß wir allein noch da. Dann wären wir alle gleich, könnten locker flockig kommunizieren und bräuchten niemand extra ex-kommunizieren. Von dem her muß man der Synode im Prinzip recht geben, wenn die sagt: „Das hauptsächliche Instrument und sozusagen die Grundform des ‚personalen Angebots' der kirchlichen Jugendarbeit ist die Gruppe der Gleichaltrigen."[20] Logo. Eine Gruppe von Gleichaltrigen ist ungefähr auf der gleichen Wellenlänge, da kannst du halbwegs vernünftig mit umgehen. Die Jüngern sind noch zu blöd dazu, und mit den Alten kann man sowieso nix reden. Die leben doch ganz woanders wie wir und blicken absolut nix von uns. Und dann wundern die sich, wenn Ebbe ist mit Kommunikation. Am schärfsten ist, wenn dann irgendein Fuzzy von der Politik auftaucht, total aufgeschlossen für alles auf die Pauke haut und lang einen vom Dialog mit der Jugend erzählt und in einer Tour nur Blech labert. Da merkst du einfach, daß es keinen Sinn hat mit die andern. Neger bleiben Neger, und Erwachsene Erwachsene, fertig. Hauptsache, die lassen uns in Ruh. Wir sind wir, Gott ist Gott, und keiner kann aus seiner Haut. Genau so und nicht anders siehts

20 A.a.O. 300

nämlich aus, da brauchen wir uns nix vormachen. Alles andere ist christlicher Tinneff.

„Und das Wort ist Fleisch geworden und hat unter uns gewohnt“ (Joh 1,14). Das sagt sich ziemlich leicht. Bloß wie das gehen soll, das kann dir kein Mensch erklären, kommunikationstheoretisch. Weil Gott ist absolut anders wie wir, und wenn der trotzdem mit uns könnte, dann könnten wir vielleicht auch mit die andern, trotzdem die anders sind. Da müßte man praktisch alles von eben noch einmal neu denken. Von Anfang an.

Literatur

Argyle, Michael, Körpersprache und Kommunikation, Paderborn 1979 (Junfermann).

Baacke, Dieter, Kommunikation und Kompetenz. Grundlegung einer Didaktik der Kommunikation und ihrer Medien, München 1973 (Juventa).

Bäumler, Christof, Kommunikative Gemeindepraxis. Eine Untersuchung ihrer Bedingungen und Möglichkeiten, München 1984 (Chr. Kaiser).

Bastian, Hans-Dieter, Kommunikation. Wie christlicher Glaube funktioniert, Stuttgart/Berlin 1972 (Kreuz).

Bock, Irmgard, Kommunikation und Erziehung. Grundzüge ihrer Beziehungen, Darmstadt 1978 (Wiss. Buchgesellschaft).

Cherry, Colin, Kommunikationsforschung - eine neue Wissenschaft, Hamburg/New York ²1967 (S. Fischer).

Copray, Norbert, Kommunikation und Offenbarung. Philosophische und theologische Auseinandersetzungen auf dem Weg zu einer Fundamentaltheorie der menschlichen Kommunikation, Düsseldorf 1983 (Patmos).

Kappenberg, Barbara, Kommunikationstheorie und Kirche, Grundlagen einer kommunikationstheoretischen Ekklesiologie, Frankfurt/Bern 1981 (Peter Lang).

Klaus, Bernhard, Kommunikation in der Kirche. Predigt - Religionsunterricht - Seelsorge - Publizistik, Gütersloh 1979 (Mohn).

Meggle, Georg, Grundbegriffe der Kommunikation, Berlin/New York 1981 (de Gruyter).

Watzlawick, Paul, u.a., Menschliche Kommunikation. Formen, Störungen, Paradoxien, Bern u.a. ²1971 (Hans Huber).

Christof Bäumler

Konzeption und Theorie kirchlicher Jugendarbeit

1. Zwischen Institution, Verband, Bewegung und jugendlichen Individuen oder: Die Frage nach dem „Subjekt“ kirchlicher Jugendarbeit

Jugendsonntag einer Großstadtgemeinde am Ende der 50er Jahre. Zum Gottesdienst im Freien sind alle Jugendgruppen der Gemeinde versammelt. Neben den Pfadfindern in ihrer bekannten Kluft haben sich die Mitglieder der Jugenschaft in militärischer Ordnung aufgestellt. Ihr Leiter prüft, ob die Richtung stimmt. Daneben, viel lockerer, die Gemeindejugend: die Jungen im Hemd und kurzen Hosen, die Mädchen teilweise mit handgewebten Röcken. Schließlich fehlen auch die Mitglieder des Clubs nicht. In ihren Jeans sitzen sie auf dem Rasen, einzelne haben eine Bierflasche in der Hand. Für eine erste Annäherung an die gegenwärtige Praxis kirchlicher Jugendarbeit im Zusammenhang ihrer Problemgeschichte ist dieses Bild noch immer bedingt brauchbar. Es läßt nämlich einerseits wenigstens andeutungsweise die Vielfältigkeit des Phänomens „Kirchliche Jugendarbeit“ erkennen und macht zugleich sichtbar, welche Interessenkonflikte dieses Feld beeinflussen.

1.1. Kirchliche Jugendarbeit als Veranstaltung der Kirche

Eine Gemeinde veranstaltet einen Jugendsonntag. Der Bezirksjugendpfarrer hält den Gottesdienst. Darin kommt zum Ausdruck, daß Kirche und Gemeinde Jugendarbeit als ihre Aufgabe begreifen. Zur Begründung kann auf die folgende These Dietrich Bonhoeffers aus dem Jahr 1933 verwiesen werden: „Unsere Frage ist nicht: Was ist die Jugend und was ist ihr Recht?, sondern was ist die Gemeinde, und welcher Ort kommt der Jugend in ihr zu?“[1] In der „Gemeindejugend“ bzw. in der „Pfarrjugend“ sollen Jugendliche

[1] *M. Affolderbach* (Hrsg.), Grundsatztexte zur evangelischen Jugendarbeit. Materialien zur Diskussion in Praxis, Lehre und Forschung, Stuttgart/Gelnhausen[2] 1982, 31.

das Wort Gottes hören und lesen sowie gemeinsam singen, beten und feiern. Später wurde das Recht der kritischen Fragen der jungen Generation in der Kirche betont, auf die das verantwortliche Zeugnis der Erwachsenen zu antworten habe.[2] Bei der Synode der EKD in Osnabrück im Jahr 1980 formulierten Mitarbeiter (als Anwälte Jugendlicher): „Wir möchten eine Kirche, die Jugendlichen ein Zuhause, eine Heimat bietet, in der sie Vertrauen und Geborgenheit erleben. Aber wir machen andere Erfahrungen: Kirche ist uns fremd!"[3]
Im Bereich der römisch-katholischen Kirche setzte der Synodenbeschluß „Ziele und Aufgaben kirchlicher Jugendarbeit" der Gemeinsamen Synode der Bistümer in der Bundesrepublik Deutschland 1975 in Würzburg Akzente.[4]
Dieser Beschluß stellte die „reflektierte Gruppe" und das „personale Angebot" als Grundpfeiler kirchlicher Jugendarbeit heraus. Mit Recht hat Hermann Steinkamp[5] darauf verwiesen, daß es sich bei der verabschiedeten Fassung des Beschlusses um einen Kompromiß handelte. Die Verantwortung der kirchlichen Institution für die Integration der Jugendlichen in die Kirche, repräsentiert durch das personelle Angebot der Mitarbeiter, bekam ein größeres Gewicht als in der Vorlage, bei der die „reflektierte Gruppe" im Mittelpunkt des Interesses stand. Das Element der Selbstbestimmung Jugendlicher ist indes auch im Beschluß nicht völlig verdrängt worden. Das Konzept der „reflektierten Gruppe" könnte wenigstens in Ansätzen auf der Basis dieses Beschlusses realisiert werden.

1.2. Christliche Jugendverbände als Identitätsmuster

Die Pfadfindergruppe aus dem Eingangsportrait steht stellvertretend für die christlichen Jugendverbände. Ob in ihren Vorläufern, den Missionsjünglingsvereinen und den Hilfsvereinen für Jünglinge oder in der offenen Arbeit mit Arbeiterjugendlichen von einzelnen Gemeindepfarrern die kirchliche Jugendarbeit ihre Anfänge hat, ist eine offene Frage.[6]
Durch das am 19. Dezember 1933 zwischen Baldur von Schirach, Jugendführer des Deutschen Reiches, und Ludwig Müller, Reichsbischof der Deutschen Evangelischen Kirche, geschlossene Abkommen über die Eingliederung der evangelischen Jugend in die Hitlerjugend kam es zur Auflösung der

[2] VELKD Studiendokument zum Thema „Kirche und Jugend", 1963, zit. 1,48f.
[3] *M. Affolderbach* (Hrsg.), Grundsatztexte zur evangelischen Jugendarbeit. a.a.O., 111.
[4] Der Sekretär der Gemeinsamen Synode der Bistümer in der Bundesrepublik Deutschland (Hrsg.), Ziele und Aufgaben kirchlicher Jugendarbeit, Bonn 1975.
[5] Vgl. *H. Steinkamp,* Jugendarbeit als soziales Lernen. Ziele und Aufgaben kirchlicher Jugendarbeit, München/Mainz 1977.
[6] Vgl. *G. Lämmermann,* Kirche - Arbeit - Arbeiterjugend. Plädoyer für eine offene Arbeit mit jungen Arbeitern (= aej Studienband 4), Stuttgart 1982, 79.

evangelischen Jugendverbände und zur Organisation eines kirchlichen Jugendwerkes in den Ortsgemeinden.
Die Gründung der „Arbeitsgemeinschaft der Evangelischen Jugend Deutschlands (AGEJD)“ am 2. Dezember 1949 - ein Jahr nach dem Zusammenschluß aller katholischen Jugendvereinigungen im „Bund der Deutschen Katholischen Jugend (BDKJ) - bildete den Rahmen, in dem neben der Gemeindejugend der Landeskirchen und den Jugendwerken der Vereinigung der evangelischen Freikirchen die traditionellen christlichen Jugendverbände vertreten sind.
Gegenwärtig gehören der aej (Arbeitsgemeinschaft der evangelischen Jugend in der Bundesrepublik Deutschland und Berlin West) folgende Jugendverbände an:
AES (Arbeitsgemeinschaft evangelischer Schülerarbeit);
MBK (Missionarisch-Biblische Dienste unter Jugendlichen und Berufstätigen e. V.);
CVJM - Gesamtverband in Deutschland e. V.; EC (Deutscher Verband der Jugendbünde für Entschiedenes Christentum e. V.);
VCP (Verband Christlicher Pfadfinderinnen und Pfadfinder e. V.);
Jugendarbeit der Europäisch-Festländischen Bruder-Unität;
Ring Missionarischer Jugendbewegungen.[7]
Diese Verbände kommen jeweils aus einer bestimmten Tradition und haben ein unterschiedliches Profil. MBK, CVJM, EC und der Ring Missionarischer Jugendbewegungen fühlen sich in besonderer Weise der missionarischen Jugendarbeit verpflichtet. Damit verbinden sie zugleich den Anspruch, die eigentliche evangelische Jugendarbeit zu vertreten. „Evangelische Jugendarbeit ist *missionarische Jugendarbeit,* oder sie ist nicht mehr evangelische Jugendarbeit.“[8]
Andere Verbände, wie die Schülerarbeit, haben zunehmend die Begründung und Praxis christlicher Freiheit im gesellschaftlichen Kontext in den Blick genommen und sind dadurch zur Auseinandersetzung mit alltäglich erfahrener Unfreiheit herausgefordert worden.
Die sogenannte „Polarisierungsdebatte“[9] war in ihrem Kern ein Streit um das rechte Verständnis christlicher Freiheit. Das von der allgemeinen Diskussion übernommene Stichwort der emanzipierenden Jugendarbeit stand im Mittelpunkt der von den Wortführern der Verbände geführten Auseinandersetzung. Insofern spielten auch die Verteidigung von Positionen und die Durchsetzung von Geltungsansprüchen im Gesamtfeld der Jugendarbeit als meist unerkannte Motive eine wichtige Rolle.

[7] *T. Schmieder,* Jung sein und evangelisch, Bericht über die Lage der jungen Generation und die evangelische Jugendarbeit (= aej Studienband 8), Stuttgart 1983, 49.
[8] Vgl. den Beitrag von *H. Bärend,* in: T. Schmieder, a.a.O. 77.
[9] Vgl. *M. Affolderbach* (Hrsg.), Grundsatztexte zur evangelischen Jugendarbeit, a.a.O., 121-178.

Die Organisation christlicher Jugendarbeit in Verbänden bietet einerseits die Möglichkeit, bestimmte Profile zu entfalten und unterschiedliche Jugendliche anzusprechen, die sich mit dem jeweiligen Verband identifizieren können. Andererseits bringt sie die Tendenz zur Selbstdurchsetzung der Verbände innerhalb der christlichen Jugendarbeit mit sich. Dieser zweite Sachverhalt wird dadurch relativiert, daß die aej ebenso wie der BDKJ die christliche und kirchliche Jugendarbeit im Bundesjugendring repräsentieren. Um im Kreis der übrigen Jugendverbände möglichst mit einer Stimme sprechen zu können, ist es notwendig, die Kontroversen im eigenen Bereich offen und mit dem Willen zum Konsens auszutragen.
Soweit christliche Jugendarbeit in Verbänden organisiert ist, stellt sie sich auch gegenüber den Kirchen als eigene Größe dar. Das macht sie einerseits staatlichen Eingriffen gegenüber verletzlicher. Umgekehrt hat verbandlich organisierte Jugendarbeit gegenüber Domestizierungsversuchen von seiten der kirchlichen Verwaltung einen gewissen Spielraum.

1.3. Jugendbewegung als Herausforderung der organisierten Jugendarbeit

Die auf jener Wiese stehenden oder gelagerten Jugendlichen beim eingangs geschilderten Jugendsonntag einer Großstadtgemeinde waren nur ein kleiner Teil, etwa 10 bis 20% aller jugendlichen Mitglieder dieser Gemeinde. Warum ist dieser Prozentsatz seitdem eher kleiner als größer geworden? Im Kreis der Jugendverbände war schon in den fünfziger Jahren die Rede von den „Nichtorganisierten“, ein unmögliches und doch äußerst bezeichnendes Wortgebilde.[10] In der Distanz der Mehrzahl der Jugendlichen könnte sich der Verdacht äußern, daß sie in den Jugendverbänden weniger die Sachwalter ihrer eigenen Angelegenheiten als vielmehr die Anwälte der von den Erwachsenen ohnehin dominierten Gesellschaft vermuten.
Waren Elemente der in der berühmten Meißner-Formel von 1913: „Die freideutsche Jugend will aus eigener Bestimmung vor eigener Verantwortung mit innerer Wahrhaftigkeit ihr Leben gestalten. Für diese innere Freiheit tritt sie unter allen Umständen ein“ enthaltene Intention zur jugendlichen Selbstbestimmung auch in den christlichen Jugendverbänden mehr oder weniger wirksam, so manifestierte sich die Protestbewegung der späten 60er Jahre und die Jugendbewegung der 80er Jahre außerhalb der Jugendverbände.
Wenn auch die Jugendverbände teils rasch, teils zögernd auf diese Herausforderungen reagiert haben, so steht doch außer Zweifel, daß sie von diesen

[10] Vgl. den Beitrag von *P. Krusche,* Warten auf Bewegung, 1959, in: M. Faltermaier (Hrsg.), Nachdenken über Jugendarbeit. Zwischen den fünfziger und achtziger Jahren, München 1983, 87.

Ereignissen ebenso überrascht wurden wie kirchliche und staatliche Institutionen.

1.4. Jugendliche Individuen als Subjekte kirchlicher Jugendarbeit

Auch Protestbewegung und Jugendbewegung sind nicht als repräsentativ für die Jugendlichen zu betrachten. Das ist zwar eine banale Feststellung, die jedoch in der neueren Diskussion über Jugendarbeit nicht immer in der gebotenen Weise berücksichtigt wird.
Jeder einzelne Jugendliche hat das Recht auf sein eigenes Leben. Er ist auf der Suche nach seiner personalen und sozialen Identität. Führt diese Suche zum Ziel, dann ist ihm der Übergang von der Rollen-Identität des Kindes zur Ich-Identität des Erwachsenen geglückt. Vom Standpunkt der Jugendlichen aus stellt sich auch an die kirchliche Jugendarbeit die Frage, ob diese ihnen bei der Suche nach ihrer eigenen Identität wirksam helfen könne.
Das galt in besonderer Weise nach 1945, als viele Jugendliche ohne Familie Hilfe brauchten und auch in den Kirchen die „Jugendsozialarbeit" - neben Gemeinde- bzw. Pfarrjugend und den Verbänden der dritte Träger kirchlicher Jugendarbeit - Wohnmöglichkeiten und Fördermaßnahmen anbot. In der Gegenwart nehmen Projekte mit arbeitslosen Jugendlichen diesen Ansatz wieder auf.
„Reflektierte Gruppe" und „personales Angebot" sind wichtige Voraussetzungen für eine Praxis offener Jugendarbeit, die mehr ist als ein Zugeständnis an die „Nichtorganisierten" und etwas anderes als der mit Diskothek und Computerspielen, Tischtennis und Fotolabor ausgestattete Vorhof der „eigentlichen" Jugendarbeit.
Die Anerkennung jedes einzelnen Jugendlichen als eines freien Subjekts ist die Voraussetzung jeder ermutigenden „Hilfe zur Selbsthilfe". Sie sollte deshalb als kritisches Prinzip christlicher und kirchlicher Jugendarbeit gelten.

2. Vom Theorieüberdruß zur reflektierten Praxis. Zur Praxistheorie kirchlicher Jugendarbeit

Die skizzierte Beschreibung kirchlicher Jugendarbeit vermittelt ein vorläufiges Bild aus der subjektiven Sicht des Betrachters, in die bereits einige Hinweise auf mögliche Deutemuster eingezeichnet sind. Wer in diesem Feld nicht nur agieren und reagieren, sondern bewußt und überlegt handeln will; wer in dieses Feld nicht seine Vorurteile projizieren, sondern über kirchliche Jugendarbeit selbständig urteilen möchte, braucht eine Theorie.

Diese Einsicht wurde in den 1964 von C. Wolfgang Müller, Helmut Kentler, Klaus Mollenhauer und Hermann Giesecke vorgelegten Versuchen zur Theorie der Jugendarbeit[11] vertreten. Klaus Mollenhauer konzipierte eine pädagogische Theorie der Jugendarbeit, die beschreibt, was ist; analysiert, warum etwas so ist, wie es ist, und kritisiert, was ist: „Darin, daß sie analysiert, enthält sie schon den Gedanken daran, daß die Wirklichkeit, die sie beschreibt und analysiert, auch anders sein könnte als so, wie sie ist."[12]

Im Bereich der evangelischen Jugendarbeit wurde dieser Ansatz alsbald aufgenommen. Klaus Mollenhauer übernahm die wissenschaftliche Leitung einer Voruntersuchung zur evangelischen Jugendarbeit in der Bundesrepublik Deutschland. Mit den Methoden der Inhaltsanalyse, der teilnehmenden Beobachtung und des Interviews sollte jene pädagogische Theorie der Jugendarbeit empirisch überprüft werden.[13] Die in vorsichtig abwägenden Hypothesen vorgetragene Gesamtbeurteilung löste unter den hauptberuflichen Mitarbeitern mehr Abwehrreaktionen als offene Diskussionen aus.

Wenn es zu den Zielen evangelischer Jugendarbeit gehört, Jugendlichen dabei zu helfen, als mündige Christen selbständig und verantwortlich zu leben, dann mußte 1969 die folgende Hypothese von der für diese Jugendarbeit zuständigen Mitarbeitern als kalte Dusche erlebt werden:

„Der durch die an der hierarchischen Gemeindestruktur, an festliegenden Lehrinhalten und sozial-normativen Vorstellungen überlieferter Laientheologie orientierten Rollenerwartungen geprägte Sozialisationsmodus evangelischer Jugendarbeit verstärkt oder bringt im Jugendlichen diejenigen Dispositionen hervor, die in Richtung auf eine Wiederholung der gegebenen säkularen Ordnungen wirken. Der Sozialisationsmodus trägt daher nicht nennenswert zur Erprobung neuer Rollendefinitionen, zur Ich-Stärkung und zur Stärkung der Reflexionskräfte des Heranwachsenden bei."[14]

Diese Hypothese wird unter anderem damit begründet, daß sich der Modus „strategischer Beteiligung" im untersuchten Feld evangelischer Jugendarbeit kaum nachweisen ließ. Unter strategischer Beteiligung wird verstanden, daß die Jugendlichen an der Bestimmung der Ziele und Inhalte der Jugendarbeit beteiligt sind, daß sich der Gruppenprozeß nach den Merkmalen der Selbstregulation vollzieht und daß Konflikte nicht unterdrückt, sondern bearbeitet werden. Es ist einleuchtend, „daß der Begriff der strategischen Beteiligung, der einen Verständigungsprozeß der Gruppe über ihren Inter-

[11] Vgl. *C. W. Müller/H. Kentler/Kl. Mollenhauer/H. Giesecke,* Was ist Jugendarbeit? Vier Versuche zu einer Theorie, München 1964.
[12] Ebd., 90.
[13] Vgl. *Kl. Mollenhauer/G. Kasakos/H. Ortmann/U. Bathke,* Evangelische Jugendarbeit in Deutschland. Materialien und Analysen, München 1969.
[14] Ebd., 230.

aktionszusammenhang impliziert, ein relativ hohes rationales Niveau sowohl zum Vorschein bringt als auch zur Bedingung hat."[15]
Wenn einerseits klar ist, daß der Typ strategischer Beteiligung der Jugendlichen am ehesten den Forderungen christlicher Freiheit entspricht, die im Feld christlicher Jugendarbeit praktiziert werden sollten, und auf der anderen Seite sowohl die Jugendlichen als auch die Erwachsenen infolge ihrer eigenen, durch die dominante Kultur geprägten Sozialisationsgeschichte zu strategischer Beteiligung nicht fähig sind, dann muß entweder dieses Postulat als überzogen abgewiesen oder eine praktikablere Lösung des Problems gefunden werden.
Während die Vorherrschaft des taktischen Beteiligungstyps, bei dem die Jugendlichen an der Art und Weise der Bearbeitung vorgegebener Ziele und Inhalte beteiligt werden, als eine Anpassung an die Realität erscheint, könnte im Konzept der „reflektierten Gruppe" ein möglicher Einübungsraum strategischer Beteiligung im Blick sein.[16] Es legt sich nahe, eine pädagogische Theorie der Jugendarbeit mit einem gruppendynamischen Ansatz zu verbinden.[17]
Aber auch damit ist die Schwäche einer pädagogischen Theorie, die kritisch sein will, aber dazu neigt, unerfüllbare Postulate zu erheben, noch nicht überwunden.

2.2. Zweite Annäherung: Soziologische Theorie der Jugendarbeit

Mit Recht hat Werner Schefold deshalb in kritischer Auseinandersetzung u. a. mit Klaus Mollenhauer eine soziologische Analyse der Jugendverbandsarbeit[18] unternommen.
Jugendverbandsarbeit stehe im Zusammenhang mit Erziehung und Bildung, trage Freizeitcharakter und sei, wenn teilweise ihren Trägern auch nicht bewußt, immer von politischen Interessen bestimmt. Jugendverbände gelten als Repräsentanten jugendlicher Bedürfnisse, auch wenn – und gerade wenn – sie diese nicht vertreten.
Diese Zuordnung wird von Schefold problematisiert: Die Bedeutung der Jugendverbandsarbeit im Bildungssystem sei schwer zu bestimmen, sie sei mitbetroffen von der ungeklärten Definition der Freizeit, eingebunden in verborgene oder offensichtliche politische Zusammenhänge. Zwar sei die Rechtsgrundlage der Jugendverbandsarbeit durch Artikel 8 und 9 Grundge-

15 Ebd., 199.
16 *H. Steinkamp,* a.a.O., 16ff.
17 Ebd.; *Chr. Bäumler,* Auf dem Holzweg? Zum gegenwärtigen Stand der Theoriebildung kirchlicher Jugendarbeit, in: ders., Unterwegs zu einer Praxistheorie. Gesammelte Aufsätze zur kirchlichen Jugendarbeit, München 1977, 230–271, hier: 245–249.
18 Vgl. *W. Schefold,* Die Rolle der Jugendverbände in unserer Gesellschaft, München 1972.

setz garantiert und ihre Wirksamkeit durch das Subsidiaritätsprinzip abgesichert. Trotz ihrer vielfältigen Beziehungen zu anderen Institutionen und Organisationen sei sie jedoch im politischen System der Bundesrepublik Deutschland weder eindeutig festgelegt noch rechtlich gesichert. Von Familie und Schule sei die Jugendverbandsarbeit ebenso isoliert wie von den Arbeits- und Ausbildungsstätten der an ihr beteiligten Jugendlichen. Schließlich sei Jugendverbandsarbeit in den Sinn- und Handlungszusammenhang ihrer jeweiligen Träger integriert und daher gezwungen, die Werte und Traditionen ihrer Träger, wenn nicht selbst zu vertreten, so doch sich mit ihnen auseinanderzusetzen.
Alle diese Rahmenbedingungen, besonders die zuletzt genannten, treffen auch für die kirchliche Jugendarbeit zu und müssen von einer Praxistheorie der Jugendarbeit berücksichtigt werden.

2.3. Dritte Annäherung: Komplexe Theorie der Jugendarbeit

Macht die soziologische Analyse auf die gesellschaftsbezogenen Aspekte der Jugendarbeit aufmerksam, so richten psychologische[19] und psychoanalytische[20] Theorien des Jugendalters die Aufmerksamkeit auf die beteiligten Jugendlichen, die auch für eine pädagogische Theorie der Jugendarbeit das eigentliche Thema[21] sind. In einer Theorie des Jugendalters[22] wären diese verschiedenen Aspekte aufeinander zu beziehen. Eine dritte Annäherung an eine Praxistheorie der Jugendarbeit müßte demnach einen komplexen Ansatz wählen.
Ausgehend vom erziehungswissenschaftlichen Zugang hat Otto Seydel versucht, mit Hilfe der Kategorien „Freiraum“ und „Konflikt“ eine Praxistheorie kirchlicher Jugendarbeit zu entwickeln.[23] Er verweist auf unterschiedliche Theorieansätze, stellt jedoch zugleich fest, daß es ein theoretisches Modell für eine komplexe Theorie der Jugendarbeit noch nicht gebe.
Näher an der Praxis und zugleich die theoretische Diskussion anregend hat Hermann Steinkamp den gruppendynamischen Theorieansatz auf die „reflektierte Gruppe“ in der kirchlichen Jugendarbeit angewendet.[24]
Für die Entwicklung einer komplexen Theorie der Jugendarbeit bietet sich

19 Vgl. *R. Bergius,* In Richtung auf eine psychologische Theorie des Jugendalters, in: F. Neidhart u.a., Jugend im Spektrum der Wissenschaften, Beiträge zu einer Theorie des Jugendalters, München 1970, 49–115.

20 Vgl. *T. Brocher/D. Eckensberger,* Zur psychoanalytischen Theorie des Jugendalters, in: F. Neidhart u.a., a.a.O., 117–149.

21 Vgl. *C. W. Müller/H. Kentler/Kl. Mollenhauer/H. Giesecke,* a.a.O., 19.

22 Vgl. *D. Baacke,* Die 15- bis 18jährigen. Einführung in Probleme des Jugendalters, München/Wien/Baltimore[3] 1979.

23 Vgl. *O. Seydel,* Kirchliche Jugendarbeit. Freiraum und Konflikt, Stuttgart 1974.

24 Vgl. *H. Steinkamp,* a.a.O.

der sozialisationstheoretische Ansatz[25] an, weil in ihm die Wechselbeziehungen zwischen Individuum und Gesellschaft von vornherein thematisiert werden.

Gernot Czell[26] wählte diesen Ansatz, weil es sein erkenntnisleitendes Interesse ist, die Jugendlichen als freie und anerkannte Subjekte, als kritische Norm einer Praxistheorie kirchlicher Jugendarbeit zur Geltung zu bringen. Daraus ergibt sich für ihn das Postulat, Jugendarbeit als zweiwegigen, symmetrischen Prozeß bei der Aushandlung der Definitionen von Situationen zu begreifen. Damit wird der Typ der „strategischen Beteiligung" zum Grundprinzip kirchlicher Jugendarbeit erhoben. Die Untersuchung der 1974 verabschiedeten „Konzeption Evangelischer Jugendarbeit der Evangelischen Kirche von Westfalen" arbeitet den Widerspruch zwischen der theoretisch eingeräumten strategischen Beteiligung Jugendlicher einerseits und der Praxis evangelischer Jugendarbeit auf der anderen Seite, die allenfalls das Prädikat „taktische Beteiligung" verdient, heraus. Ob eine solche Jugendarbeit die personale und soziale Identität Jugendlicher wirklich fördert, wie Czell das zu Recht von ihr verlangt, muß bezweifelt werden.

Wolfgang Deresch sieht in seiner Untersuchung[27], in der er sich leider weder auf Czell beruft noch sich mit ihm auseinandersetzt, die Aufgabe kirchlicher Jugendarbeit darin, Wege zur personalen, sozialen und religiösen Identität zu erschließen. Er blickt auf die Ursprünge der kirchlichen Jugendarbeit zurück und macht einleuchtend, wie die genannten Elemente in der Problemgeschichte kirchlicher Praxis mit Jugendlichen entwickelt wurden und wie sie für die Reflexion gegenwärtiger Praxis fruchtbar gemacht werden können.

2.4. Zur theologischen Begründung einer Praxistheorie kirchlicher Jugendarbeit

Von einer Praxistheorie kirchlicher Jugendarbeit wird erwartet, daß sie im theologischen Begründungszusammenhang reflektiert wird. Diese Erwartung ist noch nicht erfüllt, wenn sich etwa die missionarische Jugendarbeit zur Begründung ihrer Praxis auf den Missionsbefehl Mt 28,20 beruft oder wenn z.B. die gemeindliche Jugendarbeit in der Lehre von der Kirche begründet wird. Nicht zufällig ist die folgende These aus der erwähnten empirischen Voruntersuchung der evangelischen Jugendarbeit häufig zitiert, kritisiert bzw. als weiterführende Herausforderung empfunden wor-

[25] Vgl. *Chr. Bäumler,* Auf dem Holzweg?, a.a.O., 251-260.

[26] Vgl. *G. Czell,* Lernfeld Gemeinde. Sozialisation durch Jugendarbeit (= aej Studienband 5), Stuttgart 1982.

[27] Vgl. *W. Deresch,* Kirchliche Jugendarbeit. Wege zur personalen, sozialen und religiösen Identität, München 1984.

den: „Die theologischen Begründungen evangelischer Jugendarbeit sind Ausdruck bzw. nachträgliche Rechtfertigung pädagogischer Handlungsmuster bzw. des Sozialisationsmodus im ganzen. Handlungsmuster bzw. Sozialisationsmodus entstammen vorgängigen a-theologischen Einstellungen, Motiven, Erfahrungen, deren Kritik infolgedessen auch ohne Berücksichtigung der je passenden theologischen Sätze möglich ist. Die theologische ‚Theorie' jedoch erfüllt die Funktion eines Verstärkers im Hinblick auf den jeweils gewählten Sozialisationsmodus."[28]

Die Diskussion über diese Hypothese ist bisher leider kaum in Gang gekommen. Die Polarisierungsdebatte trat überhaupt an die Stelle der Theoriediskussion. Dieser Sachverhalt läßt sich schwer bestreiten. Aber er ist wohl noch nicht hinreichend erklärt worden.

Er könnte eine Ursache darin haben, daß die Theorie der Jugendarbeit mit ihren pädagogischen, gruppendynamischen, psychologischen, soziologischen und sozialisationstheoretischen Ansätzen in eine Praxistheorie der Jugendarbeit übernommen wurde, obwohl die Vermittelbarkeit und Vermittlung von humanwissenschaftlichen und theologischen Aussagen noch keineswegs hinreichend geklärt ist. So könnte es sein, daß diese Theorieansätze von denjenigen, die es bisher gewohnt waren, mit Selbstverständnissen von Jugendarbeit ihre Praxis zu begründen, als Überfremdung empfunden wurde.

An Versuchen, die Praxistheorie kirchlicher Jugendarbeit theologisch zu reflektieren, fehlte es keineswegs. Sie blieben aber entweder, wie z.B. die Studie von Heinz Leschonski[29], theologie-immanent und nahmen die Auseinandersetzung mit den Humanwissenschaften nicht auf, oder sie bezogen sich, wie z.B. Martin Affolderbach, eher auf Strukturen der Jugendarbeit[30] oder wie z.B. Hermann Steinkamp auf ihre Didaktik.[31] Was bei Steinkamp als situative Verkündigung[32] entfaltet wird, entspricht bei Affolderbach der funktionalen Verwendung biblischer Texte in der gegenwärtigen Praxis kirchlicher Jugendarbeit.[33]

Auch der Vorschlag von Wolfgang Deresch[34], analog zur Entwicklung religiöser Identität, insbesondere den Umgang mit religiösen Symbolen in der kirchlichen Jugendarbeit einzuüben, ist zwar einleuchtend, führt jedoch in der Frage einer theologischen Begründung kirchlicher Jugendarbeit auch nicht weiter.

28 *Kl. Mollenhauer/G. Kasakos/H. Ortmann/U. Bathke,* a.a.O., 238.

29 Vgl. *H. Leschonski,* Evangelische Jugendarbeit: Emanzipation oder Versöhnung? Theologische Überlegungen zur Jugendarbeit in der Gemeinde, Berlin 1974 (als Manuskript gedruckt).

30 Vgl. *M. Affolderbach,* Kirchliche Jugendarbeit im Wandel. Analysen zur Bibelfrömmigkeit, München/Mainz 1977.

31 Vgl. *H. Steinkamp,* a.a.O.

32 Vgl. ebd., 40–45.

33 Vgl. *M. Affolderbach,* Kirchliche Jugendarbeit im Wandel, a.a.O.

34 Vgl. *W. Deresch,* a.a.O.

Die Behauptung, Jugendliche seien das Thema kirchlicher Jugendarbeit, sollte theologisch eingeholt werden. Das scheint mir am ehesten durch eine theologische Theorie der Subjektivität möglich zu sein. In ihr wäre die bedingungslose Anerkennung der Person durch das rechtfertigende Handeln Gottes im Kontext von Geschichte und Gesellschaft herauszuarbeiten.

3. Kirchliche Jugendarbeit auf der Suche nach ihrer Identität

Je mehr sich kirchliche Jugendarbeit dazu verpflichtet sieht, dem Jugendlichen bei der Findung seiner Identität zu helfen – Ludger Veelken spricht von einer Praxis identitätsentfaltender Jugendarbeit[35] –, desto mehr gerät sie selbst in Identitätsschwierigkeiten. Dieser Schwund des eigenen Profils kirchlicher Jugendarbeit wird begleitet von zwei sehr unterschiedlichen Phänomenen: Auf der einen Seite entstehen zahlreiche Gruppen, an deren neuer Religiosität sich viele Jugendliche orientieren[36], auf der anderen Seite geht mit dem Prozeß der Professionalisierung[37] auch eine Nivellierung auf dem gesamten Feld der außerschulischen Jugendarbeit einher.[38]

3.1. Neue Religiosität als Herausforderung kirchlicher Jugendarbeit

Neben den, häufig mit den irreführenden Begriffen „Jugendreligionen“ oder „Jugendsekten“ bezeichneten großen Gruppierungen, zu denen sich keineswegs nur Jugendliche rechnen, besteht die „freie religiöse Szene“. Karl-Ernst Nipkow beschreibt sie so: „Zur freien religiösen Szene zählen die Tausende junger Menschen, die oft auf diffuse Art von religiöser Unruhe ergriffen sind, Verbindlichkeit suchen und auf den Kirchentagen der letzten Jahre zum Kern gehörten. Gemeint sind ferner die zu einem alternativen Lebensstil aufbrechenden Jugendlichen, die in Wohngemeinschaften und ökologisch-sozialen Projekten experimentieren, zugleich aber einen neuen Weg nach innen suchen. Zu tun haben wir es aber auch mit Gebetsgruppen und Bibelkreisen von Schülern an Gymnasien mit traditionelleren christlichen Frömmigkeitshaltungen. Vor Augen steht einem nicht zuletzt das verzwei-

[35] Vgl. *L. Veelken,* Einführung in die Identitätstherapie. Vorschläge für die Praxis identitätsentfaltender Jugendarbeit, Stuttgart 1978.

[36] Vgl. *K.-E. Nipkow,* Neue Religiosität, gesellschaftlicher Wandel und die Situation der Jugendlichen, in: Zeitschrift für Pädagogik 27 (1981) 279–402.

[37] Vgl. *Chr. Bäumler,* Professionalisierung der Jugendarbeit? Aspekte einer soziologischen Analyse der Jugendverbände, in: deutsche jugend 21 (1973); abgedruckt in: ders., Unterwegs zu einer Praxistheorie, München 1977, 105–114; erneut abgedruckt in: M. Faltermaier (Hrsg.), Nachdenken über Jugendarbeit, München 1983, 373–380.

[38] Vgl. *H. Giesecke,* Wozu noch Jugendarbeit?, in: deutsche jugend 32 (1984) 443–449.

felt-hoffnungsvolle Suchen einzelner im Raum des kulturell-ästhetischen Experiments."[39]

Diese „freie religiöse Szene" ist innerhalb und außerhalb der christlichen Kirchen anzutreffen. Mit Nipkow können narzißtisch-regressive, zwanghaft-autoritäre und entwicklungsoffene Formen jugendlicher Religiosität unterschieden werden.[40] Neben dem Wunsch nach der Verschmelzung des Ich mit dem göttlichen Grund und nach der Geborgenheit in der Gruppe Gleichgesinnter findet sich die Forderung nach einer Ordnungsreligion, die eindeutige Maßstäbe für die Unterscheidung von Gut und Böse an die Hand gibt.

In der offenen Form jugendlicher Religiosität seien Rechtfertigungsglaube, christliche Freiheit, persönliche Selbständigkeit und soziale Verantwortung miteinander verbunden.

„In den hoffnungsvollsten Erscheinungen der christlichen Kirche selbst, besonders in der ökumenischen Bewegung (z. B. Taizé), ist weder die zwanghaft-starre Ideologie einer Mun-Sekte auf dem einen Pol noch die Gemeinschaftssucht und Selbstbespiegelung der psycho-religiösen Bewegungen auf dem anderen Pol des Spektrums zu finden. Hier treffen wir stattdessen auf die Verbindung ernster, sei es mehr bibelbezogener oder liturgischer oder charismatischer christlicher Spiritualität mit menschlicher Solidarität und politischem Engagement für gerechtere Lebensverhältnisse."[41]

Kirchliche Jugendarbeit nimmt die Herausforderung der neuen Religiosität dann angemessen auf, wenn sie jener zuletzt geschilderten offenen Religiosität Raum und Entwicklungsmöglichkeiten bietet, ihr aber zugleich auch die theologisch-kritische Reflexion nicht verweigert. Dies würde bedeuten, sich religiöser Erfahrung neu zu öffnen, ohne die religiöse Gegenkultur bloß kritiklos nachzuahmen.

3.2. Die Gefahren der notwendigen Professionalisierung und die Problematik der unverzichtbaren ehrenamtlichen Mitarbeiter in der kirchlichen Jugendarbeit

Es besteht kein Zweifel daran, daß die Professionalisierung auch der kirchlichen Jugendarbeit notwendig war. Um die Möglichkeiten dieses zwar marginalen, aber beweglichen und variantenreichen Erziehungsfeldes zu nutzen, bedurfte es entsprechend ausgebildeter Mitarbeiter, die mit ihrer Person Jugendlichen zur Verfügung stehen können, ohne sie an sich zu binden. Deshalb war es nötig, daß an die Stelle charismatischer Führer auch in der

[39] *K.-E. Nipkow,* a.a.O., 381.
[40] Vgl. ebd., 394.
[41] Ebd., 396.

kirchlichen Jugendarbeit zunehmend fachlich qualifizierte Berater traten, die mit sich selbst und Jugendlichen umgehen können und über ein hinreichendes Methodenkonzept verfügen. Mit dieser Professionalisierung sind jedoch Gefahren verbunden. Hermann Giesecke vertritt die Auffassung: Sofern die Professionalisierung der Jugendarbeit ihre Sozialpädagogisierung bedeute, verliere die Jugendarbeit an möglicher Vielfalt. Denn so wichtig es sei, mit den Jugendlichen umgehen zu können, z. B. Konfliktlösungsverfahren einzuüben und menschlich verständliche Gespräche zu führen, so notwendig sei es, daß die Jugendlichen auf dem Feld der Jugendarbeit Erwachsenen begegnen, die etwas können, was Heranwachsende nicht können, „zum Beispiel ein Motorrad reparieren, ein Gedicht interpretieren, einen Fernsehfilm analysieren, Gitarre spielen, das Grundgesetz oder Hitlers Machtergreifung erklären“[42].

Im „personalen Angebot“, neben der „reflektierten Gruppe“ für die kirchliche Jugendarbeit gemäß dem Beschluß der Gemeinsamen Synode der Bistümer in der Bundesrepublik Deutschland von 1975[43] für die katholische Jugendarbeit entscheidend, bietet sich die Kirche jungen Menschen selbst an „als eine Gemeinschaft von Glaubenden bzw. von Menschen, die sich um den Glauben mühen“[44]. Die vielgestaltigen Aufgaben der Jugendarbeit seien „ohne qualifiziert geschulte Jugendleiter und Mitarbeiter, die entweder hauptamtlich, nebenamtlich oder ehrenamtlich tätig sind, nicht mehr zu leisten . . .“[45]. Den unverzichtbaren Kern der Verantwortlichen in der kirchlichen Jugendarbeit bilden „nach wie vor die jugendlichen Gruppenleiter“[46]. Die Hauptberuflichen müßten es als einen Schwerpunkt ihrer Tätigkeit betrachten, „die jugendlichen Mitarbeiter für ihre Verantwortung zu schulen“[47].

Es liegt in der Konsequenz dieser Argumentation, in den ehrenamtlichen jugendlichen Gruppenleitern die Repräsentanten der Identität kirchlicher Jugendarbeit zu sehen. Im Bereich evangelischer Jugendarbeit hat Peter Kliemann eine empirische Untersuchung jugendlicher ehrenamtlicher Gruppenleiter durchgeführt.[48] Diese Gruppe ist nach dem plausiblen Ergebnis seiner Untersuchung keineswegs homogen. Kliemann unterscheidet sieben Typen: Gruppenleiter evangelikaler Prägung, die entweder aus einem evangelikalen Elternhaus kommen (a) oder sich, in Absetzung von ihrer Her-

[42] *H. Giesecke,* a.a.O., 446.
[43] Vgl. Der Sekretär der Gemeinsamen Synode der Bistümer der Bundesrepublik Deutschland (Hrsg.), a.a.O.
[44] Ebd., 13.
[45] Ebd., 14.
[46] Ebd.
[47] Ebd.
[48] Vgl. *P. Kliemann,* Ehrenamtliche Mitarbeiter. Zur Identität von Gruppenleitern in der kirchlichen Jugendarbeit. Eine empirische Studie (= aej Studienband 6), Stuttgart 1983.

kunftsfamilie, evangelikale Frömmigkeitsmuster angeeignet haben (b). Religiös indifferente Gruppenleiter (c) neben solchen, die sich zwar für Kirche und Religion interessieren, dies jedoch für ihre Privatsache halten (d). Neben wenigen Gruppenleitern, die sich ausdrücklich als Nichtchristen verstehen und offensiv atheistische oder agnostische Positionen vertreten (e), finden sich suchende Gruppenleiter (f), die sich um eine kritische und offene Auseinandersetzung mit der christlichen Tradition bemühen. Die gremiengeschulten Gruppenleiter (g) sind eine Variante des Typs f, vermögen jedoch souveräner und realistischer mit kirchlichen Strukturen umzugehen.
Dieser Befund legt mindestens Zurückhaltung hinsichtlich der Vermutung nahe, die ehrenamtlichen jugendlichen Gruppenleiter könnten die Beweislast der Identität kirchlicher Jugendarbeit tragen. Eher spiegeln sie das Spektrum der volkskirchlichen Religiosität wieder. Als diejenige Gruppe von Jugendlichen, die am längsten und intensivsten mit der kirchlichen Jugendarbeit verbunden sind, bedürfen sie selbst zweifellos besonderer Aufmerksamkeit. Gelingt es nämlich, sie in reflektierten Gruppenprozessen aus- und fortzubilden, könnte ihre eigene Identität gefördert werden.

3.3. Plurale kirchliche Jugendarbeit im Horizont der Konziliarität

Die Identifikation Jugendlicher mit evangelikalen Frömmigkeitsmustern, wie sie auch von den sich missionarisch begreifenden Jugendverbänden angeboten werden, geht häufig einher mit einem Defizit an selbständiger Praxis christlicher Freiheit unter neuzeitlichen Bedingungen. Wenn auch keineswegs ausgeschlossen werden kann, daß für manche Jugendliche eine solche (vielleicht auch nur vorübergehende) Identifikation mit evangelikalen Frömmigkeitsmustern hilfreich ist, so wäre die Frage nach der Identität christlicher und kirchlicher Jugendarbeit keineswegs befriedigend beantwortet, wenn sich das evangelikale Frömmigkeitsmuster als allein gültiges durchsetzte. Die Gefahr der sektiererischen Abkapselung wäre kaum vermeidbar. Ebensowenig kann es befriedigen, sich mit der Polarisierung zwischen missionarischer Jugendarbeit einerseits, gesellschaftsbezogen kritisch engagierter Jugendarbeit andererseits, abzufinden. Was offenbar für die jugendlichen Kirchentagsbesucher gilt, könnte auch für die an der Jugendarbeit teilnehmenden Jugendlichen angenommen werden: Biblisch-glaubensorientierte und gesellschaftlich-politisch fragende und suchende Haltung sind gleichzeitig relevant.[49]
Den hauptberuflichen Mitarbeitern käme dann in erster Linie die Aufgabe zu, bei erkennbar eigenem Profil den Dialog zwischen unterschiedlichen Positionen und verschiedenen Generationen zu fördern. Dazu würde es

[49] Vgl. *T. Schmieder/K. Schuhmacher* (Hrsg.), Jugend auf dem Kirchentag, Stuttgart 1984, 133.

auch gehören, jene nebenberuflichen und ehrenamtlichen erwachsenen Mitarbeiter zu gewinnen, von denen Jugendliche lernen können, was sie (noch) nicht können.
Werden die Jugendlichen als freie, selbständige Subjekte anerkannt, dann läßt sich kirchliche Jugendarbeit beschreiben als wechselseitige Begleitung von Jugendlichen und Erwachsenen, für die begrenzte Zeit des Übergangs der Jugendlichen von der Kindheit zum Erwachsenenstatus. Wechselseitig heißt, daß auch Erwachsene von Jugendlichen dabei lernen können.
Kirchliche Jugendarbeit kann ihre eigene Identität nur in Gestalt der Konziliarität gewinnen. Mit Konziliarität ist weder der Pluralismus beliebiger Positionen noch eine Harmonisierung von Widersprüchen gemeint. Konziliarität ist der praktische Vollzug einer Kirche, die sich als Geschöpf des Geistes begreift. Das erweist sich unter anderem in der Fähigkeit, Konflikte angstfrei auszutragen und nach Lösungsmöglichkeiten zu suchen. Konziliarität in diesem Sinn ist zugleich die Bedingung der Möglichkeit, christliche und kirchliche Jugendarbeit als ökumenische Jugendarbeit zu begreifen und zu praktizieren.

3.4. Grenzüberschreitende kirchliche Jugendarbeit auf der Suche nach ihrer ökumenischen Identität

Wer mit Rolf Hanusch in der „Grenzüberschreitung" ein Merkmal kirchlicher Jugendarbeit sieht[50], wird es auch auf die Überschreitung konfessioneller Grenzen beziehen. Die Identität kirchlicher Jugendarbeit durch konfessionelle Abgrenzung sichern zu wollen, dies mag kurzfristig der Bestandserhaltung dienen, fördert aber weder die Jugendarbeit noch die Praxis der Volkskirchen insgesamt. Grenzüberschreitende kirchliche Jugendarbeit sollte sich gewiß keine Illusionen darüber machen, wie massiv die Grenzpfosten zwischen den Konfessionen noch immer sind. Dennoch ist nicht zu verkennen, daß die katholische Jugendarbeit an die Tradition der Bibelarbeit[51] im evangelischen Bereich anknüpfen konnte, während die vor allem bei den Kirchentagen, aber auch da und dort in den Ortsgemeinden, von jungen evangelischen Gemeindegliedern entdeckten Dimensionen von Fest und Feier, Symbol und Ritual Ansätze zu einer neuen Spiritualität bieten, die aus der Tradition des Katholizismus dem kargen protestantischen Frömmigkeitsmuster zu lebensvollerer Gestalt verhelfen könnte. Insofern spielt die „Grenzüberschreitung zwischen sinnlicher und intellektueller Er-

[50] Vgl. *R. Hanusch,* Auf der Suche nach dem ganzen Leben. Evangelische Jugendarbeit als grenzüberschreitende Arbeit, in: Was bewegt die Jugendarbeit? (= aej Studientext 21), Stuttgart 1982, 51–66.

[51] Vgl. *J. Henkys,* Bibelarbeit. Der Umgang mit der Heiligen Schrift in den evangelischen Jugendverbänden nach dem 1. Weltkrieg, Hamburg 1966.

fahrung“[52] auch in den interkonfessionellen Dialog hinein. Die Bestimmung von Religion als „sinnliches Symbolsystem der nicht sprachunterworfenen Sehnsüchte und Wünsche“ durch Alfred Lorenzer erinnert an eine Dimension der Religion, die durch sprachliche Klischees und Stereotype der Kirchensprache weithin verdeckt wurde.

Umgekehrt bleibt die Grenzüberschreitung von Symbol und Ritual in den sprachlichen Ausdruck hinein notwendige Aufgabe auch der kirchlichen Jugendarbeit. Das offene Wort als Ausdruck christlicher Freiheit kann durch Symbol und Ritual vorbereitet, entlastet und gefördert, niemals jedoch ersetzt werden.

Grenzüberschreitende christliche und kirchliche Jugendarbeit findet da ihre Identität, wo sie sich nicht darauf beschränkt, zwischen verschiedenen Jugendkulturen, zwischen Körper und Geist, zwischen Vergangenheit und Gegenwart erträgliche Kompromisse zu finden, sondern geleitet von der Frage nach der Wahrheit unterwegs ist. Diese Frage nach der Wahrheit bewahrt auch in der kirchlichen Jugendarbeit christliche Freiheit davor, mit Willkür, und christliche Liebe, mit Sentimentalität verwechselt zu werden. Sie nötigt zu einer kritischen Theorie der Praxis, die den falschen Schein aufdeckt und das wahre Leben fördert.

Literatur

Affolderbach, Martin, Kirchliche Jugendarbeit im Wandel. Analysen zur Bibelfrömmigkeit, München/Mainz 1977 (Chr. Kaiser/Grünewald).

Bäumler, Christof, Unterwegs zu einer Praxistheorie. Gesammelte Aufsätze zur kirchlichen Jugendarbeit, München 1977 (Chr. Kaiser).

Czell, Gernot, Lernfeld Gemeinde. Sozialisation durch Jugendarbeit, aej Studienband 5, Stuttgart 1982 (aej).

Deresch, Wolfgang, Kirchliche Jugendarbeit. Wege zur personalen, sozialen und religiösen Identität, München 1984 (Chr. Kaiser).

Faltermaier, Martin (Hrsg.), Nachdenken über Jugendarbeit. Zwischen den fünziger und achtziger Jahren, München 1983 (Juventa).

Giesecke, Hermann, Wozu noch Jugendarbeit?, in: deutsche jugend 32 (1984).

Müller, Wolfgang C./Kentler, Helmut/Mollenhauer, Klaus/Giesecke, Hermann, Was ist Jugendarbeit? Vier Versuche zu einer Theorie, München 1964 (Juventa).

Seydel, Otto, Kirchliche Jugendarbeit. Freiraum und Konflikt, Stuttgart 1974 (Kohlhammer).

Steinkamp, Hermann, Jugendarbeit als soziales Lernen. Ziele und Aufgaben kirchlicher Jugendarbeit, München/Mainz 1977 (Chr. Kaiser/Grünewald).

[52] *R. Hanusch,* a.a.O., 64.

Christoph Stückelberger

Lebensstil

1. Lebensstil und kirchliche Jugendarbeit

Von der kirchlichen Jugendarbeit und von kirchlich engagierten Jugendlichen gingen wesentliche Impulse für die Lebensstilfrage und vor allem für die Lebensstilpraxis aus. Dennoch stimmt das weit verbreitete Klischee nicht, daß Jugendliche selbstverständlich für einen neuen Lebensstil eintreten und Erwachsene sich dagegen stellen. Das Thema geht *quer durch die Generationen* und muß daher auch generationsübergreifend dargestellt werden. Nicht wenige Eltern, besonders Mütter, beginnen sich intensiv mit dem Lebensstil auseinanderzusetzen und ihn zu verändern, nicht zuletzt nachdem sie von ihren Kindern im Jugendalter dazu herausgefordert wurden. Dennoch bleibt es bei Jungen wie bei Erwachsenen eine kleine Schicht, die sich deutlich für einen alternativen Lebensstil einsetzt. Eine Untersuchung aus der BRD ergab 1980, daß nur 5% der Jugendlichen und 4% der Erwachsenen (fast gleich viel respektive wenig) „einen nichtbürgerlichen, alternativen Lebensstil zu verwirklichen“ als sehr wichtig betrachteten.[1]

Das Stichwort Lebensstil tauchte erst in den 70er Jahren in der heutigen Breite auf. Das Anliegen einer auf die Mitmenschen und die Natur Rücksicht nehmenden Lebenshaltung, einer die weltweite Verantwortung wahrnehmenden und sich auf Einfachheit beschränkenden Lebensweise ist aber viel älter. Es war unter Stichworten wie Mission, Entwicklungshilfe, Frömmigkeit, Puritanismus, Pietismus usw. lebendig.

Seit 1960 muß die Lebensstilthematik auch auf dem Hintergrund der Diskussion und der Konzepte der Entwicklungsdekaden gesehen werden: Das *erste Entwicklungsjahrzehnt 1960–1970* war geprägt vom wachsenden Bewußtsein der Einheit der Welt und der Notwendigkeit der Entwicklung der Dritten Welt. Es war gleichzeitig getragen vom Optimismus der Wohlstandsjahre. Innerkirchliche Stationen waren in diesem Jahrzehnt: Gründung und Aufbau von kirchlichen Hilfswerken wie Brot für Brüder, Fastenopfer, Brot für die Welt u.a.; die katholische Enzyklika Populorum Progressio 1967; die Vollversammlung des Ökumenischen Rates der Kirchen in Uppsala 1968, auf der die Jungen das Lebensstilthema vehement einbrachten.

[1] *U. Matz/G. Schmidtchen,* Gewalt und Legitimität, Opladen 1983, 267–293.

Das *zweite Entwicklungsjahrzehnt 1970-1980* stellte dann viel stärker die Entwicklung der Ersten Welt in Frage: 1972 erschien wie ein Paukenschlag „Grenzen des Wachstums" des Club of Rome. 1973 folgte der Ölschock. Damit trat die Lebensstildiskussion in eine neue Phase, insofern die ökologische Dimension dazukam und die Unterdrückung der Dritten Welt immer stärker mit der Überentwicklung bei uns verknüpft wurde.[2] Programmatisch war die Aussage von Charles Birch auf der ÖRK-Vollversammlung 1975 in Nairobi: „Ökologische Befreiung als eine Ablenkung von der Aufgabe der Befreiung der Armen zu betrachten ist falsch. Das eine kann nicht ohne das andere geschehen. Es ist Zeit zu erkennen, daß die Befreiungsbewegung letztlich eine einzige ist, die die Befreiung der Frau, des Mannes, der Wissenschaft, der Technik, der Pflanzen und auch die Befreiung der Luft, der Ozeane, der Wälder, Wüsten, Berge und Täler einschließt."[3] Die Lebensstildebatte erhielt zunehmend die Breite dieser Aspekte von Befreiung.
Das *dritte Entwicklungsjahrzehnt 1980-1990,* dessen Mitte wir nun erreicht haben, ist bis jetzt meines Erachtens durch eine zunehmende Ermüdung in Drittweltfragen und gleichzeitig durch eine Radikalisierung der ökologischen Probleme (Waldsterben!) wie der Entwicklungsfragen (Schuldenkrise!) gekennzeichnet. Die europäischen Jugendunruhen anfangs der 80er Jahre waren wohl ein Signal für die Polarisierung und Radikalisierung, die die Lebensstilfrage erfaßt hat und darin auch die kirchliche Jugendarbeit ein Stück weit prägt.

2. Eingrenzung des Themas

Schwerpunkt der folgenden Zwischenbilanz bildet der Zeitraum 1970-1985. Ich gehe dabei von der kirchlichen Diskussion und der kirchlichen Jugendarbeit der Schweiz aus, die meinen primären Erfahrungshintergrund darstellen. Bezüge zur BRD werden da und dort hergestellt. Die Entwicklung der Lebensstilthematik ist in den deutschsprachigen Ländern Europas - soviel ich sehen kann - weitgehend parallel verlaufen.
Zum Lebensstil gehören sämtliche Bereiche des Lebens. Unter dem Stichwort Lebensstil wurden aber - und werden auch im folgenden - vorwiegend Fragen des Umgangs mit materiellen Gütern/Ressourcen (Energie, Konsum, Chemie, Handel usw.) sowie neue Gemeinschaftsformen diskutiert. Das Verhältnis Mann-Frau (Frauenbewegung, feministische Theologie),

[2] Kommission Schweizerischer Entwicklungsorganisationen, Entwicklungsland Schweiz - Entwicklungsland Welt, Basel 1975; *H. Dauber/W. Simpfendörfer,* Eigener Haushalt und bewohnter Erdkreis. Ökologisches und ökumenisches Lernen in der Einen Welt, Wuppertal 1981.
[3] *H. Krüger,* Jesus Christus befreit und eint. Vorträge aus Nairobi, Beiheft 30 zur ökumenischen Rundschau, Frankfurt 1976, 107.

das Verhältnis der Generationen, das „Zusammenleben ohne Trauschein" oder der religiöse Lebensstil (Spiritualität, evangelistische Frömmigkeit ...) sind aber ebenso Lebensstilthemen mit einem nicht zu unterschätzenden Einfluß etwa auf den Umgang mit den materiellen Gütern.

3. Tendenzen der Auseinandersetzung mit dem Lebensstil in der kirchlichen Jugendarbeit

Tagungen, Empfehlungen, Publikationen zum Lebensstil sind das eine. Der gelebte Lebensstil ist das andere. Der Jugendarbeiter unserer Kirchengemeinde klagte kürzlich: „Vor 10–15 Jahren nahmen die Töfflis gegenüber den Velos vor der Disco im Gemeindehaus stark zu. Jetzt werden die Töfflis zunehmend durch Autos ersetzt. Der Parkplatz ist viel zu klein." Immer mehr 19–20jährige besitzen ihr eigenes Auto. Videocameras, hochentwikkelte Musikanlagen, leistungsfähige Photokopierer stehen bald in jedem Gemeindehaus. Die Zahl der Jugendlager ins (zum Teil fernere) Ausland steigt weiter, während die Ferienlager im Inland stagnieren und an Attraktivität nicht gewinnen. Das sind Fakten der einen Wirklichkeit kirchlicher (Jugend-)Arbeit. Die andere ist die zunehmende Sensibilität für die negativen Folgen unseres noch lange nicht postmaterialistischen Lebensstils. In der Schweiz nimmt die Zahl der Selbstverpflichtungsaktionen stetig zu: In Ergänzung oder als Vorläufer gesetzlicher Regelungen verpflichten sich immer mehr Christen freiwillig zu Tempobeschränkungen, Verzicht aufs Auto, Änderungen der Eßgewohnheiten, des Energieverbrauchs usw.[4] So startete die Junge Kirche Schweiz Anfang 1985 eine (zunächst auf die regionalen und nationalen Leitungsgruppen beschränkte) Selbstverpflichtungsaktion. Immer noch bilden Jugendliche und junge Erwachsene aus der kirchlichen Jugendarbeit christliche Wohngemeinschaften, die oft von einem neuen Lebensstil geprägt sind und häufig eine große Ausstrahlung ausüben.[5] Das entwicklungspolitisch und ökologisch bewußte Kochen in Freizeiten und Lagern der Jugendarbeit nimmt zu. Jugendliche aus der kirchlichen Jugendarbeit oder vereinzelt ganze Jugendgruppen nehmen an Aktionen von Bürgerinitiativen teil. So engagierte sich die kirchliche Jugendgruppe meiner Wohngemeinde in einer kantonalen Volksabstimmung für die Erhaltung eines Naherholungsgebietes, das durch einen Autobahn-

[4] Vgl. „Man sollte oder ich tue. Selbstverpflichtungen sind aktuell". Leiterbrief der Jungen Kirche Schweiz, Nummer 221/4, Februar 1984; Resolution der aej zum Waldsterben, November 1984, in: evangelische jugend information 19 (1984) 18.

[5] Vgl. *H. A. Gornik* (Hrsg.), Anders leben. Christliche Gruppen in Selbstdarstellungen, Gütersloh 1979; *I. Reimer* (Hrsg.), Alternativ leben in verbindlicher Gemeinschaft. Evangelische Kommunitäten, Lebensgemeinschaften, Junge Bewegungen, Stuttgart 1979.

neubau gefährdet war.[6] Die Aktion „Jute statt Plastik" wurde 1977 von der entwicklungspolitischen Bildungsaktion „Erklärung von Bern" lanciert, dann aber gerade auch von der kirchlichen Jugendarbeit stark aufgenommen und propagiert. In der BRD wurde sie anschließend direkt von der Arbeitsgemeinschaft der Evangelischen Jugend aej und dem Bund der Katholischen Jugend BDKJ gemeinsam über die Aktion Dritte-Welt-Handel durchgeführt.

Wesentliche Impulse erhielt die kirchliche Jugendarbeit bezüglich des Lebensstils von der ökumenischen Bruderschaft *Taizé* im Burgund. Die „Briefe an das Volk Gottes" des Konzils der Jugend rufen eindrücklich zu einem einfachen, teilenden Lebensstil auf.[7]

In der BRD bilden die evangelischen Kirchentage wesentliche Marksteine für die Lebensstilthematik in der kirchlichen Jugendarbeit. Der Erfahrungsaustausch auf dem „Markt der Möglichkeiten" wie die übrigen Veranstaltungen geben wichtige Impulse dazu, denn 80% der jungen Kirchentagsbesucher sind in der Kirchengemeinde aktiv. Der größte Teil davon in der kirchlichen Jugendarbeit, 44% in einer haupt-, neben- oder ehrenamtlichen Funktion, also in einer Multiplikatorentätigkeit.[8] Die Arbeitsgemeinschaft der Evangelischen Jugend der BRD, aej, wählte 1980 als eines ihrer Schwerpunktthemen „anders leben lernen". Die 1980 eingesetzte Projektgruppe formulierte folgende *Arbeitsziele,* die zugleich die Problematik des Lebensstils in der kirchlichen Jugendarbeit umschreiben:

„- die Herausforderungen der ökologischen Krise und des gesellschaftlichen Wertwandels für die evangelische Jugendarbeit zu benennen;
- die sich in dem gegenwärtigen Jugendprotest und der Alternativ- und Ökologiebewegung widerspiegelnde Bewußtseins- und Verhaltensstruktur mit ihren Ambivalenzen, aber auch positiven Gestaltungsmomenten adäquat zu erfassen;
- theologische Kriterien und Bewertungsmaßstäbe für eine ethische Reflexion und Neubesinnung unseres Schöpfungsverständnisses ansatzweise zu entwickeln und
- die eigenen Verbandsstrukturen sowie Konzeptionen auf Möglichkeiten zur Erprobung neuer Lebensstile zu untersuchen."[9]

[6] Beschrieben im Leiterbrief der Jungen Kirche Schweiz, Nummer 209/6, Februar 1981; weitere Beispiele im Leiterbrief 219, August 1983.

[7] Vgl. *Chr. Stückelberger,* Aufbruch zu einem menschengerechten Wachstum. Sozialethische Ansätze für einen neuen Lebensstil, Zürich 1979, 105–110; weitere Konsumverzichtaktionen wie „Jute statt Plastik" sind in der Publikation ebenfalls sozialethisch untersucht.

[8] *T. Schmieder/K. Schuhmacher* (Hrsg.), Jugend auf dem Kirchentag. Eine empirische Analyse von A. Feige, I. und W. Lukatis, Stuttgart 1984, bes. 142f.

[9] *Fr. Schupp* (Hrsg.), Anders leben lernen. Beiträge und Materialien zu einem Symposium der Arbeitsgemeinschaft der Evangelischen Jugend, aej-Materialien 13, Stuttgart 1983, 66; weitere

Die Projektgruppe schloß ihre Arbeit 1982 u.a. mit der wichtigen Einsicht ab, „daß Aktionen, Maßnahmen und Projekte nicht zentralistisch initiiert werden können. Denn ‚anders leben lernen' beansprucht eine ‚Entwicklung von unten'"[10].

Die *freikirchliche und evangelistische Jugendarbeit* öffnete sich seit der Lausanner Erklärung von 1975 zwar zögernd, aber doch vermehrt sozialen Fragen und damit auch dem Thema Lebensstil. Sie hat seither einige beeindruckende Projekte wie Werkstätten, Verzichtaktionen usw. durchgeführt, ist politisch aber häufig zu wenig bewußt. Das primäre Ziel bleibt ihnen die Evangelisation. Der „evangelistische Lebensstil"[11] ist ein Mittel dazu. Der Ansatz bleibt zumeist stark individualethisch.

Die Studentenmission in Deutschland, SMD, erarbeitete eine gute Arbeitsgrundlage zum Lebensstil, die als Taschenbuch erschien.[12]

Diese wenigen, sehr unvollständigen Hinweise zeigen folgende *Merkmale der Auseinandersetzung* mit dem Lebensstil in der kirchlichen Jugendarbeit auf:

(1) Das Thema wurde in den vergangenen 15 Jahren immer wieder und vermehrt konkret, lokal-aktionsbezogen aufgenommen. Insofern ist die *Bilanz positiv* zu würdigen. Dem stehen aber zumindest zwei negative Punkte gegenüber:

(2) Während die kirchliche Jugendarbeit früher – soweit ich es überblicken kann – immer wieder *Trendsetter* in sozialen Fragen war, ist sie das heute beim Lebensstil nicht mehr. 1945 wurde das Hilfswerk der evangelischen Kirchen der Schweiz, HEKS, nicht zuletzt aufgrund der vorgängigen Hilfsaktionen der kirchlichen Jugendarbeit (Junge Kirche) am Ende des Krieges gegründet. 1962 wurde das Hilfswerk „Fastenopfer der Schweizer Katholiken" eindeutig als Folge des von den katholischen Jugendverbänden getragenen Missionsjahres 1960/61 gegründet, und ihr erster Direktor kam direkt aus dem katholischen Jugendverband. Und heute? Heute ist meines Erachtens die *kirchliche Erwachsenenbildung* in Fragen des Lebensstils umfassender und fundierter engagiert als die kirchliche Jugendarbeit und setzt deutlichere Zeichen – zumindest in der Schweiz.[13]

Auch die Missionen und Hilfswerke haben das Thema Lebensstil deutlich

Dokumente zum Lebensstil in der Jugendarbeit der Bundesrepublik Deutschland finden sich in: *M. Affolderbach* (Hrsg.), Grundsatztexte der evangelischen Jugendarbeit, Stuttgart[2] 1983, 261–273.

[10] *Fr. Schupp*, Anders leben lernen, a.a.O., 77.

[11] *R. Pilkinton*, Evangelistischer Lebensstil, Marienheide/Winterthur 1979.

[12] *B. und U. Weidner*, Alternativer Lebensstil. Christsein mit politischem Horizont, Wuppertal 1979.

[13] So z.B. die deutschschweizerischen evangelischen Erwachsenenbildungskurse zu Verzicht 1976/1977, die ökumenischen Erwachsenenbildungskurse des Kantons Zürich zur Energiefrage und zum künftigen Lebensstil 1981/1982, die katholischen Kurse der Diözese Basel zu Bebauen

aufgenommen.[14] Deren Impulse fließen direkt auch in die kirchliche Jugendarbeit ein.

(3) Viele in *Bürgerinitiativen,* Lebensstilbewegungen, Dritte-Welt-Aktionen und Selbstverwaltungsprojekten Engagierte sind in der kirchlichen Jugendarbeit dazu motiviert worden. Sie haben sich dann aber von der kirchlichen Jugendarbeit wegentwickelt. So sind in den nun bald 500 Dritte-Welt-Läden der Schweiz viele Junge engagiert, die einmal aktiv in einer kirchlichen Jugendgruppe tätig waren. Auch in den Jugendbewegungen der frühen 80er Jahre, bei der Startbahn West Frankfurt 1980–82, unter den Au-Besetzern gegen das AKW Hainburg bei Wien 1984, waren etliche aus der kirchlichen Jugendarbeit beteiligt. Viele von ihnen aber wurden in diesem Engagement radikaler und entfernten sich damit von der kirchlichen Jugendarbeit, weil diese für sie zu „unschlüssig", mit „zu wenig power", „zu zahm" (re)agierte. Diese Tendenz verlangt eine kritische Selbstbesinnung der kirchlichen Jugendarbeit in ihrem Lebensstilengagement.[15]

(4) Ein neuer Lebensstil wurde bisher *innerhalb der kirchlichen Jugendarbeit und Jugendverbände* nur wenig verwirklicht. Die Angebote der kirchlichen Jugendarbeit – vom Essen über die benutzten Verkehrsmittel bis zum Einsatz der neuen Medien – müssen von den Anforderungen des neuen Lebensstils her stärker angepaßt werden.

4. Allgemeine Entwicklungen in der Lebensstildiskussion

Die Lebensstildiskussion in der kirchlichen Jugendarbeit ist nur zu verstehen auf dem Hintergrund der allgemeinen Entwicklung der Lebensstildiskussion in den vergangenen 15 Jahren.[16] Diese ist meines Erachtens von folgenden Merkmalen gekennzeichnet:

– Seit 1972 erfolgte ein beachtlicher *Bewußtseinswandel,* der durch die kirchliche Bildungsarbeit sicher unterstützt wurde. Während z.B. Nullwachstum 1972 noch weitgehend als Miesmacherei abgetan wurde, ist es heute zum Teil Wirklichkeit und wird notgedrungen als langfristige Perspektive akzep-

und Bewahren 1984, das Textbuch „Herausforderung durch die Umweltkrise" der Evangelischen Erwachsenenbildung, Hannover 1976, usw. Zu allen Angeboten gab es ausführliche Arbeitsunterlagen.

[14] Z.B. die „Aktion e" von „Brot für die Welt" oder das Missionsjahrbuch 1982/1983 des Schweizerischen Evangelischen Missionsrates und der Katholischen Missionskonferenz der deutschen Schweiz.

[15] Vgl. *Chr. Stückelberger/V. Hofstetter* (Hrsg.), Die Jugendunruhen – Herausforderung an die Kirchen, Basel 1981, besonders 52–64; *G. Mugglin* (Hrsg.), Schweizer Jugendverbände im Spannungsfeld gesellschaftlicher Entwicklung, Zürich 1983.

[16] Vgl. dazu: Die Lebensstilbewegung – Eine Zwischenbilanz. Sonderheft von Wissenschaft und Praxis in Kirche und Gesellschaft, Nummer 4, Göttingen 1980.

tiert, auf die man sich einrichten muß (Einsicht durch Zwang). Der Graben zwischen Bewußtsein und faktischem Verhalten wurde allerdings größer, da sich das Verhalten nicht in dem Maß wie das Bewußtsein veränderte.

- Der *Widerstand* gegen gewisse, in der Lebensstilbewegung anerkannte Veränderungen ist andererseits größer geworden. So ist es heute schwieriger, z. B. folgende Postulate eines kirchlichen Forums von 1976 zum Thema „Welche Schweiz morgen?" in die politische Diskussion einzubringen: „Der neue Lebensstil zielt auf Selbstverwaltung ... auf Mitbestimmung ... auf Veränderung der Machtverhältnisse, die der verantwortlichen Teilnahme möglichst vieler an möglichst vielen Lebens- und Entscheidungsprozessen im Wege stehen."[17]

- Die Frage, was verändert werden müßte und in welche Richtung (Ziel), ist weniger wichtig geworden als die *Frage nach dem Wie* (Weg)! Eine neue Untersuchung aus der BRD hat ergeben, daß zwischen den Generationen eine erstaunliche Übereinstimmung in den Zielen, aber beträchtliche Differenzen bezüglich der Mittel bestehen. So finden z. B. 46% der Jugendlichen und 45% der Erwachsenen „Umweltschutz" sehr wichtig; 50% der Jugendlichen und 45% der Erwachsenen finden die „Entwicklung neuer Energieformen" sehr wichtig, 5% der Jugendlichen und 4% der Erwachsenen finden „einen nichtbürgerlichen, alternativen Lebensstil verwirklichen" sehr wichtig. - Während 65% der 42- bis 53jährigen den parlamentarischen Weg und nur 16% die außerparlamentarischen Mittel wie Bürgerinitiativen bejahen, befürworten von deren Kindern, den 16- bis 19jährigen, nur 47% den parlamentarischen, aber 32% den außerparlamentarischen Weg.[18]

Wenke stellte 1980 fest, „daß selbst bei grundsätzlicher Übereinstimmung in den Zielen ... das Problem der Mittel des Entwicklungsprozesses ungelöst bleibt."[19] Dies gilt auch für die Lebensstildiskussion und zeigt, daß die Kirchen der Frage der Mittel nun besondere Aufmerksamkeit schenken sollten.

- Während in der Alternativbewegung vereinzelt Gesamtentwürfe einer alternativen Gesellschaft bestehen, die sämtliche Lebensbereiche reflektieren[20], wurden in der kirchlichen Lebensstildiskussion zahlreiche *Einzelbereiche* wie Energie, Ernährung usw. vertieft bearbeitet, aber noch relativ wenig in einer Gesamtschau integriert (mit dem Vorteil, daß die Gefahr eines geschlossenen, starren Systems vermieden wurde).

17 Welche Schweiz morgen? Auf dem Weg zu einem neuen Lebensstil, Offener Brief, 1976, 20f.

18 *U. Matz/G. Schmidtchen,* Gewalt und Legitimität, a.a.0., 267–293.

19 *K. E. Wenke,* Aufgabe und Handeln der Kirche im Entwicklungsbereich, in: Sozialwissenschaftliches Institut der EKD (Hrsg.), Zwischen Wachstum und Lebensqualität. Wirtschaftsethische Fragen angesichts der Krisen wirtschaftlichen Wachstums, München 1980, 210.

20 So z. B. *H. Bossel,* Bürgerinitiativen entwerfen die Zukunft. Neue Leitbilder, neue Werte. 30 Szenarien, Frankfurt 1978. Anstoß dazu gaben übrigens zwei Tagungen der Evangelischen Akademie Baden/BRD.

- Während auf der Ebene kirchlicher Studien (Institute für Sozialethik, Iustitia et Pax, Hilfswerke, Missionen) die *strukturell-politische Ebene* in starkem Maß reflektiert wird, steht in den kirchlichen Bildungsveranstaltungen wie auch in der kirchlichen Jugendarbeit auf lokaler und regionaler Ebene das *individuelle Handeln* nach wie vor im Vordergrund, wie ich bei zahlreichen Vorträgen vor kirchlichem Publikum feststellen konnte. Damit wird auch der Konsumbereich viel stärker als der Produktionsbereich in die Überlegungen einbezogen.

- Die von mir 1979 beschriebene *Tendenz* der Wachstums- und Lebensstildiskussion *„von der Technik zur Ethik“*[21] hat sich weiter verstärkt. Immer mehr öffnen sich Naturwissenschaftler ethischen und religiösen Fragen. So wurde ich für eine vorwiegend technische Dokumentation zum Thema Abfall[22] um einen theologischen Beitrag gefragt. Auf die Frage, warum ein Beitrag eines Theologen beigefügt werden sollte, lautete die Antwort: „Irgendwie spüren wir, daß der Abfall auch ein ethisch-religiöses Problem ist.“ Andererseits sind die Berührungsängste z. B. zwischen Umweltorganisationen und Kirchen (die kirchlichen Jugendverbände eingeschlossen) noch recht groß.

Die religiöse Suche junger Leute weist dabei zwei starke Tendenzen auf: Der Erfolg der Rede des Indianerhäuptlings Seattle aus dem letzten Jahrhundert und der entsprechende Film „Söhne der Erde“ zeigen die *Faszination nichtchristlicher Religionen* (indianische Naturregligion, Schamanismus, Buddhismus u. a.), die ein neues Verhältnis zur Natur, zur Schöpfung und zu einem neuen Lebensstil suchen.

Eine andere Tendenz ist der *„evangelistische Lebensstil“*. Evangelisation als zentrale Aufgabe eines neuen Lebensstils: „Die Lebensführung Jesu ist für uns das Modell des evangelistischen Lebensstils. Jedes Wort und jede Tat bezeugen Gottes Liebe“[23]. Kirchliche Bemühungen um einen neuen Lebensstil müssen sich mit diesen beiden Strömungen auseinandersetzen. Die Missionswerke haben wohl die besten Voraussetzungen dafür.

- Die *Blockierungen, Abwehr und Schuldgefühle* beim Thema Lebensstil haben in der Bevölkerung zugenommen. „Ich mag nicht mehr, bin überfordert“, „Hört endlich auf damit, ich habe andere Probleme“ (z. B. Angst vor Arbeitsplatzverlust) und „Ihr macht einem ja dauernd ein schlechtes Gewissen“ sind häufig zu hören oder zu spüren. Obwohl die kirchliche Bildungsarbeit den befreienden Charakter eines neuen Lebensstils oft betonte, ist es offenbar noch zu wenig gelungen, das Moralisch-Appellative zu vermeiden. Die Schuldfrage darf dabei allerdings nicht verdrängt werden. Die Kollektiv-

21 *Chr. Stückelberger,* Aufbruch zu einem menschengerechten Wachstum, a.a.O., 1 ff.

22 Aktion Saubere Schweiz, Abfall und Recycling. Lehrerdokumentation, Zürich 1984.

23 *R. Pilkinton,* Evangelistischer Lebensstil, a.a.O., 14.

schuld und unser Umgang mit ihr müssen aber statt der Individualschuld neu betont und geklärt werden, da eine Zuweisung von Schuld an Individuen in Sackgassen und zu Abwehr führt.

5. Studienarbeit

Die kirchliche Jugendarbeit kann naturgemäß keine eigene grundlegende sozialethische Studienarbeit leisten. Ihr Lebensstil-Engagement wurde aber immer wieder von sozialethischen Studien beeinflußt. Schwerpunkte kirchlich-sozialethischer Studienarbeit in der Schweiz waren im Bereich Lebensstil in den vergangenen 10 Jahren die Themen Energie, Geld (Banken), Entwicklungspolitik, Arbeit und zum Teil Familien/Gemeinschaftsformen. In diesen Bereichen fand eine wesentliche Differenzierung statt. Zu Ernährungsfragen, die in der Lebensstildiskussion einen breiten Raum einnehmen, leistete die Erklärung von Bern viel Studienarbeit und erarbeitete viel Material, kirchlich-sozialethisch wurde das Thema aber kaum aufgenommen.
Gesundheits-, Bildungs- und Verkehrspolitik sind ebenfalls wichtige, den Lebensstil prägende Bereiche, die wenig bearbeitet wurden. Bedeutsam besonders für die städtische kirchliche Jugendarbeit scheint mir die Studie der Kammer für soziale Ordnung der EKD zur Stadtentwicklung.[24] Fragen des Wohnens, der ökologischen Stadterneuerung, des Lebensstils im Quartier u. a. werden darin angesprochen.
Die die Lebensstildiskussion beeinflussende Debatte um die von Carl Amery ausgelöste Frage, ob die Ursachen der Umweltkrise im Christentum liegen[25], wurde wesentlich differenzierter geführt.[26] Während die Ökologische Theologie anfangs der 70er Jahre noch ganz in den Anfängen steckte, entwickelten sich bis heute viele hilfreiche Ansätze, die gerade im Gespräch mit Menschen, die von nicht-christlichen Naturverständnissen fasziniert sind, neue Dimensionen christlicher Verständnisse eröffnen können: Liedke etwa[27] betont die Eigenständigkeit der Natur und der Schöpfung als ein Grundgeschehen, das nicht einfach unter die neutestamentliche Heilsgeschichte subsumiert werden kann.
Demgegenüber vertritt Altner einen christologischen Ansatz, in dem er klar

[24] Menschengerechte Stadt. Aufforderung zur humanen und ökologischen Stadterneuerung, Ein Beitrag der Kammer der EKD für soziale Ordnung, Gütersloh 1984.
[25] *C. Amery,* Das Ende der Vorsehung. Die gnadenlosen Folgen des Christentums, Hamburg 1972.
[26] Durch Werke von *G. Altner,* z.B. Schöpfung am Abgrund. Neukirchen 1974, und *U. Krolzik,* Umweltkrise – Folge des Christentums?, Stuttgart 1979.
[27] *G. Liedke,* Im Bauch des Fisches. Ökologische Theologie, Stuttgart 1979.

zwischen Mensch und Natur trennt, aber die Solidarität Gottes mit dem Leiden, auch mit der leidenden Kreatur, im Kreuz Christi aufzeigt.[28]
Diese beiden Ansätze wurden in der Schweiz und der BRD stark aufgenommen, während zwei in der Diskussion des Weltkirchenrats bedeutsame Ansätze bei uns wenig bekannt wurden: Charles Birch[29] betont von seiner Prozeßtheologie und -biologie her die Einheit des Universums und damit die Einheit von Gott und Schöpfung, was ihm den Vorwurf des Pantheismus einbrachte. Der Inder Paulos Gregorios[30] zeigt gegen das dualistische Denken des Westens das Einheitsdenken der orthodoxen Ostkirchen auf, in dem der Mensch am Universum teilhat. Diese kosmologische Einheit wird im orthodoxen Gottesdienst gefeiert. Dabei findet nicht eine Sakralisierung der Natur (wie z.B. bei den Indianern), wohl aber eine Sakramentalisierung der Natur statt. Die Arbeit des ÖRK, besonders aber die Auseinandersetzung mit dem orthodoxen Naturverständnis könnte für die Kirchen, die kirchliche Jugendarbeit und deren Spiritualität als Teil eines neuen Lebensstils wichtige Impulse geben.[31] Dabei wird die ökologische Theologie allerdings politische Theologie sein müssen, wenn sie die Welt nicht nur interpretieren, sondern auch verändern, das heißt wirksam schützen will. Sie hat dann auch jene ökonomischen Kräfte und Mechanismen zu reflektieren, die die Zerstörung der Natur vorantreiben. Die ökologische Theologie ist für das Lebensstil-Engagement der kirchlichen Jugendarbeit eine wichtige Grundlage.

6. Bildungsarbeit

Die kirchliche Bildungsarbeit in Unterricht, Jugendarbeit, Erwachsenenbildung, Bildungszentren und kirchlichen (Jugend-)Zeitschriften nahm in den vergangenen 10 Jahren oft Lebensstil-Themen auf. Damit leistete sie einen sehr wichtigen, wenn auch schwer meßbaren Beitrag zur Bewußtseinsbildung, zur Verarbeitung, ethischen Klärung und Ermutigung. Viele dadurch sensibilisierte Menschen wurden auch in außerkirchlichen Bezügen wie Umweltschutzorganisationen, Bürgerinitiativen u.a. aktiv. Allerdings ist es diesen zahlreichen Bildungsbemühungen meist nicht gelungen, breitere

28 *G. Altner,* Schöpfung am Abgrund, a.a.O.; *ders.,* Leidenschaft für das Ganze, Stuttgart 1980, 233ff.

29 *Ch. Birch,* Nature, Humanity and God in Ecological Perspective, in: Faith and Science in an Unjust World. Report of the WCC's Conference on Faith, Science and Future, Band 1, Genf 1980, 62–72.

30 *P. Gregorios,* The Human Presence. An Orthodox View of Nature, Genf 1978.

31 Weitere Beiträge zur ökologischen Theologie: Religious Experience in Humanity's Relation with Nature. A Consultation Yaounde 1978, Genf 1980; *J. Mbiti,* Poems of Nature and Faith, Nairobi 1969; Kirche Augsburgischer Konfession und reformierte Kirche im Elsaß, Bedrohte Natur und christliche Verantwortung, Straßburg/Frankfurt 1979; *O. H. Steck,* Welt und Umwelt, Stuttgart 1978; *K. Marti,* Schöpfungsglaube. Die Ökologie Gottes, Stuttgart 1983.

Kreise außerhalb der beschränkten Gruppe der kirchlich aktiven Mittelschicht zu erreichen.
Damit ist auch noch nicht genug dafür getan, daß ein neuer Lebensstil von symbolischen Aktionen zu einer realen Rettung der Natur, der Dritten Welt und unserer eigenen Gesellschaft führt, das heißt, daß ein breiter Konsens für ein gemeinsames Handeln entsteht, wie ihn der Sozialethiker Hans Ruh fordert.[32]

7. Gelebte Modelle, Aktionen, politische Vorstöße

„Die Frage ist nicht so sehr: Haben wir etwas dazu zu sagen, sondern wie bzw. was für eine Praxis haben wir zu leben. Der ganze Akzent liegt auf der Lebenspraxis", heißt es im Bericht über das Thema „Verantwortlicher Lebensstil" der ökumenischen Konsultation 1980 der Arbeitsgemeinschaft Christlicher Kirchen der Schweiz.[33] Wenn während der Jugendunruhen auf ein Plakat der Christlich Demokratischen Volkspartei der Schweiz mit dem Text „für menschliche Werte" gesprayt wurde: „Man hat uns betrogen", dann ist das nicht ein Protest gegen diese menschlichen Werte, sondern eine Anklage, diese würden zu wenig verwirklicht und in die Lebenspraxis umgesetzt. Eine Lebensstil-Zwischenbilanz muß feststellen, daß die Zahl der kirchlichen Bücher und Thesen wohl größer ist als die Zahl der gelebten Modelle.
Dennoch gibt es zahlreiche Ansätze: Die Zahl der Dritte-Welt-Läden ist in den vergangenen 10 Jahren enorm gestiegen, immer mehr junge Christen leben in Wohngemeinschaften und kirchliche Mitarbeiter (besonders gesamtkirchlicher Dienste) in Gemeinschaftssiedlungen[34]; Basisgemeinden entstehen und sind schon in einem losen Zusammenschluß miteinander verbunden, die Förderkreise für die Ökumenische Entwicklungsgenossenschaft bieten alternative Geldanlagemöglichkeiten an, immer wieder neue Selbstverpflichtungen werden angeboten und unterschrieben. Es gibt also Modelle, viele aber außerhalb oder am Rand traditioneller Kirchengemeinden, einige auch gegen den Widerstand von Kirchengemeinden.[35] Auch Selbstverwaltungskollektive stehen weitgehend außerhalb der Kirchengemeinden, obwohl nicht selten Junge mit kirchlichen Bezügen dort mitarbei-

[32] *H. Ruh,* Möglichkeiten für verändernde Schritte, in: Missionsjahrbuch der Schweiz 1982/1983, 53f.; auch *R. Boeckler,* Zwischen symbolischer Aktion und gesellschaftlicher Wirklichkeit, in: Die Lebensstilbewegung - Eine Zwischenbilanz, a.a.O., 217–220.
[33] AGCK, Ökumenische Konsultationen, Interlaken 1980 (Schlußbericht, 11).
[34] Einige Beispiele sind beschrieben im Missionsjahrbuch der Schweiz 1982/1983, 57–85.
[35] So z. B. „Prärie" in Bern, beschrieben von *K. Rechtsteiner/Chr. Bauer,* in: Chr. Stückelberger/V. Hofstetter, Die Jugendunruhen - Herausforderung an die Kirchen, a.a.O., 99–110.

ten. Energiesparbemühungen an kirchlichen Gebäuden hinken hinter denjenigen des Staates und der Privatwirtschaft an deren Liegenschaften weit hinten nach. Damit stellt sich die Aufgabe, das, was an Lebensstilversuchen bisher am Rand stand, vermehrt ins Zentrum durchschnittlicher, normaler Kirchengemeinden zu ziehen! Wo entsteht die erste Modellkirchengemeinde? Wo werden allfällig nötige finanzielle Mittel dafür freigestellt? Wann wird das Thema „Lebensstil" auch von der durchschnittlichen Jugendgruppe aufgegriffen? Auf entwicklungspolitischem Gebiet wurden durch die Kirchen und ihre Hilfswerke in den vergangenen 10 Jahren vermehrt direkte politische Vorstöße von Vernehmlassungen bis Petitionen unternommen. Auf anderen Gebieten, die den Lebensstil betreffen, war dies hingegen kaum oder nur wenig der Fall. In Umweltschutzthemen waren es vor allem die Umweltschutzverbände, die sehr viel stärker wurden und gezielte politische Lobbyarbeit betrieben. Auch in den Bereichen Verkehrs- und Energiepolitik entstanden zahlreiche neue Verbände und Gruppen, die die politische Arbeit leisteten. Die Kirchen können sich nun zwar nicht auf allen Gebieten so wie in der Entwicklungspolitik einsetzen: Dennoch stellt sich die Frage, ob sie nicht in diesen anderen, für den Lebensstil zentralen Fragen wie der Entwicklungsarbeit direkter politisch tätig werden müßten.

8. Neuer Lebensstil zwischen Wunsch und Wirklichkeit

Bei Lebensstilbemühungen wird immer wieder ihr symbolisch-erzieherischer Wert betont. Symbolische Aktionen waren zu Beginn der 70er Jahre sicher richtig und wichtig, sie genügen aber angesichts des faktischen Waldsterbens, des faktischen Hungers in der Dritten Welt usw. nicht. Die Konsumgewohnheiten von Mehrheiten, nicht von kleinen Minderheiten der Bevölkerung müssen sich ändern, wenn Umwelt und Dritte Welt überleben sollen.

Meinungsumfragen zeigen nun zwar, daß durchaus Mehrheiten für eine Einschränkung des Konsums sind.[36] Dies entspricht dem realen Verhalten aber keineswegs. Der von mir 1979 beschriebene Trend einer immer größer werdenden Kluft zwischen Erkenntnis und Tat hält weiter an.[37] Der Verbrauch vieler Güter nimmt trotz Konjunkturkrisen und trotz weitgehend stabiler Bevölkerung immer noch stark zu: Die Zahl der Motorfahrzeuge in

[36] Nach einer Stern-Untersuchung 1982 sind 70% der befragten Deutschen „eher für Konsumeinschränkung als für Steigerung"; nach einer Scope-Umfrage 1982 gaben 56% der befragten Schweizer an, sie würden mit einer Reduktion des Haushaltseinkommens um ein Viertel einigermaßen fertig; weitere Zahlen in *Chr. Stückelberger,* Aufbruch zu einem menschengerechten Wachstum, a.a.O., 59ff.

[37] Ebd., 61.

der Schweiz war trotz gestiegenen Umweltbewußtseins 1981 72,7% höher als 1970! Der gesamte Energieverbrauch für den Verkehr war 1980 29% höher als 1970, der Endenergieverbrauch 16,5% höher. Der Erdölverbrauch hingegen konnte dank großer Spar- und Substitutionsbemühungen 1980 wieder auf den Stand von 1970 gebracht werden. Die Zahl der Industriebetriebe ist trotz der vielen Diskussionen über Dezentralisierung und kleinere Einheiten um 26% gesunken, das heißt, die Zentralisationstendenz hält weiter an.
Die Zahlen im Bereich des individuellen Konsums zeigen ähnliche Tendenzen: Der Fleischkonsum ist trotz Fleischverzichtaktionen wie „Hunger ist ein Skandal" 1970–1980 um 20% gestiegen. Die Menge der behandelten festen Siedlungsabfälle pro Kopf der Bevölkerung stieg trotz Umwelterziehung 1970–1980 um 39%! Der Verbrauch der Südfrüchte stieg trotz der Bananen-Boykott-Aktionen, der Anti-Ananaskampagnen und der Granny-Smith-Boykottaktionen 1970–1980 um 15%.
Die Leistungen der privaten Hilfswerke waren (nach Abzug der Teuerung) 1970–1980 je etwa 50% höher als 1970. Eine erfreuliche Steigerung. Aber auch der Kunststoffverbrauch stieg – trotz „Jute statt Plastik" – um 83%! Alu-Sammeln ist ein weiteres Lebensstilanliegen. Die recyclierten Alu-Haushaltabfälle stiegen in der Schweiz von 134 t 1982 auf 157 t 1983. Eine erfreuliche Steigerung. Sie wird aber stark relativiert, wenn man bedenkt, daß insgesamt 1983 21000 t wiederverwertet wurden (in der Schweiz), also nur 0,7% aus Haushaltsabfällen stammen. Die Verpackungsindustrie, von der die Alu-Haushaltsabfälle vorwiegend stammen, benötigt 18,8% des Alu-Verbrauchs in der Schweiz. Vier Fünftel werden im Bauwesen (19,2%), im Maschinen- und Apparatebau (15,3%), im elektrotechnischen Bereich (16,4%) u.a. verwendet. Daraus wird deutlich, daß sich die kirchliche Lebensstildebatte nicht nur auf den Konsumbereich konzentrieren darf, sondern den Produktionsbereich verstärkt ernst nehmen muß.[38]
Diese Zahlen sollen nicht entmutigen, sie sollen vielmehr vor Illusionen warnen. Eine realistische Situationsanalyse ist Voraussetzung für sozialethisch verantwortliches Handeln. Die Zahlen zeigen jedenfalls, daß wir von dem von Kirchen und kirchlichen Gruppen postuliertem Lebensstil (noch) weit entfernt sind.

9. Folgerungen für die Weiterarbeit

(1) Die bisherige Bildungsarbeit in der kirchlichen Jugendarbeit zu Themen um den Lebensstil muß fortgesetzt werden. Sie kann aber wirksamer wer-

[38] Die Angaben zum Aluminium stammen von der Informationsstelle für Alu und Umwelt in Zürich, sie ist getragen von der Alu-Industrie.

den, wenn sie sich vermehrt dem Aufbau einzelner *gelebter Modelle* widmet, als wenn sie beim bisherigen Kursangebot bleibt.

(2) Das Konsumverhalten einer Mehrheit der Bevölkerung läßt sich nur über die *Preispolitik* und die *Gesetze* wirksam ändern. Verzichtappelle sind nur bei ganz kleinen Minderheiten wirksam. Kirchliche Bemühungen müssen daher vermehrt auch diese politisch-wirtschaftlichen Wege bedenken. Eine Verantwortungs- respektive Folgeethik darf sich nicht mit sozialethischen Postulaten begnügen, sondern muß diese auf ihre Realisierbarkeit und Wirksamkeit hin überprüfen.[39]

(3) In kirchlichen Lebensstildiskussionen wird der Konsumbereich immer noch viel stärker als der *Produktionsbereich* beachtet. Ohne Änderungen der Produktion sind Änderungen des Konsumverhaltens aber wenig wirksam. Solange ein Produkt produziert wird, wird es zumeist auch Konsumenten finden, die es brauchen! Auch die kirchliche Jugendarbeit muß sich vermehrt mit dem Produktionsbereich auseinandersetzen.

(4) Dies bedeutet, daß die Kirchen und kirchlichen Jugendverbände in ihren Lebensstilbemühungen die *Kontakte zu Parteien, Politikern und Verbänden stärken* müssen, während sie sich bisher - zumindest auf lokaler und regionaler Ebene - oft neben und außerhalb politischer Strukturen bewegten.

(5) Andererseits ist eine *Klärung des Verhältnisses der Kirchen und kirchlichen Jugendarbeit zu Bürgerinitiativen und Protestbewegungen* wie der Ökologie-, Alternativ- und Friedensbewegung nötig, um vorhandene Berührungsängste abzubauen und zu klären, wo eine Zusammenarbeit möglich ist und wo nicht.[40] Die bisherige gegenseitig wohlwollend bis vorsichtig-distanzierte Haltung hinterließ oft ein Klima des Mißtrauens und der Unsicherheit, das die Christen in diesen Bewegungen oft der Kirche entfremdete.

(6) Dies zeigt, daß die kirchliche Lebensstildiskussion sich der *Machtfrage* neu stellen muß: Die Änderung des Lebensstils braucht Vollmacht und Macht: die Macht Gottes und menschliche Macht.

(7) Damit aber Gottes Macht in unserem Lebensstil wirksam wird, ist eine weitere *Vertiefung der religiös-spirituellen Dimension* wichtig. Dazu gehört neben der Studienarbeit zu den oben erwähnten Themen vor allem die gelebte Spiritualität, zu der die kirchliche Jugendarbeit viel beitragen kann.

[39] Vgl. die „Adäquanzkontrolle“ bei *H. E. Tödt,* Versuch einer Theorie ethischer Urteilsfindung, in: Zeitschrift für Evangelische Ethik (1977) 80-93; sowie die „kritische Überprüfung der Maximen“ bei *A. Rich,* Wirtschaftsethik, Gütersloh 1984, 227f.

[40] Dies leistete für die BRD zum Teil *K. Oeser,* Umweltbeauftragter der EKD, in seiner Schrift „Evangelische Kirche und Bürgerinitiativen“, Villingen-Schwenningen.

Literatur

Die Lebensstilbewegung. Eine Zwischenbilanz, in: Wissenschaft und Praxis in Kirche und Gesellschaft, Sonderheft Nummer 4 (1980).

Liedke, Gerhard, Im Bauch des Fisches. Ökologische Theologie, Stuttgart 1979 (Kreuz).

Moltmann, Jürgen, Gott in der Schöpfung. Ökologische Schöpfungslehre, München 1985 (Chr. Kaiser).

Pilkinton, Ross, Evangelistischer Lebensstil, Marienheide/Winterthur 1979 (Bibelbund).

Reimer, Ingrid (Hrsg.), Alternativ leben in verbindlicher Gemeinschaft. Evangelische Kommunitäten, Lebensgemeinschaften, Junge Bewegungen, Stuttgart 1979 (Quell).

Schupp, Friedel (Hrsg.), Anders leben lernen. Beiträge und Materialien zu einem Symposium der Arbeitsgemeinschaft der Evangelischen Jugend, aej-Materialien 13, Stuttgart 1983 (edition aej).

Stückelberger, Christoph/Hofstetter, Viktor, Die Jugendunruhen – Herausforderung an die Kirchen, Basel 1981 (Fr. Reinhardt).

Stückelberger, Christoph, Aufbruch zu einem menschengerechten Wachstum. Sozialethische Ansätze für einen neuen Lebensstil, Zürich³ 1982 (Theologischer Verlag Zürich).

Wenke, Karl E./Zillessen, Horst (Hrsg.), Neuer Lebensstil. Verzichten oder Verändern? Auf der Spur nach Alternativen für eine menschliche Gesellschaft, Opladen 1978 (Westdeutscher Verlag).

Weidner, Barbara und Ulrich, Alternativer Lebensstil. Christsein mit politischem Horizont, Wuppertal 1979 (Aussaat).

Rolf Hanusch

Lernen

1. Kirchliche Jugendarbeit und Lernen als Widerspruch

Wenn Lernen alle Verhaltensänderungen umfaßt, „die ganz oder teilweise als Folge vorausgegangenen Verhaltens erklärt werden“[1], dann wird ohne Zweifel auch in der kirchlichen Jugendarbeit ständig bewußt oder unbewußt gelernt. Wird dagegen Lernen auf das organisierte Lernen im institutionellen Zusammenhang der Schule, dem sich das Kind unterordnen muß, beschränkt, so stehen für Jugendliche und Jugendarbeiter kirchliche Jugendarbeit und Lernen im Widerspruch.

Während die Anfänge kirchlicher Jugendarbeit im 19. und im beginnenden 20. Jahrhundert durchaus für pädagogische Überlegungen offen waren, zeigt ein Rückblick auf die Geschichte der kirchlichen Jugendarbeit am Beginn der 20er Jahre, als sich sozialdiakonische Jugendpflege und die Tradition der bürgerlichen Jugendbewegung in vielen Verbänden kirchlicher Jugendarbeit zu verbinden begannen, daß bewußt organisiertes Lernen mit schulischer Orientierung geradezu als Verstoß gegen die Grundprinzipien kirchlicher Jugendarbeit verstanden wurde. Kirchliche Jugendarbeit beruhte auf dem Prinzip der Freiwilligkeit, fand prinzipiell außerschulisch in der Freizeit statt und zielte auf die Ermöglichung von kirchlicher Frömmigkeit. Gerade das letztere Prinzip hatte sich in der evangelischen Jugendarbeit zunehmend verschärft. So wurde in einzelnen Verbänden schon ab 1910 in Abwehr liberaler Strömungen, die eher die Erziehung zu einer christlichen Persönlichkeit anstrebten, „die persönliche Entscheidung, Bekehrung zu Christus als letztes Arbeitsziel“[2] gefordert. Hier hatte Lernen, ja jede pädagogische Reflexion keinen Platz mehr. Diese Zielsetzung wurde unter dem Druck der Situation des Kirchenkampfs für die ganze kirchliche Jugendarbeit verbindlich und prägte zunächst auch noch weite Bereiche dieser Arbeit nach 1945. Erst die aus der Notlage Jugendlicher heraus schnell entstehende Jugendsozialarbeit und bald auch die spürbar werdende zunehmende Distanz großer Teile der Nachkriegsjugend zu entschiedenem, glaubensgemäßem Engage-

[1] *F. Weinert,* in: Chr. Wulf (Hrsg.), Wörterbuch der Erziehung, München 1974, 389.
[2] *L. Cordier,* Evangelische Jugendkunde, Band II: Die evangelische Jugend und ihre Bünde, Schwerin 1926, 389f.

ment in kirchlicher Jugendarbeit führten zu einer stärker an Jugendpflege und Jugendhilfe orientierten kirchlichen Jugendarbeit. Für deren Praxis wurde dann bald die Aufnahme pädagogischer und sozialwissenschaftlicher Kategorien dringlich.
Während der Widerspruch von Lernen und Glauben in der evangelischen Jugendarbeit auf Grund der dialektischen Theologie sehr radikal formuliert wurde, war im Bereich der katholischen Jugendarbeit immer eine stärker theologisch begründete Offenheit für Bildungsprozesse, so daß dort eher die Kampflinie zwischen religiösem Lernen von Glauben und „nur" sozialem Lernen verlief und verläuft.

2. Lernfeld Jugendarbeit

2.1. Die Rückkehr von Lernen in die Jugendarbeit

Im Verlauf einer beginnenden systematischen pädagogischen Reflexion von Jugendarbeit, die sich brennpunktartig in dem Sammelband „Was ist Jugendarbeit?"[3] von 1964 und dann im Entwurf von Hermann Giesecke zur emanzipatorischen Jugendarbeit[4] zeigte, tauchte mehr und mehr auch wieder der Begriff des Lernens in der Jugendarbeit auf. Stark bestimmt von der gleichzeitigen Diskussion um die Bildungsreform postulierte sich die außerschulische Jugendarbeit als eigene Sozialisationsinstanz, die mit Familie und Schule konkurriert, wobei die Schule zunächst von der außerschulischen Jugendarbeit kaum wahrgenommen wurde.[5] Durch diesen Vorstoß erhöhte sich der Legitimationsdruck auf die Jugendarbeit. Sollte sie sich neben der Schule, die ja in den damaligen Reformplänen als Ganztagesschule mit umfangreicher Schulsozialarbeit konzipiert war, noch behaupten können, so war für sie eine legitimierende Effektivitätskontrolle nötig. Was lag näher, als die Kategorien der Curriculumtheorie von Lernzielen und Lernzielkontrolle für die Jugendarbeit zu übernehmen?
Weiter fiel dieser Entwicklungsprozeß mit der Professionalisierungsphase von Jugendarbeit zusammen, die mit Beginn der 60er Jahre einsetzte und durch die Verunsicherung der öffentlichen Träger durch die Studentenbewegung und die folgende Reformpolitik rasch voranschritt. Dadurch kamen immer mehr sozialwissenschaftlich ausgebildete Mitarbeiter auch in die kirchliche Jugendarbeit, während zugleich die nur kirchlich-theologisch aus-

[3] *W. C. Müller/H. Kentler/Kl. Mollenhauer/H. Giesecke,* Was ist Jugendarbeit? Vier Versuche zu einer Theorie, München 1964.
[4] *H. Giesecke,* Die Jugendarbeit, München 1971.
[5] *H. Kentler* sprach von einer eigenartigen Blindheit der Jugendarbeit gegenüber der Schule, in: Droht die Verschulung der Jugendarbeit?, in: deutsche jugend 7 (1972) 303.

gebildeten Mitarbeiter sich intensiv um pädagogische Zusatzqualifikationen bemühten. Schon in der ersten Phase der Professionalisierung zeigte sich, daß die hauptberuflichen Mitarbeiter in der Schulung der ehrenamtlichen Mitarbeiter eines ihrer wichtigsten Arbeitsfelder fanden. Damit war in kurzer Zeit ein institutioneller Lernbereich innerhalb der kirchlichen Jugendarbeit entstanden. Hauptberufliche bildeten Ehrenamtliche fort, während die Hauptberuflichen selbst ihren Bedarf nach eigener Fortbildung anmeldeten und bald auch bekamen.[6]

2.2. Die Entdeckung des sozialen Lernens

Der Versuch, Jugendarbeit als Lernfeld attraktiv zu machen, nahm zunächst die oft idealtypisch die gesamte gesellschaftliche Wirklichkeit einschließenden globalen Lernziele der Bildungsreform auf und wies zugleich der Schule nach, daß sie unfähig sei, dies alles zu vermitteln. So wurde zunächst ein auf die Schule bezogen subsidiäres Lernen in der Jugendarbeit bestimmt. „Jugendarbeit organisiert Lernprozesse, die die Schule nicht organisiert, jedoch organisieren könnte" (z. B. Malerei, Tanz, Hobbies, religiöse Übungen usw.)[7]. Entscheidend war aber, daß Jugendarbeit auf Grund ihrer Praxis sehr viel differenziertere Lernbedingungen als die Schule aufzeigen konnte. Werner Schefold betonte vor allem drei Vorzüge:
- eine Rollenvielfalt für die Jugendlichen, die in der Schule eben doch immer nur Schüler bleiben,
- eine Methodenvielfalt, die anspruchsvolle Lernformen bis hin zu Selbsterfahrungsgruppen ermöglicht, und
- eine große Nähe zur Alltagswelt von Jugendlichen.[8]

Aus diesen Einsichten entwickelte sich der Begriff des sozialen Lernens. Im Strukturplan für das Bildungswesen des Deutschen Bildungsrates von 1970 wurde folgendes Ziel für soziales Lernen in der Schule formuliert: Schule soll den Erwerb von „Fähigkeiten, Fertigkeiten und Kenntnissen, die im späteren Leben die Voraussetzung für soziale Orientierungsfähigkeit, Einsicht in politische, ökonomische und soziale Zusammenhänge, Kritikvermögen und selbständiges Handeln" bilden, garantieren.[9] Damit war ein Begriff, der vor allem im katholischen Raum als „Sozialerziehung" entwickelt worden war („Erziehung zur Gemeinschaft durch Gemeinschaft" [Paul Natrop])

[6] Nach 1960 wurden in dichter Folge neue Fortbildungsinstitute für kirchliche Jugendarbeit gegründet bzw. bestehende Einrichtungen in Fortbildungsinstitute umgewandelt (z. B. Studienzentrum für evangelische Jugendarbeit in Josefstal, 1961; Landjugendakademie Altenkirchen, 1960, oder die Katholische Akademie für Jugendfragen, Münster).

[7] *W. Schefold,* Jugendarbeit und reformiertes Schulsystem, in: deutsche jugend 7 (1972) 314.

[8] Ebd.

[9] Deutscher Bildungsrat, Strukturplan für das Bildungswesen, Bonn 1970, 165.

aufgenommen. Er wurde bald im Zuge der von der Studentenbewegung ausgehenden Politisierung als politisches Lernen definiert. Dabei wurde immer häufiger in den unmittelbaren Erfahrungen von Konfliktfeldern gelernt. „Politische Aktion und politisches Lernen“[10] waren vor allem in parteilicher Jugendarbeit, wie z. B. der antikapitalistischen, optimal möglich. Zugleich wurde politisches Lernen auch im Rahmen der Partizipation von Jugendlichen innerhalb der Verbände durch eine zum Teil erst zu erkämpfende Demokratisierung der Strukturen zum unmittelbaren Praxisfeld von Jugendarbeit.

3. Lernen in einer pädagogisierten kirchlichen Jugendarbeit

3.1. Die alltägliche Wirklichkeit

Evangelische und katholische Jugendarbeit hatten an der dargestellten Entwicklung großen Anteil. In der Praxis der Jugendarbeit vollzog sich eine Pädagogisierung, in der die professionellen Mitarbeiter immer häufiger methodisch und konzeptionell Formen des sozialen Lernens übernahmen und praktisch zu realisieren begannen.

Grundlage für diese Praxis waren sicher die Ansätze von Gruppenpädagogik, wie sie vor allem in den Büchern von Willi Erl dargestellt und weitverbreitet wurden.[11] Dazu kamen bald die Ansätze von Gruppendynamik, die zunächst unspezifisch übernommen wurden, um dann sehr bald für die Praxis von Jugendarbeit konkretisiert zu werden.[12]

Nimmt man z. B. die evangelische Mitarbeiterzeitschrift „das baugerüst“ als Orientierungslinie, so fällt auf, daß in allen Jahrgängen der 70er Jahre mindestens ein „Methodenheft“ bei der Erscheinungsweise von 6 Heften pro Jahr herauskam. Im Themenheft „Kommunikation“ (3/1974) z. B. spiegelt sich die ganze Vielfalt von gruppendynamischen Spielen und Übungen, von Erfahrungen in Gesprächsgruppen usw. In den Darstellungen wird oft von Lernen gesprochen, wobei eindeutig soziales Lernen im Sinn von Lernen aus Erfahrungen dominiert. Ja es kommt geradezu zu einer Inflation des Lernbegriffs, wenn etwa im Anschluß an das Buch von Horst Eberhard

10 Vgl. *H. Giesecke* u. a., Politische Aktion und politisches Lernen, München 1971.

11 *W. Erl,* Gruppenpädagogik in der Praxis, Tübingen 1967; *ders.,* Methoden moderner Jugendarbeit, Tübingen 1969; *ders.,* Jugendarbeit im Experiment, Tübingen 1971.

12 Weitverbreitet war zunächst das Buch von *T. Brocher,* Gruppendynamik und Erwachsenenbildung, Braunschweig 1967; dann erschienen nach einigen vorlaufenden Aufsätzen *J. Fritz,* Gruppendynamik und Jugendarbeit, München 1973, und *ders.,* Emanzipatorische Gruppendynamik, München 1974.

Richter „Lernziel Solidarität" vorgestellte Projekte häufig mit dem Terminus Lernziel, Lernort oder Lernprozeß bezeichnet werden. In einem Heft über Didaktik der Jugendarbeit (2/1977) wird noch einmal die Faszination der Curriculumtheorie spürbar, zugleich mehren sich kritische Stimmen, die von der Situation der Schule her eine technokratisch durchgeführte Curriculumreform, verbunden mit dem Leistungsdruck angesichts des Numerus Clausus, ablehnen und für die Jugendarbeit allenfalls offene Curricula befürworten.

Es bleibt festzuhalten, daß in der Praxis evangelischer und katholischer Jugendarbeit soziales Lernen ausprobiert und zugleich reflektiert wurde. Dabei sind viele brauchbare Modelle für Gruppenstunden und Mitarbeiterschulungen entwickelt worden. Lernen hat sich dabei immer stärker von seinem schulcurricularen Gewand befreit und ist zu einem selbstbewußt gebrauchten Begriff für pädagogisches Handeln in außerschulischer Jugendarbeit geworden. Im Übergang zu den 80er Jahren finden sich immer weniger Beiträge für die pädagogische Praxis. Artikel zu Grundsatzfragen der Situation von Jugendlichen wie der gesamtgesellschaftlichen Situation nehmen dagegen stark zu. Im Zusammenhang der 1980 einsetzenden neuen Jugendbewegung einerseits und der fast gleichzeitig einsetzenden Professionalisierungskritik andererseits[13] taucht in einzelnen Beiträgen ein neuer Lernbegriff auf. Sowohl in Vorschlägen für ökologisches Lernen in Projekten als auch in Vorschlägen zur Spurensuche als Erforschung des Lebensumfelds durch die Jugendlichen selbst wird ein Lernbegriff meist nur angedeutet, der sich bewußt unpädagogisch gibt. Ausgehend von der Pädagogik der Unterdrückten von Paolo Freire[14], die Mitte der 70er Jahre nur am Rande rezipiert wurde, und unter Verweis auf die Schulkritik von Ivan Illich[15] sollen nun die Betroffenen ohne pädagogische Nachstellungen zu einem Lernen im Austausch der Generationen kommen (siehe 4.2.).

In der alltäglichen Wirklichkeit von kirchlicher Jugendarbeit wird also offensichtlich weiterhin gelernt, wobei die Pädagogen zunehmend ein schlechtes Gewissen bekommen, wenn es dabei „nur" um Methoden geht.

3.2. Gruppendynamisches Lernen als offizieller katholischer Weg

Im Gegensatz zur evangelischen Jugendarbeit (siehe 3.3.) prägte in der katholischen Jugendarbeit ein von der Gemeinsamen Synode der Bistümer

[13] Vgl. vor allem die Beiträge von *H. Giesecke* und *Kl. Mollenhauer* in dem Rundgespräch „Was ist Jugendarbeit?" zum 20jährigen Jubiläum des Studienzentrums Josefstal, in: aej-Studientext Nummer 21, Stuttgart 1982.

[14] *P. Freire,* Pädagogik der Unterdrückten, Reinbek 1973; *ders.,* Erziehung als Praxis der Freiheit, Stuttgart 1974, und *ders.,* Pädagogik der Solidarität, Wuppertal 1974.

[15] *I. Illich,* Schulen helfen nicht, Reinbek 1972, und *ders.,* Entschulung der Gesellschaft, München 1972.

in der Bundesrepublik Deutschland 1975 unter dem Titel „Ziele und Aufgaben kirchlicher Jugendarbeit“[16] verabschiedetes Konzept weite Bereiche der Praxis und der zugehörenden theoretischen Reflexion. Der Text beschränkt sich dabei nicht auf allgemeine gesellschaftliche und theologische Grundsatzfragen zu Jugend und Jugendarbeit, sondern hat in der „reflektierten Gruppe als personales Angebot“ eine eindeutige „methodologische Leitidee“[17].

Hierbei geht es um soziales Lernen, das als gruppendynamischer Prozeß gefaßt ist, wobei der Gruppenbegriff sehr weit gespannt ist und Klein- und Großgruppen umfaßt. Unklar bleibt, wie weit auch informelle, häufig wechselnde Gruppierungen innerhalb der offenen Jugendarbeit - z. B. in einem Jugendhaus - damit reflektiert werden können. Gelernt wird durch die Reflexion der Selbsterfahrung und der mitgeteilten Fremderfahrung im Gruppenprozeß. Auch hier herrscht große Offenheit, die von analytisch geleiteten Selbsterfahrungsgruppen bis hin zu einer an Gruppenprozessen orientierten Katechese und einem Konzept situativer Verkündigung[18] reicht. Die Ausformungen dieses Konzepts haben sowohl in der Vorbereitungszeit wie auch in der Phase der Aufnahme und Diskussion danach in der katholischen Jugendarbeit eine große Rolle gespielt. Dabei kam diesem Konzept sicher zugute, daß es sich weitgehend auf die tatsächliche Alltagspraxis kirchlicher Jugendarbeit bezog.

In der allgemeinen Theoriediskussion für Jugendarbeit, wie sie sich in diesen Jahren in der Zeitschrift „deutsche jugend“ widerspiegelt, war dieses Konzept von Anfang an im Verdacht, ein eher entpolitisierendes Lernen zu propagieren. Dieser Verdacht wurde gegenüber Gruppendynamik insgesamt vorgebracht und verstummte trotz guter Gegendarstellungen nicht.[19] Dabei wurde häufig die schwierige „zweite Frontlinie“ übersehen, von der aus konservative, oft kirchenleitende Kreise innerhalb der katholischen Kirche dieses Konzept bekämpften. Insgesamt ist es, trotz aller Zugeständnisse um eines Kompromisses willen, dem Konzept gelungen, soziales Lernen in einem wichtigen Bereich kirchlicher Jugendarbeit offiziell abzusichern, ohne dabei Weiterentwicklungen zu behindern.

3.3. Lernen in politischen Bildungsprozessen als ein evangelischer Weg

Im Bereich der evangelischen Jugendarbeit kam es nie zu einer vergleichbaren kirchenamtlichen Festlegung auf ein methodisches Konzept. Die Syn-

16 Gemeinsame Synode der Bistümer in der Bundesrepublik Deutschland, Freiburg 1976, 288-311.

17 *H. Steinkamp,* Kirchliche Jugendarbeit und Gruppendynamik, in: M. Affolderbach (Hrsg.), Praxisfeld: Kirchliche Jugendarbeit, Gütersloh 1978, 155.

18 *Ders.,* Jugendarbeit als soziales Lernen, München/Mainz 1977, 40f.

19 *Vgl. ders.,* in: M. Affolderbach (Hrsg.), Praxisfeld: Kirchliche Jugendarbeit, a.a.O., 146-149.

ode der EKD befaßte sich zwar eingehend mit der Bildungsplanung (Frankfurt 1971) und mit Grundsatzfragen von Erziehung (Leben und Erziehen wozu? - Bethel 1978), klammerte dabei aber den Bereich der Jugendarbeit weitgehend aus. Als sich in Osnabrück 1980 die Synode unter dem Thema „Jugend und Kirche“ explizit mit Jugendarbeit befaßte, beherrschten aktuelle Fragen (Jugendproteste) die Diskussion, und die Verlautbarung zu diesem Thema blieb weitgehend allgemein und unverbindlich. Auch der von dieser Synode in Auftrag gegebene Bericht über die Lage der jungen Generation und die evangelische Jugendarbeit, der zur Herbstsynode 1984 in Travemünde von Tilman Schmieder vorgelegt wurde[20], zielt in keiner Weise auf ein einheitliches methodisches Konzept, sondern bemüht sich nur darum, daß alle Arbeitsformen in der evangelischen Jugendarbeit von der Synode bejaht werden.

Eine gewisse Ausnahme bildet nur die Studie der Jugendkammer der EKD von 1972 „Konflikte im Erziehungsfeld“. Nicht am Beispiel der Jugendarbeit, sondern am Beispiel der Kommunikationsgemeinschaft der Schule wird hier ein regulatives Prinzip beschrieben, „ein Prinzip mit Handlungskonsequenzen, das erlaubt und verlangt, in konkreten Situationen Regeln des Prüfens und Sich-Veränderns anzuwenden“[21]. Hier wird also ein qualifizierter Lernprozeß auf Grund von Erfahrungen, die durch kommunikative Kompetenz zu Einsichten werden, vorgeschlagen und am Beispiel von Schulkonflikten relativ praktisch beschrieben. Damit ist ohne Zweifel eine Beziehung zur „reflektierten Gruppe“ gegeben, die aber - soweit ich sehe - nie praktische Konsequenzen hatte.

In der Arbeitsgemeinschaft der Evangelischen Jugend war die gesamte verbandspolitische Diskussion in den Jahren 1970-1974 von der sogenannten Polarisierungsdebatte um die Zielsetzung der evangelischen Jugendarbeit bestimmt, in der - wie Christof Bäumler formulierte - die „Zieldiskussion in legitimatorischer Absicht“ an die Stelle kritischer Theoriebildung trat.[22]

Unter dem Gesichtspunkt des Lernens tauchte manchmal in der Diskussion der alte prinzipielle Widerspruch von Lernen und Glauben wieder auf (siehe 1.), er wurde allerdings nie entscheidend wichtig, da gerade der Beitrag der Pädagogik zur modernen kirchlichen Jugendarbeit prinzipiell unstrittig war. In der Bewertung dieser Debatte als „Lernen am Konflikt“[23] gab es den

[20] *T. Schmieder,* Jung sein und evangelisch, aej-Studienband Nummer 8, Stuttgart 1984.

[21] Jugendkammer der EKD, Konflikte im Erziehungsfeld, Gütersloh 1972, 52.

[22] *Chr. Bäumler,* Auf dem Holzweg? Zum gegenwärtigen Stand der Theoriebildung kirchlicher Jugendarbeit, in: Unterwegs zu einer Praxistheorie, München 1977, 233.

[23] *E. E. Pioch,* Lernen am Konflikt, in: Wissenschaft und Praxis in Kirche und Gesellschaft 7 (1973) 298.

Versuch einer gleichzeitigen sozialwissenschaftlichen Reflexion der Debatte.

In der gemeinsamen Praxis, die der Ausgang aus der Polarisierung sein sollte[24], hatte sich inzwischen schon längst das soziale Lernen etabliert. Bezogen auf die über der Praxis stattfindende Konzeptionsdebatte mußte Martin Affolderbach allerdings die „Verleugnung der ‚reflektierten Gruppe'" feststellen[25], wobei auch er durchaus von einer größeren Zahl von Einzelbeispielen gruppendynamisch bestimmter Praxis in der evangelischen Jugendarbeit berichten konnte. Diese Beispiele, häufig Projekte genannt, fanden sich schwerpunktmäßig im Bereich der politischen Bildung, die vor allem von der Arbeitsgemeinschaft der Evangelischen Schülerarbeit und der Evangelischen Trägergruppe für gesellschaftspolitische Jugendbildung gestaltet wurden. Hier wurden unter Teilnahme an der allgemeinen Bildungsdebatte Lernen und auch Gruppendynamik unter ideologiekritischen Vorbehalten in die eigene Konzeption aufgenommen. Schon 1973 wurde nicht nur die Notwendigkeit betont, Lernziele auszuweisen, sondern zugleich die Frage gestellt, „an welchen Kriterien die gesellschaftliche Bedeutung von Lernzielen gemessen wird", und vor der Gefahr der Einengung bei der Entwicklung von Lernzielen auf einen technokratischen Verwertungsprozeß gewarnt.[26] Gruppendynamik erschien in ihrer sozialintegrativen Verwendung bis hin zur Verwendung für Managerschulungen der Wirtschaft äußerst suspekt und wurde doch, wie viele Praxisberichte belegen, häufig verwandt.

3.4. Das gemeinsame Feld gruppendynamisch geprägter Fortbildung

Auf dem kleinen Feld der Fortbildung hauptberuflicher Mitarbeiter kam es zu einer Annäherung zwischen dem Konzept der reflektierten Gruppe, das Hermann Steinkamp zu einem Konzept von Fortbildung weiterentwickelte, und der schon erprobten Praxis z. B. des Langzeitprogramms im Studienzentrum für evangelische Jugendarbeit in Josefstal.[27] In beiden Fällen wird im Rahmen einer Methodenvielfalt intensiv gruppendynamisch gearbeitet. Während bei Steinkamp die reflektierte Gruppe kontinuierlich im Mittelpunkt steht, werden in Josefstal die Bedingungen für die Sozialisation des Jugendleiters selbst, für die Jugendlichen und für die Jugendarbeit themati-

[24] So formulierte *J. Jürgensen,* Vom Umgang mit den eigenen Zielen, in: evangelische jugend information 9 (1975) 33.

[25] *M. Affolderbach,* Problemstand und Ziele evangelischer Jugendarbeit in der Bundesrepublik Deutschland, in: Theologia Practica 2 (1977) 105.

[26] Evangelische Trägergruppe für gesellschaftspolitische Jugendbildung, Politische Jugendbildungsarbeit als gesellschaftliche und kirchlich-theologische Aufgabe, in: *M. Affolderbach* (Hrsg.), Grundsatztexte zur evangelischen Jugendarbeit, Stuttgart/Gelnhausen[2] 1972, 409.

[27] Vgl. die Darstellung von *Chr. Bäumler* in seinem Nachwort zu H. Steinkamp, Jugendarbeit als soziales Lernen, a.a.O., 121–124.

siert, wobei allerdings der gesamte Lernprozeß, der über zwei Jahre verteilt ist, in einer reflektierten Gruppe stattfindet. Wiederum zeigt sich hier bei aller Nähe, daß Gruppendynamik allein, das heißt ohne gesellschaftspolitische Reflexion, in der evangelischen Jugendarbeit weniger thematisiert wird. Im weiteren Verlauf der Entwicklung des Josefstaler Fortbildungsprogramms zeigt sich seit einigen Jahren ein Trend hin zur Wiederaufnahme von Elementen formalisierten Lernens (z.B. Referate zu Sachthemen hören usw.), die allerdings aus der selbstbestimmten Interessenslage der reflektierten Lerngruppe kommen, dabei aber oft auch auf Anforderungen der Anstellungsträger reagieren.[28]

4. Perspektiven nicht pädagogisierenden Lernens im Bildungsprozeß der Gemeinde

4.1. Impulse von außen

Seit Beginn der 80er Jahre wird immer dringlicher eine Krise von Jugendverbandsarbeit und insbesondere von weltanschaulich geprägten Verbänden beschrieben, die sich äußerlich im Schwund von Mitgliedern und einer Ausdünnung des weltanschaulichen Profils ausdrückt.[29] Kirchliche Jugendarbeit hat es schwer, eigenes Profil zu zeigen, zwischen den konkurrierenden Angeboten von kommerzieller und kommunaler Jugendarbeit, in denen oft formalisiert, aber in Ansätzen auch sozial gelernt wird (Kurse von Sportfirmen, Computer-Camps, Sprachferien, Hobby-Kurse in Volkshochschulen), und dem Engagement von Jugendlichen in den neuen sozialen Bewegungen voller ganzheitlichem, sozialem Lernen (alternative Projekte, politische Aktionen der Friedensbewegung usw.) und dem besonders bedrohlichen Engagement in neuen religiösen Bewegungen innerhalb und außerhalb der Kirchen, in denen die ganze Vielfalt von Frömmigkeitsformen, Meditationstechniken usw. eingeübt werden (Taizé-Bewegung, sogenannte Jugendreligionen). Aus der kirchlichen Jugendarbeit selbst kommen nur noch wenige Impulse. Als Ursachen für diese Entwicklung werden häufig Professionalisierung und Sozialpädagogisierung[30] der Jugendarbeit in den letzten 20 Jahren mitverantwortlich gemacht.

Angesichts dieser Situation ist es nicht verwunderlich, daß - gerade auch bezogen auf den Lernbegriff in diesen Jahren - vor allem Impulse von außen

[28] *R. Hanusch,* Professionalität und Identität - Chancen und Probleme von theologischer Bildung für nicht-theologisch ausgebildete Mitarbeiter, in: Theologia Practica 1 (1984) 42-50.

[29] *G. Brenner,* Handlungsgrundsätze und erlebtes Territorium - zur Belebung der weltanschaulich orientierten Jugendverbände, in: deutsche jugend 5 (1984) 217ff.

[30] *H. Giesecke,* Wozu noch Jugendarbeit?, in: deutsche jugend 10 (1984) 443ff.

auf die Jugendarbeit einwirken. Insbesondere die folgenden Einflüsse erscheinen als produktiv in der Jugendarbeit:

- Ausgehend von der bereits erwähnten Pädagogik der Unterdrückung von Paolo Freire und der Kritik von Ivan Illich an verschultem und im schlechten Sinn pädagogisiertem Lernen ist unter dem Einfluß der Erfahrungen in den neuen sozialen Bewegungen eine Pädagogik der Betroffenen entstanden. In ihr lernen Menschen, die von einer gemeinsamen Bedrohung unmittelbar betroffen sind, aus ihren Erfahrungen. Diese bearbeiten sie in Gruppen ohne pädagogische Experten gemeinsam, indem sie nach Veränderungsmöglichkeiten suchen, die häufig politische Aktionen, aber auch spirituelle Elemente der Gemeinsamkeit wie Fasten und Feiern einschließen. Dieses gemeinsame Lernen ist konstitutiv generationsübergreifend und hat einen ganzheitlichen Anspruch, der eine Lebensperspektive in einer eigenständigen kulturellen Ausdrucksform ermöglichen soll. Solche Lerngruppen werden also im Idealfall zu Lebensgruppen mit Kontinuität.[31]
- Im kirchlichen Bereich läßt sich dieser Einfluß als Ausfluß ökumenischer Diskussionen präzisieren. Vor allem durch das Engagement der sogenannten jungen Kirchen in Afrika, Asien und Lateinamerika sind Impulse eines ganzheitlichen Lernens, das spirituelle Erfahrung und politisches Handeln verbindet, in die theologische und kirchliche Diskussion eingedrungen. Insbesondere das Modell der lateinamerikanischen Basisgemeinden wurde über die Grenzen der Konfessionen hinweg in vielen Kirchen, zuletzt auch in den europäischen, aufgenommen und weiterentwickelt. Über das Lernen aus Betroffenheit hinaus kommt es in diesen Gemeinden zu einem Lernprozeß, der die christliche Tradition neu wahrnimmt, aktuell interpretiert und gestaltet. In vielen Bereichen der Gemeindearbeit und gerade auch in der Erwachsenenbildung sind diese Impulse deutlich zu spüren.[32]
- Im Bereich ganzheitlicher Therapiebewegungen, wie insbesondere in der Gestalttherapie und im Psychodrama, aber auch in der schon länger arbeitenden themenzentrierten Interaktion, kam es zu vielfältigen Berührungspunkten mit kirchlicher Arbeit. Dabei entstanden wiederum meist außerhalb der Jugendarbeit Lernformen, die die ganze psychische Persönlichkeitsstruktur des Menschen einbeziehen. Körperorientierte Therapien, wie z.B. die Bioenergetik, werden zögernder im kirchlichen Bereich aufgenommen, während das aus der Psychodramaarbeit weiterentwickelte Bibliodrama

[31] *T. Ziehe/H. Stubenrauch,* Plädoyer für ungewöhnliches Lernen, Reinbek 1982, bes. 155f.

[32] Ein Beispiel für viele: *N. Mette* (Hrsg.), Wie wir Gemeinde wurden. Lernerfahrungen und Erneuerungsprozesse in der Volkskirche, München/Mainz 1982. Der wichtige von *H. Dauber* und *W. Simpfendörfer* herausgegebene Band, Eigener Haushalt und bewohnter Erdkreis. Ökologisches und ökumenisches Lernen in der „Einen Welt", Wuppertal 1976, mit einem Vorwort von *P. Potter,* blieb leider bisher auch in der kirchlichen Jugendarbeit ohne große Wirkung.

schon einen festen Ort in der Fortbildungsarbeit der kirchlichen Institute bekommen hat.[33]

4.2. Lernen von Leben und Glauben als Gemeinde oder in der Gemeinde

Die genannten Impulse von außen wirken gegenwärtig in den verschiedensten Bereichen kirchlicher Jugendarbeit. Das gemeinsame Lernen von Generationen wird sowohl in Projekten kirchlicher Jugendarbeit (z. B. Spurensuchen zur Erforschung der Geschichte der Ortsgemeinde, entwicklungspolitische Projekte, Dritte-Welt-Läden usw.) wie auch in Projekten der Erwachsenengemeinde (Gemeindefeste, Stadtteilarbeit, Familiengottesdienste usw.), aber auch immer häufiger in gemeinsamen Initiativen (Friedensgruppen, Schweigekreise usw.) eingeübt.
Die Rolle des nach den bisherigen Berufsbezeichnungen generationenspezifischen Professionellen, wie des Jugendarbeiters bzw. des Erwachsenenbildners, ändert sich dadurch. Die von der Kammer der EKD für Bildung und Erziehung vorgelegten „Empfehlungen zur Gemeindepädagogik", die unter dem Titel „Zusammenhang von Leben, Glauben und Lernen" erschienen sind[34], beschreiben ausführlich das Lernfeld Gemeinde. Dabei wird zwischen Lernprozessen, die sich im gemeinsamen Lebensvollzug ereignen, und Lernprozessen, die durch besondere Angebote und Methoden ausgelöst und gefördert werden, unterschieden. Der Gemeindepädagoge soll beide Lernprozesse so aufeinander beziehen, daß er durch sein pädagogisches Handeln die soziale Realität und geistliche Wirklichkeit der Gemeinde nicht behindert, sondern vorhandene Lernerfahrungen und Lernprozesse verantwortlich unterstützt. Lernen in der kirchlichen Jugendarbeit wird demnach immer auch Lernen in und mit der Gemeinde sein. Vom Hintergrund der Erfahrungen mit der Professionalisierung und Sozialpädagogisierung von Jugendarbeit her ist bei diesem Konzept nachdrücklich vor der Gefahr zu warnen, daß durch eine Pädagogisierung der letzten bislang noch selbstverständlichen Lernvollzüge in der Gemeinde auch dieses Leben formalisiert und reduziert wird. Wird allerdings diese Gefahr ständig mitreflektiert, so kann gemeinsames Lernen in der Gemeinde durchaus Teil christlicher Bildungsbewegung werden.
Aus Erfahrungsberichten in der Jugendarbeit deuten sich noch radikalere Konsequenzen an. Einzelne Häuser der offenen Jugendarbeit, die inzwischen über 10 Jahre arbeiten, haben sich soweit in die Menschen und

33 Vgl. das Themenheft „Biblische Erfahrung im Spiel", in: Wissenschaft und Praxis in Kirche und Gesellschaft 4 (1979).
34 Kirchenkanzlei der Evangelischen Kirche in Deutschland (Hrsg.), Zusammenhang von Leben, Glauben und Lernen. Empfehlungen zur Gemeindepädagogik, Gütersloh 1982.

Familien ihrer Umgebung eingefügt, daß sie in der Tendenz die Funktion von Basisgemeinden übernehmen. Ehemalige Jugendliche feiern ihre Hochzeit im Jugendzentrum, wollen dort ihre Kinder taufen lassen, fragen bei Ehestreitigkeiten dort an, die Bürgerversammlung für den Stadtteil findet im Jugendzentrum statt, und jeden Sonntag trifft sich ein Freundeskreis „praktisch wie zum Gottesdienst". Ähnliche Beispiele von „Leben und Glauben lernen" in Zentren der Jugendarbeit finden sich auch in einzelnen Projekten für arbeitslose Jugendliche und daraus entstandenen Betrieben, wo auch gemeinsam gewohnt wird; in kommunitären spirituellen Zentren usw. In allen Fällen hat sich der Lernbegriff deutlich gefüllt und umfaßt möglichst ganzheitlich alle Dimensionen des Menschseins.

4.3. Lernen in der Jugendarbeit als Teil christlicher Bildungsbewegung

Dieser ganzheitliche Lernbegriff läßt sich in der theoretischen Reflexion nur noch schwer unter der Kategorie Lernen fassen. Er bedarf des kritischen Bezugs auf einen ebenfalls kritischen Bildungsbegriff, der in der Lage ist, alle Dimensionen dieses Lernens zu durchdringen. In den Versuchen, das Verhältnis von Evangelium und Bildung neu zu klären, die im Zusammenhang des 100jährigen Jubiläums der evangelischen Schülerarbeit vorgelegt wurden[35], findet sich der produktive Hinweis auf die Bildungstheorie des Jan Amos Comenius, die Heinz-Joachim Heydorn in seiner kritischen Bildungstheorie aufgenommen hat. Bildung ist hier ein Prozeß, der mit dem Anfang des Menschengeschlechts beginnt, der Menschen in Unfreiheit immer wieder aus der Knechtschaft herausführt (educatio) und befreit und erst endet, wenn alle Dinge wieder zu Gott gebracht sind. Christliche Kirche und in ihr kirchliche Jugendarbeit und in ihr wieder alle Lernerfahrungen und Lernprozesse haben teil an dieser Bewegung. Nur in diesem Zusammenhang sind einzelne Lernschritte, methodische Fragen, therapeutische Konzepte usw. so zu reflektieren, daß sie nicht instrumentell mißbraucht werden können. Kirchliche Jugendarbeit und Lernen müssen in diesem produktiven Sinn widersprüchlich bleiben.

[35] *Chr. Bäumler,* Evangelium und Bildung in der Geschichte des BK, 327–338, und *I. Holzapfel/J. Liß,* Vorläufige Bemerkungen zur Diskussion um Theologie und politische Bildung in der Evangelischen Schülerarbeit, in: E. Warns (Hrsg.), Evangelische Schülerarbeit in 100 Jahren, 359–379.

Literatur

Dauber, Heinrich/Simpfendörfer, Werner, Eigener Haushalt und bewohnter Erdkreis. Ökologisches und ökumenisches Lernen in der „Einen Welt", Wuppertal 1976 (Hammer).

Freire, Paolo, Pädagogik der Unterdrückten, Reinbek 1973 (Rowohlt).

Giesecke, Hermann und andere, Politische Aktion und politisches Lernen, München 1971 (Juventa).

Kirchenkanzlei der Evangelischen Kirche in Deutschland (Hrsg.), Zusammenhang von Leben, Glauben und Lernen. Empfehlungen zur Gemeindepädagogik, Gütersloh 1982 (Gütersloher Verlagshaus).

Mette, Norbert (Hrsg.), Wie wir Gemeinde wurden. Lernerfahrungen und Erneuerungsprozesse in der Volkskirche, München/Mainz 1982 (Chr. Kaiser/Grünewald).

Steinkamp, Hermann, Jugendarbeit als soziales Lernen, München/Mainz 1977 (Chr. Kaiser/Grünewald).

Ziehe, Thomas/Stubenrauch, Herbert, Plädoyer für ungewöhnliches Lernen, Reinbek 1982 (Rowohlt).

Peter Müller

Methoden

1. Probleme mit Methoden – eine Hinführung

Es fällt leichter, Beispiele für Methoden zu nennen, als den Begriff „Methode“ zu definieren. Jeder kennt einige Methoden aus eigenem Erleben, andere nur als Methodensammlung. Beurteilt werden sie subjektiv unterschiedlich: als einengend, technisch, hinderlich, kommunikativ, manipulativ, gesprächs- und erfahrungsfördernd, spielerisch, kreativ, aktivierend, teilnehmergerecht . . . So unterschiedlich die Erfahrungen sind, wirkungsvolle Methoden sind in der Jugendarbeit gefragt. Man will etwas Konkretes in der Hand haben. Man will wissen, wie welches Ziel erreicht werden kann, wie eine Methode funktioniert. Kommt daher die unterschiedliche Bewertung einzelner Methoden, weil sie funktionieren sollen? Reicht das aus? Oder müßte man nicht auch wissen, warum man trotz guter Methode gescheitert ist? Warum greift diese Methode einmal und das andere Mal ist sie wirkungslos? Liegt das an den Jugendlichen, ihren Erwartungen, ihrer Motivation oder an der falsch eingeschätzten Situation? Was wollte man erreichen? Warum gerade diese Methode für diesen Inhalt, in dieser Situation, bei diesem Wochenendseminar, bei dieser Leiterschulung, Gesprächsrunde . . . unter diesen Bedingungen? Was hat diese Methodenauswahl mit den Erfahrungen und Ängsten, Interessen und Zielen des Gruppenleiters zu tun? . . .
Die Fragen signalisieren Probleme.

- Sie beginnen mit dem alltäglichen Gebrauch des Begriffs „Methode“. Aus unterschiedlichen Quellen/Traditionen kommend, wird er in der Jugendarbeit für unterschiedliche Aktivitäten und Vollzugsweisen verwendet.
- Methoden in der Jugendarbeit werden nicht um ihrer selbst willen angewendet. Vielmehr sind Methodenauswahl und -einsatz eingebunden in einen didaktischen Gesamtzusammenhang. Welche pädagogischen Prinzipien sind dabei für die kirchliche Jugendarbeit bestimmend?
- Der oft unklar oder zu weit gefaßte Begriff „Methode“ macht es notwendig, das hier Gemeinte zu definieren und gegenüber anderen Begriffen in der Jugendarbeit abzugrenzen.
- Methoden sind eingebettet in Erfahrungszusammenhänge der „Situation“ (mit vorgegebenen Bedingungen, Personen, das heißt Leiter und Jugendliche) und in die Wechselbezüge von Zielen, Inhalten, Medien und Lernsitua-

tion. Innerhalb dieses Rahmens sind sie *ein* Entscheidungsbereich neben anderen.
- Dieser eine Entscheidungsbereich beinhaltet aber mehrere Aspekte, die für die Gestaltung eines wechselseitig aufeinander bezogenen Lernprozesses wichtig sind. Welche sind für die Jugendarbeit relevant?
- Methodenauswahl und -einsatz sind in konkreten Situationen abhängig von verschiedenen Einflußgrößen. Welche sind zu beachten? Welche Anforderungen sind an Methoden zu stellen?

Diese Problembereiche zum Stichwort „Methode“ werden im folgenden in dem vorgegebenen Rahmen skizziert.

2. Der Begriff „Methode“ in der Jugendarbeit

Der Begriff „Methode“ leitet sich ab vom griechischen „methodos“ und meint den „Weg zu etwas hin“, ein planmäßiges, vorausbedachtes Vorgehen zur Erreichung eines bestimmten Ziels. Ein Blick in die einschlägige Literatur zeigt, daß diese Ableitung fast die einzige Gemeinsamkeit einer Begriffsdefinition ist. Das trägt kaum zur Klärung bei. Im Gegenteil, in der Jugendarbeit ist zu erkennen, wie verschiedene Bezeichnungen, z. B. Verfahren, Arbeitsweisen, Veranstaltungsformen, Techniken, Übungen, Arbeitsmittel ... den Begriff „Methode“ verwässern, das heißt, in der Regel wird ein Einzelelement einer Methode hervorgehoben. Damit aber geht der Gedanke des „Weges“, die Beziehung zu den beteiligten Personen dieses gemeinsamen Weges, zur Situation, zu bestimmten Zielen, Inhalten, Arbeitshilfen und zur dynamischen Gestaltung dieses Weges verloren. Es wird bei der begrifflichen Verwendung und in der Praxis wenig beachtet, daß Methoden und Verfahren sozialpädagogischen Handelns sich unterscheiden nach dem Grad ihrer Komplexität.[1]

Auf das gleiche Problem stößt man, wenn man die Klassifizierungsversuche von Methodensammlungen betrachtet. Sie ordnen meist Verfahren und werden der Komplexität einzelner Methoden nicht gerecht. Ein weiterer Aspekt, der zu mancher Verwirrung in der Jugendarbeit beigetragen hat, ist die Tatsache, daß der Begriff „Methode“ durchaus sinnvoll in Zusammenhang mit einem Konzept pädagogischen Handelns verwendet wird, z. B. Unterrichtsmethode, Methoden der Sozialpädagogik, der Gruppenpädagogik, der Gruppendynamik ..., und einen Teilbereich dieses Konzeptes bezeichnet.[2] Damit sind gleichzeitig einige Quellen genannt, die das Metho-

[1] Vgl. *K. A. Geißler/M. Hege,* Konzepte sozialpädagogischen Handelns, München/Wien/Baltimore[2] 1981, 29.

[2] Vgl. *P. Menck/G. Thoma* (Hrsg.), Unterrichtsmethode, München 1972; vgl. auch *K. A. Geißler/M. Hege,* Konzepte sozialpädagogischen Handelns, a.a.O.

denverständnis der Jugendarbeit vergangener Jahre und heute jeweils unterschiedlich beeinflußten. Auch wenn man die oft leidvollen Erfahrungen mit „Unterrichtsmethoden" aus der eigenen Schulzeit in ihrer Auswirkung auf den einzelnen, seine Einschätzung, Auswahl und Handhabung einzelner Methoden nicht unterschätzen darf, soll im folgenden nur auf die zwei wichtigsten Quellen des Methodenverständnisses in der Jugendarbeit kurz eingegangen werden.

Da ist zunächst die *Gruppenpädagogik.* Ihren historischen Ausgangspunkt hat sie in der Jugendbewegung. Im Protest gegenüber den Lebens- und Arbeitsverhältnissen der damaligen Zeit entwickelte sie den Gedanken der „Gemeinschaftserziehung" und der „Selbsterziehung" als zentralen Erlebnishorizont. Die Gruppe wurde zum wichtigsten Erziehungs-, Lern- und Gemeinschaftsmedium, mit dem Ziel, durch die sozialisierende Funktion der Gruppe - das zeigte sich parallel auch in Versuchen der Reformpädagogik im Schulbereich - mündige, eigenaktive und verantwortliche Mitglieder für die demokratische Gesellschaft heranzubilden.[3] Ab 1933 wurden diese Bemühungen radikal beschnitten und erst nach dem Zweiten Weltkrieg zusammen mit einer in den USA in der außerschulischen Jugendarbeit (Jugendorganisationen, Wohlfahrtsverbände) entwickelten pädagogischen Arbeit in und mit Gruppen wieder aufgegriffen. Mit der Orientierung an den „Methoden der Sozialarbeit", speziell dem „Social Groupwork" wurde weitgehend auch der Problemstand, die dominierende „soziale" Ausrichtung, die Vernachlässigung der „pädagogischen" Perspektive und die normative Ausrichtung (Demokratie als Lebensform) aus den USA übernommen. Die Gruppenarbeit verstand man als Mittel und Weg zur Demokratisierung. Die Umsetzung dieses Konzepts erfolgte in Deutschland maßgeblich durch Haus Schwalbach. Doch der politische Anspruch an die gruppenpädagogischen Möglichkeiten erwies sich bei der Übertragung auf deutsche Verhältnisse zu hoch. So reduzierte sich ab etwa 1960 der politische Anspruch, und der „Schwerpunkt gruppenpädagogischer Entwicklungsbemühungen lag von diesem Zeitpunkt ab eher auf der technologischen Perfektionierung einer Methode für sozialpädagogische Gruppeninitiativen"[4]. Auch wenn in einzelnen Jugendverbänden zum Teil eine eigene Tradition bezüglich des methodischen Arbeitens mit Gruppen vorhanden war, sich der Typus der „informellen Gruppe" in Abhebung zur bündischen Gruppe der Vorkriegszeit entwickelte, oder unter dem Stichwort „offene Jugendarbeit" verschiedene Gesellungsformen entstanden[5], darf man den Einfluß der gruppenpädagogi-

[3] Vgl. *H. Giesecke,* Die Jugendarbeit, München 1971, 17–30.

[4] *K. A. Geißler/M. Hege,* Konzepte sozialpädagogischen Handelns, a.a.O., 201.

[5] Vgl. *H. Giesecke,* Die Jugendarbeit, a.a.O., 61–128; *L. Rössner,* Offene Jugendbildung, München 1967.

schen Literatur, Spiel- und Methodenkarteien des Hauses Schwalbach u. a. gerade auch auf das Methodenverständnis der Mitarbeiter in der kirchlichen Jugendarbeit nicht unterschätzen. Dann kann man in etwa nachvollziehen, daß sich immer mehr ein unreflektiertes Verständnis der Methodenwahl und des -einsatzes in der Praxis der Jugendarbeit durchsetzte: Methoden sind Techniken, Verfahrensweisen ... die für beliebige Zwecke einsetzbar sind. Ein ähnlich unterentwickeltes Problembewußtsein ist in der Praxis hinsichtlich der sogenannten Prinzipien bzw. „pädagogischen Grundsätze" zu beobachten, die Selbstverständlichkeiten formulieren, leiterzentriert sind und dazu verleiten, die Dynamik einer Gruppe zu wenig zu beachten.[6]
Eine zentrale Veränderung in der kirchlichen Jugendarbeit, die sich auch auf Theorie und Praxis des Begriffs „Methode" auswirkte, erwuchs aus den Einflüssen der *Gruppendynamik*. Historisch kann diese Veränderung - obwohl Teilaspekte in einzelnen Jugendverbänden oder von einigen Mitarbeitern selektiv und ohne didaktisches Konzept schon erprobt wurden - in der katholischen Jugendarbeit an der Diskussion der Synodenvorlage bzw. dem Synodenbeschluß „Ziele und Aufgaben kirchlicher Jugendarbeit" festgemacht werden. Das Konzept der „reflektierten Gruppe", das über die katholische Jugendarbeit hinaus Auswirkungen zeigte[7], ist ein Produkt dieser Einflüsse und „markiert einen Einschnitt in der Methodenentwicklung der außerschulischen Jugendarbeit. Dieser Wendepunkt läßt sich in sozialpädagogischen Termini als Schritt von einer gruppenpädagogischen zu einer gruppendynamischen Methodik beschreiben"[8]. Es ging dabei nicht darum - wie viele Kritiker meinten -, die Gruppenpädagogik durch Gruppendynamik zu ersetzen. Den verantwortungsbewußten Vertretern des neuen Konzepts waren durchaus die Probleme einer rezeptartigen Übernahme von gruppendynamischen Verfahrensweisen und Techniken bewußt. Sie schlossen sie zum Teil aus, stellten die Bedeutung des „personalen Angebotes" heraus und forderten eine qualifizierte Mitarbeit und Praxisberatung durch Erwachsene („Supervisor"), um einem Mißbrauch entgegenzuwirken.[9] Die Gefahr besteht wohl weiterhin, daß gruppendynamische Methoden ähnlich wie gruppenpädagogische Methoden falsch verstanden und als technologisches Instrument verwendet werden. Dafür kann nicht das Konzept der „reflektier-

[6] Vgl. *H. Steinkamp,* Jugendarbeit als soziales Lernen, Mainz 1977; vgl. zum Thema „Gruppenpädagogik" auch *C. W. Müller* (Hrsg.), Gruppenpädagogik. Auswahl aus Schriften und Dokumenten, Weinheim/Basel 1970; *E. Meyer* (Hrsg.), Gruppenpädagogik, Heidelberg 1977.

[7] In der evangelischen Jugendarbeit wurde die „Verleugnung" dieses Konzepts bedauert; vgl. *M. Affolderbach,* Problemstand und Ziele evangelischer Jugendarbeit in der BRD, in: Theologia Practica 2 (1977) 105ff., oder der Wunsch geäußert, daß es der EKD gelinge, die vielfältigen Konzepte der evangelischen Jugendarbeit auf einen Nenner zu bringen; vgl. *Chr. Bäumlers* Nachwort, in: H. Steinkamp, Jugendarbeit als soziales Lernen, a.a.O., 118ff.

[8] *H. Steinkamp,* Jugendarbeit als soziales Lernen, a.a.O., 23.

[9] Synodenbeschluß „Ziele und Aufgaben kirchlicher Jugendarbeit", Empfehlung 2 im Teil 5.

ten Gruppe“ und seine gruppendynamische Orientierung verantwortlich gemacht werden, sondern man muß am fehlenden Problembewußtsein des einzelnen Gruppenleiters ansetzen. Diese müssen fähig werden, solche gruppenpädagogischen und gruppendynamischen Methoden situationsorientiert auszuwählen und einzusetzen, die es dem einzelnen und Gruppen ermöglichen, sich in Bewegung zu setzen, sich auseinanderzusetzen, sich weiterzuentwickeln und die die „Dynamik von und in Gruppen nicht einengen, zuschütten oder gar verhindern“[10]. Voraussetzung dazu ist die Klärung des didaktischen Bezugsrahmens und einiger Grundprinzipien.

3. Didaktischer Bezugsrahmen und Prinzipien für den Methodeneinsatz

Wer die Wahl hat, hat die Qual - doch er muß sich entscheiden. „Sich-entscheiden-können“, das gehört zum täglichen Geschäft jeden Gruppenleiters, hauptamtlichen und ehrenamtlichen erwachsenen Mitarbeiters in der kirchlichen Jugendarbeit. In welchem Bezugsrahmen werden dabei „Methoden-Entscheidungen“ getroffen? An welchen Prinzipien orientieren sie sich? Entscheidungshilfen und Prinzipien stellt dazu in der Regel (vgl. Unterricht, Erwachsenenbildung ...) die „Didaktik“ bereit, die hier in einem weitgefaßten und umfeldbezogenen Verständnis verstanden wird als „die Theorie von Planung und Durchführung organisierter Lernprozesse“[11]. Das schließt ein, „daß ein Lernprozeß ein geplanter Weg auf ein Ziel, auf eine Befähigung hin ist, die jemand für sein Leben braucht und lernend gewinnen will“[12]. Von „Didaktik“ ist in der Jugendarbeit kaum die Rede. Den Bezugsrahmen bildet in der Regel ein Konzept oder eine Mischung von Theorieaspekten, dessen Ansatz und Grundtyp in der Vergangenheit häufig durch ein Schlagwort charakterisiert wurde, z.B. progressive, antikapitalistische, emanzipatorische ... Jugendarbeit.[13] Sie führten meist nicht weiter. Für die Praxis kirchlicher Jugendarbeit dagegen könnte eine Beschäftigung mit didaktischen Fragen und Erkenntnissen das oben erwähnte Problembewußtsein im Methodenbereich abbauen helfen. Das kann hier nur angedeutet werden.
Den didaktischen Bezugsrahmen der katholischen Jugendarbeit bildet der

[10] *H. Steinkamp,* Jugendarbeit als soziales Lernen, a.a.O., 29, vgl. auch das dort dargestellte Konzept der Aus- und Fortbildung für Mitarbeiter, 46–114.

[11] *G. Strunk,* Lebensweltorientierung. Überlegung zu Ansatz und Didaktik der Erwachsenenbildung, in: G. Buttler u. a. (Hrsg.), Lernen und Handeln, Gelnhausen 1980, 39; vgl. zum Begriff „Didaktik“ die vielfältigen Einführungen in den einschlägigen Handbüchern und Veröffentlichungen.

[12] *G. Buttler,* Teilnehmerorientierung, in: G. Buttler u. a., Lernen und Handeln, a.a.O., 54.

[13] Vgl. *L. Böhnisch* (Hrsg.), Jugendarbeit in der Diskussion, München 1973; *B. Bierhoff,* Theorie der Jugendarbeit, Lollar/Lahn² 1976; *H. Giesecke,* a.a.O.

Synodenbeschluß mit seiner Orientierung an der Lebenssituation der Jugendlichen, seinem anthropologischen und theologischen Ansatz und dem personalen Angebot, dessen didaktisch-methodischer Kern, die „reflektierte Gruppe", verstanden wird als „der Ort und das Medium von zugleich rationaler und emotionaler Bildung, insofern beide Dimensionen des Lernens ständig aktualisiert und miteinander in Beziehung gebracht werden". Dabei sollen „auch die zwischenmenschlichen Beziehungen einer Gruppe und die dadurch ausgelösten Gruppenprozesse als Hilfe für den Reifungsprozeß der Jugendlichen benützt werden"[14]. Eine „Didaktik der Jugendarbeit" müßte u. a. den Mitarbeitern in der Jugendarbeit aufzeigen, welche Probleme schon im Vorfeld der Gestaltung solcher Gruppen- und Lernprozesse auftreten, von welchen inneren bzw. äußeren Bedingungen sie abhängen können und welche Beziehungen zwischen Zielen, Inhalten, Teilnehmern, Methoden ... zu beachten sind. Erst dann ist es sinnvoll, unter den vielen Möglichkeiten die entsprechende Methode auszuwählen, die Wahl zu begründen und die „Lernsituation" im Rahmen der eigenen Vorbereitungen zu strukturieren, das heißt, auch in der Jugendarbeit ist der Methodeneinsatz eingebunden in eine „Abfolge des Sich-Entscheidens". Nachfragen, abwägen, reflektieren, begründen und auswählen sind die wesentlichen Elemente didaktischen Handelns auch in der kirchlichen Jugendarbeit. An welchen Prinzipien kann sich nun der praktische Einsatz von Methoden orientieren?

Steinkamp beschreibt zwei Grundannahmen des gruppendynamisch orientierten Konzepts des Synodenbeschlusses, die in ihrer Weiterentwicklung für einen situations- und zielorientierten Methodeneinsatz bedeutsam sind[15]:

- „Lernen (ist) in dem Maß effektiv, für den Menschen sinn- und wertvoll, als es auf Erfahrungen basiert."
- „Lernen aus dem Gruppenprozeß ist in der Regel effektiver als Lernen an Inhalten, die von irgendwoher in die Gruppe transportiert werden."

Der Priorität des „Erfahrungslernens" und des „Lernens aus dem Gruppenprozeß" werden von ihm die bekannten gruppendynamischen Prinzipien zugeordnet und im Blick auf die Weiterbildung von Mitarbeitern entfaltet:

- Erfahrungslernen: Hier-und-Jetzt-Prinzip; „Sich-Einlassen" auf und in die Situation;
- Lernen aus dem Gruppenprozeß: Feedback-Prinzip; Unfreezing („Auftauen"); Selbstbestimmung durch die Gruppe.

Alle diese Prinzipien sind einerseits ein Maßstab für einen reflektierten Einsatz einzelner Methoden und zielen andererseits darauf ab, „das aktuelle Geschehen in einer Gruppe hinsichtlich seiner Ursprünge in und Auswir-

14 Synodenbeschluß „Ziele und Aufgaben kirchlicher Jugendarbeit".

15 *H. Steinkamp,* Jugendarbeit als soziales Lernen, a.a.O., 32 und 34; vgl. auch *H. Steinkamp,* Lernen aus Erfahrung, in: Katechetische Blätter 1 (1979) 39–45.

kungen auf den emotionalen Erlebnisbereich der Gruppenmitglieder erfahrbar zu machen, die Individuen mit den Wirkungen ihres Verhaltens zu konfrontieren und Verhaltensänderungen im Sinn besserer Kommunikations- und Kooperationsfähigkeiten nahezulegen“[16].

In Abhebung von den schon erwähnten „Pädagogischen Grundsätzen“ bieten Geißler/Hege für den Methodeneinsatz Prinzipien an, die an den Möglichkeiten der Teilnehmer, ihren Interaktionsangeboten, der Entwicklung lernfördernder sozialer Beziehungen und an einer gemeinsamen Situationsgestaltung interessiert sind[17]:

- Das Prinzip der *Partizipation,* das heißt, weitestgehende Mitbestimmung aller am Lehr-Lernprozeß und Gruppenprozeß Beteiligten bei der Planung, der Durchführung und der Auswertung;
- Das Prinzip der *Revisionsbedürftigkeit,* das heißt grundsätzliche Möglichkeit zur Überprüfung und zur Veränderung von Entscheidungen in konkreten Situationen und deren Entwicklung;
- Das Prinzip der *Konkretisierungsbedürftigkeit,* das heißt grundsätzliche Notwendigkeit, Lehr- und Lernentscheidungen soweit offen zu lassen, daß die Bedingungen der konkreten Situationen berücksichtigt werden können;
- Das Prinzip der *Situationsbezogenheit,* das heißt, Orientierung von didaktischen Entscheidungen an der Dynamik von Lehr-Lernsituationen, z. B. von Anfangssituationen, Konflikten, Aushandeln von Interessen und deren spezifischen Bedingungen;
- Das Prinzip der *Integration von Inhalt und Beziehung,* das heißt Orientierung der Interaktion im Lehr-Lernprozeß an der anzueignenden Sache und die Orientierung der Sache an den Subjekten und deren individuellen und kollektiven Fragen, Interessen und Problemen.

Werden die Prinzipien ergänzt durch[18]

- das Prinzip *„Lebensorientierung“,* das heißt didaktisches Handeln geht von der Lebenssituation der Betroffenen, ihren Fragen, Interessen, Anliegen, Problemen und Konflikten aus; es orientiert sich an den Beteiligten als „Subjekte des Lerngeschehens“;
- das Prinzip der *„Passung“,* das heißt zum einen, daß die didaktische Auswahl mit den Erwartungen, Interessen und Voraussetzungen der Teilnehmer zueinander passen, und zum anderen, daß das didaktische Zusammenspiel von Ziel, Inhalt, Methode, Lernort, Zeit, Arbeitsweise des Grup-

[16] *H. Steinkamp,* Jugendarbeit als soziales Lernen, a.a.O., 95; vgl. dazu aus der vielfältigen Literatur der Gruppendynamik: *J. Fritz,* Gruppendynamik und Jugendarbeit, München 1973; *L. Schwäbisch/M. Siems,* Anleitung zum sozialen Lernen für Paare, Gruppen und Erziehung, Reinbek 1974; u. a.

[17] Vgl. *K. A. Geißler/M. Hege,* Konzepte sozialpädagogischen Handelns, a.a.O., 215.

[18] Vgl. *P. Müller,* Methoden in der kirchlichen Erwachsenenbildung, München 1982, 19–23; zum Stichwort „Handlungsorientierung“ vgl. auch *B. Grom,* Chancen kirchlicher Jugendarbeit zwischen Psycho- und Demo-Angeboten, in: Katechetische Blätter 8 (1983) 580–594.

penleiters und die Lernverhaltensweisen der Teilnehmer aufeinander abgestimmt sind;
- das Prinzip der *„Handlungsorientierung"*, das heißt eine Orientierung der Angebote und Lernprozesse an den bisherigen Erfahrungen der Teilnehmer und eine Orientierungshilfe für zukünftiges Handeln,
dann findet man hier - unter Einbeziehung der von Steinkamp formulierten Grundannahmen des „Lernens" - zentrale Maßstäbe, auf die beim Einsatz von Methoden in Lern- und Bildungsprozessen in der Jugendarbeit nicht verzichtet werden kann.

4. Begriffsbestimmung und Abgrenzungen - Veranstaltungsformen, Methoden, Medien

Bisher wurde der Begriff „Methode" ohne nähere Definition verwendet. Das soll im folgenden in Abgrenzung zu anderen Begriffen, die nicht selten auch als „Methoden" bezeichnet werden, geschehen. In der Praxis der kirchlichen Jugendarbeit stößt man auf ein breites Spektrum von Aktivitäten. Diese müssen überlegt, geplant, organisiert und gestaltet werden. Entscheidungen werden dabei auf zwei Planungs*ebenen* getroffen: bei der Programmplanung (makrodidaktische Ebene) eines Verbandes, eines Dekanats, einer Pfarrjugend, einer Jugendbegegnungsstätte, eines Pfadfindertrupps ... und der didaktisch-methodischen Planung einer konkreten Veranstaltung, einer Tagung, eines Wochenendseminars, eines Gruppentreffens ... (mikrodidaktische Ebene). Diese Unterscheidung ist für die Praxis insofern relevant, als zum einen „Methoden" bei der Planung und inhaltlichen Gestaltung eines Treffens, eines Wochenendseminars, einer Leiterschulung ... bedeutsam sind, zweitens nicht mit Medien u. a. Arbeitsmitteln verwechselt werden sollten und drittens nicht mit dem organisatorischen Rahmen einzelner Vorhaben, z. B. Jugendtag, Projekt, Arbeitskreis, Wochenendseminar, Trupptreffen ..., gleichgesetzt werden können. Diese Vorhaben spielen vor allem im Rahmen der Programmplanung (halbes oder ganzes Jahr) eine Rolle und werden hier als „Veranstaltungsformen" bezeichnet. Im folgenden werden die Begriffe „Veranstaltungsformen - Methoden - Medien/ Arbeits- bzw. Hilfsmittel" mit ihren gemeinsamen und unterschiedlichen Aspekten dargestellt. Auf diesem Hintergrund werden dann der Begriff „Methode" als ein Entscheidungsbereich in seinen Wechselbezügen zu anderen Entscheidungsbereichen und die Abhängigkeit der Methodenauswahl für eine konkrete Situation präzisiert.

4.1. Gemeinsamkeiten und allgemeine Kennzeichen von Veranstaltungsformen, Methoden und Medien

(1) Veranstaltungsformen, Methoden und Medien müssen der *„Lebenssituation“* der Jugendlichen (in der festen Gruppe, bei einem offenen Angebot in der Gemeinde, im Dekanat ...) entsprechen, das heißt, ihr Einsatz muß berücksichtigen:
- die biographisch-individuellen Lebenserfahrungen, die Jugendliche im Umgang mit Eltern, Geschwistern, Lehrern, Freunden u. a. Personen ihrer Umwelt erworben haben;
- die sozio-strukturellen Lebenserfahrungen und Lebensbedingungen, die der einzelne im Nach- und Nebeneinander in und über verschiedene Lebensfelder (Familie, Kindergarten, Schule, Freizeit, Beruf, Dorfgemeinschaft, Kirchengemeinde u. a.) gesammelt und erlebt hat;
- die Verflechtung der individuellen und sozialen Lebenserfahrungen und ihre je verschiedenartige Verarbeitung durch den einzelnen, die dann u. a. in der Analyse der „Problemlage“ sichtbar wird, z. B. Discoclub, Schüler, Berufstätige, Jugendliche einer Stadtrandsiedlung ...

(2) Veranstaltungsformen, Methoden und Medien sind *nicht „zielneutral“*. Im Rahmen der Zielsetzung kirchlicher Jugendarbeit[19] dienen Veranstaltungsformen, Methoden und Medien dazu, daß Jugendliche in „glaubwürdigen Menschen“ das „personale Angebot“ erleben und in den verschiedenen Aktivitäts- und Interessenbereichen:
- „reflektierte Gruppen“ schaffen und zum Leben bringen;
- eine offene Kommunikationsatmosphäre ermöglichen;
- Wissen/Informationen vermitteln, reflektieren und verarbeiten;
- Fertigkeiten/Können entdecken und lernen;
- Verhalten wahrnehmen, reflektieren, stabilisieren oder verändern.

(3) Eine Aktivität bzw. eine „Lernsituation“ in der Jugendarbeit soll durch Veranstaltungsformen, Methoden und Medien so geplant und gestaltet werden, daß
- in einer offenen Kommunikationsatmosphäre eine Balance zwischen Person-, Gruppen- und Themenorientierung möglich wird (vgl. „reflektierte Gruppe“, TZI-Prinzipien);
- sie für alle Beteiligten transparent ist;
- Informationen verarbeitet werden und ein Bewußtwerdungsprozeß angestoßen oder weitergeführt wird;
- selbsttätiges Handeln und Lernen durch Erfahrungen und aus dem Gruppenprozeß geschieht;

[19] Vgl. Synodenbeschluß „Ziele und Aufgaben kirchlicher Jugendarbeit“.

- Organisationsrahmen, methodische Arbeitsweise, Voraussetzungen der teilnehmenden Jugendlichen und Anforderungen aufeinanderpassen;
- die Jugendlichen fähig werden, das Gelernte in ihrem Alltag zu verwirklichen.

4.2. Abgrenzungen: Veranstaltungsformen - Methoden - Medien

Den Gemeinsamkeiten stehen spezifische Funktionen von Veranstaltungsformen, Methoden, Medien/Hilfsmittel gegenüber, die bei entsprechender Verbindung hinderlich auf die Veranstaltung, die Teilnehmer und den Gruppen- und Lernprozeß einwirken. Daher ist eine Begriffsbestimmung mit entsprechenden Funktionsangaben notwendig.

(1) *Veranstaltungsformen* sind zeitlich festgelegte Aktivitäten in der kirchlichen Jugendarbeit, die sich mit mehr oder weniger eindeutig festgelegten Zielen an näher zu bestimmende Adressaten (Jugendliche, Eltern ...) wenden.

Veranstaltungsformen müssen Auskunft geben über:
- den Organisations- und Verlaufsrahmen des Zusammenkommens der Teilnehmer zu einer Veranstaltung der Erwachsenenbildung (z.B. Kurs, Wochenendseminar, Trupptreffen, Exkursion);
- die „zeitliche Organisation" (wann?) und den „Zeitaufwand" (wie lange?);
- das Grundmuster der Kommunikation innerhalb der Veranstaltung, die erwartete „Art der Beteiligung bzw. Mitarbeit der Teilnehmer" (z.B. Spielnachmittag, Podiumsdiskussion, Fest, Projekt, Zeltlager ...) und die Grundkonstellation zwischen Leiter und Teilnehmer, z.B., wenn ein Fachmann zu einem Problem eingeladen wird oder eine Auseinandersetzung mit einem Thema erfolgt.

Veranstaltungsformen stecken den Rahmen ab und bestimmen den Spielraum, innerhalb dessen mit Hilfe verschiedener Methoden und Medien/Arbeitsmitteln
- Kommunikation und Kontakt realisiert bzw. der Gruppenprozeß gestaltet wird;
- Wissen/Information vermittelt und bearbeitet,
- Fertigkeiten entdeckt und entfaltet,
- Verhaltensweisen wahrgenommen und gelernt werden.

(2) *Methoden* sind planmäßige Handlungsweisen und Organisationsformen, mit denen innerhalb einer Veranstaltungsform in optimaler Weise versucht wird – unter den jeweiligen situativen Bedingungen –, Fragen und Interessen aufzugreifen, Probleme anzugehen, Lernprozesse zu gestalten und zu reflektieren, Aufgaben zu bewältigen und gesteckte Ziele zu erreichen, das heißt, sie eröffnen Möglichkeiten für alle Beteiligten, sich die umgebende natürliche und gesellschaftliche Wirklichkeit anzueignen.[20]

Methoden in der kirchlichen Jugendarbeit
- aktualisieren das Grundmuster der Kommunikation einer Veranstaltungsform in den einzelnen Phasen der Lern- und Gruppensituation;
- sagen etwas darüber aus, wie Leitung ausgeübt wird und Lernschritte organisiert bzw. bewältigt werden;
- können innerhalb des vorgegebenen Spielraums variierend eingesetzt werden und sind ein wesentlicher Faktor zur Gestaltung des Veranstaltungsablaufs. Dabei dienen sie in unterschiedlicher Weise dazu:
  - eine offene Kommunikationsatmosphäre zu gestalten;
  - Wissen und Informationen zu vermitteln und zu bearbeiten;
  - Fertigkeiten zu entdecken und zu entfalten;
  - Verhaltensweisen aufzubrechen, bewußtzumachen und neue zu lernen;
- sie stehen nie allein, sondern in Abhängigkeit zu vorgegebenen Bedingungen und in Verflechtung mit Zielen und Inhalten;
- beschreiben den Weg, auf dem ein Ziel erreicht und das Thema bearbeitet werden soll.

(3) *Medien* in der kirchlichen Jugendarbeit sind Arbeits- und Hilfsmittel, die in je unterschiedlicher Weise - allein oder miteinander kombiniert - beitragen:
- zur Motivation und Offenheit der Teilnehmer in den einzelnen Lern- und Gruppenphasen;
- zur Verständigung und zur Belebung der Kommunikation zwischen den am Lernprozeß beteiligten Personen;
- zur Repräsentation erarbeiteter Inhalte (z.B. Plakat), zur Informationsvermittlung (z.B. Arbeitspapiere) und zur Instruktion (z.B. Film);
- zur Veranschaulichung (z.B. Schaubilder) komplexer Sachverhalte;
- zur Aktualisierung von Erfahrungen (z.B. Fotos) und zur Eigenaktivität der Teilnehmer (z.B. Farben, Collagen, Lesen, Üben usw.);
- zur Ergänzung und Unterstützung (z.B. objektive Vorgaben durch Texte);
- zur Dokumentierung und Belegung von Aussagen und Sachverhalten (z.B. Tabellen, Quellentexte u.ä.);
- zur Übung (z.B. Video, Spiele, Fertigkeiten).

Ihr Einsatz orientiert sich an den äußeren Bedingungen der Situation, den Teilnehmern, an Ziel, Inhalt und Methodenwahl. Dementsprechend muß ihre jeweilige Funktion präzisiert und in Anspruch genommen werden. Außerdem sprechen sie unterschiedliche Wahrnehmungsorgane an und dienen dazu, Fähigkeiten zu entdecken, zu entfalten, zu üben und eigenständig mitzuarbeiten.
Es würde in diesem Rahmen zu weit führen, alle möglichen Veranstaltungs-

[20] Vgl. *H. Meyer,* Leitfaden zur Unterrichtsvorbereitung, Regensburg 1980, 327.

formen der Jugendarbeit mit ihren Vor- und Nachteilen aufzuzählen und näher zu beschreiben, Gleiches gilt für die Methoden, für die es eine Reihe von Sammlungen gibt und die Medien.[21] Hier kam es lediglich darauf an, die Begriffe „Veranstaltungsform - Methoden - Medien“ zu fassen. Doch damit wurde implizit auch deutlich, daß die vielfältigen Ziele kirchlicher Jugendarbeit nicht mit jeder beliebigen Aktivität erreicht werden können. Doch es steht eine Vielfalt von Veranstaltungsformen, Methoden und Medien/Arbeitsmitteln zur Verfügung, die ausreicht, Unvereinbarkeiten zwischen Zielen, Teilnehmerinteressen ... und methodischem Handeln zu vermeiden. Bei der konkreten Planung auf beiden genannten Ebenen gilt, daß Veranstaltungsformen, Methoden und Medien nur dann als „Anregungsvariable“ in der Jugendarbeit eingesetzt werden können, wenn die gegebenen Voraussetzungen, die äußeren Bedingungen, die Lerngruppe, Ziele und Inhalte aufeinander abgestimmt werden und „passen“. Was das für den Entscheidungsbereich der „Methoden“ bei der konkreten Planung einer Veranstaltung bedeutet, darauf wird im folgenden näher eingegangen.

5. Methoden - Vorgegebenheiten und Wechselbezüge

Der bisherigen Darlegung liegt ein Verständnis von „Didaktik als Prozeß“ zugrunde, das sich in einer Abfolge von reflektierten und begründeten Entscheidungen bei der Planung konkretisiert. Entscheidungen müssen - möglichst unter Beteiligung der Adressaten - auf allen Planungsebenen getroffen werden. Sie sind einerseits abhängig von bestimmten Vorgegebenheiten (gesellschaftlicher, institutioneller und anthropogener Art), und andererseits beeinflußt jede Entscheidung in unterschiedlicher Weise die weiteren im didaktischen Prozeß notwendigen Entscheidungen. Geht man im Blick auf eine reflektierte Methodenauswahl davon aus, daß auf der Ebene der Programmplanung entsprechende Entscheidungen getroffen sowie konkrete Veranstaltungsformen für bestimmte Ziele und Aktivitäten gewählt und festgelegt wurden, dann ist es für die weitere Planung wichtig, den Entscheidungsbereich „Methoden“ zu sehen:

- in seiner Abhängigkeit von den genannten Vorgegebenheiten und den in vorangegangenen Planungsschritten getroffenen Vorentscheidungen, z.B. Ziele, Themenschwerpunkte, Veranstaltungsform;

[21] Vgl. *R. Dantscher,* Arbeitsmaterial für Gruppenarbeit, Gelnhausen/Freiburg/Nürnberg 1975; Katholische Junge Gemeinde (Hrsg.), Der Tip 11. Anregungen zur methodischen Arbeit mit Gruppen, Düsseldorf 1974; *H. May/A. Täubl,* Praxis AV-Medien, München 1981; *P. Müller,* Methoden in der kirchlichen Erwachsenenbildung, a.a.O.; *J. Schilling,* Methodenbuch Jugendarbeit, Band 1, München 1982.

- in seiner Verflechtung mit anderen Entscheidungsbereichen für die Veranstaltungsplanung, z. B. Ziele, Inhalte, Medien.
Auf welche Weise diese beiden Aspekte mit ihren Strukturmomenten voneinander abhängen, wie sie sich beeinflussen und in welcher Reihenfolge sie in der Praxis bearbeitet werden können, das wurde in der wissenschaftlich-pädagogischen Diskussion unter dem Stichwort „Primat der Didaktik gegenüber der Methodik" bekannt.[22]

5.1. Vorgegebenheiten als Einflußfaktoren

Vorbedingung jeder planerischen Entscheidung über Ziele, Inhalte und Methoden ist die Reflexion der verschiedenen Vorgegebenheiten, die zum Teil durch Vorentscheidungen gesetzt sind. Solche relevanten Vorgegebenheiten sind:
- *Konzeptioneller Rahmen,* z. B. Synodenbeschluß „Ziele und Aufgaben kirchlicher Jugendarbeit", „reflektierte Gruppe", Schwerpunkte der Jugendarbeit im Verband, in der Gemeinde, des Projekts ...
- *Veranstaltungsform,* z. B.: Welche Art der Beteiligung wird dadurch erwartet?
- *Zielvorgabe/Zielsetzung,* z. B.: dieses Projekts, in den einzelnen Zielbereichen bzw. Zielebenen; an diesem Truppabend, diesem Gesprächsabend ...
- *Thematik/Themenformulierung,* z. B.: Ist die Umschreibung des Themas konkret genug? Welche Motive bei den Teilnehmern könnte es wecken?
- *Teilnehmergruppe,* z. B.: Situation der Jugendlichen, ihre Fragen, Probleme ... zum Thema; Voraussetzungen im Blick auf die Zielsetzung, Vorerfahrungen hinsichtlich des Themas bzw. der Kommunikation in Gruppen, mögliche Konflikte ...
- *Äußere Gegebenheiten,* z. B.: Ort, Raum, Zeit ...
- *Kompetenzen des Leiters,* z. B.: Wo liegen meine Interessen am Thema? Welche Ziele sind für mich wichtig? Welche Kenntnisse, Fähigkeiten und Sacherfahrungen kann ich einbringen? Meine „Methoden-Kompetenz"? ...

Es würde hier zu weit führen, diese Einflußfaktoren zu entfalten.[23] Bei aller Mühe, es werden einige Informationslücken bleiben und sich Ungenauigkeiten einschleichen. Sie lassen sich weitgehend abbauen, wenn zum einen die Jugendlichen selbst in die Planung und Reflexion einbezogen werden und zum anderen gerade bei größeren Vorhaben in Einstiegsveranstaltungen eine Abklärung gegenseitiger Erwartungen, Fragen und Interessen am

[22] Vgl. Funk-Kolleg Erziehungswissenschaft, Band 2, Frankfurt 1970, 53–126; *W. Schulz,* Unterrichtsplanung, München/Wien/Baltimore 1979, 28–73 und 85–91.

[23] Vgl. *P. Müller,* Begegnen, Verstehen, Verändern. Kirchliche Jugendarbeit mit Eltern und Familien, München 1984, 162 f. und 195 f.; *P. Müller,* Methoden in der kirchlichen Erwachsenenbildung, a.a.O., 30 f. und 48 ff.

Sachthema erfolgt. Letztere Möglichkeit liefert wichtige Informationen zur weiteren didaktisch-methodischen Planung, trägt bei zu einer offenen Gesprächsatmosphäre, beginnt damit, „reflektierte Gruppe“ zu praktizieren und bleibt offen für eine Veränderung und Konkretisierung von Zielen und Wegen.

5.2. Entscheidungsbereiche und ihre Wechselbezüge

Methoden als „Vermittlungsvariable“ sind immer eingebettet in Erfahrungszusammenhänge, die sich ergeben:

- aus den „Vorgegebenheiten“ der Lernsituation;
- aus den Erfahrungen der an der Lernsituation beteiligten Personen, die
  - Methoden erleben, annehmen oder ablehnen (Teilnehmer, Jugendliche);
  - Methoden einsetzen (Gruppenleiter/Lernbegleiter);
- aus den Wechselbezügen von Methoden zu Zielen, Inhalten und Lernsituation.

Methoden sind daher Handlungs- und Vermittlungsweisen innerhalb vorgegebener, geplanter und sich entwickelnder Zusammenhänge. Dementsprechend breit ist die Vielfalt, mit der methodisch diese Zusammenhänge gestaltet werden können. Dabei sind – neben anderen – die Wechselbezüge von Methode und Ziel, Methode und Inhalt sowie Methode und Lernsituation besonders zu beachten.

Methoden und Ziele: Zielfragen beinhalten Vermittlungsfragen und umgekehrt. Ziele setzen Markierungen, grenzen den Spielraum für die Auswahl von Methoden ein und geben die Richtung an, in der eine Methode wirken soll. Zielrichtungen sind ja nicht beliebig: Erfahrungen sollen möglich, Kenntnisse vermittelt, Fähigkeiten entdeckt, Verhalten reflektiert und überprüft werden. Das Ziel gibt so in den verschiedenen Bereichen eine Entscheidungshilfe bei der Auswahl und Zuordnung von Methoden. Umgekehrt eröffnen Methoden verschiedene Möglichkeiten, ein Ziel zu erreichen. Sie geben schrittweise Hilfestellung und Halt auf dem Weg zum Ziel, im Blick auf den Teilnehmer als Subjekt des Lernprozesses und den Inhalt, der bearbeitet wird. Damit sind vier Momente des Zusammenhangs sichtbar:

- Es gibt eine Vielfalt von methodischen Möglichkeiten, um eine Intention zu erreichen.
- Mit einer Methode können gleichzeitig mehrere Intentionen erreicht bzw. Zielebenen angesprochen werden.
- Es gibt „geheime“ Intentionen, die zu einer Methode gehören und die bei nicht zielentsprechendem Einsatz sich verselbständigen können, z.B., ein Rollenspiel wird eingesetzt, um Argumente für und gegen den Sonntagsgottesdienst zu sammeln. In der Auswertung entwickelt sich aber eine Ausein-

andersetzung über die Art und Weise der im Rollenspiel dargestellten Konfliktlösung. Die angezielte Sachebene (Argumentensammlung) wird verdrängt durch die verdeckt mitgelieferten Ziele auf der persönlichen Ebene: Wie lösen wir Konflikte? Ein Pro und Contra hätte hier dem Ziel mehr entsprochen. Nun müssen das Ziel neu gesetzt und der Konflikt aufgearbeitet werden.

- Methoden sind nicht wert- und zielneutral, das heißt, sie haben unterstützende Aufgaben, um ein Ziel optimal zu erreichen.

Methoden und Inhalt: Wenn kirchliche Jugendarbeit einen Beitrag leisten will zum „Reifungsprozeß des Jugendlichen" im sozialen, psychischen, geistigen, politischen und religiösen Bereich, dann müssen die behandelten Inhalte in Beziehung zur Lebenssituation der Jugendlichen stehen, das heißt, dementsprechend mit ihnen ausgewählt und bearbeitet werden. Jeder Inhalt, das wird oft vernachlässigt, fordert eigene methodische Vermittlungswege. Folgende Beziehungen sind dabei zu beachten:

- die unterschiedliche Sachlogik der Inhalte;
- die Teilnehmerzusammensetzung und Vertrautheit unter den Jugendlichen;
- die persönliche Betroffenheit der Jugendlichen durch inhaltliche Fragestellungen und deren Bedeutung für ihren Lebensalltag bzw. ihre Entwicklung;
- die Struktur einer Methode und ihre Eignung für diesen Inhalt, diese Jugendlichen und diese Lernsituation;

Der Inhalt, das „Was", wird durch das „Wie" - die Methode - gestaltet und vermittelt. Ohne das „Was" wäre die Methode eine beliebige Technik, sie wäre inhaltsleer. Ohne Methode könnte der lebensbedeutsame Inhalt nicht vermittelt werden. Die Jugendlichen hätten keine oder wenig Zugangsmöglichkeiten, den Inhalt zu bearbeiten und zu verstehen. Auf ihre lebensbedeutsamen Fragen und Bedürfnisse würden sie keine Anregungen und Antworten als Orientierungshilfen erhalten. Der Blick auf die teilnehmenden Jugendlichen und ihre Voraussetzungen ermöglicht es aber, an ihren alltäglichen Erfahrungen anzuknüpfen, den jeweiligen Inhalt entsprechend aufzubereiten und methodisch zu vermitteln.

Methode und Situation: Die Abstimmung von Methode und Ziel, Methode und Inhalt muß der Situation zugeordnet werden, in der sie realisiert werden soll. Dabei müssen drei Aspekte berücksichtigt werden:

- die verschiedenen *Motive,* durch welche die Jugendlichen veranlaßt werden zu kommen und die in der Lernsituation bei ihnen wirksam werden;
- die vielfältigen *Interaktionsmöglichkeiten und -fähigkeiten* von teilnehmenden Personen und Gruppen;
- die *Organisation der Lernsituation* (äußere, z. B. Raumgestaltung, und innere, z. B. Methodenwechsel).

Auf sie kann hier nicht ausführlich eingegangen werden, doch die Analyse der Vorgegebenheiten ist eine der wesentlichsten Voraussetzungen, diese Aspekte in den Zusammenhang von Methode und Situation entsprechend einzubeziehen. Eine besondere Hilfe in diesem Interaktionsgeschehen, um die Ansprüche des einzelnen, des Themas und der Gruppe in der Lernsituation in Balance zu halten, bietet das TZI-Modell.[24] Diese kurze Skizze von Zusammenhängen verdeutlicht, daß es einen Primat des Inhalts, der Methode oder der Situation nicht geben darf. Der Primat des Inhalts vernachlässigt die Bedeutung von Vermittlungsvorgängen für das Verstehen und Verhalten der Teilnehmer. Der Primat der Methode verliert nicht selten die Zielorientierung und den Sachbezug. Er reduziert Methoden zu Techniken. Der Primat der Situation gerät in die Gefahr, daß Ziele, Methoden und Inhalte je nach Bedürfnis und Stimmung ausgewählt werden. Methoden müssen also im Wechselbezug der mitwirkenden Vorgegebenheiten und Entscheidungsbereiche gesehen werden. Veranschaulichen läßt sich das durch das Bild vom Mobile: Die einzelnen Elemente sind einander in einer höchst beweglichen Balance zugeordnet. Um diese zu erhalten, sind sie aufeinander angewiesen. Erhält eines das Übergewicht, fällt das Mobile zusammen.

6. Aspekte des Entscheidungsbereichs „Methoden"

In einer konkreten „Lernsituation" ist der Entscheidungsbereich „Methode" nur einer im Gefüge mit anderen. Neben den erwähnten Wechselbezügen beinhaltet er eine Reihe von Aspekten, die für die praktische Planung und Gestaltung einer Lernsituation bzw. eines Gruppenprozesses relevant sind. Sie sollen hier nur kurz skizziert werden.[25]

(1) *Methodenkonzeption*

Hier geht es um die Frage, mit welcher grundlegenden Verfahrensweise der Inhalt bzw. die Sache angemessen vermittelt werden kann. Bekannt ist die deduktive, induktive und an der Projektarbeit orientierte Methodenkonzeption. Die Jugendarbeit wird die beiden letzteren bevorzugen, was nicht ausschließt, in Einzelfällen deduktive Verfahrenselemente einzusetzen.

(2) *Artikulationsschemata*

Der Begriff „Artikulation" (articulus = Glied) verweist auf die Gliederung

[24] *R. Cohn,* Von der Psychoanalyse zur themenzentrierten Interaktion, Stuttgart[4] 1978; vgl. auch *R. Dantscher,* Arbeitsmaterial für Gruppenarbeit, a.a.O., 60–77.

[25] Vgl. *P. Müller,* Methoden in der kirchlichen Erwachsenenbildung, a.a.O., 36–44, und zum Stichwort „Sozialformen" auch 107–110; *W. Schulz,* Grundzüge der Unterrichtsanalyse, in: G. Dohmen/F. Maurer, Unterricht. Aufbau und Kritik, 1968, 60ff.

der Lernsituation in Lernschritte, Lernphasen, Abschnitte, Teile innerhalb des Lernprozesses, Reflexionsphasen ... Die Artikulation soll den Lern- und Gruppenprozeß gliedern und somit erleichtern, das heißt, sie ist ein Mittel, um Ziele besser zu erreichen. In der Bildungsarbeit wird eine Reihe solcher Artikulationselemente angeboten, die Ähnlichkeiten und Unterschiede aufweisen, je nachdem, ob sie vom Leiter, vom Teilnehmer, der Gruppe, vom Stoff oder von einem „Lernen als Prozeß" ausgehen. Ein verbindliches Schema für alle läßt sich kaum finden. Daher bietet sich ein Grundmodell als erste Orientierungshilfe an. Dieses Grundmodell läßt sich graphisch wie folgt darstellen:

Anfangssituation(en)	Mittelsituation(en)	Endsituation(en)
Lernprozeß ⟶		Ziel
Begegnung mit Person und Sache	Bearbeitung auf den verschiedenen Lernebenen	Anwendung im Handeln (Gruppe und Alltag)
Motivieren, Verständnis vorbereiten, einführen, Sachbezug erschließen, Information geben	Erkunden, Reflektieren Erarbeiten, Zusammenhänge durchschauen, Verarbeitung	Schlußfolgerungen ziehen, Üben, Sicherheit gewinnen, Transfer vorbereiten, Weiterführung überlegen

Das vorgestellte Grundmodell wurde vielfach ergänzt, und man muß es auch in der Praxis tun. Sein Wert besteht darin, daß es hilft, die Lernsituation je nach Bedarf unter bestimmten Teilaspekten zu durchleuchten, zu planen und zu strukturieren, denn auch die Jugendlichen brauchen deutliche Strukturen als Weggeländer, an dem Lernschritte für sie transparent und nachvollziehbar werden.

(3) *Sozialformen*

Sozialformen als Aspekt des Methodenproblems kennzeichnen die Art und Weise, wie die Teilnehmer einander zugeordnet sind, ebenso aber, wie sie miteinander und mit dem Lerninhalt umgehen. In der Jugendarbeit sind eine Reihe von Sozialformen bekannt, die sich auf vier Grundformen zurückführen lassen:

- Großgruppen- bzw. Plenumsarbeit (verschiedene Gesprächsformen);
- Kleingruppenarbeit (arbeitsgleich, arbeitsteilig, kombinierte Form);
- Partnerarbeit (Kooperation, wechselseitiger Austausch);
- Einzelarbeit (Vorbereitung auf eine der anderen Grundformen, Erfahrungen sammeln u. ä.).

Welche Sozialform auch immer gewählt wird, sie alle haben einen Platz im Lernprozeß und können nicht gegeneinander ausgespielt werden. Die Wahl wird abhängen von den jeweiligen Zielen, Inhalten und Bedingungen, die wiederum die Verzahnung verschiedener Sozialformen im Zusammenhang der Veranstaltungsform beeinflussen. Auch sollte reflektiert werden, daß jede Sozialform ein bestimmtes Leiterverhalten begünstigt und die Lernatmosphäre gestaltet. Das alles weist darauf hin, daß es hier um mehr als ein Einteilungselement von Gruppen geht.

(4) *Aktionsformen*

Hier geht es um die Art und Weise, wie Gruppenleiter und Jugendliche in der konkreten Situation miteinander agieren, wie sie ihr Beziehungsgefüge belasten, gestalten und weiterentwickeln; ob der Gruppenleiter mehr direkte oder indirekte Formen bevorzugt, wie er seine Impulse, Anstöße, Fragen ... einspielt und anderes. Allgemein anerkannte Kriterien zur Bewertung von Aktionsformen gibt es nicht. Doch bieten die oben skizzierten Grundannahmen, Prinzipien und das Konzept der „reflektierten Gruppe" ausreichende Leitvorstellungen für die Praxis.

(5) *Urteilsformen*

Dieser Methodenaspekt hebt ab auf das Verhalten des Gruppenleiters im Lern- und Gruppenprozeß. Wie versteht er seine Rolle im Lernprozeß? Je nach Rollenverständnis werden andere Urteilsformen in der konkreten Lernsituation angewandt. Solche Urteilsformen werden eingesetzt zur Steuerung des Lernprozesses. Sie beinhalten verbale oder nonverbale Wertungen, z. B. ermuntern, tadeln, loben, ablehnen, kommentieren, zurechtweisen, kontrollieren, verletzen, verstärken, vorsetzen, erarbeiten lassen, anerkennen, kritisieren, berichten, bestätigen.

Urteilsformen sind Mosaiksteine eines Rollenverständnisses (z. B. teilnehmer- oder leiterorientiertes Verhalten) des Gruppenleiters und prägen seinen Stil, seine Umgangsformen und den Spielraum, den er den Jugendlichen für Eigeninitiativen läßt; damit aber auch die Erfahrungen, Eindrücke und Urteile, welche die Teilnehmer über die Lernsituation, den Mitarbeiter und nicht selten auch über die kirchliche Jugendarbeit haben.

7. Auswahl, Einsatz und Klassifizierung von Methoden in der kirchlichen Jugendarbeit

Methoden sind, das wurde in den letzten Planschritten deutlich, ein – wenn auch kein geringer – Teil, um dem Anspruch und Ziel kirchlicher Jugendarbeit gerecht zu werden, nämlich den Jugendlichen Chancen zu einem eigenaktiven und selbstbestimmenden Lernen zu eröffnen, dazu anzuregen, sie dabei zu begleiten und „reflektierte Gruppen" als Ort und Medium rationaler und emotionaler Bildung zu erleben. Methoden stehen und wirken in solchen Lernprozessen nicht isoliert, sondern sind eingebunden in ein Netz unterschiedlich wirkender Einflüsse. Für die Auswahl und den Einsatz von

Methoden ist es notwendig, diese drei Bereiche zu reflektieren und die jeweiligen Erkenntnisse zu berücksichtigen:

- die *Einflußfaktoren* auf der Ebene der Vorgegebenheiten;
- die *Wechselbezüge* auf der Ebene der verschiedenen Entscheidungsbereiche;
- das *Beziehungsgefüge* auf der Ebene des Entscheidungsbereiches *Methoden.*

Für nicht wenige „Praktiker" in der kirchlichen Jugendarbeit, die in ihrer „Praxis" mit einem Griff in ihre „Methodenkiste" arbeiten, mögen diese Überlegungen und Differenzierungen „zu weit" gehen oder als „Theorie" abgetan werden. Bedenken sie dann noch die bekannte Forderung, je nach Situation Methoden zu wechseln und/oder miteinander zu verknüpfen – dafür sprechen mehrere Gründe[26] –, dann kann sich dieses Urteil verstärken. Doch die Anforderung, das Ziel einer reflektierten Auswahl und eines teilnehmergerechten, ziel- und situationsorientierten Einsatzes bleibt bestehen. Denn wie ein Handwerker nicht mit ungeeignetem Werkzeug an ungeeigneten Objekten herumwerkeln kann, so sollten Mitarbeiter in der Jugendarbeit „Methoden" (z. B. weil sie ihnen Spaß machen, sie einmal Erfolg damit hatten ...) nicht ohne eine Reflexion der Personen, Ziele, vorgegebenen Bedingungen, Sachbezüge ... einsetzen.

Die Erwartungen an Methoden sind hoch. Doch was können sie leisten? Die notwendige Reflexion der genannten Aspekte muß der Gruppenleiter/Mitarbeiter in jeder Situation neu vollziehen. Außerdem sollte er verschiedene Methoden kennen, wissen, was man mit ihnen erreichen kann, und sie im Blick auf die geplante Verwendung situativ überprüfen und gegebenenfalls verändern. Es gibt eine Reihe von „Methodensammlungen" (vgl. Anmerkung 21), die dabei hilfreich sind. Sie klassifizieren in je unterschiedlicher Weise „Methoden" und stellen Ziele, praktische Vorgehensweisen, didaktische Einsatzmöglichkeiten und Impulse zur Vorbereitung des verantwortlichen Leiters dar. Doch jedes Einteilungsprinzip ist anfechtbar, auch wenn praktische Gesichtspunkte der Anordnung im Vordergrund stehen. Wichtiger als „Methodenklassifizierungen" ist die Erkenntnis, daß jede Methode sich in der Praxis kirchlicher Jugendarbeit bezieht

- auf eine Sache bzw. einen Inhalt,
- auf den Lern- und Gruppenprozeß mit seinen Bedingungen.

Man spricht von den *inhaltlichen* und *kommunikativen* Anforderungen/Intentionen der einzelnen Methoden.[27] Auswahl und Einsatz einzelner Methoden werden einerseits beide Anforderungsebenen beachten müssen, andererseits mit Hilfe einiger allgemeiner Kriterien jede Methode auch

[26] Vgl. *P. Müller,* Methoden in der kirchlichen Erwachsenenbildung, a.a.O., 46f.
[27] Vgl. ebd., 64–69.

unter dem Aspekt überprüfen, ob damit der Jugendliche als „Subjekt des Lern- und Gruppengeschehens" ernst genommen wird. Auf dem Hintergrund der dargestellten Prinzipien und vorausgesetzt, der Gruppenleiter/Mitarbeiter hat die entsprechenden situativen Bedingungen bedacht, ist es hilfreich, Auswahl und Einsatz einzelner Methoden an den folgenden allgemeinen Kriterien, die hier abschließend als Orientierungshilfen zusammengefaßt werden, zu überprüfen. Methoden in der kirchlichen Jugendarbeit sollten:

- sich an der „Lebenswelt" der Jugendlichen orientieren und ihre bisherigen Erfahrungen aufgreifen und erschließen;
- neue Erfahrungen ermöglichen;
- beitragen zu einer offenen Kommunikations- und Lernatmosphäre;
- ausgehen von vorhandenen Interaktions- und Kommunikationsmustern der Jugendlichen;
- in Form und Inhalt die Jugendlichen motivieren zu einem eigenverantwortlichen, personenbezogenen und gemeinsamen Lernen sowie Raum geben, erfahrungsbezogen und problemorientiert Neues zu entdecken und zu lernen;
- den Jugendlichen nicht *eine* Interpretation aufzwingen, sondern ihnen helfen, eigene Interpretations- und Lösungsmöglichkeiten zu finden;
- eine Reflexion des Gruppenprozesses sowie der in ihr wirksamen Vorgänge und Beziehungen ermöglichen;
- einer Beteiligung an Planung, Gestaltung und Beurteilung des gemeinsamen Lerngeschehens Raum geben;
- Differenzierungen und Vereinfachung, Abstraktion und Konkretion erlauben, die Jugendlichen mit ihren sinnlichen und geistigen Fähigkeiten ansprechen und offen sein für eine rationale Auseinandersetzung und für zukünftiges Handeln;
- dem Jugendlichen helfen, seine „Identitäts-Balance" zu finden.

Nicht jede Methode wird alle Kriterien in gleicher Weise erfüllen. Darum geht es hier auch nicht. Vielmehr dienen sie als Anregungen, einzelne Methoden vor der Verwendung auf ihre Relevanz für die konkrete Lernsituation und auf ihren Beitrag zu einem an dem Jugendlichen orientierten „Lernen" – bei Beachtung der anderen Einflußfaktoren – zu befragen und zu reflektieren. Denn Methoden sind keine Spielchen, sie sind nicht wert- und zielneutral, sie können vielfältig eingesetzt und verändert werden, doch die Verantwortung dafür liegt – auf der Basis der Grundregeln des „personalen Angebots" – beim Gruppenleiter, ehrenamtlichen, hauptamtlichen und erwachsenen Mitarbeitern. Es gibt keine guten oder schlechten Methoden, es gibt aber wohl – entsprechend den gegebenen und gesetzten Bedingungen – geeignete und ungeeignete Methoden.

Literatur

Buttler, Gottfried, u.a. (Hrsg.), Lernen und Handeln, Gelnhausen 1980 (Burckhardthaus).

Dantscher, Ralf, Arbeitsmaterial für Gruppenarbeit, Gelnhausen/Freiburg 1975 (Burckhardthaus/Christophorus).

Fritz, Jürgen, Methoden des sozialen Lernen, München 1977 (Juventa).

Geißler, Karlheinz A./Hege, Marianne, Konzepte sozialpädagogischen Handelns, München/Wien/Baltimore[2] 1981 (Beltz).

Müller, Peter, Begegnen, Verstehen, Verändern. Kirchliche Jugendarbeit mit Eltern und Familien, München 1984 (J. Pfeiffer).

Ders., Methoden in der kirchlichen Erwachsenenbildung, München 1982 (Kösel).

Schilling, Johannes, Methodenbuch Jugendarbeit, Band 1, München 1982 (Kösel).

Steinkamp, Hermann, Jugendarbeit als soziales Lernen, München 1977 (Chr. Kaiser/Grünewald).

Hartmut Heidenreich

Mitarbeiter und „Personales Angebot“

1. Zu den Begriffen

Personales Angebot – das klingt wie Sonderangebot oder besonderes Angebot. Also Werbesprache. Von daher ist der Begriff nicht geprägt, doch ganz falsch liegt man damit in bestimmter Hinsicht nicht. Der Begriff fällt nämlich in eine Zeit, in der kirchliche Jugendarbeit sich gegenüber freizeitindustrieller Konkurrenz behaupten muß. Allerdings wäre es töricht, der Sache unangemessen und zudem aussichtslos, wollte man mit diesem Begriff oder Konzept von seiten kirchlicher Jugendarbeit in einem Denken von Markt, Wettbewerb und Marketing mit der Freizeitindustrie (sowie dem Psychomarkt und der neoreligiösen Subkultur!) um das Interesse Jugendlicher konkurrieren. Von den ungleich besseren Möglichkeiten der professionellen Konkurrenz aus der Freizeitindustrie einmal abgesehen, würde man damit Jugendliche zum zu umwerbenden Objekt machen und die Probleme der Kirche und ihrer Jugendarbeit den Mitarbeitern als die Anforderung aufbürden, eben ein konkurrenzfähiges, personales Angebot sein zu sollen.

„Personales Angebot“ ist ein Kernbegriff des Synodenbeschlusses (SB) „Ziele und Aufgaben kirchlicher Jugendarbeit“ (1975) der Gemeinsamen Synode der Bistümer in der Bundesrepublik Deutschland.[1] Er verweist darauf, daß es als ein Spezifikum christlicher Jugendarbeit zu verstehen ist, daß sie nicht primär Programme, Apparate, Räume etc. einsetzt, wiewohl auch solch ein „Sachangebot“ dazu gehört, sondern daß sich hier Personen anbieten – als Gesprächspartner, Gruppenmitglieder, Gruppenleiter etc.

Beide Begriffe, ‚Mitarbeiter‘ und ‚personales Angebot‘, reden also vom gleichen Personenkreis, doch mit unterschiedlichen Akzenten. *Mitarbeiter* ist eher das allgemeinere, beschreibendere Wort. Der Prototyp des Mitarbeiters* in kirchlicher Jugendarbeit ist nach wie vor der Gruppenleiter, der sich regelmäßig mit seiner Gruppe trifft. Der Begriff des Mitarbeiters umfaßt

[1] *L. Bertsch* u. a. (Hrsg.), Gemeinsame Synode der Bistümer in der Bundesrepublik Deutschland. Beschlüsse der Vollversammlung. Offizielle Gesamtausgabe I, Freiburg/Basel/Wien 1976, [5]1982, 288–311. – Der Text findet sich auch in *M. Affolderbach* (Hrsg.), Grundsatztexte zur evangelischen Jugendarbeit, Gelnhausen/Stuttgart [2]1982, 489–515.

* Begriffe wie Mitarbeiter, Haupt- und Ehrenamtlicher etc. werden nicht geschlechtsexklusiv verwendet, auch wenn die weibliche Form nicht immer angegeben ist.

freilich mehr: auch den Discjockey im Jugendheim, den (hauptamtlichen) Bildungsreferenten des Jugendverbandes, den Organisator des Ferienlagers, die Diskussionsleiterin der Primanertagung, die Mitglieder des Teestubenteams im Haus der Offenen Tür - sie alle sind Mitarbeiter, ob regelmäßig oder selten, ob ehrenamtlich oder hauptberuflich engagiert.
‚Personales Angebot' transportiert als Begriff auch einen Anspruch, nämlich was und wie der Mitarbeiter in der kirchlichen Jugendarbeit sein soll bzw. will. Daß es begrifflich und konzeptionell unzulässig verengt wäre, wollte man ‚Mitarbeiter' und ‚personales Angebot' als synonyme Bezeichnungen für konkrete Jugendarbeiter verwenden, soll vor allem im letzten Teil dieses Artikels aufgezeigt werden. Er thematisiert die normative, die Anspruchsseite, die im Begriff vom personalen Angebot steckt, sowie die theologischen Aspekte dabei. Der erste Teil über ‚Mitarbeiter' spricht eher deskriptiv von denen, die sich in kirchlicher Jugendarbeit engagieren, und ihrer Situation. Im Abschnitt über Mitarbeiter wird stärker auf Literatur aus dem evangelischen Bereich bezug genommen, im Teil über das personale Angebot stärker auf den katholischen Bereich, woher der Begriff auch kommt. Dennoch dürfte bei beiden Analoges und Unterschiedliches in der Jugendarbeit der jeweils anderen Konfession deutlich sein, auch wenn nicht stets darauf verwiesen wird.

2. Die Mitarbeiter in der kirchlichen Jugendarbeit

2.1. Aus empirischen Untersuchungen

Allgemeine Daten über Mitarbeiter in der Jugendarbeit liefern zwei empirische Untersuchungen: eine Studie über die Mitarbeiter Dortmunder Jugendverbände[2] und eine Studie über das Selbstverständnis ehrenamtlicher Mitarbeiter in der Jugendarbeit im Kreis Mainz-Bingen und in der Stadt Mainz.[3]
Sielerts Haupterhebung erfaßt 321 Dortmunder Mitarbeiter per Fragebogen. Die Mainzer Untersuchung verwertet 376 beantwortete Fragebogen, davon 49 aus Jugendzentren. Beide erfassen auch kirchliche Jugendarbeiter neben anderen; in Dortmund allerdings nur die aus Verbänden, dafür verschiedene Typen von Mitarbeitern; in der Mainzer Region nur Ehrenamtliche, dafür

[2] *U. Sielert,* Die Mitarbeiter in den Jugendverbänden. Eine Situationsanalyse, München 1978.

[3] *F. Hamburger* u.a., Ehrenamtliche Mitarbeiter in der Jugendarbeit. Eine empirische Untersuchung zu ihrem Selbstverständnis, Weinheim/Basel 1982. Ebenfalls ausgewertet bei *C. Beck/C. Wulf,* Tätigkeitsprofile ehrenamtlicher Mitarbeiter in der Jugendarbeit. Ergebnisse einer Studie, in: deutsche jugend 30 (1982), 115-124. *Dies.,* Zwischen Auflehnung und Anpassung. Das Selbstverständnis der Mitarbeiter in der Katholischen Jugendarbeit. Ergebnisse einer Befragung von Ehrenamtlichen des BDKJ, in: KatBl 110 (1985), 394-402.

auch aus Jugendzentren. Ein weiteres Forschungsprojekt wertet die Fragebogen von 563 Ehrenamtlichen unterschiedlicher Jugendarbeitsbereiche aus Hessen, Rheinland-Pfalz und dem Saarland aus.[4]
Zur Illustration einige Zahlen zu den Mitarbeitern in der Jugendarbeit und - soweit auffällig und eigens ausgewiesen - speziell kirchlicher Jugendarbeit: Von den befragten Ehrenamtlichen im Mainzer Raum (n = 365) sind 18% bis 18 Jahre alt, 30% 18–21, 26% 21–25, 15% 26–30, 10% über 31 Jahre.[5]
Die Fluktuation der Mitarbeiter ist erheblich: Bei den Dortmunder Verbänden waren 62% 2–3 Jahre, 19% maximal 2 Jahre, 16% maximal 1 Jahr in der Jugendarbeit tätig. Die Mainzer Untersuchung gibt speziell für konfessionelle Verbände folgende Tätigkeitsdauer der Ehrenamtlichen (n = 162) an: 27% bis 2 Jahre, 33% 2 bis 4 Jahre, 23% 4 bis 7 Jahre, 17% mehr als 7 Jahre. Erwartungsgemäß ist in Jugendzentren die Tätigkeitsdauer besonders kurz: 52% arbeiten maximal 2 Jahre mit (n = 49); die sach-und fachbezogenen Verbände weisen dagegen die höchste Zahl langjähriger Mitarbeiter auf (n = 72): 42% in der Kategorie 7 Jahre und mehr, im Vergleich zu 17% bei den konfessionellen Verbänden.[6]
Den höchsten Anteil weiblicher Mitarbeiter weisen in der Mainzer Region die konfessionellen Verbände auf (39,9%), gefolgt von Jugendzentren, politischen und fach- und sachbezogenen Verbänden, z. B. Sportverbänden. Ähnliche Zahlen ergaben sich in Dortmund; den Grund hierfür vermutet Sielert im hohen Anteil von Kindergruppen in konfessionellen Verbänden, die traditionell durch weibliche Mitarbeiter betreut werden.[7]
Zeichnet man holzschnittartig ein Profil der Mitarbeiterschaft in der Jugendarbeit anhand dieser Untersuchungen, so bestätigen sich zunächst gängige Charakteristika: Der überwiegende Teil der Mitarbeiter ist männlich, ledig, jünger als 25 Jahre, hat höhere Schulbildung, stammt mindestens aus der unteren Mittelschicht, ist kaum drei Jahre in der Jugendarbeit tätig, gibt für sein Ausscheiden Zeitmangel als Grund an (wohinter sich aber auch Konflikte und Frustrationen in der Tätigkeit verbergen). Scheinbar im Gegensatz zu dieser Fluktuationsquote steht die Intensität des zeitlichen Engagements der Mitarbeiter: Sie verbringen durchschnittlich fünf Stunden pro Woche in der Jugendarbeit und zusätzlich fast den Umfang eines Jahresurlaubs bei Wochenenden, Freizeiten, überregionalen Tagungen usw.[8]
Damit ist die Frage der Motivation zur Jugendarbeit aufgeworfen. Sie wird angegeben als die Möglichkeit einer Freizeitbeschäftigung, die Gelegenheit

[4] Vgl. *C. Beck/C. Wulf,* Ehrenamtliche Mitarbeiter in der Jugendarbeit. Ergebnisse aus einem Forschungsprojekt, in: deutsche jugend 32 (1984), 33–38.
[5] Vgl. *F. Hamburger,* a.a.O., 15.
[6] Vgl. ebd., 19.
[7] Vgl. *U. Sielert,* a.a.O., 52.
[8] Vgl. ebd. S. 51ff; ähnlich *C. Beck/C. Wulf,* Ehrenamtliche Mitarbeiter, a.a.O., 34.

gibt, soziale Kontakte zu knüpfen und die eignen sozialen Fähigkeiten und Fertigkeiten zu verbessern, z.B. in einer Gruppenleiterrolle. Diese Motivation ist vermischt mit altruistischen Elementen, etwa: Jugendlichen bei ihrer Persönlichkeitsentfaltung und Freizeitgestaltung zu helfen. Am zutreffendsten dürfte sein, symmetrisch verwobene bzw. reziprok altruistische und auf das eigene Subjekt bezogene Motive anzunehmen: in der Tätigkeit in der Jugendarbeit zugleich die eigene Identität zu finden und den anderen zu der ihren zu verhelfen.[9] Im Kontext des scheinbaren Gegensatzes zwischen Egoismus und Altruismus im Engagement von Jugendarbeitern wird weiter unten im Abschnitt über Ehrenamtliche die These vom ‚immateriellen Honorar' in der Jugendarbeit entwickelt; ein solches gibt es freilich auch für Hauptamtliche! Ob schließlich die Voraussetzungen für eine wechselseitige Identitätsfindung in der Jugendarbeit günstig sind - auf seiten der Mitarbeiter wie des pädagogischen Feldes kirchliche Jugendarbeit -, ist eine Kernfrage bei Kliemann und Czell. Darauf werden wir zurückkommen.

Drei Kategorien von Mitarbeitern

Man kann in der Jugendarbeit dreierlei Mitarbeiter unterscheiden:
Hauptamtliche Mitarbeiter sind solche, die mit mindestens 20 Wochenstunden für eine pädagogische, organisatorische oder administrative Tätigkeit in der Jugendarbeit angestellt sind. Jugendarbeit gehört zum Kern ihrer Berufsrolle. Sie haben meist eine pädagogische Ausbildung mit Fachhochschul- oder Hochschulabschluß als Sozialpädagoge, Sozialarbeiter oder Diplompädagoge. Teils sind sie auch Erzieher und - spezifisch für kirchliche Jugendarbeit - Theologen. Früher kannte man auch spezielle Ausbildungen ohne Hochschulstudium wie die eines Jugendpflegers für erfahrene Jugendleiter.
Nebenamtliche Mitarbeiter sind mit einer Teilzeitstelle oder auf Honorarbasis in der Jugendarbeit tätig. Sie haben eine pädagogische Vorbildung oder Spezialkenntnisse und -fähigkeiten für die ihnen zugedachte Aufgabe, z.B. Supervisoren, Kursleiter u.ä. Als nebenamtliche Mitarbeiter in der Jugendarbeit müssen im Sinn dieser Definition auch hauptamtliche kirchliche Mitarbeiter gelten, wenn deren Tätigkeit in der Jugendarbeit nur einen geringeren Teil ihrer Berufsrolle und Berufstätigkeit ausmacht; z.B. bei Diakonen, Vikaren, Pastoralreferenten, Kaplänen kann dies der Fall sein.
Ehrenamtliche Mitarbeiter sind solche, die freiwillig und unbezahlt oder lediglich gegen Erstattung der für ihre Funktion notwendigen Auslagen in der Jugendarbeit tätig sind, z.B. Gruppenleiter und Gremienvertreter der Verbände. Die Ehrenamtlichen machen den größten Teil der Mitarbeiter in

[9] Vgl. *U. Sielert,* a.a.O., 66–70; *F. Hamburger,* a.a.O., 27f., 54f., 76f.

der kirchlichen Jugendarbeit aus. Deshalb sollen im folgenden sie und – wegen ihres Einflusses in der Jugendarbeit – die Hauptamtlichen besonders berücksichtigt werden.

2.2. *Die hauptamtlichen Mitarbeiter*

Neuere empirische Untersuchungen zum hauptamtlichen Mitarbeiter in der (kirchlichen) Jugendarbeit, die die Entwicklung der letzten Jahre mit der Steigerung der Zahl Hauptamtlicher und der weiteren Verschiebung der Anteile hauptamtlicher Jugendseelsorger hin zu pädagogisch, sozialwissenschaftlich und theologisch ausgebildeten ‚Laien' reflektieren, sind nicht bekannt.[10] Im folgenden soll daher zunächst auf einige Aspekte des Jugendarbeiterberufs stichwortartig verwiesen werden, um dann die Frage der Professionalisierung etwas breiter zu behandeln.

Attraktive und schwierige Seiten am Jugendarbeiterberuf

Für manchen Hauptamtlichen mag es *attraktiv* gewesen sein, sein früheres Hobby Jugendarbeit zum Beruf zu machen. Attraktiv ist zudem die relativ freie Gestaltung des Arbeitsalltags in einem früher selbst als bedeutsam für die eigene Person erfahrenen Arbeitsbereich sowie die breite Palette an Anforderungen an den Jugendarbeiter: vom Kursleiter in der Weiterbildung über den Manager, Finanzverwalter, Jugendpolitiker und Reiseleiter bis zum pädagogischen oder geistlichen Berater – für jede Begabung etwas.
Doch dieser Beruf birgt auch *Probleme* in sich: eine diffuse Struktur der Arbeitszeit durch das Ineinanderfließen von Arbeit und Freizeit sowie das Pendeln zwischen dem professionalisierten und dem ehrenamtlichen Bereich; das Fehlen eindeutiger Erfolgskriterien in der Arbeit; die Zwischenstellung zwischen Jugend- und Erwachsenenwelt; als Folge das ‚doppelte Mandat' als Anwalt der Jugendlichen einerseits, als Beauftragter der Erwachsenen bzw. der Kirchenleitungen andererseits; die Ansprüche an das eigene berufliche Verhalten im Vergleich mit Geistlichen; spezifische Normen gegenüber kirchlichen Mitarbeitern; die Frage nach Berufsperspektiven nach der Jugendarbeitszeit u.a.m.[11]
All diese Spezifika, Chancen und Probleme Hauptamtlicher in der kirchli-

[10] Vgl. zuletzt *IKSE* – Institut für Kirchliche Sozialforschung des Bistums Essen, Jugendpfleger im Bistum Essen (Bericht Nr. 97), Essen 1979; sowie *U. Rüppel,* Zur Ausbildung ehrenamtlicher Mitarbeiter in der evangelischen Jugendarbeit. Ergebnisse und Folgerungen einer empirischen Untersuchung, Münster 1979.

[11] Ausführlich *W. Dinger/U. Schabel,* Beruf: Jugendarbeiter/in. Hauptamtliche Arbeit mit Jugendlichen heute und morgen, München 1985. Dieses Buch beschreibt recht praxisnah den Alltag der katholischen Jugendarbeit. Die Autoren definieren Professionalisierung als „das gelungene Zusammenspiel von ehrenamtlichen und hauptberuflichen Mitarbeitern im Feld Jugendarbeit"

chen Jugendarbeit können hier nicht entfaltet werden. Im folgenden sollen einige Aspekte der sog. Professionalisierung in der Jugendarbeit herausgegriffen und im Kontext kirchlicher Jugendarbeit dargestellt werden.

Professionalisierung der Jugendarbeit und der Jugendarbeiter?

In einem allgemeinen Sinn redet man von *Professionalisierung* in der Jugendarbeit häufig als dem Phänomen, daß der Anteil Hauptamtlicher unter den Mitarbeitern zugenommen hat. Für die einen ist dies ein dringendes Erfordernis qualifizierter Jugendarbeit; für die anderen ist dies eine Entwicklung, die das Prinzip ehrenamtlich getragener Jugendarbeit bedroht. Viele Träger schließlich greifen dies als Anlaß auf, um unter dem Stichwort ‚Überprofessionalisierung' den Rotstift im Personalbereich anzusetzen. Dagegen hat die Vollversammlung des Deutschen Bundesjugendrings (DBJR) vom 15./16. 11. 1984 in einer vehementen Stellungnahme Einspruch erhoben.[12]
Der DBJR verweist darin u. a. auf die Notwendigkeit, daß Ehrenamtlichkeit und Selbstorganisation durch hauptamtliche Mitarbeiter ergänzt und unterstützt werden. Speziell wehrt sich der DBJR dagegen, die Prinzipien der Selbsthilfe und Ehrenamtlichkeit „als Vehikel zur Entlastung sozialstaatlicher Leistungen generell zu nutzen" und so individuelle Notlagen zu steigern und zu reprivatisieren. Er lehnt überdies „die Nutzung der ehrenamtlichen Arbeit als Alternative zur Arbeitslosigkeit, indem diese Tätigkeit zu einem Ersatzberuf denaturiert wird, ab" - eine Tendenz, die auch im kirchlichen Bereich zu beobachten ist.[13]
Der berufssoziologische Begriff der Professionalisierung beschreibt eine Fülle von gesellschaftlich-strukturellen und sozialen Aspekten im Zusammenhang mit der Entwicklung einer zum Beruf gewordenen Tätigkeit (Verberuflichung) zur Profession (Professionalisierung). Berufspolitische Strategien, den eigenen Beruf als Profession auszuweisen, sind u. a.: der Nachweis, daß diese Tätigkeit gesellschaftlich dringend erforderlich ist; klare Zugangsregeln zum Beruf; das Erfordernis einer wissenschaftlichen Ausbildung; das

(S. 12). Das ist allerdings eher eine kriterienlose Zielvorstellung. Überdies operieren die folgenden Kapitel mit wieder anderen Begriffen von Professionalisierung.

12 Bericht in: deutsche jugend 33 (1985), 40f.

13 Kritisch dazu schon *Chr. Bäumler,* Reflexion der Praxis kirchlicher Jugendarbeit als Anfrage an die Theoriebildung, in: deutsche jugend 24 (1976), 278–281. Zur neueren Diskussion vgl. *W. Schindler,* Auf dem Weg zu einer entprofessionalisierten Jugendarbeit? Zur Konzeptionsdebatte in der Evangelischen Jugend, in: deutsche jugend 31 (1983), 74–79. Vgl. insgesamt auch den Artikel ‚Professionalisierung' von *B. Drewe/H.-U. Otto,* in: H. Eyferth, H.-U. Otto, H. Thiersch (Hrsg.), Handbuch zur Sozialarbeit/Sozialpädagogik, Neuwied/Darmstadt 1984, 775–811.

Festlegen von Standards, die das eigene professionelle Handeln von dem anderer Berufe einerseits und vom Alltagshandeln von Laien andererseits unterscheidet. Als Prototyp einer solchen Profession gilt der Arztberuf und der des Pfarrers. Zwei Probleme entstehen hierbei für Jugendarbeiter: Zum einen bleiben auch sie nicht von den Sackgassen, den Aporien klassischer Professionalisierungsmuster verschont, zum anderen ist offen, ob Jugendarbeiter überhaupt im engeren Sinn als professionalisiert gelten können. Dieses Schicksal teilen sie nicht von ungefähr mit Sozialpädagogen/Sozialarbeitern. Der größte Teil Hauptamtlicher in der kirchlichen Jugendarbeit sind ohnehin Sozialpädagogen/Sozialarbeiter bzw. haben im Status vergleichbare Ausbildungen (etwa Diakone und Jugendpfleger). Beispielsweise zählte die BDKJ-Bundesstelle im Frühjahr 1984 unter rund 300 Referenten auf Diözesanebene und 400 auf Regionalebene 64,4% bzw. 87% Sozialpädagogen – nebenbei gesagt, gefolgt von 13,2% bzw. 8,2% Theologen vor 9,2% bzw. 3,8% Diplompädagogen.
Insofern Sozialarbeiter/Sozialpädagogen berufssoziologisch allgemein als Aufstiegsberufe mit dem entsprechenden Bedarf an Professionalisierung gelten, trifft dies auch auf Mitarbeiter in der Jugendarbeit zu. Ein typisches Professionalisierungsproblem von Sozialarbeitern/Sozialpädagogen war stets, ihre Profession und Tätigkeit zu behaupten und positiv abzugrenzen gegenüber Nachbarprofessionen wie Juristen, Ärzten, Soziologen, Psychologen, Diplom-Pädagogen usw., die zudem einen höheren gesellschaftlichen Status haben. Kirchliche Jugendarbeiter haben darüber hinaus spezifische Legitimationsprobleme gegenüber Geistlichen – etwa gegenüber deren Nimbus unbegrenzter Verfügbarkeit im Vergleich zu ihrer eigenen (meist auch nur theoretisch begrenzten) 40 Stunden-Woche, gegenüber deren mit dem Amt einhergehenden Status- und Machtvorsprung, zunächst unabhängig von Kompetenz und Leistung.

Semi-professions und das ‚professionelle Paradox‘

In den 60er/70er Jahren versuchten insbesondere amerikanische Soziologen die Spezifika des Sozialarbeiter-Berufs als *‚semi-profession‘* zu analysieren. Mit Quasi- bzw. Semiprofessionen werden Berufe bezeichnet, die sich nur unvollständig professionalisieren konnten. Sie zeichnen sich u.a. durch eine diffuse Allzuständigkeit und geringe Spezialisierung aus und können qualitative Unterschiede ihrer Tätigkeit zu spontanem, alltäglichem, nichtprofessionellem „laienhaftem“ Handeln nicht plausibel machen. Für den Jugendarbeiter heißt das z.B. konkret: Kann ein Laie im Verhalten eines sozialpädagogisch ausgebildeten Mitarbeiters, der an der Bar des Jugendzentrums in ein Gespräch mit einem Besucher verwickelt ist, qualifizierende Unterschiede zum Verhalten eines fachlich nicht vorgebildeten Laien bzw. Ehrenamtlichen in der gleichen Situation feststellen? Das Prekäre daran ist zudem folgendes *Dilemma:* Falls keine qualifizierenden Unterschiede festzustellen sind, kann dies zur Anfrage an die Notwendigkeit eines ausgebildeten Hauptamtlichen werden; falls ja, so stellt sich die Frage, ob dies erwünscht sein kann, da das Gespräch unnatürlich, nicht-authentisch werden könnte.

Für den Jugendarbeiter selbst kann die erste Anfrage auch in der Variante auftauchen - ähnlich wie für viele andere Interaktionsberufe! -, daß er für sich selbst nicht mehr eindeutig identifizieren kann, was eigentlich ‚Arbeit' für ihn ist: „Ist es Arbeit, sich persönlich für die Jugendlichen und ihr Leben zu interessieren, ihnen Wärme und Zuwendung zu geben, Teile der eigenen Freizeit mit ihnen zu verbringen, sich in Krisensituationen aus dem Schlaf klingeln zu lassen und sich eine Nacht um die Ohren zu schlagen? Oder ist es Äußerung der eigenen Bedürfnisse des Jugendarbeiters, Ausdruck von Freundschaft?"[14] Gerade so könnte sich aber das ‚personale Angebot' in kirchlicher Jugendarbeit (s. u.) zeigen - womit das Dilemma für kirchliche Jugendarbeiter noch um eine Dimension erweitert wird!

Im angenommenen Fall, daß der Jugendarbeiter im Gespräch mit dem Jugendlichen ein nicht-alltägliches, eher professionelles Verhalten erkennen läßt, liegt der Klientifizierungsverdacht nahe. Er kann als Beispiel für die Aporien klassischer Professionalisierung dienen. Elemente der *Klientifizierung* sind Vorgänge, bei denen der Professionelle den anderen zum Objekt der Beratung oder Behandlung macht und sich gegenüber dem Klienten oder ‚Laien' in der komplementären ‚höheren' Rolle als Berater oder Therapeut definiert, obwohl das berufliche Handeln allenfalls durch diffuse (Hilfe-) Konzepte legitimiert wird. Die Aporie besteht nun darin, daß eine derart zum Klienten gemachte Person kaum Hilfe und schon gar nicht Hilfe zur Selbsthilfe erfährt, sondern im Klientenstatus gehalten wird, damit der Professionelle als solcher bestätigt wird.

In Anspielung auf das pädagogische Paradox[15] könnte man von einem ‚professionellen Paradox' sprechen: Das Paradoxe ist nämlich, daß der Professionelle auf der einen Seite durch sein Handeln stets belegen soll, daß er zu Recht bezahlt wird, auf der anderen Seite erweist er sich gerade dadurch als kompetent, daß er sich überflüssig macht, indem z. B. der Klient in die Lage versetzt wird, seine Probleme selbst zu lösen. Dies verweist auf eine Lösung des Problems im Verständnis von professionellem Handeln als *Beratung.*

[14] *K. Lange/B. Müller/F. Ortmann,* Alltag des Jugendarbeiters. An wessen Bedürfnissen orientiert sich Jugendarbeit? Neuwied/Darmstadt 1980, 65f.

[15] *H. Heidenreich,* Handlungstheorie und Handlungsrisiko. Versuch einer pädagogischen Mikroanalyse zum pädagogischen Paradox, in: *H. U. v. Brachel/N. Mette* (Hrsg.), Kommunikation und Solidarität. Beiträge zur Diskussion des handlungstheoretischen Ansatzes von Helmut Peukert in den Sozialwissenschaften, Fribourg/Münster 1985, 254-271.

Insofern der professionelle Jugendarbeiter entweder in die Situation kommt, Jugendliche oder ehrenamtliche Mitarbeiter auch ‚gegen' die Interessen des Trägers zu beraten, oder gar von zwei potentiell konfligierenden Gruppen als Berater angefragt zu werden (z. B. von Jugendlichen gegen ‚die da oben' auf der einen Seite und der Jugendverbandsleitung auf der anderen Seite), verschärft sich für ihn das doppelte Mandat. Es entsteht eine Paralysierung der Beraterrollen analog jener der Rollensegmente eines Diözesanjugendpfarrers, bei dem die (so paralysierten) Strukturen von BDKJ, Bischöflichem Jugendamt und kirchenamtlicher Jugendseelsorge zusammenlaufen.

Chancen der Professionalisierung und der Aus-, Fort- und Weiterbildung

Zwar führen, wie gezeigt, bestimmte Aspekte der Professionalisierung zu solchen Dilemmata, doch können auch *Lösungsmöglichkeiten* in Professionalisierungselementen gesehen werden. So sind für die Beraterfunktion und die professionelle Tätigkeit Handlungskriterien und -orientierungen vonnöten, die von außerhalb des eigenen Handlungsfeldes und der Bezugsgruppen (hier z. B. Jugendliche und Verbandsleitung) abgeleitet werden können – z. B. aus einer entsprechenden Theorie das Paradigma von Beratung als Nicht-Bevormundung (Seel) oder aus einem Berufsethos heraus die Entscheidung, eher Anwalt der schwächeren und benachteiligten Partei zu sein, sowie die Möglichkeit, mit nicht in Konflikte involvierten Kollegen oder Fachleuten das eigene berufliche Handeln zu reflektieren (Supervision, Team-, Organisationsberatung, Beitrag: Aus-/Fort-/Weiterbildung).
Hier zeigt sich die wichtige Funktion von Aus-, Fort- und Weiterbildung. Sie haben damit ihre Bedeutung auch für die Prophylaxe oder Überwindung kritischer Phasen und Momente im Berufsleben von Profis im sozialen und pädagogischen Bereich, wie z. B. beruflichen Identitätskrisen und dem Burnout. Bei Sozialarbeitern hat man eine solche berufliche Identitätskrise als *Plausibilitätsverlust* der eigenen Berufsrolle beschrieben, die sich in Gefühlen der Sinn-, Macht- und Normlosigkeit äußert.[16] Der *Burnout,* das Gefühl des Ausgebranntseins, zeigt sich in körperlicher, geistiger und emotionaler Erschöpfung und gilt als besonders typisch für helfende Berufe.[17] Hohe Ideale und Anforderungen an die eigene Person im Beruf provozieren eher existentiellen Streß und die Gefahr des Ausbrennens als Berufe mit klaren, fast technisch erfüllbaren Anforderungen, meßbarem Erfolg und entsprechendem Feedback. Es erscheint plausibel, daß Jugendarbeiter, zumal im kirchlichen Bereich, eine besondere Affinität zu diesen Problemen entwik-

[16] Vgl. *B. Blinkert,* u. a., Berufskrisen in der Sozialarbeit, Weinheim/Basel 1976, Neuausgabe 1979. *IKSE,* Jugendpfleger im Bistum Essen, a.a.O., 59ff.
[17] Vgl. *E. Aronson/A. Pines/D. Kafry,* Ausgebrannt. Vom Überdruß zur Selbstentfaltung, Stuttgart 1983.

keln. Daß gerade kirchliche Jugendarbeit besondere Normen und Anforderungen hervorbringt, andererseits die jüdisch-christliche Tradition aber auch von solchen Überforderungen befreiende Elemente enthält, soll im letzten Kapitel dieses Beitrages aufgezeigt werden (s. u. Personales Angebot).
Das Prinzip der Ehrenamtlichkeit in der Jugendarbeit bringt die hauptamtliche Tätigkeit manchmal in den Geruch, eigentlich unerwünscht zu sein. Dabei sind die Vorteile des Hauptamtlichen dann kaum mehr im Blick: Kontinuität der Arbeit durch längere Verweildauer in der Jugendarbeit als bei Ehrenamtlichen (was freilich auch die Kehrseite haben kann, daß allen Satzungen zum Trotz in Verbänden der Hauptamtliche der eigentlich Mächtige ist aufgrund seiner Fachausbildung, seiner Routine, seines Alters, seiner langjährigen Beziehungen mit der entsprechenden Hausmacht usw.), seine Fachausbildung, die dadurch mögliche Aus- und Fortbildung der Ehrenamtlichen, die Entlastung der Ehrenamtlichen von Verwaltungsaufgaben usw. Für Bäumler gehört „der fachlich qualifizierte, berufspolitisch engagierte und angemessen bezahlte hauptberufliche Mitarbeiter in der Theorie jedenfalls zu den Hauptbedingungen der Möglichkeit emanzipatorischer Jugendarbeit".[18] (→ Jugendarbeit.)
Insgesamt ist festzustellen, daß die Professionalisierung eine positive Antwort ist auf das schon von Mollenhauer und Schefold behauptete und von Sielert, Czell und Kliemann bestätigte Problem, daß nämlich Ehrenamtliche, die nur das innerhalb der jeweiligen Tradition von Jugendarbeit vorhandene Repertoire von Kenntnissen und pädagogischen Verhaltensmustern gelernt haben, kaum den Zirkel der Reproduktion dieser Muster in der von ihnen getragenen Jugendarbeit durchbrechen können. Dies können eher qualifizierte Mitarbeiter, die auch Bezugsgruppen außerhalb der Jugendarbeit haben und Handlungsorientierungen auch aus Konzepten und Theorien außerhalb des Feldes der eigenen Jugendarbeit erhalten.

Konsequenzen der Arbeitsmarktlage: weniger Flexibilität, weniger Experimentierfreude und Konfliktbereitschaft

Innovative Impulse, die durch diese qualifizierten Mitarbeiter möglich wären, scheinen allerdings durch die gegenwärtige Arbeitsmarktentwicklung eher wieder reduziert zu werden. Giesecke weist zu Recht darauf hin, daß die Jugendarbeit früher für professionelle Pädagogen nur ein Durchgangsstadium war, bevor sie sich in einem anderen pädagogischen Arbeitsfeld dauerhaft beruflich verorteten. Dabei konnten sie die Flexibilität der Jugendarbeit für Experimente nutzen und pädagogische Erfahrungen sammeln. Derzeit

[18] *Chr. Bäumler,* Zwischen Integration und Emanzipation. Zur Geschichte der Jugendverbände seit 1945, in: ders., Unterwegs zu einer Praxistheorie. Gesammelte Aufsätze zur kirchlichen Jugendarbeit 1963-1977, München 1977, 91-104, hier 100.

zwingt sie dagegen die Arbeitsmarktlage, am einmal erworbenen Arbeitsplatz lange festzuhalten, was die Spontaneität und Kreativität verringert. Es ist zu ergänzen, daß der Mangel an alternativen Stellen auch die Risikobereitschaft des Hauptamtlichen verringert und zu angepaßtem Verhalten tendieren läßt. Gerade im kirchlichen Bereich gibt es genügend heiße Eisen, die aber aus Furcht vor dem Verlust des Arbeitsplatzes kaum noch angepackt werden – jedenfalls überlegen es sich Hauptamtliche eher als früher, ob sie einen Konflikt mit den Trägern riskieren wollen. Dies wird noch dadurch verstärkt, daß Hauptamtliche ohnehin von den Trägern abhängiger sind als Ehren- und Nebenamtliche, und insofern ihren Wissens- und Erfahrungsvorsprung oft nicht nutzen (können).

2.3. Die nebenamtlichen Mitarbeiter

Ihr Einfluß dürfte aufgrund der geringen Zeitanteile ihrer Tätigkeit in der Jugendarbeit und ihrer wenig zentralen Stellung in der Struktur und im Kommunikationssystem der Jugendarbeit gering zu veranschlagen sein. Im Vergleich zu Hauptamtlichen sind sie allerdings i.d.R. weniger abhängig vom Träger und könnten daher unbefangener, ohne Vorzensur durch Überlegungen nach der Machbarkeit oder Akzeptanz innovatorische Ideen einbringen.
Die Zivildienstleistenden und Praktikanten haben hier eine Zwischenstellung, da sie der Arbeitszeit nach zu den Hauptamtlichen zu zählen wären, ihre gesamte Dienstzeit aber terminiert ist und zumindest die ZDL nicht unmittelbar einen Anschlußvertrag haben wollen, insofern also eher unabhängiger vom Arbeitgeber sind. Sielert rechnet sie zu den nebenamtlichen Mitarbeitern und findet von daher bei diesen die fortschrittlichsten gesellschaftspolitischen Ziele.
Die hier definitorisch zugerechneten kirchlichen Mitarbeiter und Geistlichen, für die Jugendarbeit nur einen geringeren Teil ihrer Berufsrolle ausmacht, können wegen ihrer Stellung (z.B. Geistliche zum Klerus und zur Kirchenleitung, kirchliche Mitarbeiter zur Gemeinde oder Schule etc.) wichtige Brückenfunktionen für die Jugendarbeit einnehmen, bei Konflikten vermitteln etc. Dabei könnten, jedenfalls von der Struktur her, die Geistlichen freier agieren als die übrigen kirchlichen Mitarbeiter, für die die gleichen beruflichen Abhängigkeiten bestehen wie für hauptamtliche Jugendarbeiter.

2.4. Die ehrenamtlichen Mitarbeiter

In der Theorie wie in der Praxis sind ehrenamtliche Mitarbeiter die tragende Basis der Jugendarbeit. Sielert gibt den Anteil der Ehrenamtlichen unter den

Mitarbeitern mit rund 88% an. Die Bedeutung ehrenamtlicher Mitarbeiter faßt er in sechs Thesen zusammen: Ehrenamtliche sind die Realisierung der Selbstverwaltung und Selbstorganisation in der Jugendarbeit. Durch ihre Unabhängigkeit ermöglichen sie fundamental-demokratische Prozesse und konsequente Konfliktaustragung zwischen Basis und Trägern, sind somit ein Element der Demokratisierung der Jugendarbeit. Nur Jugendliche selbst können durch ihren Zugang zur jugendlichen Teilkultur von dieser aus emanzipative Innovationen anstoßen. Jugendliche selbst sind für viele Fragen die besten Experten, etwa was ihre Probleme und Bedürfnisse angeht. Ehrenamtliche und ihr Engagement wirken im Sinne des Lernens am Modell. Der Ehrenamtliche hat gegenüber den Jugendlichen bzw. Gruppen keine festumrissene Rolle und steht daher bezüglich seines Verhaltens und Handelns unter einem heilsamen Legitimitätszwang. Die Herausforderungen und Erfahrungen in der Jugendarbeit können dem Ehrenamtlichen zu einer flexiblen Identitätsbildung verhelfen.[19]

Probleme und Grenzen des Einsatzes Ehrenamtlicher sind: die Gefahr, eigene Probleme auf die anderen Jugendlichen zu projizieren; die durch die Sozialisation im jeweiligen Feld der Jugendarbeit bedingte Betriebsblindheit und Orientierung an den Leitungspersonen, was die nur eingeschränkte Kritik am Geltenden zulassen; die Überforderung des jugendlichen Mitarbeiters; die möglicherweise nur geringe Rollendistanz; beim erwachsenen Ehrenamtlichen verschärft sich das Problem des doppelten Mandats (Vertreter der Interessen des Trägers einerseits, der Jugendlichen andererseits) durch die Gefahr vorschneller Identifikation als Repräsentant der Erwachsenen.

Zur Motivation ehrenamtlicher Mitarbeiter: die These vom ‚immateriellen Honorar‘

In vieler Hinsicht bedeutsam ist die Motivation Ehrenamtlicher zur Jugendarbeit. Übereinstimmend geben Sielert und Hamburger u.a. altruistisch-helfende pädagogische Funktionen als Hauptmotiv an. Dieses Motiv steht unabhängig vom Grad emanzipatorischen Bewußtseins und dem Arbeitsbereich an erster Stelle.[20] Gleich danach kommen allerdings die eigenen Bedürfnisse des Ehrenamtlichen nach sinnvoller Freizeitgestaltung und Geselligkeit. Bei Sielert nehmen diese ‚egoistischen‘ Motive den ersten Rang ein. Die Ideologie des selbstlos sich in der Jugendarbeit engagierenden Mitarbeiters muß daher einer realistischeren Betrachtung weichen. Dies bedeutet keinesfalls eine Abwertung des Engagements dieser Mitarbeiter. Es gilt

[19] Vgl. *U. Sielert,* a.a.O., 30ff. Vgl. dagegen *G. Czell,* Lernfeld Gemeinde. Sozialisation durch Jugendarbeit, Stuttgart 1982.

[20] Vgl. *U. Sielert,* a.a.O., 66–68; *F. Hamburger u.a.,* a.a.O., 27f., 54f., 76f.

vielmehr anzuerkennen und in Rechnung zu stellen, daß solche Mitarbeiter aus ihrer Tätigkeit sozusagen ein ‚immaterielles Honorar' beziehen, z.B. in Form einer Rolle, die Statusgewinn und sozial-emotionale Gratifikationen bringt. Würde diese Form psychischer und sozial-emotionaler Ökonomie durch altruistische Ideologie geleugnet, so würde man dem Helfersyndrom Vorschub leisten, indem man die narzißtischen Anteile einer Verantwortlichen- und Mitarbeiterrolle dementiert.[21]

Ehrenamtliche Mitarbeiter: Typologien, Karrieren, Rollenangebote

Eine Typologie der ehrenamtlichen Mitarbeiter entwerfen Beck/Wulf.[22] Sie unterscheiden zunächst pädagogische Mitarbeiter und funktionelle Mitarbeiter. Diese teilen sich auf in Nur-Gruppenleiter, Klassische Gruppenleiter, Teamer, Engagierte Gruppenleiter auf der einen Seite und Allround-Mitarbeiter, Organisatoren, Veranstalter und Interessenvertreter auf der anderen Seite. Da es den Autoren nicht überzeugend gelungen ist, diese acht Mitarbeiter-Typen nach ihrem Tätigkeitsprofil charakterisierend voneinander abzuheben, speziell die drei Gruppenleitertypen, soll hier weniger von dieser Charakterisierung selbst als von den weiteren Ergebnissen die Rede sein. Akzeptiert man also für die weitere Auswertung zunächst einmal tendenziell diese Unterscheidung in acht Typen von Ehrenamtlichen, so ergibt sich für die kirchliche Jugendarbeit, daß ihr der klassische Gruppenleiter zugeordnet wird, der regelmäßig Gruppenstunden hält, mit der Gruppe auch ins Lager fährt, und an Wochenendveranstaltungen teilnimmt. Dies wird als Beleg für die gruppenzentrierten Veranstaltungsformen kirchlicher Jugendarbeit genommen. Diese klassischen Gruppenleiter haben die zweitkürzeste Tätigkeitsdauer mit 3,3 Jahren, den zweithöchsten Anteil an pädagogisch aus- und fortgebildeten Mitarbeitern mit 79,5% und das geringste Durchschnittalter mit 20,1 Jahren. Die gesamte Typologie wäre noch interessant für die These, daß sie mögliche Stufen der Karriere eines Ehrenamtlichen darstellen können, etwa so, daß am Beginn eine Gruppenleiterfunktion steht und am Ende die eines Teamers oder Interessenvertreters. Leider läßt sich diesen Untersuchungen nichts Konkretes über Rekrutierungseigenarten, die Sozialisation als Mitarbeiter im Verband und die Veränderung von Zielen im Laufe der Tätigkeit entnehmen.
Eine gängige Erfahrung in der kirchlichen Jugendarbeit ist, daß viele Ehrenamtliche zwischen 18 und 22 Jahren als Mitarbeiter ausscheiden, da sie an einem anderen Ort zu studieren beginnen (Mittelschichtorientierung!) oder

[21] Vgl. *W. Schmidbauer,* Die hilflosen Helfer. Über die seelische Problematik der helfenden Berufe, Reinbek [10]1981.
[22] Vgl. *C. Beck/C. Wulf,* Tätigkeitsprofile ehrenamtlicher Mitarbeiter, a.a.O.

Zivil- bzw. Wehrdienst zu leisten haben. Demgegenüber erstaunt, daß der Wehr- oder Zivildienst und Ortswechsel nur bei 14% bzw. 2% der Befragten von Sielert als Grund für das Ausscheiden angegeben ist und als Hauptgrund Zeitmangel (46%).[23] Dies läßt sich möglicherweise aber mit der Großstadtlage und der spezifischen Ruhrgebietssituation in Dortmund erklären, insofern es dort möglich ist, am Ort oder an einer mit Nahverkehrsmitteln erreichbaren Nachbaruniversität zu studieren.

Immerhin gehen nahezu ein Drittel der Motive des Ausscheidens von Mitarbeitern auf das Konto von Frustrationen, etwa aus Konflikten mit der Organisation (12%), mit anderen Mitarbeitern (9%), aufgrund von Schwierigkeiten mit Jugendlichen, unzureichender Ausbildung oder mangelndem Interesse (je 4%).

Schließlich bleibt zu fragen, ob es in kirchlicher Jugendarbeit ab einem bestimmten Alter ohnehin gar keine einfache Mitgliedsrolle mehr gibt, sondern nur noch die eines Verantwortlichen, Gruppenleiters etc. Das weitere Verbleiben in der Jugendarbeit würde dann notwendig mit der verantwortlichen Tätigkeit erkauft werden müssen. „Einfache" Mitglieder gäbe es dann nur noch im Kindes- und frühen Jugendalter. Ältere würden, sofern sie nicht ausscheiden, in irgendeiner Form Mitarbeiter. Da es keine einfache Mitgliederrolle für dieses Alter gäbe, wären Mitgliederinteressen immer auch gebrochen durch die Mitarbeiterrolle, d.h. durch Betreuung von Kindern, Mitgliederrekrutierung, Repräsentation der jeweiligen Jugendarbeit usw. Interessen des einzelnen aus seiner unmittelbaren Betroffenheit in Schule, Arbeitswelt, Gesellschaft und Kirche erscheinen so verformt zu Interessen „für die anderen" oder „für die Sache". Diese Form des Altruismus verliert auf Dauer ihre Kraft und Attraktivität - eine Variante der Begründung für die sich in rasantem Mitgliederschwund zeigende Verbandsmüdigkeit der Jugendlichen, da weniger Interessen Jugendlicher (so der Anspruch der Jugendverbände) als solche der Institution vertreten werden.

Zu einer ganz anderen Typologie von Mitarbeitern, und zwar speziell Gruppenleitern, kommt Kliemann.[24] Aus 20 biographischen Interviews und 17 Gruppendiskussionen mit insgesamt 118 Gruppenleitern aus verschiedenen Gruppierungen *evangelischer Jugendarbeit* hat er in seiner Auswertung zunächst drei Arten der Verkündigungspraxis unterschieden (A, B, C) und diesen jeweils Gruppenleitertypen zugeordnet (Typ I bis VII).

Für Befragte des *Typs A* „missionarisch-evangelikaler Prägung", sind die „Entscheidung für Christus", die „Bekehrung" bzw. das „Bekehrungser-

[23] Vgl. *U. Sielert*, a.a.O., 66.

[24] Vgl. *P. Kliemann*, Ehrenamtliche Mitarbeiter. Zur Identität von Gruppenleitern in der kirchlichen Jugendarbeit, Stuttgart 1983, bes. 87ff., 175ff.

lebnis", die „persönliche Beziehung zu Christus" zentral; Andacht, Bibelstunde und Gebet sind ihnen die wesentlichen Bestandteile der Jugendarbeit.
Je nachdem, ob sie bruchlos die Frömmigkeit des Elternhauses fortsetzen oder sich hierin von den Eltern unterscheiden, differenziert Kliemann nun nach einem Typ I „Gruppenleiter evangelikaler Prägung aus evangelikalem Elternhaus" und einem Typ II „Gruppenleiter evangelikaler Prägung aus nichtevangelikalem Elternhaus". Die Gefahr der von diesen Gruppenleitertypen gelebten Religiosität sieht Kliemann in ihrer „Rigidität und Enge, was ... bedeutet, daß Religion eine durch das Gruppenleiteramt sowieso schon angelegte Tendenz zur rollengebundenen Identität ideologisch verstärkt und fördert."

Befragte des *Typs B* haben eine „liberal-kritische Grundeinstellung", aber keine erkennbare theologische und sozialpädagogische Konzeption. Solidarität und Nächstenliebe sind ihnen wichtig, egal wie man es nun nennt. Im Unterschied zum Typ A gibt es hier weder Abwehr noch Berührungsängste gegenüber allzu liberalem und „linkem" Gedankengut. Dies und die relative Konzeptionslosigkeit trifft auch auf den *Typ C* zu, der sich allerdings bewußter als Christ versteht und den Anspruch erhebt, christliche Jugendarbeit zu treiben. Das Verwirklichen von Nächstenliebe gilt als oberstes theologisches Ziel.
Die Probanden B und C, deren Religiosität eher durch Diffusität und Konsequenzlosigkeit gekennzeichnet ist, unterteilt Kliemann in einen Typ III des „religiös indifferenten Gruppenleiters" und einen Typ IV, den „privatreligiösen Gruppenleiter".
Ein fünfter Gruppenleitertyp, der sich ausdrücklich als Nicht-Christ versteht und seine atheistische oder agnostische Position offensiv in der kirchlichen Jugendarbeit vertritt, kommt im Untersuchungssample nicht vor.
Neben der rigiden bzw. diffusen Religiosität der ersten vier Typen findet Kliemann unter den Probanden C Ansätze für ein kritisch reflektiertes, doch positives Verhältnis zu Kirche und Religion: Typ VI, den „suchenden Gruppenleiter", und den selteneren Typ VII. Dieser hat im Unterschied zum vorhergehenden Typ weniger stark individualistische Züge als vielmehr ein Gespür für Strukturen und Kirchenpolitik mit einem kirchenreformerischen Impetus. Das Problem dieses „gremiengeschulten Gruppenleiters" sieht Kliemann in der Entfremdung von der peer-group der Gruppenleiter, im übervollen Terminkalender und im Gefühl der Unersetzbarkeit – insgesamt eine Tendenz zum hilflosen Helfer.

In unterschiedlicher Intensität, aber doch bei allen drei Verkündigungstypen findet Kliemann eine emotional gefärbte, bei Anfragen subjektivistisch immunisierte religiöse Einstellung. Zusammen mit der bei den einen beliebig interpretierbaren Kategorie der „persönlichen Beziehung zu Jesus Christus" und der relativen Konzeptionslosigkeit bei den anderen sieht Kliemann folgende Gefahr: „Wo eine rational begründbare Konzeption fehlt, droht die Persönlichkeit des einzelnen Gruppenleiters zum Konzeptionsersatz zu werden". Daß damit der einzelne Gruppenleiter, der selbst in einem Prozeß der Identitätssuche ist, überfordert sein kann und wie sich das wiederum in bestimmten Anpassungsprozessen niederschlägt, die ihrerseits denkbar ungünstige Bedingungen zum Aufbau der Ich-Identität sind (vgl. → Identität), dies aufzuzeigen ist ein zentrales Anliegen der Arbeit von Kliemann. Er bezweifelt als ein Ergebnis seiner Untersuchung, „ob das Konzept der von jugendlichen Ehrenamtlichen geleiteten Kerngruppe – zumindest unter den gegenwärtigen Bedingungen – der Erziehung zu flexibler, prinzipiengeleiteter Ich-Identität förderlich ist". Damit werden die kritischen Einschätzungen früherer Untersuchungen von Mollenhauer u. a. und Czell verstärkt, die den vorgefundenen Sozialisationsmodus evangelischer Jugendarbeit bzw. eine integralistische Eingemeindungstendenz als ungünstige Bedingungen zur Identitätsbildung herausgestellt haben.

Auch wenn bei Kliemann die Ebenen der Materialauswertung, Beschreibung und Kategorisierung auf der einen Seite und der bewertenden Interpretation auf der anderen Seite manchmal vorschnell verschwimmen, könnte seine Untersuchung Anregungen geben für eine konfessions- und mentalitätsspezifisch variierte Typologie katholischer Jugendarbeiter und eine entsprechende Untersuchung.

3. Personales Angebot

Das personale Angebot ist, wie gesagt, ein Kernkonzept des Synodenbeschlusses (SB) „Ziele und Aufgaben kirchlicher Jugendarbeit" von 1975. Seit den „Oberhirtlichen Richtlinien für die katholische Jugendseelsorge Deutschlands" (1956/57), einer Überarbeitung entsprechender Richtlinien von 1936 und 1945, handelt es sich um das erste kirchenamtliche Dokument zur katholischen Jugendarbeit. Der SB wurde auch in der Diskussion um eine Praxistheorie evangelischer Jugendarbeit sofort rezipiert. „Vor allem der Begriff ‚personales Angebot' hat Eingang auch in das Konzeptionsgespräch im evangelischen Bereich gefunden", lautet der Hinweis zum Abdruck des SB in den ‚Grundsatztexten zur evangelischen Jugendarbeit'.[25] Es kann hier nicht ausgeführt werden, aber lohnend wäre es, die konzeptionellen und theologischen Streitfragen um den SB zu vergleichen mit der zeitlich

[25] *M. Affolderbach,* a.a.O., 489.

nahezu parallelen Polarisierungsdebatte in der AEJ (1970–1974) zwischen Vertretern einer zugleich der Gesellschaftskritik und kritischen Theologie verpflichteten Konzeption evangelischer Jugendarbeit und einer eher missionarisch-evangelikalen, bekenntnisorientierten Jugendarbeit.
Zur folgenden Diskussion des SB ist vorab noch zu bemerken, daß hier eine Interpretation eines Textes vorgelegt wird, der eben auch ein kirchenpolitischer Kompromißtext mit Brüchen, Eingriffen und Ungereimtheiten wurde, bis er zur Verabschiedung kam. Dennoch versteht sich diese Interpretation konsequent in der Linie der Synodenvorlage und der Vorläuferpapiere. Doch nun zum Begriff und Konzept selbst.[26]

Was ist das, ein ‚personales Angebot'?

Das Personalangebot in kirchlicher Jugendarbeit ist ein personelles Angebot, das zum personalen Angebot werden soll bzw. als solches wahrgenommen werden will.
Lösen wir das Sprachspiel auf: personell kommt von Personal (Belegschaft), personal kommt von Person (unverwechselbares menschliches Individuum). Im Unterschied zu den ersten Synodendebatten und -anträgen zur Vorlage scheint die Verwechslung von personellem und personalem Angebot kein Problem mehr zu sein. Zumindest im Umkreis kirchlicher Jugendarbeit werden die Begriffe kaum mehr (fälschlich) synonym verwendet. Hier ist man sich bewußt, daß das „personale Angebot" eine bestimmte Qualität des Miteinander meint und über ein bloßes Personalangebot hinausgeht.
Was ist nun das *„personale Angebot"?* Ein Gehaltsempfänger, nichts als (pädagogischer) Schall und (verbaler Weih-)Rauch, ein Übermensch, eine Zauberformel? Wie zu zeigen sein wird, kreuzen sich in diesem Begriff in der Tat zwei Ebenen potentieller Überforderung: zum einen die mögliche konzeptionelle Überforderung, ein pädagogisches Konzept vorzulegen, das zugleich theologisch überzeugend das unterscheidend Christliche auf den Begriff bringt und zweitens die mögliche personale Überforderung der in der kirchlichen Jugendarbeit Tätigen, die Niederungen ihrer Praxis und ihre eigene Person an diesem hehren Konzept messen zu müssen.
Der SB hält für entscheidend, daß die Kirche jungen Menschen „sich selbst anbietet als eine Gemeinschaft von Glaubenden bzw. von Menschen, die sich um den Glauben mühen", und fährt fort: „Kirchliche Jugendarbeit macht zuerst und zuletzt ein ‚personales Angebot': solidarische und engagierte Gruppen, solidarische und engagierte Gruppenleiter und Mitarbeiter" (SB 4.).

[26] Vgl. zum folgenden *H. Heidenreich*, ‚Personales Angebot' – Ausverkauf? in: K. Wuchterl (Hrsg.), Der Vergangenheit eine Zukunft. 75 Jahre Jugendhaus Düsseldorf, Düsseldorf 1984, 68–75.

Als entsprechende Qualifikationen von Mitarbeitern in der kirchlichen Jugendarbeit, die Ziele und Schwerpunkte für deren Aus- und Weiterbildung sein sollen, nennt die Synode:

„- Fähigkeit, Fragen zu hören und auszuhalten,
- Fähigkeit, Fragen und Artikulationen Jugendlicher, insbesondere aus sozialen Randgruppen, auf ihre Hintergründe (tieferliegende Bedürfnisse, Sinnfragen) zu untersuchen,
- Fähigkeit und Bereitschaft, mit jungen Menschen originäre Erfahrungen zu machen und zu reflektieren,
- Bereitschaft, im eigenen Glauben zu wachsen und mit anderen hauptamtlichen Mitarbeitern gemeinsame Formen der Glaubensvertiefung zu suchen,
- Grundhaltung der Lernbereitschaft, die auch überkommenes Normenverständnis und überkommene Verhaltensmuster in Frage zu stellen bereit ist,
- Kreativität im Entdecken und Erproben neuer Formen des Miteinanderlebens,
- Bereitschaft, mit Werten der Tradition zu konfrontieren;

in alldem die Bereitschaft und Fähigkeit, am eigenen Glauben teilnehmen zu lassen“ (SB 4.1).

Haben Sie als Leser, diese „Litanei“ von Qualifikationen Satz für Satz gelesen, oder haben Sie sie als allzu bekannt überlesen - vor allem, wenn Sie in der kirchlichen Jugendarbeit tätig sind? Wenn Sie sie gelesen haben: Wie mutete Ihnen der Text an? Wie Formeln? Als anspruchsvolle, hochfliegendutopische Ziele? Als „Soziologentheologisch“? Als das mindeste, was man von kirchlichen Jugendarbeitern verlangen sollte? - Falls Sie die „Litanei“ überlesen haben: Warum? Weil sie Ihnen allzu bekannt ist und Sie sie schon im Schlaf können? (Wirklich? Könnten Sie alle wichtigen Punkte auswendig nennen?) Weil Sie „sowieso hinter dem Text des SB stehen“? Weil Sie das alles allzu selbstverständlich für wichtige und anstrebenswerte Qualifikationen halten? Weil Sie Angst haben, es könnte einer kommen und Sie konkret daran messen wollen, etwa gar Ihr kirchlicher Arbeitgeber?

Wenn Sie sich diesen Fragen gestellt haben, so haben Sie nicht nur einige der Einwände gegen das Konzept des „personalen Angebots“ durchgearbeitet, sondern für sich selbst auch etwas Analoges getan zu jenem „Fragen hören und aushalten“ sowie „Hintergründe untersuchen“, von dem im SB die Rede ist - eine analoge Erfahrung jener Reflexionshilfe, die nach dem SB Erwachsene und Mitarbeiter Gruppen in der kirchlichen Jugendarbeit geben sollen.

Die Gefahr, gesamtkirchliche Probleme auf Mitarbeiter in der Jugendarbeit abzuwälzen

Wenn ein Mitarbeiter in der kirchlichen Jugendarbeit diesen Anforderungskatalog überliest, so kann dies auch eine Reaktion auf die mögliche individuelle Überforderung durch diese Ansprüche sein. In der Tat kann man den Eindruck haben, daß, wenn diese Zielvorstellungen den Jugendarbeitern unter der Chiffre „personales Angebot" immer wieder als Anforderung vorgehalten werden, generelle Probleme der Kirche und der Tradierung des Christentums auf diesem Wege auf die einzelnen Mitarbeiter abgewälzt werden.
Solche Probleme sind z.B., wie unter den heutigen gesellschaftlichen und alltagsweltlichen Bedingungen überhaupt die Möglichkeit der Tradierung des Christentums besteht und was die christliche Tradition in den derzeitigen gesellschaftlichen und individuellen Identitätskrisen an sinnstiftenden Perspektiven zu bieten hat. Diese Probleme sollen nun vom einzelnen Mitarbeiter gelöst werden, indem er als personales Angebot erfolgreich mit der Freizeitindustrie, dem Psychomarkt und der neoreligiösen Subkultur konkurriert. Das Fatale am Erstarken der letzteren ist, daß sie den Druck noch erhöht, indem sie als scheinbares Indiz genommen wird, daß Jugendliche wieder verstärkt auf der Suche nach Religiosität und Identifikationsfiguren seien, wogegen kirchliche Jugendarbeit sich zu wenig religiös und spirituell präsentiere.

Die Forderung nach ‚spiritueller Kompetenz'

In dieser Situation muß die Forderung nach ‚spiritueller Kompetenz' aus dem Bischöflichen Wort an die Mitarbeiter in der Jugendpastoral „Miteinander unterwegs" als Verschärfung dieser Ansprüche erscheinen, zumal im dort verwendeten Sinne.[27] Einmal ist dort spirituelle Kompetenz allgemein „die Fähigkeit, junge Menschen so anzusprechen, daß sie Jesus Christus als die Mitte ihres Lebens finden. Diese Fähigkeit muß auf einer das eigene Leben durchdringenden Kraft des Glaubens und auf der Sendung der Kirche beruhen". (ebd. 18). Unklar bleibt hierbei das Verständnis von Sendung der Kirche und ihrem Zusammenhang zur genannten Fähigkeit. Kurz darauf gibt der Text noch eine indirekte Erläuterung zur spirituellen Kompetenz: „Darum brauchen unsere Mitarbeiter diese doppelte Kompetenz: im fachlichen (in Gruppenarbeit, Sozialpädagogik, Beratung, Organisation usw.) wie im religiös-spirituellen Bereich (Glaubenswissen, Glaubensleben, Religionspädagogik, Liturgie usw.)" (ebd. 19). Hier erscheint eine Kompetenz im

[27] *Bischof H. Tenhumberg,* Miteinander unterwegs. Bischöfliches Wort an die Mitarbeiter in der Jugendpastoral (Hrsg. Sekretariat der Deutschen Bischofskonferenz), Bonn 1979, bes. 18f.

religiös-spirituellen Bereich aufspaltbar in Wissenselemente und ein bestimmtes Verhalten. Beides sozusagen äußerlich und abprüfbar. Dies käme auf ein relativ formales Verständnis von Sprititualität hinaus. Im SB ist die spirituelle Dimension fraglos enthalten, freilich eher implizit, etwa im Konzept des Glaubens- und Lebensberaters und der situativen Verkündigung (vgl. den Artikel Spiritualität in diesem Band).

‚Reflektierte Gruppe' als Grundform des personalen Angebots

Um das Kernkonzept des Synodenbeschlusses vom personalen Angebot nicht mißzuverstehen und - gerade angesichts der Überschrift dieses Artikels - personales Angebot nicht auf einen zwar normativ aufgeladenen, aber synonymen Begriff zum Mitarbeiter zu verengen, muß er zu zwei weiteren Begriffen in Beziehung gesetzt werden: zum Sachangebot und zur reflektierten Gruppe.

„Das hauptsächliche Instrument und sozusagen die Grundform des ‚personalen Angebots' der kirchlichen Jugendarbeit ist die Gruppe der Gleichaltrigen", so steht es kurz und bündig im SB (4.1). Nicht der Gruppenleiter, der erwachsene Mitarbeiter oder Seelsorger wird hier angeführt, sondern die Gruppe insgesamt gilt als personales Angebot. Hierbei geht der SB davon aus, daß die Gleichaltrigengruppe in Form von Cliquen etc. auch außerhalb organisierter Jugendarbeit ein grundlegendes jugendsoziologisches Faktum ist. Diese Gleichaltrigengruppen (peer-groups) spielen eine wichtige Rolle auf dem Weg zur Selbständigkeit des Jugendlichen bei der Ablösung vom Elternhaus, im Prozeß der Identitätsbildung, bei der Auseinandersetzung um alte und neue Verhaltensweisen, Werte und Normen.[28]

Für die Idee von der „reflektierten Gruppe" waren überdies Einflüsse der Sozialpsychologie und speziell der Gruppendynamik bedeutsam. Das Konzept der reflektierten Gruppen „erfordert eine Reflexion jener gesamten Wirklichkeit, die Gruppe heißt; eine Reflexion also der Gruppe als solcher, ihres Prozesses und der in ihr wirksamen Vorgänge und Beziehungen" (SB 4.1). Im Unterschied zu herkömmlichen gruppenpädagogischen Vorstellungen, bei denen die Gruppe Mittel zum Zweck im Dienst vorgegebener Ziele ist, wird reflektierte Gruppe selbst zur Zielprojektion: „Die Grundregel des ‚personalen Angebots' kommt daher auf die Forderung hinaus, möglichst viele ‚reflektierte Gruppen' zu schaffen und helfend zu begleiten, weil diese, richtig verstanden, nicht nur Mittel zum Zweck, sondern selbst ein Ziel von Jugendarbeit sind: ein Ort, wo menschliches Miteinander mit all seinen

[28] Vgl. gegen pädagogische Engführung die jugendsoziologische Perspektive bei H. Steinkamp, Die Funktion des peer-group-Theorems im Konzept kirchlicher Jugendarbeit, in: Religionspädagogische Beiträge 14/1984, 17-29.

Aufgaben und Bedingungen erfahren werden kann – und darum zuletzt auch Kirche und Gemeinde mit ihren Aufgaben und Voraussetzungen" (SB 4.1). Ohne daß dies eigens gesagt ist, gehen hier eine ganze Menge theologischer Vorentscheidungen in dieses Konzept ein. Statt einer Vorstellung, die das Verhältnis von Hirt und Herde bis auf die Ebene der Jugendgruppe hinunterträgt, wird hier mit der Gleichberechtigung der Christen untereinander und ihrer Bedeutung füreinander im Bereich von Erfahrung und Glaube ernst gemacht.

Damit wird auch nicht unterstellt, daß es an Gruppenleitern oder Seelsorgern läge, mit dem Mittel der Gruppe Jugendlichen das zeitlos gültige Glaubensgut nahezubringen, vielmehr wird zunächst das reflektiert, was an Angenommensein, Solidarität, Herausforderung durch Ungerechtigkeit, an erfahrener Ohnmacht etc. aus dem Alltag in die Gruppe und im Gruppenalltag miteinander getragen wird. Schließlich wird damit auch jenes Herrenwort wahrgenommen: „wo zwei oder drei in meinem Namen . . ."!

Gegen das Konzept der reflektierten Gruppe wurde vielerlei Kritik vorgebracht. So befürchtet Sondermann[29] für die katholische Jugendarbeit, daß nun zentrale Begriffe und Inhalte des christlichen Glaubens kaum mehr in ihrer Arbeit berücksichtigt und nur noch selten erwähnt würden und das Proprium einer christlichen Jugendarbeit verloren ginge. Diese eher formale Kritik, die zudem das Proprium eher beschwört als es irgendwo überzeugend aufzuweisen, geht u. E. völlig am theologischen Konzept des SB vorbei.

Biemer legt seinem Entwurf einer theologischen Anthropologie des Jugendalters die Leitideen Sinn, Freiheit, Liebe und Hoffnung zugrunde.[30] Ihnen ordnet er z. B. jeweils die Leitungsrollen des Mystagogen, des Befreiers und Retters, des Anwalts und Stellvertreters, des Wegbegleiters zu. Am Konzept der reflektierten Gruppe kritisiert Biemer, daß es „nur eine Dimansion und noch nicht einmal die spezifische für kirchliche bzw. katholische Jugendarbeit theoretisch deckt. Eine solche Theorievorgabe für Jugendarbeit der Kirche bleibt zu allgemein-formal und ist zu wenig inhaltsspezifisch". Vergleicht man mit der weiter unten ausgeführten Interpretation des theologischen Ansatzes des Synodenkonzeptes, so kann man dieser Kritik nicht zustimmen.

Nicht, daß kein theologisches Konzept dahinterstünde, ist die Frage, sondern für welches man sich entscheidet. Biemer scheint daran gelegen zu sein, Inhalte im Sinn seiner Leitideen von Sinn, Freiheit, Liebe und Hoffnung nach der Art themenzentrierter Interaktion Ruth Cohns einzuführen. Dazu müßte man diskutieren, inwiefern dies mit dem Ansatz situativer

[29] Vgl. *W. Sondermann,* Kirchliche Jugendarbeit in der Krise? München 1983, bes. 117–141.

[30] Vgl. *G. Biemer* (Hrsg.), Handbuch kirchlicher Jugendarbeit Bd. 1, Der Dienst der Kirche an der Jugend. Grundlegung und Praxisorientierung, Freiburg/Basel/Wien 1985, bes. 74ff. – Ähnlich der Synodenbeschluß ‚Kirchliche Jugendarbeit', bes. Nr. 3.

Verkündigung (s.u.) kompatibel ist bzw. ob man diesen Ansatz überhaupt teilt, ferner, wie zu vermeiden ist, daß TZI als Sozialtechnologie mißbraucht wird, um nur etwas geschickter als früher fremdbestimmte Themen den Jugendlichen vorzusetzen; eine Hoffnung, die hinter der Rezeptionsgeschwindigkeit der TZI im kirchlichen Bereich, zumal im Vergleich mit gruppendynamischen Ansätzen, zu vermuten ist.
Der Vorrang des personalen vor dem *Sachangebot* ist im SB eindeutig festgeschrieben: das Sachangebot kirchlicher Jugendarbeit soll im Dienst des personalen Angebotes stehen (vgl. SB 4.2). Mit Sachangebot ist das „Programm" gemeint, auch Jugendhäuser und die materielle Ausstattung. Hinter dieser scheinbar nur formalen Unterscheidung stecken bereits theologische Implikationen. In dieser Gegenüberstellung glaubte man das spezifisch Christliche der kirchlichen Jugendarbeit verdeutlichen zu können.

Hinweise zum theologischen Ansatz

So wie Jesus kein religiöses Programm hatte und die Sache Jesu sich nicht als Sachangebot fassen läßt, verstand man auch den Unterschied zwischen personalem und Sachangebot: Jesu Verhalten und Handeln in alltäglichen Situationen war wichtiger als sein Reden, war bereits Verkündigung. Dies ist auch das Grundmodell *„situativer Verkündigung"*, das an konkrete alltagsweltliche Begebenheiten anknüpft. „Die alltagsweltliche Interaktion ist für Jesus mehr: die (zwischen-)menschliche (d.h. hier: ‚nicht-religiöse') Bewältigung der Situation ist Vorbedingung und Bestandteil ihrer ‚religiösen' Deutung. Dabei bekommt ‚religiös' gleichzeitig einen anderen Sinn: es ist nicht mehr das Gegenteil zu weltlich, alltäglich nur-menschlich, sondern meint die über die jeweilige Situation hinausgehende ‚Gültigkeit' und ‚Endgültigkeit' unserer Erfahrungen und Handlungen".[31]
In diesem Ansatz haben verschiedene Kritiker einen Jesuanismus, Horizontalismus und die Auflösung der Inhalte christlicher Tradition in situative Beliebigkeit geargwöhnt. Die Betonung der katechetischen Dimension und des Inhaltlichen, das nun mit dem Sachangebot abgewertet schien, wurden als Korrekturmittel angeführt.[32]
Eine Trennung von Person und Inhalt erscheint nicht nur im Blick auf die personorientierte Jugendarbeit, sondern auch theologisch fatal. Peukert verdeutlicht dies am kommunikativen Handeln Jesu: „Jesu Handeln ist dabei auch für ihn selbst glaubender Vorgriff ... Er greift vor auf die Vollendung

[31] Vgl. *H. Steinkamp,* Jugendarbeit als soziales Lernen. Ziele und Aufgaben kirchlicher Jugendarbeit, München/Mainz ²1979, 78f.
[32] Vgl. *W. Sondermann,* a.a.O., im Anschluß an R. Bleistein, Kirchliche Jugendarbeit im Wandel (1966–1976), in: Jugendarbeit im BDKJ (Schriftenreihe des Jugendhauses Düsseldorf, 26), Düsseldorf 1977, 7–24.

des Reiches Gottes, die sich durchsetzen will, und zwar so, daß er die Wirklichkeit Gottes und sein Heil *für die anderen* behauptet. Er stellt diese Behauptung aber nicht theoretisch auf, sondern in seinem Verkündigen und Handeln, im Vollzug seiner Existenz als kommunikativer Praxis. Er *ist* diese Behauptung für die anderen."[33]

Es geht also im Sinne dieses Konzepts nicht darum, daß Mitarbeiter in der kirchlichen Jugendarbeit primär pädagogisch geschickt Inhalte der christlichen Tradition mit modernen gruppenpädagogischen Methoden Jugendlichen zu vermitteln hätten. Der hier verfolgte Ansatz verweist vielmehr darauf, daß die fundamentale Botschaft jüdisch-christlicher Tradition die eines Gottes ist, der den anderen in unbedingter Liebe annimmt und sich auf den anderen gerade auch in seinem Anderssein radikal einläßt.[34] Wenn man sich nun selbst unbedingt erwünscht und anerkannt weiß und erfahren hat, gibt einem dies die Möglichkeit, statt bloßer theoretischer Behauptung diese Erfahrung anderen in seinem Handeln zu vermitteln, vor allem, ohne daß dies von vornherein zur Selbstüberschätzung oder zur Selbstüberforderung des einzelnen Mitarbeiters führt.

Literatur

Beck, Christian/Wulf, Christian, Zwischen Auflehnung und Anpassung. Das Selbstverständnis der Mitarbeiter in der katholischen Jugendarbeit: Ergebnisse einer Befragung von Ehrenamtlichen des BDKJ, in: Katechetische Blätter 110 (1985) 394–402

Dinger, Wolfgang/Schabel, Ulrich, Beruf: Jugendarbeiter/in. Hauptamtliche Arbeit mit Jugendlichen heute und morgen, München 1985 (Pfeiffer).

Hamburger, Franz u.a., Ehrenamtliche Mitarbeiter in der Jugendarbeit. Eine empirische Untersuchung zu ihrem Selbstverständnis, Weinheim/Basel 1982 (Beltz)

IKSE – Institut für kirchliche Sozialforschung des Bistums Essen, Jugendpfleger im Bistum Essen (Bericht Nr. 97), 1979.

Kliemann, Peter, Ehrenamtliche Mitarbeiter. Zur Identität von Gruppenleitern in der kirchlichen Jugendarbeit. Eine empirische Studie, Stuttgart 1983 (aej)

Rüppel, Uta, Ausbildung ehrenamtlicher Mitarbeiter in der evangelischen Jugendarbeit. Ergebnisse und Folgerungen einer empirischen Untersuchung, Münster 1979 (Comenius-Institut).

[33] *H. Peukert,* Wissenschaftstheorie – Handlungstheorie – Fundamentale Theologie. Analyse zu Ansatz und Status theologischer Theoriebildung, Frankfurt 1978. Vgl. auch *E. Arens,* Kommunikative Handlungen. Die paradigmatische Bedeutung der Gleichnisse Jesu für eine Handlungstheorie, Düsseldorf 1982.

[34] Vgl. *N. Mette,* Erziehung, in: P. Eicher (Hrsg.), Neues Handbuch theologischer Grundbegriffe, Bd. 1, München 1984, 254–264, hier 263.

Sielert, Uwe 1978, Die Mitarbeiter in den Jugendverbänden. Eine Situationsanalyse, München 1978 (Juventa)

Steinkamp, Hermann, Jugendarbeit als soziales Lernen. Ziele und Aufgaben kirchlicher Jugendarbeit. Zum Beschluß der Gemeinsamen Synode der Bistümer in der Bundesrepublik Deutschland, München/Mainz 1979 (Kaiser/Grünewald)

Tilman Schmieder

Ökumene

1. Zur Bedeutungsgeschichte

Ökumene leitet sich ab von dem griechischen Wortstamm ‚oikeo' wohnen, auch: oikos, das Haus.
Es ist im griechischen Sprachgebrauch ein durchaus gängiger Begriff, das bewohnte Land bezeichnend, genauer: das von den Griechen bewohnte Land, in Abgrenzung zu den von Barbaren bewohnten Teilen. Eine besondere religiöse Bedeutung hat der Begriff nicht.
In der griechischen Übersetzung des AT, der Septuaginta, ist ‚Ökumene' relativ häufig. Aber auch hier hat das Wort weder eine betont religiöse noch eine politische Bedeutung. Es bedeutet allgemein ‚die Welt' (besonders in den Psalmen) oder ‚die Erde'.
Dagegen ist der Begriff im NT relativ selten, knapp 20mal. Vor allem Lukas benutzt ihn im Evangelium wie in der Apostelgeschichte: Lk 2.1: alle Welt (oikoumene) soll sich schätzen lassen; der Teufel zeigt Jesus in der Versuchungsgeschichte die Königreiche der ganzen Welt, Lk 4.5; in Apg 17,6.31 ist eben die ganze bewohnte Welt gemeint. Auch wenn an der letzten Stelle auf das Endgericht Bezug genommen wird, hat der Begriff selbst keinen betonten religiösen Gehalt. Das gilt auch für die Stellen Heb 1,6 und 2,5: hier wird von der kommenden Welt (oikoumenon ten mellousan) gesprochen.
Der Befund gilt ebenso für die beiden Stellen in der Apg 12,9 und 16,14 und die einzige Stelle bei Paulus, Röm 10,18. So läßt sich nach dem exegetischen Befund feststellen, daß Ökumene im biblischen Sprachgebrauch zwar vorkommt, aber keinerlei besondere religiöse, etwa heilsgeschichtliche, oder politische Bedeutung trägt. Dies ist insofern etwas überraschend, als der Begriff im hellenistischen Sprachgebrauch durchaus solche Anklänge hat: zwar taucht er hier wesentlich häufiger auf, aber er trägt dann politische und, im Rahmen des Kaiserkultes, damit auch religiöse Inhalte. War der Begriff schon im Altgriechischen auch zur Unterscheidung von den Barbaren gebraucht worden, so bezeichnet er jetzt pointiert die Rechtsordnung des Römischen Reiches, also den Teil der Welt, wo eben diese gilt, wo die „pax romana" herrscht. Der römische Kaiser Nero wird als „Heiland und Wohltäter der Ökumene" gerühmt (vgl. Theologisches Wörterbuch, hrsg. von *Helmuth Kittel,* Band V, 159).

An diesem Sprachgebrauch, der Verbindung von politischem und religiösen Inhalt, knüpft dann im 2. bis 4. Jahrhundert die Verwendung in der Kirche an, insbesondere seit Kaiser Konstantin (280–337; Kaiser seit 306). Die Ökumene ist *das christliche Imperium* des großen Kaisers, der bis heute in den orthodoxen Kirchen als „der Apostelgleiche" verehrt wird. So heißt denn auch die erste umfassende Bischofssynode, die unter der Schutzherrschaft des Kaisers 325 in Nicäa stattfindet, ‚ökumenisches Konzil'. Damit gewinnt der Begriff Ökumene im kirchlichen Raum einen neuen Inhalt: nicht mehr nur geographisch, politisch und kulturell, er bedeutet jetzt pointiert auch dogmatisch das, was allgemeine Gültigkeit hat im theologischen Sinn. Dies zu definieren ist dem ökumenischen Konzil vorbehalten.
Zweifellos hat es im Verständnis der Befugnisse und Zusammensetzung solcher ökumenischen Konzilien erhebliche Entwicklungen gegeben. Bei den *sieben ökumenischen Konzilien,* die, wenn auch mit gewissen Akzentuierungen, tatsächlich in der ganzen Kirche anerkannt wurden, spielte der Kaiser eine zentrale Rolle: er berief das Konzil ein, oft führte er den Vorsitz, und er griff durchaus auch massiv in das Geschehen ein. Daran wird deutlich, daß diese Konzile eben nicht nur kirchliche-dogmatische Bedeutung hatten. Sie waren Reichskonzilien, und oft genug waren dogmatische Streitigkeiten rasch untrennbar mit politischen verbunden. Wenn die Einheit der Lehre auf dem Spiel stand, war auch die Einheit des Reiches gefährdet!
Als die ökumenischen Konzilien gelten: 1. Nicäa 1 (325: Verurteilung des Arius; Feststellung der Gottheit Jesu und der ‚homoousie', der Wesensgleichheit von Vater und Sohn); 2. Konstantinopel 1 (381: Entwicklung der Trinitätslehre, Gottheit des Heiligen Geistes; Ausformulierung des Bekenntnisses, des Nicäno-Constantinopolitanum); 3. Ephesus (431: Maria die Gottesgebärerin, theotokos; Verurteilung der Nestorianer; Zwei-Naturenlehre Jesu); 4. Chalcedon (451: Gottheit und Menschheit in Jesus unvermischt und ungetrennt, Ausformulierung der Zwei-Naturenlehre; gegen Eutyches); 5. Konstantinopel 2 (553:Verurteilung der Nestorianer); 6. Konstantinopel 3 oder ‚Trullanum' (681: Verurteilung des Monotheletismus, d.h. nur ein Wille in Jesus, und des Monoenergetismus); 7. Nicäa 2 (787: Bilder- oder Ikonenlehre, Festlegung von Regeln der Ikonographie).
Diese Zählung der sieben ökumenischen Konzile ist sicher idealisiert, aber sie hat schließlich doch Anerkennung gefunden. Gerade in dem Gespräch zwischen den protestantischen Traditionen und den Orthodoxen spielt die Gültigkeit der Beschlüsse dieser Konzilien eine wesentliche Rolle. Verbindliche Entscheidungen für Glaube und Lehre wie für Gottesdienst und Liturgie sind danach einem ökumenischen Konzil vorbehalten. In der katholischen Kirche hat sich hier im Mittelalter ein Umschwung vollzogen. Eine Reihe von Theologen hatte den Konziliarismus vertreten (Alanus Anglicus, Marcill von Padua, Gerson); noch das Konzil von Konstanz hat in dem

Dekret ‚Haec Sancta' (1415) festgestellt, daß das Konzil über dem Papst steht, u.a. weil es eben ökumenisch ist. Aber schließlich setzte sich auch lehrmäßig mit dem 1. Vaticanum die absolute Stellung des Papstes in der katholischen Kirche durch. Auch die Ausführungen des 2. Vaticanum über die Kollegialität der Bischöfe und über die Kirche als das Volk Gottes haben daran nichts in der Substanz geändert.
So kann die Wertung des ökumenischen Konzils gegen die Stellung des einzelnen Kirchenoberhauptes durchaus als eine zentrale und entscheidende Kontroversfrage angesehen werden.
Die gleiche Bedeutung von allgemein und universal gültig hat der Begriff „ökumenisches Bekenntnis". Damit sind gemeint: das Apostolicum, das Nicäno-Constantinopolitanum und das Athanasianum. Im Konkordienbuch, der Zusammenstellung der reformatorischen Bekenntnisschriften heißen sie „Symbola Catholica seu Oecumenica" (Katholische oder ökumenische Bekenntnisse).

2. Heutiger Sprachgebrauch

Der Gebrauch des Begriffes heute ist vielfältig. Im allgemeinsten Sinn wird Ökumene/ökumenisch für jedes gemeinsame Bemühen von Christen und Kirchen aus unterschiedlichen Konfessionen gebraucht. Ja selbst die weltweite Gemeinschaft einer Konfessionsfamilie gilt als ökumenisch; so insbesondere im katholischen Sprachgebrauch. Auf der anderen Seite meint man mit Ökumene im evangelischen Raum häufig abkürzend die Beziehungen zwischen evangelischer Kirche (die bestehenden Unterschiede zwischen lutherischen, reformierten und unierten Kirchen unterschlagend) und katholischer Kirche.
In anderem Kontext wiederum ist Ökumene/ökumenisch eine Abkürzung für ‚die Genfer Ökumene', also den Ökumenischen Rat der Kirchen. Im Rahmen der ökumenischen Diskussion ist aber, vor allem seit dem Amtsantritt von Philipp Potter als Generalsekretär des ÖRK, wieder auf die ursprüngliche Bedeutung im Altgriechischen zurückgegriffen worden: Ökumene als der ganze bewohnte Erdkreis. In seinem ersten Jahresbericht formuliert Potter dies so: „Wichtiger noch ist in diesem Zusammenhang, daß wir ein klares Verständnis dessen haben, was ökumenisch bedeutet: Nicht nur das Zusammenkommen und Zusammensein der Kirchen ist gemeint, sondern in zutiefst biblischer Sicht die ganze bewohnte Erde von Männern und Frauen in dem Ringen, das zu sein, was sie im Heilsplan Gottes sein sollen. Der Psalmist drückt es liturgisch aus: ›Die Erde ist des Herrn und was darinnen ist, der Erdkreis (oikoumene) und die darauf wohnen.‹ (Ps 24) In diesem Verständnis ist die ökumenische Bewegung überall dort, wo

Christen und andere in irgendeiner Weise um die Einheit der Menschen bemüht sind ... Daher ist das Streben nach der Einheit der Kirche unauflöslich verbunden mit dem Streben nach der Einheit der Menschheit." (Ph. Potter 1973).

Hier gewinnt der Begriff Ökumene/ökumenisch offenkundig eine heilsgeschichtliche Bedeutung. Unklar bleibt, und hier machen sich in der Folgezeit heftige Kontroversen und Angriffe gerade auch aus dem bundesdeutschen Raum fest, ob mit diesem Zusammenfallen von Einheit der Kirche und Einheit der Menschheit eine eschatologische (endzeitliche) Wahrheit ausgedrückt werden soll oder inwieweit hier bereits immanente geschichtliche Wahrheit ausgesagt werden soll. Soll die ganze Welt, die ganze Menschheit zur Kirche gemacht werden, oder soll die Kirche Welt werden? Was ist das Unterscheidende zwischen Kirche und Welt, zwischen Christen und Nichtchristen? Bedeutet diese programmatische Aussage über die prinzipielle Einheit von Kirche und Welt letztlich nicht den Verzicht auf den umfassenden missionarischen Auftrag der Kirche?

In den siebziger Jahren kam in diesem Zusammenhang der Begriff des „Säkularökumenismus" auf. Dabei geht es zentral um die Einheit von Bekenntnis und Dienst, ohne Zweifel auch im Widerspruch zu Tendenzen in der ökumenischen Bewegung, Ökumene auf interkonfessionelle Lehrgespräche zwischen Theologieprofessoren zu verkürzen. In gewisser Weise brechen damit Kontroversen wieder auf, die schon in den zwanziger Jahren dieses Jahrhunderts die Unterschiede in der ökumenischen Bewegung bestimmten: einerseits die Bewegung für Praktisches Christentum, andererseits die Bewegung für Glaube und Kirchenverfassung (Faith and Order). War man hier der Meinung „service unites, doctrine divides" (der Dienst eint, die Lehre trennt), so dort, daß erst auf der Grundlage der lehrmäßigen Übereinstimmung auch gemeinsames Zeugnis und Dienst möglich und glaubwürdig sei.

Aufgrund ihres Kirchenverständnisses stand die katholische Kirche der Ökumene zunächst voll ablehnend gegenüber. Die Einladungen zu den verschiedenen ökumenischen Konferenzen seit 1910 wurden von ihr nicht angenommen. Mit der Enzyklika ‚Mortalium animos' wird den Katholiken jegliche Beteiligung an den sich jetzt strukturierenden Einigungsbestrebungen verboten. Erst 1949, in ‚Ecclesia catholica. De motione ecumenica' wird der Begriff positiv lehramtlich aufgegriffen, wenn auch in einer für die anderen Kirchen kaum akzeptablen Form: ökumenisch ist hier der Trieb bei Nichtkatholiken, zurückzukehren zur Einheit aller, die an Jesus Christus glauben. Diese Einheit aber ist die Einheit unter dem katholischen Papst. Das Ökumenismus-Dekret des 2. Vatikanischen Konzils bildete dann eine neue Grundlage auch für die institutionelle Zusammenarbeit zwischen dem ÖRK und Rom. Wohl etwas euphorisch stellte daraufhin der Zentralausschuß des ÖRK im Januar 1965 fest, daß die Auffassung der ökumenischen Bewegung der katholischen Kirche dieselbe ist wie die im ÖRK und seinen Mitgliedskirchen. Dies führte dann zu der Einsetzung einer Gemeinsamen Arbeitsgruppe des ÖRK und der römisch-katholischen Kirche.

3. Ökumene in der Jugendarbeit

3.1. Geschichte

In der Gründungsphase heutiger Jugendarbeit im 19. Jahrhundert war Ökumene zwar nicht thematisiert oder programmatisch angesprochen. Im Vordergrund stand eher der allgemeine diakonische Aspekt, jungen Menschen, Handwerksburschen, jungen Mädchen, die als Hausgehilfinnen in die Städte zogen, ein Angebot zu machen für sinnvolle Freizeitgestaltung. Dabei spielte die Frage, welcher Konfession diese jungen Menschen angehörten, in der Regel keine Rolle. Zumindest die konfessionelle Trennung in Lutheraner, Reformierte, Unierte war dafür nicht nur theoretisch gegenstandslos, sondern auch in der Praxis. So heißt es etwa in dem Vereinsstatut des Bremer Jünglingsvereins, gegründet am 7. Februar 1834:
„§ 1 Der Bremer Jünglingsverein bietet allen Jünglingen, welche gerne den Gefahren, und den Versuchungen, die mit den Besuchen der öffentlichen Häuser verbunden sind, entgehen wollen, eine Zufluchtsstätte, wo sie in ihren Freistunden zum gesellschaftlichen Leben zusammenkommen können und zu ihrer Unterhaltung und Bildung allerlei nützliche Bücher, Zeitschriften, Landkarten wie auch Schreibmaterialien, um nach Hause schreiben zu können, vorfinden.
§ 3 Es kann ein jeder ohne Rücksicht auf Konfession, Stand und bisherigen Lebenswandel in diesen Verein aufgenommen werden . . ."
In ähnlichen Urkunden taucht zwar häufig als Zielvorstellung das Wort „christlich" auf, etwa „christliche Bildung" oder auch „christlicher Lebenswandel". Aber es wird von der angesprochenen ‚Zielgruppe' keineswegs ein wie auch immer geartetes konfessionelles Bekenntnis erwartet. Dies bedeutet aber nun nicht, daß man sich selbst nicht deutlich Rechenschaft gibt über Grund und Selbstverständnis der Arbeit: „Dabei stellen wir diese ganze Anstalt unter den Schutz unseres Herrn und Heilands, Jesu Christi . . ."
Dieser ökumenische Ansatz bleibt weithin in der evangelischen Jugendarbeit bestimmend. Sehr bewußt wird dies dann schließlich auch programmatisch bei der Gründungsversammlung der weltweiten CVJM mit der sogenannten Pariser Basis ausgedrückt: „Die christlichen Vereine junger Männer haben den Zweck, solche jungen Männer miteinander zu verbinden, welche Jesum Christum nach der Heiligen Schrift als ihren Gott und Heiland

anerkennen, in ihrem Glauben und Leben seine Jünger sein und gemeinsam danach trachten wollen, das Reich ihres Meisters unter jungen Männern auszubreiten."

Henri Dunant, der Gründer des Roten Kreuzes, rief die Gründungsversammlung dazu auf, „... den ökumenischen Geist zu fördern, der Nationalitäten, Sprachen, Denominationen, ekklesiastische Probleme, Rangfolgen und Vorurteile überwindet." Tatsächlich ist gezeigt worden, daß die Pariser Basis auch die spätere Gründungsformel des ÖRK mitbestimmt hat.

Wichtig im Zusammenhang der evangelischen Jugendarbeit ist jedenfalls, daß teils programmatisch, teils unausgesprochen ein ökumenischer Geist von Anfang an in der evangelischen Jugendarbeit da war als bestimmender Faktor für die Arbeit.

Es kann hier nicht im einzelnen der weitere Weg evangelischer Jugendarbeit unter dem Aspekt der Ökumene nachgezeichnet werden. Die Entfaltung im verbandlichen Bereich beschert evangelische Jugendarbeit jedenfalls eine große Vielfalt auch unterschiedlicher inhaltlicher Akzente.

Die Auflösung evangelischer Jugendarbeit als verbandliche Struktur durch das Naziregime und die zwangsweise Eingliederung auch der konfessionellen Jugend in die HJ führt nun zu der einzig noch möglichen Lösung: evangelische Jugendarbeit als Junge Gemeinde, d.h. eng bezogen auf die örtliche Kirchengemeinde und damit auch bewußter als in aller Regel zuvor, bezogen auf die konfessionelle Gemeinde und Kirche.

Trotz aller restaurativen Tendenzen bleibt bei der Neu- und Wiedergründungsphase nach 1945 ein ökumenischer Impuls lebendig, zumindest auf die ‚innerevangelische' Ökumene hin. Die Gründung der Arbeitsgemeinschaft der Evangelischen Jugend Deutschlands (AGEJD) war dafür ein Kristallisationspunkt. Sie beinhaltete zunächst bereits die Entscheidung, keine gesonderte Struktur evangelischer Jugendarbeit für lutherische, unierte, reformierte Kirchen auf Bundesebene zu schaffen. Vor allem auf dem Hintergrund der Zersplitterung bei der Interessenvertretung evangelischer Jugend vor 1933 ist die Entscheidung zu sehen, sich auch für die Vertretung im neu gegründeten Deutschen Bundesjugendring zusammenzuschließen. Aber daneben war nun auch der ökumenische Impetus sehr stark. In ihrer Satzung verpflichtet sich die aej „... die ökumenische Wirklichkeit ernstzunehmen, in dem gemeinsamen Auftrag, jungen Menschen das Evangelium von Jesus Christus zu bezeugen, und in dem gemeinsamen Willen, für die junge Generation einzutreten, ..."

Ein Jahr nach der Gründung der AGEJD, heute aej, werden die Jugendwerke der Evangelischen Freikirchen Vollmitglieder, nachdem sie auch zuvor schon kontinuierlich an den Beratungen der AGEJD bzw. der Jugendkammer teilgenommen haben. Ende der 60er Jahre bekommt dann auf der Bundesebene die ökumenische Zusammenarbeit nochmal einen neuen Horizont: Zum einen entwickelt sich aus einem informellen Treffen im Rahmen des Ökumenischen Rates der Kirchen eine eigenständige Struktur, der Ökumenische Jugendrat in Europa, EYCE. Die aej wird dort Gründungsmitglied. Zum andern wird die Zusammenarbeit mit dem Bund der Deutschen Katholischen Jugend, BDKJ, auf eine institutionalisierte Ebene gehoben. Wechselseitig wird vereinbart, daß jeweils zwei Vertreter an den Mitglieder- bzw. Hauptversammlungen des anderen teilnehmen. Ein paritätisch beschickter Ökumenischer Arbeitskreis wird eingesetzt, zu dem wenig später ein weiteres gemeinsames Arbeitsgremium tritt, der Entwicklungspolitische Arbeitskreis, EPA. Auf Vorstandsebene sollen regelmäßig Arbeitsgespräche stattfinden.

3.2. Gegenwart

Aus diesen Verabredungen sind eine große Anzahl gemeinsam getragener Aktionen hervorgegangen. An erster Stelle ist dabei ein Modell entwicklungspolitischer Bildungsarbeit zu nennen, das unter dem Namen *Aktion Dritte Welt Handel* heute in unzähligen Kirchengemeinden aufgegriffen ist. Die Grundidee dabei ist, über Produkte und dazugehörige Informationen ungerechte Strukturen im Welthandel aufzuzeigen, gleichzeitig aber mit dem Kauf solcher Produkte, die vor allem aus von den kirchlichen Hilfswerken unterstützten Entwicklungsprojekten in Übersee, Kooperativen von Bauern, Frauen oder auch Jugendlichen stammen, auch zugleich ein konkretes Handlungsmodell anzubieten.
Zu dem ursprünglichen Aktion Dritte Welt Handel e. V. trat dann bald eine eigene GmbH, die heute getragen wird von aej, BDKJ, Misereor, dem Evangelischen Kirchlichen Entwicklungsdienst, KED, Vertretern der Aktionsgruppen und der Aktion Dritte Welt Laden e. V. Der jährliche Umsatz dieser *Gesellschaft zur Förderung der Partnerschaft mit der Dritten Welt* GmbH., GEPA, liegt im Augenblick bei ca. 12 Millionen DM pro Jahr. War das Warensortiment zunächst sehr stark auf kunstgewerbliche Artikel ausgerichtet, so traten nach und nach immer stärker vor allem Konsumartikel, Kaffee, Tee, Honig, Gewürze, aber auch Textilien in den Vordergrund. Gegenwärtig ist vor allem der Kaffee aus Nicaragua von den Gruppen gefragt. Die bekannteste Aktion wurde wohl „Jute statt Plastik“: Jutetaschen, aus Kooperativen aus Bangladesh importiert, wurden hier zu Millionen verkauft und signalisieren auch zugleich das neuerwachte ökologische Engagement in der evangelischen Jugend.
Andere zentrale entwicklungspolitische Aktionen, die gemeinsam von den beiden Jugendverbänden aej und BDKJ getragen wurden, waren der ‚Angola-Sonntag‘ (1973), die ‚Namibia-Woche‘ (1975/76), Kampagnen zu den verschiedenen UNCTAD-Konferenzen (UNCTAD: United Nations Confe-

rence on Trade and Development) oder zuletzt eine Kampagne gegen Rüstungsexporte ‚Produzieren für das Leben'. Mit diesen bundeszentral vorbereiteten Aktionen wurden jeweils mehrere Tausend Gruppen erreicht, die die vorbereiteten Materialien anforderten, weiter vertrieben bzw. selbst damit arbeiteten. Auf einer anderen Ebene liegt der von aej und BDKJ gemeinsam erarbeitete und herausgegebene *Kreuzweg der Jugend.* Dieses Materialangebot erscheint jeweils zur Passionszeit und gibt mit Plakatserie und Textheft den Gruppen Material zu Meditationen und Gottesdienst an die Hand. Das Textheft des Jugendkreuzweges wird seit mehreren Jahren in einer Auflage von 120000 Exemplaren herausgegeben.

Diese Beispiele betreffen Aktionen, die ökumenische Zusammenarbeit auf der Bundesebene als Träger haben, Materialangebote, die von kleinen Arbeitsgruppen zentral erarbeitet werden und dann als Angebot den Jugendgruppen vorgestellt werden. Da die Gruppen diese Materialien nicht nur bestellen, sondern auch bezahlen müssen, ist die Nachfrage doch auch ein Gradmesser für die Akzeptanz. Allerdings garantiert die ökumenische Trägerschaft auf Bundesebene noch lange nicht auch die ökumenische Trägerschaft einer entsprechenden Aktion auf der örtlichen Ebene. Aber es gibt doch zahlreiche Hinweise und Rückmeldungen, die belegen, daß auch durch solche ökumenischen Angebote konkrete Ökumene auf der Ortsebene entstanden oder gefördert wurde.

Alle diese Aktionen und Modelle bauen auf der Überzeugung auf, daß Ökumene kein theoretischer Lerngegenstand ist, sondern im praktischen Leben der normalen Christenmenschen angesiedelt sein muß; es ist keine ‚Theologenökumene', die hier in der Jugendarbeit propagiert wird, sondern aktionsbezogenes Lernen. Dabei spielt dann sowohl die unterschiedliche konfessionelle Gebundenheit der Christen in unserem Land eine Rolle wie auch der ökumenische Bezug zu den Kirchen in Übersee.

Nun ist es keineswegs so, daß ökumenische Zusammenarbeit überall des Anstoßes von der Bundesebene bedurft hätte. An vielen Stellen ist in der Jugendarbeit seit vielen Jahren ökumenische Zusammenarbeit praktiziert. Viele konfessionelle Jugendgruppen haben gleichzeitig doch auch Mitglieder aus anderen christlichen Kirchen. Dies wird manchmal dann zu einem Problem, wenn Presbyterium, Kirchengemeindevorstand etc. davon offiziell Kenntnis nehmen. Vor allem aber wird es dann zu einem Problem, wenn von solchen Jugendlichen dann auch Leiterfunktionen in der Jugendarbeit übernommen werden sollten. Allerdings ist dabei zu sehen, daß es in der Regel nicht um ein bewußt wahrgenommenes ökumenisches Engagement geht, sondern hier Gründe, die auf anderen Ebenen liegen, ausschlaggebend sind: etwa fehlendes Angebot (Diasporasituation) der eigenen Kirche; freundschaftliche Bindungen u.ä.m.

Dort, wo bewußt verbandliche Gruppen aus dem evangelischen und katholischen Bereich ökumenisch zusammenarbeiten, geht es meist um konkrete Aktionen, seien es Seminarveranstaltungen, Straßenaktionen, entwicklungspolitische Aktionen oder auch die Gestaltung eines ökumenischen Gottesdienstes. Längerfristig angelegte Zusammenarbeit besteht auf regionaler Ebene in Bayern (mit einem eigenen ökumenischen Jugendrat) und in Hamburg. Im Bereich der Landeskirche Hessen und Nassau und in Westfalen gibt es zwischen den Jugendpfarrämtern regelmäßige Kontakte bzw. auch einen ökumenischen Arbeitskreis. Ähnlich ist die Situation im Bereich Baden-Württemberg.

4. Ökumenische Herausforderungen an die Jugendarbeit

Die konfessionelle Trennung unserer Kirchen in der Bundesrepublik wird in aller Regel weder von den Jugendlichen noch von den ehrenamtlichen Mitarbeitern noch auch von den Hauptamtlichen als besonderes Problem oder als Herausforderung verstanden.
Anders ist es im Blick auf die internationale Ökumene. Internationale Begegnungsmaßnahmen mit Gruppen aus anderen Ländern und Kirchen, Jugendgemeinschaftsdienste, ökumenische Seminare haben in der praktischen Jugendarbeit doch einen hohen Stellenwert. In Freizeiten und workcamps geschieht hier ein intensives, praxis- und lebensbezogenes ökumenisches Lernen.
Dies gilt verstärkt dort, wo es dann auch zu Begegnungen mit jungen Christen aus Entwicklungsländern kommt. Jugendgruppen sind in vielen Gemeinden engagiert bei den Aktionen und Sammlungen für Brot für die Welt. Ähnliches gilt im Blick auf die Zusammenarbeit mit den regionalen Missionswerken und den dortigen ökumenischen Partnern.
Allerdings fehlt, und darauf ist in der ökumenischen Diskussion immer wieder aufmerksam gemacht worden, so etwas wie eine ökumenische Didaktik: was eigentlich gilt es in der ökumenischen Begegnung zu lernen? Welche Einsichten fehlen uns? Welche Lernschritte sind notwendig? Welche Rolle spielt die eigene konfessionelle Identität? Was ist das ökumenisch Verbindende? Welche Rolle spielen die traditionellen ökumenischen Kontroversthemen (zuletzt: Konvergenzpapier Taufe, Eucharistie und Amt, erarbeitet von der Unit I des ÖRK, oft zitiert als ‚Lima-Dokument‘)?
Stärker als die Auseinandersetzung mit solchen theologischen Dokumenten ist die Faszination, die von Entwürfen wie „Theologie der Befreiung“ oder „Schwarze Theologie“ ausgeht. Dabei geht es dann wohl auch weniger um die Aufarbeitung der Kontroversthemen als um den emotionalen, affektiven Zugang zu etwas, was als authentisches Christsein empfunden wird. Damit ist zugleich auf ein Defizit in der Wahrnehmung der eigenen Situation

hingewiesen: Wie kann man in diesem Land überhaupt authentisch Christ sein?
Mit dieser zunächst sehr vordergründigen Fragestellung ist aber tatsächlich ein zentraler Sachverhalt ökumenischer Theologie angesprochen: ich brauche die Christen aus anderen Kirchen, Traditionen, Ländern, Kulturen, um im vollen Sinne zu meinem Christsein zu finden. Mag dies auch im Blick auf den einzelnen Christen und seine realen Möglichkeiten überzogen erscheinen, so gilt es doch ohne Einschränkung für die Kirchen und Konfessionen als ganze.
Ökumenisches Lernen heißt in diesem Sinne, zuallererst die eigene Identität bewußt zu erkennen, wahrzunehmen und in ihrer historischen Vermittlung zu akzeptieren. Für uns ist dies schlagwortartig ausgedrückt in dem Satz: Wir sind weiße, reiche Kirche in weißem, reichen Land! Und dies gilt nicht nur für unsere Kirchen allgemein, sondern ohne Einschränkung auch für unsere Jugendarbeit. Aus dieser strukturellen Verflechtung kann man nicht einfach aussteigen. Die Faszination einer „Theologie der Armen“ kann nicht darüber hinwegtäuschen, daß wir zu den Reichen gehören, nicht aufgrund einer individuellen Entscheidung, sondern aus kollektiver Verhaftung, struktureller Bedingtheit.
Eine Kirche und eine Jugendarbeit, die diesen Zusammenhang erkannt hat, wird in ganz neuer Weise zu einem ökumenischen Partner werden können. Sie wird möglicherweise ihren Reichtum auch nicht nur als Fluch, sondern auch als ein weiterzugebendes Geschenk erkennen. Vielleicht sind wir in dieser Richtung der ökumenischen Diskussion zu sehr auf die Geschichte vom reichen Jüngling fixiert und zu wenig auf die Geschichte von den anvertrauten Pfunden?

Literatur

Eine systematische Aufarbeitung fehlt bisher. Einzelartikel vgl. Ökumene-Lexikon „Kirchen - Religionen - Bewegungen“, Frankfurt 1983, mit den Stichworten Jugendarbeit I, II; Jugendbewegung; Weltbunde der CVJM.

Schmieder, Tilmann, ‚Jung sein und evangelisch‘, aej-Studienband 8, Stuttgart 1984, bes. 107ff.; 125ff.; ders. ‚Jugend und Ökumene‘ in Ökumenische Rundschau 3/79, 293–305.

Wolfgang Deresch

Sozialisation, religiöse

1. Der Begriff der Sozialisation

Unter Sozialisierung versteht man allgemein den Prozeß des Aufwachsens und Erwachsenwerdens. Vor allem ist damit das Hineingeführtwerden von Kindern und Jugendlichen in die Gesellschaft der Erwachsenen gemeint. Die Vorstellung ist dabei, daß das Individuum mit einer enormen Variationsbreite von Verhaltensmöglichkeiten geboren wird. Die Sozialisierung führt es dann zur Ausbildung seines faktischen, jedoch weit enger begrenzten Verhaltens. Die Grenzen des akzeptablen Verhaltens werden dabei durch die Gruppe, in die es aufgenommen werden will, bestimmt. Sozialisation ist also der Prozeß, bei dem das Individuum lernt, sich den Gedanken, Normen und Werten seiner Kultur anzupassen und sie zu Teilen seiner eigenen Persönlichkeit zu machen. Sozialisation ist insgesamt der Prozeß der Übertragung von Verhaltensdispositionen, die sich auf Kenntnisse, Normen und Wertorientierungen gründen. Die Eltern, die Lehrer, aber auch Gleichaltrige fungieren dabei als „Sozialisatoren“. Sie „lehren“, indem sie erwarten, belohnen und bestrafen. Die Kinder und Jugendlichen, also die Sozialisanden lernen, indem sie übernehmen und sich dabei verändern. Sozialisation ist also kein intentionaler Prozeß des Lehrens und Lernens, sondern er ist eine Dimension aller Interaktionsprozesse zwischen Sozialisatoren und Sozialisanden. Das Kriterium gelungener Sozialisation ist allerdings das Moment der relativen Stabilität von Verhaltensdispositionen. Die Jugendlichen müssen also die Fähigkeit erworben haben, das Gelernte unabhängig von der Lernsituation wiederholen zu können.
Jede Gesellschaft besitzt in mehr oder weniger deutlicher Ausprägung ein Leitbild, von dem her Technik und Zielsetzung der Sozialisation bestimmt werden. Und jede Gesellschaft hat natürlich den Wunsch, ihre Kinder so aufzuziehen, daß sie mit der Zeit ihrem kulturspezifischen Wunschbild ähnlich werden. Dieses Ideal legitimiert auch die Methoden direkter und indirekter Bestrafung und Belohnung, womit dem einzelnen angesonnen wird, gesellschaftlich gefordertes Verhalten zu lernen. Das Sozialisationsziel will insgesamt den einzelnen im Rahmen der kulturellen, sozialen und materiellen Bedingungen seiner Gesellschaft lebens- und funktionstüchtig machen.

Die Sozialisierungsleistung der archaischen und der komplexen modernen Gesellschaft sind aber deutlich zu unterscheiden. In der archaischen Gesellschaft war die Sozialisierung ein automatisches Nebenprodukt des gesellschaftlichen Daseins. In der modernen Gesellschaft haben die jugendlichen Rollen mit der Differenzierung der Gesellschaft an Bestimmtheit und Kontur verloren. An die Stelle einer einheitlichen Sozialisierung ist eine getreten, die die Jugend einer Vielzahl konkurrierender Einflüsse aussetzt. Die allgemein bekannten sozialen Rollen der vorindustrialisierten Gesellschaft sind dementsprechend zu den konturlosen Rollen der modernen Gesellschaft geworden, die außerdem stark wechselnden Moden unterworfen sind. Sie stellen damit die soziale Identität der Jugendlichen zunehmend in Frage.

2. Religiöse Sozialisation als Übernahme der Religion der Gesellschaft

Kirchliche Jugendarbeit ist deshalb am Sozialisationsvorgang interessiert, weil in ihm der Wertezusammenhang der Gesellschaft anschaubar wird. Der Jugendliche übernimmt in diesem Prozeß die „Welt", in der andere bereits vor ihm lebten. Die Suche nach der eigenen Identität und die subjektive Aneignung der sozialen Welt sind nur verschiedene Aspekte desselben Vorgangs. Das, was die Jugendlichen sich aneignen und was Eltern und andere Bezugspersonen vermitteln, ist - als Ausschnitt der objektiven Gesellschaftsstruktur - die soziale Welt. In der Sozialisationsphase übernehmen also die Jugendlichen mit der Welt, in der andere vor ihnen lebten, auch deren Wertezusammenhang. Sie übernehmen schließlich, und darauf soll es uns nun besonders ankommen, die Religion der Gesellschaft. Kirchliche Jugendarbeit ist nicht nur am Vorgang religiöser Sozialisation selbst interessiert, sondern auch an Theorien zu dessen Erhellung.
Bereits Durkheim wies auf, daß Gesellschaft auch ein religiöses Phänomen ist. Sie beruht zutiefst auf den Wertsetzungen ihrer Mitglieder. Die Substanz der Religion besteht dann in der Überlegenheit der Gesellschaft über den einzelnen. Das Erlebnis der vollständigen Abhängigkeit von der Gesellschaft, die nur schwer durchschaubar und nicht aufhebbar ist, eröffnet insofern die Erfahrung von Religion, als vom einzelnen eine über den Menschen hinausgehende Macht erfahrbar wird.
Die nachfolgenden Soziologen gingen dann von einer funktionalen Definition der Religion aus[1], die weniger beschreiben sollte, wie die Religion

[1] *Chr. Morgenthaler,* Sozialisation und Religion. Sozialwissenschaftliche Materialien zur religionspädagogischen Theoriebildung, Gütersloh 1976, 110.

entstanden ist und was ihre inhaltlichen Implikationen sind, sondern vielmehr, was sie für die Kultur und die Gesellschaft leistet.
Ihre Leistung besteht nun darin, daß sie für den Bereich des Lebens, der den Zusammenhalt in einer Gruppe und damit die Gesellschaft insgesamt bedroht, also Frustrationen, Leiden und Tod, eine Deutung bereithält. Sie nimmt sich überdies der grundlegenden emotionalen Bedürfnisse der Menschen an und befriedigt sie. Religion macht das Unumgängliche annehmbar. Und indem sie die letzten Fragen lösen hilft, erweist sie sich als unentbehrliche gesellschaftliche Dimension. Religion wird deshalb von der struktur-funktionalen Theorie definiert als „emotional hochbesetzte Bindung an den Werte- und Bedeutungszusammenhang, der eine Kultur oder eine Gesellschaft grundlegend integriert“[2].
Zeichnen wir den Weg nach, den religiöse Sozialisation in diesem System geht. Da menschliches Handeln tief beeinflußt wird durch Normen- und Wertsysteme, die sich in der Kultur der jeweiligen Gesellschaft niedergeschlagen haben, wird das sozialisiert, was sich an den regelhaften Verhaltensabläufen der Gesellschaftsglieder ablesen läßt. Für die struktur-funktionalistische Theorie, die vor allem von Talcott Parson und seinen Schülern repräsentiert wird, geschieht religiöse Sozialisation also im wesentlichen durch die Internalisierung von Normen und Werten. Die Sozialisation ist das wirksame Instrument zur Reproduktion sozialer Systeme und ihrer Werte. Der Religion kommt deshalb die zentrale integrierende Funktion zu, da Religion der wichtigste Ausschnitt des Kollektivbewußtseins ist. Der einzelne wird aber durch die Internalisierung der wesentlichen Elemente des Kollektivbewußtseins zum integrierten Mitglied der Gesellschaft. Religion trägt deshalb zentral zur Integration des einzelnen in seiner Gesellschaft bei.
Allerdings muß nun auch hier interessieren, wie sich der Stellenwert der Religion verändert, wenn sich das Kollektivbewußtsein unter den Bedingungen zunehmender gesellschaftlicher Differenzierung wandelt. Wir hatten schon gesagt, daß in Gesellschaften mit einfacher Struktur die Sozialisierungsprozesse auch nach geradlinigen Modellen ablaufen. Da der Inhalt der Kultur überall gleichartig weitergegeben wird, kommt es auch zu einer gleichmäßigen Eingliederung der Jugendlichen. Und da keine Gruppe ein abweichendes Verhalten aufweist, erreicht die Sozialisation leicht das Ziel der Anpassung der Subjekte an die Gesellschaft. Da die Sozialisationsagenturen Familie, Nachbarschaft, Verbände, Gemeinden hochfunktionell waren, stellten auch die christlich-religiösen Werte für viele Jahrhunderte im europäischen Kulturraum die Achse der Kultur dar.
In einer Gesellschaft mit einer komplexen Struktur ist die Situation dagegen

[2] *Kl. Wegenast* (Hrsg.), Religionspädagogik, Band 1: Der evangelische Weg, Darmstadt 1981, 325.

anders. Nun spiegeln auch die Sozialisationsprozesse den strukturellen und kulturellen Pluralismus wider. Die Wirksamkeit der Sozialisationsagenturen wird durch Rivalität und Konflikte eingeschränkt. Für den einzelnen Jugendlichen bedeutet das, daß auch die Situation der religiösen Sozialisation zwar reicher, nicht aber in gleichem Maß auch identitätsfördernder ist. Die Kirche ist nicht länger in der Lage, auf dem Gebiet der Religion eine führende Stellung einzunehmen. Sie ist damit auch nicht länger die Legitimationsbasis für die in der Kultur anwesenden religiösen Werte. Auch sie befindet sich im Wettbewerb mit anderen Sinnsystemen, die in der Gesellschaft angeboten werden.

Zur Kritik dieses Ansatzes ist folgendes zu sagen:

a) Was die Religion ist, die in den Prozessen religiöser Sozialisation angeeignet wird, dies wird nur sehr global beschrieben. Da der Ansatz von der Funktion der Religion ausgeht, kann er immer nur des Gleichbleibenden an einer Vielzahl von Phänomenen habhaft werden. So treten dann sehr unterschiedliche Erscheinungen in Beziehungen zueinander, deren tertium comparationis allein ihre gleiche Funktion ist, wie z. B. Massenkundgebungen, Meßdienst und primitive Magie. Wenn aber beliebige Formen der subjektiven Sinnkonstitution als religiöse qualifiziert werden können, kommt es auf die Inhalte, deren Aneignung solchen Sinn konstituiert, gar nicht mehr an. Und wenn die Funktion den Inhalt bestimmt, kann von den besonderen Inhalten der Religion abgesehen werden. Damit gerät aber die Frage nach der Wahrheit einer Religion in Gefahr, als unberechtigt abgetan zu werden.

b) Dem Ziel einer religiösen Sozialisation, bei der die gesamte Identität des Menschen allein auf die Partizipationsrolle beschränkt wird, ist zu widersprechen.[3] Dem Religionspädagogen fehlt bei dem angeblichen Automatismus vieler sozialisierender Maßnahmen jegliche befreiende Intentionalität; ganz zu schweigen von vielen Sozialisationspraktiken, denen ausdrücklich Anpassungstendenzen anhaften. Ist nicht der Glaube gerade eine Gegeninstanz gegen jede sich immanent schließende Sozialisation? Es ist dementsprechend unzureichend, religiöse Sozialisation einfach nach einem allgemeinen Schema wertorientierter Sozialisation verstehen zu wollen. Dabei werden die speziellen Inhalte religiöser Sozialisation und deren spezifische Funktion im Leben des einzelnen ausgeblendet. Es wird dann übersehen, daß christlicher Glaube auch einen Inhalt hat, nämlich ein Verständnis von menschlicher Freiheit. Und auf Grund dieses Inhalts kann er nur in Gestalt subjektiver Lebendigkeit existieren und kommuniziert werden. Das aber schließt unabweisbar die Eigenaktivität des einzelnen Jugendlichen mit ein.

[3] *G. Stachel* (Hrsg.), Sozialisation – Identitätsfindung – Glaubenserfahrung, Zürich/Einsiedeln/Köln 1979, 23.

3. Die religiöse Sozialisation in der Lebenswelt

Das Letztere war auch der Antrieb, zu einer Theorie fortzuschreiten, in der sich die Identität des Jugendlichen konstituiert durch ein Inbeziehungsetzen des einzelnen zu Interaktionspartnern, mit denen er handelt, und zu abstrakten Kontexten, die seine Welt bilden. Auch religiöse Sozialisation wird nun lebensweltlich beschrieben.

Über die Bedeutung der Religion in der sozialen Lebenswelt hat Luckmann wohl die differenzierteste Theorie entwickelt. Er geht davon aus, daß sich menschliche Erfahrung nicht im Unmittelbaren erschöpft. Dabei sieht er alles als „transzendent" gegeben an, was sich nicht als eigene Erfahrung des Organismus ausweisen kann. Dies übersteigt – transzendiert – den einzelnen hin zum Gesamt der Welt. So sind auch immer der Vergangenheits- und der Zukunftshorizont sowie der Horizont des anderen als Nicht-Ich mitgesetzt. Dieses Transzendente sind intersubjektive bzw. gesellschaftlich mitgeformte Erfahrungs- und Bedeutungszusammenhänge. Diese, die sich als Weltansichten artikulieren, beeinflussen nun die Einstellungen und das Verhalten des einzelnen sowohl zu seiner Umwelt als auch zu sich selbst.[4]

Da der einzelne seine biologische Verfassung aber andauernd transzendieren muß, stellt bereits das Transzendieren der Natürlichkeit für den menschlichen Organismus einen grundlegenden religiösen Vorgang dar. Da, soziologisch betrachtet, Menschwerdung immer Sozialisierung bedeutet, hat diese Sozialisierung als der Vorgang, in dem solches Transzendieren stattfindet, bereits grundsätzlich religiösen Charakter. Denn in ihr findet das Einüben oder auch Einzwängen in ein das Einzeldasein transzendierendes Sinngefüge statt. Luckmann nennt also die Schichten der gesellschaftlichen Wirklichkeitskonstruktion religiös, die aus Transzendenzerfahrungen herrühren und auf eine nicht alltägliche Wirklichkeit bezogen werden. Da er die Sozialisierung insgesamt als einen religiösen Prozeß zu verstehen versucht, öffnet er damit neu den Blick auf den Menschen als religiöses Wesen. Danach ist auch die Gesellschaft ohne Religion nicht vorstellbar, wenn sich auch Formen und Ausmaß ändern. Der Mensch ist in seiner Daseinsführung auf Religion angewiesen, die sich in der hierarchischen Bedeutungsstruktur seines Bewußtseins niedergeschlagen hat. Religion ist dabei im weitesten Sinn alles, was es den Menschen gestattet, Bedeutungshierarchien aufzubauen. In einfachen Gesellschaften ist diese Schicht der Weltansicht der „heilige Kosmos". Dieser ist allen Mitgliedern der Gesellschaft in gleicher Weise zugänglich. Sie leistet unmittelbar Hilfe bei der Interpretation der Wirklichkeit und vor allem bei der Bewältigung von Krisen. Wenn sich dann die Gesellschaft differenziert, werden zur speziellen Interpretation des „hei-

[4] *M. Arndt* (Hrsg.), Religiöse Sozialisation, Stuttgart/Berlin/Köln/Mainz 1975, 29.

ligen Kosmos" besondere Institutionen entwickelt. In unserer Gesellschaft entstand durch Institutionalisierung der Lehre und Entwicklung eine Organisation für die religiöse Gemeinschaft, die Kirche. Diese ist - nach Luckmann - ein historischer Sonderfall, der bereits wieder durch das Partikular-Werden der christlichen Sinnangebote und ihrer gesellschaftlichen Relativierung als eine unter vielen Weltdeutungen gefährdet ist. Sicherlich ist die Beobachtung richtig, daß der Geltungsbereich der kirchlich organisierten Religion schrumpft. Die Abnahme der Plausibilität kirchlicher Religion bedeutet aber nicht das Verschwinden von Religion überhaupt. So ist es durchaus möglich und beobachtbar, daß andere gesellschaftliche Bereiche außerhalb der Kirche zur Quelle religiöser Situationsdefinition werden. Religion erscheint dann auch hier als jener Bereich der gesellschaftlichen Wirklichkeitskonstruktion, der sich auf das Wohin des menschlichen Transzendierens richtet und dieses reflektiert. Religion ist hier nicht die Art, mit bestimmten als religiös oder sakral definierten Phänomenen umzugehen. Sie ist vielmehr eine Weise, wie die Welt insgesamt gesehen werden kann. Sie liefert Deutungsschemata bzw. Schablonen, deren sich der Mensch bedient, um das, was an ihn herankommt, zu interpretieren. Religion entsteht demnach in Prozessen sozialer Handlung und in Kommunikation mit Objekten der Wirklichkeit. Da der Mensch nicht mit einem fertigen religiösen Sinnsystem auf die Welt kommt, muß er dieses im Verlauf seines religiösen Sozialisationsprozesses in einer Fülle von Wechselwirkungen und Einigungsprozessen erst entwickeln. Was er dabei erwirbt, sind jene religiösen Wirklichkeitskonstruktionen, die ihm helfen, seine Umwelt zu stabilisieren. Auch werden ihm die Bewußtseinsstrukturen gestärkt, in denen er denkend und handelnd mit dem ihn Transzendierenden interagiert.

Da der hier verwendete Transzendenzbegriff viel weiter gefaßt ist als der übliche theologische, ist die Gefahr nicht zu übersehen, daß in der religionspädagogischen Praxis kirchlicher Jugendarbeit der Religionsbegriff in eine große Beliebigkeit zu zerfließen droht. Um das zu steuern, muß die Spannung aufrechterhalten werden zwischen der Religiosität des einzelnen und der Religion der Gesellschaft, das heißt zwischen individueller Deutungskompetenz und sozio-kulturellen Beständen wie allgemeinen Deutungsmustern und Traditionen. Religion meint dann einmal das Gelingen oder Mißlingen der individuellen Sinnkonstitution des einzelnen Jugendlichen. Religion ist aber auch der kulturelle Bestand von Glaubensurkunden, christlicher Lyrik usw. Diese kulturellen Inhalte sind für die Religion des einzelnen keineswegs irrelevant. Deshalb wird kirchliche Jugendarbeit auf eine explizite Bindung an christliche Tradition keineswegs verzichten können. Überdies sollte nicht jede subjektive Sinnkonstitution bereits die Aura des Religiösen erhalten, sondern sinnvollerweise nur dann, wenn sie auch einen Rückhalt in der heimischen Glaubenstradition hat. Andererseits ist Religion unabdingbar auf soziale Kommunikation angewiesen, denn nicht schon die Bestände der Tradition sind für sich Religion. Religion entsteht erst in dem Maß, in dem die Tradition in kommunikative Prozesse eingeht. Nur so kann das durch sie Repräsentierte vom einzelnen sinnhaft angeeignet werden. Daraus resultiert die zentrale Frage an die Theorie kirchlicher Jugendarbeit, was an den christlichen Traditionsbeständen geeignet ist, heute Sinn zu konstituieren. Dabei geht es um die Frage, ob und wie christliche Sinngehalte lebenspraktisch wirksam werden können, und das Ganze spitzt sich zu auf die Frage nach den Bedingungen sinnstiftender Kommunikation über religiöse Symbole in unserer gegenwärtigen Gesellschaft.

4. Sinnstiftende Kommunikation mit Hilfe religiöser Symbole

Wenn jetzt von Symbolen gesprochen werden soll, so ist etwas anderes damit gemeint, als was man umgangssprachlich damit assoziiert, also wir meinen keine Pfadfinderzeichen, nicht das Kreuzeszeichen auf dem Altar und auch nicht den Sticker der Friedensbewegung. Symbol meint im folgenden immer ein sprachliches Gebilde. Die Sprache hat nämlich die Fähigkeit, eine bestimmte Lebenssituation zu überspringen und Dinge anwesend sein zu lassen, die gar nicht real vorhanden sind. Sprache faßt anwesende und abwesende Dinge zu einer Welt zusammen. Sie bezeichnet dabei auch Sinngebilde – wie „die Welt", „das Universum" –, die so in der Alltagswelt gar nicht vorkommen. Sie will damit auf so etwas wie Ganzheit verweisen und auf einen Sinn. Symbole sind insgesamt solche sprachliche Hinweise, die unsere Alltagswelt transzendieren. Symbole können sowohl die diskursiv geordneten Zeichen der Sprache wie auch die präsentativen Symbole der Kunst sein. Besonders ausgeprägte Symbole finden wir in der mythisch-religiösen Welt. Allen Symbolen gemeinsam ist die Fähigkeit, daß sie Bedeutung vermitteln. Sie gehen aus einer Situation hervor und bieten Entwürfe für die konkrete Situation unserer Lebenspraxis.
Symbole, auch wenn sie einzelne Phänomene beschreiben, sind in der Regel Symbole einer Lebensform. Sie spiegeln konkrete Erlebnisgefüge, ein Stück der Lebenswelt, das insgesamt Ausdruck für das In-der-Welt-Sein des Betroffenen ist, wider.[5] Im Mythos sind nie nur einzelne Lebenserfahrungen ausgedrückt, sondern die zentralen Symbole des Lebens überhaupt. Hier geht es um Grundprobleme des Lebens, wie um die Auseinandersetzung mit den anderen Menschen in Macht und Liebe und um die Auseinanderset-

[5] *A. Lorenzer,* Das Konzil der Buchhalter. Die Zerstörung der Sinnlichkeit. Eine Religionskritik, Frankfurt 1981, 31.

zung mit dem ganz Anderen in Kontingenz und Tod. Symbole verweisen also auf das unablässige Suchen des Menschen nach Begreifen und Orientierung.
Symbole formulieren die zentralen subjektiven Konfliktsituationen, es sind „Verbildlichungen“ der menschlichen Grundsituationen, die als kollektiv gültige Lösungsformeln dienen können. Deshalb geht der Mythos über die Grenzen der rationalen Erkenntnismöglichkeiten hinaus, wenn er versucht, die Grundlagen der Identität in Bilder zu fassen. Identität, in Symbolen dargestellt, ist nicht etwas bloß Theoretisches, sondern etwas unmittelbar Leiblich-Sinnliches. Das Symbol bietet zudem neben der Lebensdeutung zugleich Lebensbewältigung an. Wie geschieht aber so etwas? Wenn das Symbol für den einzelnen eine Wirkung hat, wenn der einzelne in eine Beziehung zu dem Objekt tritt, das das Symbol repräsentiert, so ist zu fragen, mit welchen Objekten insgesamt oder besser Wirklichkeitsbereichen das Symbol zu interagieren hilft.
Zuerst einmal muß das Symbol in irgendeiner Weise in den Handlungs- und Erfahrungszusammenhang des Betreffenden gerückt werden. Es geschieht eine Art Tradierung. Der einzelne interpretiert es dann in Interaktionen. In der Form von neu eröffneter Handlung hilft es, darauf Sinn zu konstituieren. Das heißt, das Symbol an sich ist weder sinnvoll noch sinnlos. Die Wirkung, die es entfaltet, rührt aus dem Zusammenhang von Symbol, Interaktion und Sinnkonstitution. Der Wirklichkeitsbereich, der hier intendiert ist, ist der der Interdependenz von Symbol und Interaktion wie von Interaktion und Sinn. Das Symbol ist insgesamt Träger von Sinn wie Resultat sinnvoller Interaktion. Die Tradition, die vermittelt werden soll, muß zu einem Objekt von Interaktionen werden. So erst kann sich Sinn konstituieren. Menschliches Handeln muß also immer drei Aspekte umfassen, den der Sinntradierung, den der Interpretation und schließlich den der Konstituierung von Sinn. Und der Prozeß, in dem Symbole wirken, ist ein interaktives Geschehen aus Tradition, Interpretation und Konstitution. Deshalb sollten alle Religionspädagogen gewarnt sein, die meinen, sie hätten bereits den richtigen Sinn, den die Jugendlichen nur zu übernehmen brauchten. Vermutlich verstellen sie den Jugendlichen auf diese Weise vollends den Zugang zur Religion. Auf jeden Fall berauben sie sie der Möglichkeit, selbst ein Stück Erfahrung mit einem christlichen Symbol zu machen. Aber das ist fatal, weil religiöse Symbole gerade solche Vorstellungen sind, die bestimmten Konfliktsituationen entsprechen. In Konflikten äußerer Art – wie sozialen Konflikten, oder Konflikten innerer Art – wie innerpsychischen Konflikten, wird auch eine Erfahrung gemacht, die diesen Konflikt zu bearbeiten vermag. Diese verdichtet sich dann zu der Vorstellung, die sowohl den Konflikt wie seine Bearbeitung in sich aufnimmt. So ist z. B. im Symbol des Auferstandenen der Konflikt, nämlich die Konfrontation mit dem Tod wie dessen

Bearbeitung, als Überwindung des Todes gegenwärtig. Diese ist aber nur als jeweils individuell zu erfahrende sinnvoll.
An dieser Stelle muß eine Warnung ausgesprochen werden. Es scheint, als verbreite sich in der Kirche allgemein die Meinung, die Verwendung von Symbolen müsse automatisch wie eine Befreiungstat wirken. Dabei ist darauf hinzuweisen, daß der Bereich der Symbole in der Regel ein dem einzelnen entfremdeter Bereich ist. Deshalb ist die Gefahr groß, daß die unreflektierte Zurückwendung in den Bereich kindlicher Denk- und Empfindungsstrukturen in eine Sackgasse führen wird. Soll das tatsächlich zu Freiheit und erwachsenem Glauben führen, dann muß die Vorgehensweise auch der Bewußtseinserweiterung Rechnung tragen, die unser historisches Schicksal geworden ist. Gerade auch Jugendliche, die sich der Welt der Symbole wieder zuwenden, können es nicht mehr mit der Unmittelbarkeit und Naivität von Kindern tun. Neben dem symbolischen Gehalt werden sie bei ihrer Beschäftigung stets auch Gedanken über den symbolischen Charakter des Symbols bemühen müssen.[6]
Auch ist sicher die Annahme kurzschlüssig, daß man nur intensiv und ausdauernd mit religiösen Symbolen umgehen müsse, um daraus schon den Sinn für das eigene Leben zu beziehen. Das bloße Zitieren von Symbolen wird aber wohl weder zur Lösung individueller noch gesellschaftlicher Probleme beitragen. Was das religiöse Symbol in dieser Hinsicht wirklich zustande bringt, beantwortet erst die Frage, zur Lösung welcher lebensweltlichen Konflikte es beigetragen hat. Denn die Realität der Symbole entsteht, wie wir oben dargestellt haben, in der realen und fortlaufenden Auseinandersetzung des Ichs mit der jeweiligen geschichtlichen Lebenswelt. Deshalb ist religiöse Sozialisation nicht schon bei demjenigen Jugendlichen ans Ziel gekommen, der der Realität ein Netz aus religiösen Symbolen überwerfen kann. Sie erreicht ihr Ziel vielmehr erst dort, wo der Jugendliche auch seine Hoffnungen und sein Leid, die aus seinen Auseinandersetzungen mit der Realität im alltäglichen Leben herausfließen, in Gestalt religiöser Symbole gegenwärtig hält. Mit ihnen kann er sich dann im Erkennen, Urteilen und Handeln mit anderen Menschen verbinden.

5. Die Sozialisationsleistung der Gleichaltrigengruppe für die Jugendlichen

Wenn religiöse Sozialisation unabdingbar und wesensmäßig an die soziale Lebenswelt der Jugendlichen gebunden ist, an das Gelingen und Mißlingen

[6] *J. Scharfenberg/H. Kämpfer,* Mit Symbolen leben. Soziologische, psychologische und religiöse Konfliktbearbeitung, Freiburg 1980, 69f.

der Interaktionen in ihr, so müssen wir ihr noch einmal genauer unsere Aufmerksamkeit zuwenden.

Der Mangel an festen Rollenvorschriften, das heißt der klaren Definition der Jugendrolle durch Erwachsene, wie wir sie oben beschrieben haben und wie sie für die moderne Gesellschaft typisch ist, macht jugendliche Peergruppen zu einem wichtigen Sozialisationsinstrument. Eisenstadt war es vor allem, der den Blick dafür öffnete, daß die Jugendlichen in der Übergangszeit Gruppen von Gleichaltrigen bilden, deren Wertsysteme Züge sowohl der familialen wie der gesamtgesellschaftlichen Orientierungsmuster tragen und die er deshalb vorzüglich dafür geeignet fand, für die Jugendlichen als quasi kollektiv organisierte Statuspassage zu dienen. Nach Eisenstadt ermöglicht die Teilnahme an Peergruppen ihren Mitgliedern die soziale Identität.[7]

Der von Eisenstadt 1956 gegebene systematisch-theoretische Rahmen wurde von der Jugendsoziologie bald allgemein akezeptiert und rezipiert. Angestoßen von seinen Hinweisen und Beobachtungen begann man, von einer „Jugendkultur" zu sprechen. Hinsichtlich der Einschätzung der Funktion von Gleichaltrigengruppen hatten die subkulturellen Theorien aber eine viel weniger optimistische Einschätzung als Eisenstadt. Sah er in den peergroups vor allem den systemfunktionalen Aspekt der Vermittlung zwischen den beiden auseinandergehenden Lebensbereichen Familie und Gesellschaft, so wird in den subkulturellen Ansätzen von Anfang an die Befürchtung laut, daß Jugend heute eine echte Teilkultur darstellt, deren Verhältnis zur Erwachsenenkultur im besten Fall prekär ist. So ist es symptomatisch für viele peergroups, daß sie von einem Unbehagen an der Industriekultur ausgehen. Demgegenüber machen sie den Versuch, sich aneinander zu orientieren und eine Subkultur außerhalb der direkten Kontrolle der Erwachsenen zu errichten. Ihre Abweichungen gegenüber der Erwachsenenkultur bestehen aber meist gar nicht einmal in Strategien und institutionellen Gegenentwürfen, sondern überwiegend in einem „demonstrativen Symbolismus"[8], der eine Abweichung im Bereich des Konsums, der Freizeit, der Mode, des Jargons, der Musik und im erotischen Wettbewerb signalisiert.

Von jugendlicher Teilkultur ist also in dem Sinn zu sprechen, als Eltern und heranwachsende Kinder in den eben beschriebenen Bereichen verschiedene Lebenskonzepte vertreten. Die Orientierung an den Erwachsenen ist hier weitgehend abgebaut, und die Formen und Normen des Lebens der Jugendlichen haben einen gewissen Grad der Autarkie erreicht.

Lassen sich diese Erkenntnisse auch auf die kirchliche Jugendarbeit übertragen, und wenn ja, was machen sie von deren Situation deutlich?

[7] *S. N. Eisenstadt,* Von Generation zu Generation. Altersgruppen und Sozialstruktur, München 1966.

[8] *D. Baake,* Jugend und Subkultur, München 1972, 178.

Sicherlich stellt für nicht wenige Jugendliche die kirchliche Jugendarbeit eben das gegenkulturelle Milieu dar, in dem sie sich von der Kultur ihrer Eltern zu emanzipieren versuchen. Die Situation ist dabei gerade in jüngster Zeit insofern etwas verändert gegenüber der Zeit der Schüler- und Studentenbewegung der 60er Jahre oder gar der deutschen Jugendbewegung der Jahrhundertwende, als die Jugendlichen in der kirchlichen Jugendarbeit gar nicht mehr die großen Neuentwürfe und Experimente gegen die festgefahrene - auch religiöse - Kultur ihrer Eltern suchen. Da in den Elternhäusern immer mehr so etwas wie religiöse Sozialisation überhaupt ausfällt, suchen sie vielmehr in der kirchlichen Jugendarbeit überhaupt die Anfangsgründe derselben. Ganz zweifellos beruht die Attraktivität kirchlicher Jugendarbeit für diese jungen Leute dann weithin auf einem anders gearteten Sozialisationsstil, als sie ihn sonst aus ihrem Alltag gewöhnt sind. Religion erfahren sie nicht autoritär, sondern solidarisch. Gelingen und Mißlingen religiöser Sozialisation hängt hier also unabdingbar daran, daß auch die Gruppen kirchlicher Jugendarbeit in Stil und Lebensweise der Gleichaltrigengruppen organisiert sind.
So muß man sagen, peergroups geben einen sozialen Raum zur Identitätsfindung in Bereichen, die durch institutionalisierte Rollen wie in Familie, Schule und Betrieb noch nicht festgelegt sind. In gewissem Umfang bieten sie darüber hinaus auch einen Freiraum an, in dem sich die Jugendlichen mit Entwürfen sozialer Identität auseinandersetzen können, die ihnen von der Erwachsenengesellschaft nahegelegt werden und die einer Verarbeitung bedürfen. Peergroups ist also durchaus im Rahmen der Sozialisation von Jugendlichen ein wichtiger Einfluß zuzugestehen. Unter „Einfluß" ist aber nicht ohne weiteres auch schon ein wichtiger Sozialisationsanteil zu verstehen, sofern man unter Sozialisation die Übernahme relativ dauerhafter, situationsunabhängiger Einstellungen und Verhaltensweisen versteht.[9] Man muß es noch deutlicher sagen: peergroups tragen zur Lösung der jugendspezifischen Identitätsprobleme relativ wenig bei. So zeigen sie im Hinblick auf die Sozialisation sogar ausgesprochene Dysfunktionen, die eine Entwicklung der Jugendlichen zu sozial ausgereiften Individuen hemmen. Denn sie begünstigen das Instabile, Flüchtige und Unverbindliche, das so sehr den dynamischen Strukturen der modernen Gesellschaft entspricht. Allseitige, aber flache Kontakte tragen wenig zur Lösung der wesentlichen jugendlichen Orientierungs- und Identitätsprobleme bei.

9 *W. Hornstein* u. a., Lernen im Jugendalter. Ergebnisse, Fragestellungen und Probleme sozialwissenschaftlicher Forschung, Stuttgart 1975, 141 f.

6. Die Aufgabe der kirchlichen Jugendarbeit im Prozeß der religiösen Sozialisation

Worin besteht nun die religionspädagogische Aufgabe im Bereich kirchlicher Jugendarbeit?

Kirchliche Jugendarbeit wird sinnvoll in der funktionalen Zuordnung zum lebendigen religiösen Erfahrungs- und Reflexionsprozeß der Jugendlichen, in welchem es den Heranwachsenden aus inneren und äußeren, entwicklungs- und umweltbedingten Gründen um die Gewinnung personaler und sozialer Identität geht. Kirchliche Jugendarbeit hat eine klärende Funktion in diesem Prozeß auszuüben. Sie wird die Gewinnung einer balancierten Identität und einer postkonventionellen Moral zu fördern suchen. Und sie wird ein besonderes Augenmerk auf die Bedeutung haben, die dabei dem Umgang mit religiösen Symbolen zukommt.

Seit dem Ende der 60er Jahre begannen im weitesten Sinn des Wortes religiöse Themen, Bilder und Phantasien die Jugendszene zu beherrschen. Die Subkultur Jugendlicher etablierte sich als religiöse Bewegung. Sie alle suchten Glück und Heil in mystischer Versenkung und in der Erfahrung transzendentaler Bewußtseinsräume. Sie alle wollten das authentische religiöse Erleben, und sie alle speisten sich aus einer relativ gleichen Affektlage, daß sie nämlich die Wiedererlangung ihres verlorenen narzistischen Gleichgewichts auf religiösem Weg suchten. Es wäre nun falsch zu behaupten, kirchliche Jugendarbeit hätte diesen Jugendlichen umgehend die Hilfe angeboten, die auch von ihr erfragt war, nämlich die religiöse. Sie verharrte vielmehr - von Ausnahmen abgesehen - in Verärgerung und Sprachlosigkeit. Dabei eröffnet sich hier ihre eigentümliche Aufgabe. Der spezifisch kirchliche Beitrag müßte es doch sein, der gesellschaftlich präformierten Identitätskrise ohne Regression auf infantile Allmachtsgötter progressive Ich-Phantasien entgegenzusetzen. Da sich in religiösen Symbolen ein phylogenetischer Besitzstand von Phantasie verdichtet hat, zielt kirchliche Jugendarbeit vorrangig darauf ab, mit Hilfe der biblischen Symbole einen Beitrag zur Befreiung der Phantasie aus bedrängender Vergangenheit zu leisten. Sie wird dem pessimistisch gefärbten Symbol des Narziß den auf gelungene Zukunft verweisenden biblischen Mythos gegenüberstellen. Dabei soll das Bild des nur mit sich allein beschäftigten Narziß verwandelt werden durch das des Gottes, der durch sein Leiden zu schöpferischer Aktivität befreit. Die Symbole, die Narziß die Situation des menschlichen und gekreuzigten Gottes zeigen, ermöglichen es ihm, seinen Selbstschutz fallen zu lassen. In der Sympathie mit dem Pathos Gottes wird er offen für das andere, für Liebe und Leiden.

Da die angestrebte Deutungskompetenz der Jugendlichen stets eingebunden ist in soziale Kompetenz, wird ein Schwergewicht kirchlicher Jugendarbeit auf dem sozialen Lernen in Gruppen liegen. Dem Jugendleiter kommt dabei weder zu, Sinn zu setzen, noch irgendwelche Erziehungsziele zu verordnen. Legitim und wirksam ist sein Eingreifen nur, wenn es der Bewegungsrichtung des Prozesses der Jugendlichen entspricht oder wenigstens dessen Stillstand oder Abirren verhindert.[10]

Als Ergebnis dieses Prozesses wird nicht ein Jugendlicher erwartet, der sich der ihm von der vorausgegangenen Generation durch Sozialisation überlieferten religiösen Kultur anpaßt, sondern vielmehr ein solcher, der jene Elemente dieser Kultur in selektiven Prozessen aufnimmt, die ihm zum einen bei der Lösung seiner lebensgeschichtlichen Konflikte helfen wie andererseits auch seiner Suche nach Transzendenz und Ganzheit einen umfassenden Sinn zu geben vermögen. Glauben entsteht nicht durch Zwang, mit der die christlich-religiöse Kultur tradiert wird. Glaube fließt, wenn überhaupt, nur aus einem freien Angebot, das es erlaubt, die wesentlichen Inhalte der religiösen Kultur kritisch, frei und persönlich anzueignen. Und fügen wir hinzu, er entsteht aus der Erfahrung des Konfliktlösungspotentials der christlichen Symbole in der lebensweltlichen Problematik der Identitätskrise Jugendlicher. So wird die Kontinuität mit dem Christentum materiell hergestellt durch die tradierte religiöse Kultur, aktuell aber durch die stets neu geschehende Sinnkonstitution im Interaktionsgeschehen, durch die die christlichen Symbole zur Grundlage für die je neu zu erstellenden Lebensentwürfe der Jugendlichen werden.

Literatur

Arndt, Manfred (Hrsg.), Religiöse Sozialisation, Stuttgart/Berlin/Köln/Mainz 1975 (Kohlhammer).

Hornstein, Walter u.a., Lernen im Jugendalter. Ergebnisse, Fragestellungen und Probleme sozialwissenschaftlicher Forschung, Stuttgart 1975 (Ernst Klett).

Lorenzer, Alfred, Das Konzil der Buchhalter. Die Zerstörung der Sinnlichkeit. Eine Religionskritik, Frankfurt 1981 (Europäische Verlagsanstalt).

Luckmann, Thomas, Lebenswelt und Gesellschaft. Grundstrukturen und geschichtliche Wandlungen, Paderborn 1980 (Schöningh).

Morgenthaler, Christoph, Sozialisation und Religion. Sozialwissenschaftliche Materialien zur religionspädagogischen Theoriebildung, Gütersloh 1976 (Mohn).

Preul, Reiner, Religion – Bildung – Sozialisation. Studien zur Grundlegung einer religionspädagogischen Bildungstheorie, Gütersloh 1980 (Gütersloher Verlagshaus).

Scharfenberg, Joachim/Kämpfer, Horst, Mit Symbolen leben. Soziologische, psychologische und religiöse Konfliktbearbeitung, Freiburg 1980 (Walter).

Stachel, Günter (Hrsg.), Sozialisation – Identitätsfindung – Glaubenserfahrung, Zürich/Einsiedeln/Köln 1979 (Benziger).

10 *R. Preul,* Religion – Bildung – Sozialisation. Studien zur Grundlegung einer religionspädagogischen Bildungstheorie, Gütersloh 1980, 143.

Heinz-Georg Surmund

Spiritualität

1. (Wie) über Spiritualität sprechen?

Seltsam: Ein Wort, das im Frankreich des 17. Jahrhunderts seine moderne Bedeutungsgeschichte beginnt - dort hört es auf einen Namen, der für deutsche Ohren noch gewählter klingt: „spiritualité" -, wird im letzten Drittel des 20. Jahrhunderts immer beliebter und verbreitet sich weltweit. Obwohl die Kirchen der Reformation ihm zunächst noch reserviert gegenüberstehen (es stammt aus katholischem Hause) und den orthodoxen Christen die Bezeichnung „mystische Theologie" vertrauter ist, findet der Begriff bei der Vollversammlung des Ökumenischen Rates der Kirchen 1975 in Nairobi starke Aufmerksamkeit und wird von vielen als Hoffnungswort begrüßt. Im Jahr 1979 legt eine Arbeitsgruppe der Evangelischen Kirche in Deutschland eine Denkschrift zum Thema vor.

1.1. Ein Boom und seine Vorgeschichte

Spiritualität ist in aller Munde. In *aller* Munde? Wir müssen uns korrigieren: in *vieler* Munde: am ehesten bei denen, die im Sprachumfeld „höherer Bildung" leben. Für die anderen bleibt es ein Fremdwort, ein schwieriges noch dazu - aber von der „Sache", die durch Spiritualität bezeichnet wird, verstehen sie ebenfalls etwas - vielleicht sogar mehr als andere; diese Annahme scheint sich zumindest nahezulegen, wenn wir auch hier Jesu Wort gelten lassen: „Ich preise dich, Vater, Herr des Himmels und der Erde, weil du all das den Weisen und Klugen verborgen, den Unmündigen offenbart hast. Ja, Vater, so hat es dir gefallen" (Mt 11,25f.). - Wir wollen der Frage nicht nachgehen, aber gestellt werden soll sie doch: Was kommt eigentlich darin zum Ausdruck, wenn wir für einen zentralen Aspekt des religiösen Lebensvollzugs ein Fremdwort mit immer noch leicht elitärem Anklang verwenden? Spiritualität ist etwas verlockend Geheimnisvolles, und da kommt vielen ein Fremdwort mit bedeutungsvoller Aura gerade recht. Im deutschen Sprachraum hat es sich seit dem Anfang der sechziger Jahre durchgesetzt; sicher spielen hier auch Modetrends mit, aber bevor wir über die heutige Bedeutung dieses Wortes und seine vielfältig schillernden Assoziationen sprechen, soll zunächst noch seine Wortgeschichte erinnert werden.

Das griechische Wort „pneumatikos" wird, schon von Paulus her grundgelegt (1 Kor 2,13ff.; 9,11; 14,1), auf einen Menschen bezogen, den die Fülle des Gottesgeistes durchdringt; die christliche Neubildung „spirit(u)alis" übersetzt das griechische Wort ins Lateinische. Von dort wird es ins Französische übernommen, bürgert sich als „spiritualité" vom 17. Jahrhundert an ein, meint die persönliche Beziehung des Menschen zu Gott und legt dabei den besonderen Akzent auf die subjektive Seite dieses Verhältnisses.
Das griechische und lateinische Herkunftswort könnte man mit „geistlich" ins Deutsche übersetzen - wenn „geistlich" bei uns nicht eine eingegrenzte Bedeutung hätte: Das landläufige Sprachempfinden verbindet es ja mit der Personengruppe der „Geistlichen" (Ordensleute und Priester). Ein Wort, das so nahe Beziehungen zur Geistlichkeit hat, vermeidet man lieber und weicht aus - wie z.B. in der folgenden Annonce auf eine englische Bezeichnung.
Im „Berlin-Magazin-Tip" (Nummer 18/84) werden unter der Rubrik Kleinanzeigen „Minitips" gegeben: von „Aktivitäten" bis „Wohnungsmarkt". Zwischen „Reisen" und „Tiere" steht da, umgeben von Kleingewerbe, Kontakte, Lonely Hearts, Treffs, Unterricht: „spirits" - „spirits"? Und was ist damit gemeint?
Man findet Angebote zu: esoterische Tage, eine universale Lehre zur spirituellen Entfaltung; kosmobiologische Sterndeutung; Rutengänger zum Ausschließen krankheitsfördernder Störzonen; ein Wochenende zum Thema „Tanz, Kult und Religiösität"; Lebensberatung; Persönlichkeitsentwicklung; Bewußtseinserweiterung; Phantasiereisen; kreative Energie; Gedankenheilung; Energie- und Wahrnehmungsmassage; Biodynamik.
Kirchliche Angebote verirren sich, wie man sieht, auf diesem kunterbunten Markt der Möglichkeiten nicht - vielleicht, weil sie sich in dieser Umgebung nicht sonderlich wohlfühlen und etwas scheel angesehen würden?
Darf man sich mit einer solchen Fremdheit und Distanz eigentlich abfinden? Während vielen jungen Menschen kein Weg zu weit ist, um in die fernöstliche religiöse Kultur einzutauchen, bleibt ihnen die Tradition vor der eigenen Haustür seltsam unzugänglich: die vielen Gesichter der christlichen Spiritualität in den einzelnen Kirchen und Ländern; Persönlichkeiten, die sehr profilierte Glaubenshaltungen gelebt haben oder leben; und schließlich die vielgestaltige monastische Spiritualität, die auf die längsten und intensivsten Erfahrungen zurückblicken kann. Ihr gelingt es allerdings in letzter Zeit zunehmend, geistliche Schätze mit Suchenden „von draußen" zu teilen; das Mitleben von Gästen in geistlichen Gemeinschaften erweist sich mehr und mehr als gegenseitige (!) Förderung und Bereicherung. Dabei stellt sich heraus, daß die begriffliche Darstellung religiöser Wahrheiten nicht mehr ausreicht; auch aufrichtige Christen suchen weniger in der Theologie, sondern vielmehr in der Glaubens- und Gotteserfahrung auf verschiedenen Wegen ihr Heil.[1] Von dieser Tendenz spricht auch die „Botschaft an die

Christen der Welt“ (Nairobi 1975): „Wir sehnen uns nach einer neuen Spiritualität, die unser Planen, Denken und Handeln durchdringt.“[2]

1.2. Zwischenruf - um den inflationären Redefluß zu stoppen

Eine christliche Stimme aus Indien gibt zu bedenken: Die Kirchen sind „gleichsam zu erschöpften Minen geworden. Was jetzt aus den Minen herausgeholt wird, sind Wörter und Formeln, und der Markt ist davon übersättigt. Doch es fehlt an Erfahrung, und so werden wir Christen zu einem ‚Wörtervolk‘. Wir leben von Wörtern, wie jemand, der sich mit Speisekarten statt mit Mahlzeiten füttert.“[3]

Wenn dieser Verweis trifft - und wer möchte behaupten, das sei nicht der Fall!? -: Hat es dann eigentlich noch Sinn, hier nach der Devise zu verfahren: weiter im Text? Diese Frage wird noch verschärft, wenn wir auf einen ähnlich lautenden Einwand von Marcel Légaut hören. Er meint: Eine Annäherung an Spiritualität durch Lektüre ist „besonders gefährlich für Intellektuelle, wenn sie nicht schon eine wirkliche religiöse Erfahrung besitzen. Wenn diese Erfahrung vorhanden ist, sind diese Bücher eine Bestätigung, derer man nicht bedarf und auf die man sich nicht stützen soll“.[4]

Man tut also dem „Gegenstand Spiritualität“ einen schlechten Dienst, wenn man ihn in begrifflichen, abstrakten Darlegungen abhandelt. Spiritualität - das ist niemals ein festumrissen habhaftes Gedankengebäude, keine dogmatische Immobilie, sondern ereignet sich im Fluß der Erfahrungen; sie entsteht und verändert sich im Prozeß; deswegen ist, wenn sich überhaupt etwas davon in Worte fassen läßt, die angemessenere Weise ihrer sprachlichen Darstellung z.B. die Erzählung. Nicht minutiös fixierte Lehrsätze, sondern Lebens- und Glaubensgeschichten, die von Mund zu Mund (und von Herz zu Herz) gehen können, markieren ihren immer tastenden und suchenden Weg. Als geeignete sprachliche Annäherungsversuche können außerdem gelten: die Poesie, das Paradox, die Legende, das Märchen, die Ein-Wort-Meditation, das Gleichnis, die Metapher. „Die spirituelle Sprache wird sich an der Sprache der Faszinierten, Liebenden, Kinder und Dichter orientieren“.[5]

Eine Redeweise in diesem Sinn ist von der hier vorliegenden Arbeit leider nicht zu erwarten. Es soll aber versucht werden, diesen Mangel zu mildern,

1 Vgl. *H. M. Enomiya-Lassalle,* Wohin geht der Mensch?, Zürich/Einsiedeln/Köln 1981, 79.

2 Evangelische Spiritualität. Überlegungen und Anstöße zur Neuorientierung. Vorgelegt von einer Arbeitsgruppe der Evangelischen Kirche in Deutschland, Gütersloh/Göttingen 1979, 7.

3 *A. de Mello,* Beten lernen, in: Concilium 18 (1982) 672.

4 *A. Rotzetter* (Hrsg.), Seminar Spiritualität, Band 2, Geist und Geistesgaben. Die Erscheinungsformen des geistlichen Lebens in ihrer Einheit und Vielfalt, Zürich/Einsiedeln/Köln 1980, 249.

5 *Ders.* (Hrsg.), Seminar Spiritualität, Band 1, Geist wird Leib. Theologische und anthropologische Voraussetzungen des geistlichen Lebens, Zürich/Einsiedeln/Köln 1979, 36.

indem durch Erfahrung beglaubigte Äußerungen zu Wort kommen.
Zum Abschluß dieser kurzen Überlegung zur Gefahr einer religiösen Geschwätzigkeit, die sich mit Vorliebe zu abstrakt-spekulativen Höhenflügen erhebt, ein Wort von Fulbert Steffensky: „Je stärker die Menschen selbst mit ihren Lebenswünschen in eine Sprache eindringen, um so intimer wird diese gefärbt von dem Kolorit ihrer Leiden, ihrer Kämpfe, ihrer Sorgen und ihrer Hoffnungen. Es gibt also kein Esperanto des Glaubens. Das Christentum ist der Dialekt der Wünsche unserer Lebensregion".[6]

2. Leben aus der Kraft des Geistes

Die religiöse Sicht von Welt und Mensch in ihren verschiedenen Ausprägungen geht von der Überzeugung aus: Die Kraft des Geistes, die sich in allem Leben regt, hat ihren Ursprung in dem unaussprechlichen Geheimnis, das die Sprache des Glaubens Gott nennt. Dieses Geheimnis kann wahrgenommen werden, denn es macht sich bemerkbar. Worte genügen ihm nicht: Es ist angewiesen auf die dolmetschende Hilfe von manchmal verhaltenen und manchmal emphatischen Gebärden, Zeichen und Symbolen. Es sucht immer neu nach lebendigen Formen, um in ganz bestimmten „Lebenslandschaften"[7] Gestalt anzunehmen.
Als spirituell können wir jede Lebensäußerung, jede Lebens- und Weltgestaltung bezeichnen, die aus dem Quellgrund religiöser Erfahrung kommt. Menschen spüren in sich eine beseelende Kraft und überlassen sich ihr, die ihnen die Augen des Herzens öffnet. Sie werden von dem verborgenen, inneren Wurzelgrund allen Seins heilsam berührt, das mit ihnen einen neuen Bund schließen will; wenn sie zustimmen, kommen sie zum wahren Selbst, und in ihnen bricht lebendiges Wasser auf. Alle Welt kann sehen, alle Welt soll sehen, wes Geistes Kinder sie sind.

2.1. Nicht nur der Mensch – jedes Geschöpf lebt aus der Kraft des Geistes

So wichtig es ist, das Bedeutungsfeld von Spiritualität genau zu umgrenzen – zunächst kommt es darauf an, seinen Geltungsbereich weit zu fassen. Deshalb nehmen wir *jede Lebensäußerung* in den Blick. Denn nicht nur das Antlitz des Menschen, das von innen her für das unaussprechliche Geheimnis aufgeschlossen ist, lobt Gott, sondern auch die Lichter am Himmel, das strahlende Gesicht der Löwenzahnblume und das Flügelschlagen der

[6] *F. Steffensky,* Feier des Lebens. Spiritualität im Alltag, Stuttgart 1984, 108.
[7] Vgl. ebd.

Taube - übrigens längst, bevor wir dies bemerken, es reflektierend begreifen und uns daran freuen. Dieser Gottesdienst der vormenschlichen Schöpfung hat eine viel länger zurückreichende Tradition als all unsere Liturgien. Die Farne z.B. sind schon unausdenkbar lange zur Stelle: 400 Millionen Jahre. Als das Spiel ihrer Blätter in Wind und Licht begann, war - bis der Mensch erschien - noch Zeit, unendlich viel Zeit (399 Millionen Jahre - vielleicht etwas weniger, vielleicht etwas mehr).
Jetzt wird das Antlitz der Erde entstellt; wir bürden ihr immer mehr technische Zivilisation auf und schädigen dabei unsere Mitgeschöpfe, bringen sie zum Schweigen, verdrängen und vernichten sie. Wäre es da nicht angebracht, das Wort Jesu, das von der zwischenmenschlichen Versöhnung spricht, auch auf die anderen Mitgeschöpfe, unsere Opfer, zu beziehen: „Wenn du deine Gabe zum Altar bringst und dir dabei einfällt, daß dein Bruder etwas gegen dich hat, so laß deine Gabe dort vor dem Altar liegen; geh und versöhne dich zuerst mit deinem Bruder, dann komm und opfere deine Gabe" (Mt 5,23)!?
Die verheerenden Auswirkungen einer Zivilisation der Ausbeutung, der Unterdrückung und Entfremdung, die unsere Erde mehr und mehr verwüstet, lassen die Sehnsucht wachsen nach einer „Zivilisation der Liebe" (Paul VI.). Es zeigt sich: Bisherige Zielsetzungen und Lebensmuster, wie sie sich vor allem in den dominanten, entwickelten Industrienationen herausgebildet haben, werden für die Zukunft nicht mehr ausreichen. Wenn man sie weiterhin einfach fortschreibt, beschwört man die Katastrophen, die sich bisher schon abzeichnen, endgültig herauf. Eine Umkehr ist nötig - nicht nur für den jeweils einzelnen, sondern für die Menschheit insgesamt.
Als Reaktion bildet sich nun zum einen vielerorts eine Innerlichkeit heraus, die nur noch die Augen schließen möchte und insgeheim die Zukunft bereits verloren gibt. Andere sehen in den Krisenphänomenen Geburtswehen, die ein neues Bewußtsein ankündigen, das unter Schmerzen und großen Gefahren zur Welt kommen will. So sagt der christliche Zen-Meister Enomiya-Lassalle: „In eigentümlicher Weise halten sich die Furcht vor der großen Gefahr und die Hoffnung auf die neue Zeit die Waage. Das ist in der Tat die heutige Situation"[8].
Immer mehr Menschen spüren: Wir brauchen eine Bekehrung, eine Wiedergeburt; mit der *einen* Geburt am Anfang des Lebens ist es nicht getan - das reicht in dieser tödlich bedrohten Welt nicht zum Leben und nicht zum Sterben. Sie sind empfänglich für soziale Bewegungen und geistliche Führer, lassen sich dabei leiten von einer neuartigen, merkwürdigen Feinfühligkeit für Strahlung, die von Meistern, Erleuchteten ausgeht.[9] Von den Kir-

[8] *H. M. Enomiya-Lassalle,* a.a.O., 131f.
[9] Vgl. ebd.

chen erwarten sie: Umkehr sollen sie nicht nur fordern, sondern als gesellschaftliche Größen zeichenhaft selbst vollziehen. Aber die spirituelle Transformation der Kirchen beginnt erst in Ansätzen, zaghaft und langsam, weil sie sich gegen manche Widerstände behaupten muß. Viele Menschen verlieren die Geduld und wenden sich ab.

2.2. „... eine Stadt, die auf dem Berge liegt, kann nicht verborgen bleiben ...“ (Mt 5,14)

Seit dem Ende der sechziger Jahre zieht es junge Menschen in großer Zahl nach Taizé. Die dortige Brüdergemeinschaft mit ihrem Prior Roger Schutz inspiriert und stärkt viele, die nach einem ganzheitlichen christlichen Zeugnis suchen. Sie sehen im „Konzil der Jugend“ und in den „Pilgerwegen der Versöhnung“ ermutigende Beispiele für eine schöpferisch-evangelische Antwort auf die Zeichen der Zeit. Für die geistliche Anregung und Begleitung, die in Taizé entstanden ist, sind folgende Merkmale charakteristisch:

- spirituelle Kraft und gesammelte Präsenz im Zuhören und sich Einlassen auf die neuen Fragen;
- ökumenische Kompetenz mit einem liebevollen Respekt vor ganz andersartigen und fremden Lebenshaltungen;
- ein lebhaftes Gespür für gesellschaftliche Aufbrüche, in denen Altes abgelöst wird und Neues entsteht;
- souveräne, kritische Distanz gegenüber der etablierten Politik, ihren Ordnungen, ihren Repräsentanten, ihren Nutznießern;
- eine Empfindsamkeit, die mitten im Lärm der autorisierten und dominierenden Verlautbarungen empfänglich bleibt für die Stimme der Stimmlosen, für ihre Not und ihre Klage;
- ein entschiedenes Gespür für die Chance, in den Kirchen der Armen und zusammen mit ihnen die verlorengegangene Einheit von „Kampf und Kontemplation“ wiederzufinden.

Zwar ist es müßig und auch etwas ungerecht, darüber zu spekulieren, aber verlockend ist die Frage trotzdem: Wie wäre wohl die Entwicklung der letzten Jahre verlaufen, wenn diese Haltung, diese geduldige Aufgeschlossenheit in den Kirchen weiter verbreitet gewesen wäre?

Taizé läßt sich nicht kopieren - nicht zuletzt, weil eine lange, prägende Vorgeschichte dem Engagement der Kommunität in den letzten Jahren vorausging. Als der Brüdergemeinschaft ihre neue Aufgabe zufiel, hatte sie nämlich eine ganz spezifische Lehrzeit hinter sich. Sie war, getrieben von ihrem ökumenischen Grundimpuls, in die Schule gegangen bei der spirituellen Tradition nicht nur der protestantischen Kirchen, sondern auch der römisch-katholischen und der orthodoxen. Diese Bemühung hinterließ nicht nur im Gottesdienst ihre Spuren; sie bestimmt auch den Umgang mit den

Menschen, das Eingehen auf ihre Eigenart, die Ehrfurcht vor ihrem Charisma.

2.3. *Theologie der Befreiung*

Das Stichwort „Kampf und Kontemplation“ aus Taizé steht für eine Glaubenshaltung, um die sich immer mehr Christen bemühen. Die Vollversammlung des Ökumenischen Rates der Kirchen 1975 in Nairobi forderte eine „Spiritualität für den Kampf“[10]; Johann Baptist Metz hat, zunächst im Blick auf die Orden, dann aber auch auf das christliche Zeugnis überhaupt, formuliert: „Die Radikalität der Nachfolge ist mystisch und politisch zugleich.“[11] Und der Wunsch, den Fulbert Steffensky äußert, gibt die Sehnsucht vieler wieder: „Ich möchte zwei Begriffe zusammenbringen: Schönheit und Kampf; Poesie und Widerstand; Trost und Aktivität. Das Leben braucht Schönheit, der Kampf braucht Poesie und Frechheit, wenn er nicht selber wieder martialisch und unmenschlich werden soll.“[12]

Eine emanzipatorisch-politische Spiritualität weiß sich von der prophetischen Tradition, die ja auch dem Weg Jesu seine Richtung gibt, herausgefordert. Von ihr wird der zur Nachfolge Gerufene hineingestellt in die Solidarität mit den Armen; damit überwindet er die klassische Engführung eines ausschließlich zweipoligen mystischen Verhältnisses, das (der frühe) Augustinus (354–430) programmatisch so gefaßt hat: „Gott und die Seele will ich erkennen – sonst nichts!“ (Soliloquien). Er hat sich später selbst nicht an das kategorische „sonst nichts!“ gehalten. Mit seinem kirchlichen Dienst mußte er viele Aufgaben übernehmen; dabei lernte er, in sein Suchen nach Gott die Welt mit ihren Nöten und Fragen immer mehr einzubeziehen.

Die Einsicht, daß zum Glauben an Gott der Dienst an der Welt gehört, verpflichtet uns heute viel stärker als Menschen früherer Zeiten. Denn nach den geschichtlichen Erfahrungen, die inzwischen gemacht worden sind, und unter den historischen Bedingungen, die für uns gelten, muß die christliche Weltverantwortung heute viel radikaler politisch gefaßt und eingelöst werden. „Von dem Ja zum leidenden Gottesknecht und von dem Ja zu den Brüdern her gewinnt das Reden von einer Spiritualität des Kampfes seine biblisch begründete Berechtigung“[13].

In der sogenannten Dritten Welt zeigt sich: Eine Spiritualität, die am Befreiungskampf der Unterdrückten und Armen teilnimmt, wird zum Politikum, das Haß und Verfolgung auf sich zieht. Viele Christen, die Gerechtigkeit für

[10] Vgl. Evangelische Spiritualität, a.a.O., 9.

[11] *J. B. Metz,* Zeit der Orden? Zur Mystik und Politik der Nachfolge, Freiburg/Basel/Wien 1977, 45.

[12] *F. Steffensky,* a.a.O., 19f.

[13] Evangelische Spiritualität, a.a.O., 13.

die Rechtlosen einfordern, sind in den letzten Jahren gefangengesetzt, gefoltert und umgebracht worden. Die (Basis-)Gemeinden Lateinamerikas halten die Erinnerung an zahllose Blutzeugen wach, die in der Nachfolge Jesu auch sein Todesleiden auf sich genommen haben. Ihr Martyrium gibt ihnen eine unvergleichliche Würde und Autorität; sie unterscheidet sich sehr von einem ganz andersartigen Selbstverständnis, das sich ebenfalls christlich nennt: Es hält die Kultivierung einer gepflegten Spiritualität für vereinbar mit der Beteiligung oder stillschweigenden Billigung von Ausbeutung und Unterdrückung.

3. Wie steht der Geist Gottes zu (kirchen-)kritischen Geistern?

In den reichen Ländern wächst die Erkenntnis: Es genügt nicht, von ferne mit der Spiritualität der Befreiung zu sympathisieren. Die Verbundenheit muß konkret Gestalt annehmen: in der Solidaritätsarbeit, aber auch, indem wir uns hier um einen anderen Lebensstil bemühen. Mitten im Wohlstand wächst der Sinn für eine „asketische Kultur“ (von Weizsäcker), für die freigewählte Armut, für die Suche nach den einfacheren Mitteln, für die Schönheit des Miteinander-Teilens. - Und unsere Kirchen? Auf diese Frage soll zunächst ein Gleichnis antworten.

3.1. Die Mühle am Aa-See

Am Stadtrand von Münster in Westfalen steht eine Windmühle. Sie hat ihren Platz auf einer Anhöhe über dem Aa-See, günstig gelegen für den Wind, der meist und am stärksten aus dem Westen weht. Wer fremd ist in der Stadt und sieht, wie ihre mächtigen Flügel sich drehen, wird sich freuen: Wie schön, wird er denken; eine Mühle, die wie in alter Zeit Windkraft umsetzt für unser tägliches Brot. - An einem nächsten Tag wird er wieder Grund haben, sich zu wundern. Er muß nämlich feststellen: Die Mühle dreht sich, ohne daß ein Lüftchen sich regt. Und dann zeigt sich bei näherem Zusehen: Sie gehört zu einem Museum, und Besucher können mit einem Fünfmarkstück einen Elektromotor in Betrieb setzen, der für drei Minuten Wind macht.
Das ist allerdings nur möglich, weil - wie man leicht verstehen wird - die Flügel sich vom echten Wind nichts mehr annehmen. Für ihn sind sie nicht mehr empfänglich, auch bei Sturm rühren sie sich nicht vom Fleck. Sie sind zuverlässig, durchgreifend blockiert, an ein anderes Energiesystem angeschlossen. Das war unumgänglich: Man mußte sie für ihre bisherige Funktion, Windkraft auf die Mahlsteine zu lenken, sperren, damit sie eine dekora-

tive, gleichmäßige Bewegung ausführen und den erwünschten schönen Schein herstellen können. Der Freizeitkonsument, der sich bereitwillig einem nostalgischen Ausflug in die Gefilde einer versunkenen Idylle anschließt, läßt sich gern täuschen und wiegt sich in dem Glauben, daß die alte Mühle noch immer mit dem Wind im Bunde ist.

Die Kirche sollte möglichst das Wehen des Gottesgeistes in Glaubenskraft umsetzen: für das Brot, das der Welt Leben gibt. Die Kirchen in unserem Land sind in Bewegung, unübersehbar wie die Mühle am Aa-See mit ihren rotierenden Flügeln. Aber was ist das für eine Kraft, die antreibt? Gibt es auch hier, bei den Kirchen, die blockierende Sperre, die dem Sturm den Zutritt verwehrt?

Hat man auch hier Vorkehrungen getroffen, die dafür sorgen, daß die Flügel auf den Wind nicht mehr ansprechen: weil man sie längst an ein anderes Energiesystem angeschlossen hat? Dann entstehen genau geplante und dosierte Bewegungsabläufe, ebenmäßig und feierlich, zuverlässig angetrieben vom verhaltenen Pathos der immer gleichen Umdrehung.

3.2. Die Kirche bei uns: eingefügt, angepaßt

1975 hat sich die bundesdeutsche katholische Kirche in ihrem Synodenbeschluß „Unsere Hoffnung" selbst vor einer Gefahr gewarnt, die sich inzwischen noch viel deutlicher abzeichnet:

„... vielleicht sind wir im kirchlichen Leben unseres Landes selbst schon zu fest und unbeweglich in die Systeme und Interessen unseres gesellschaftlichen Lebens eingefügt. Vielleicht haben wir uns inzwischen selbst schon zu sehr anpassen lassen, indem wir weitgehend jenen Platz und jene Funktion eingenommen haben, die uns nicht einfach der Wille Gottes, sondern der geheimnislose Selbsterhaltungswille unserer Bedürfnisgesellschaft und das Interesse an ihrem reibungslosen Ablauf zudiktiert haben."[14]

Man darf die Tatsache nicht überbewerten, daß diese Bedenken in einem offiziellen kirchlichen Text benannt worden sind. Die Kirche als ganze hat nämlich diese Warnungen an die eigene Adresse de facto nicht beachtet. Kleine kritische Gruppen haben versucht, die Erinnerung daran wachzuhalten, und sie hatten dabei einen schweren Stand. Immerhin gab und gibt es diese Stimmen. Sie vertreten die Meinung, die Kirche sei zu eng mit den Systemen und Interessen unseres gesellschaftlichen Lebens verbunden; sie schade ihrem prophetischen und evangelischen Auftrag, indem sie sich dem geheimnislosen Selbsterhaltungswillen unserer Bedürfnisgesellschaft kaum einmal verweigert, sondern ihn meist widerspruchslos hinnimmt, ihn sogar

[14] Unsere Hoffnung. Ein Beschluß der gemeinsamen Synode der Bistümer in der Bundesrepublik Deutschland, Bonn 1975, III.1.

durch religiöse Legitimierung verstärkt und sich auch selbst von ihm bestimmen läßt. Als Belege seien hier nur die Stichworte „Friedensdiskussion“ und „Auseinandersetzung um die Theologie der Befreiung“ genannt. Im Blick auf beide Fragekomplexe spricht manches für die Behauptung: Die Kirche ist so sehr darauf bedacht, eine Kollision mit dem Ideologie-Syndrom der atlantischen Allianz zu vermeiden, daß sie es vorzieht, die ohnehin schon erhebliche Distanz zu Menschen in ihren eigenen Reihen noch zu vergrößern: die Distanz nicht nur zu einzelnen und Gruppen im eigenen Land, sondern auch die Distanz zu katholischen Schwesterkirchen, etwa Nord- und Südamerikas, und die Distanz zu vielen protestantischen Kirchen. Aus der Fixierung auf spezifisch bundesdeutsche Optionen entsteht ein Provinzialismus ganz eigener Art; mehr und mehr gefährdet er die ökumenische Integration – zumal er mit dem Anspruch auftritt, Maßstäbe zu liefern, denen gegenüber sich auch Christen anderer Länder zu verantworten haben.

3.3. Geld und Geist – von der Schwierigkeit, zwei Herren zu dienen

Das Salz der christlichen Botschaft verliert seine Kraft, wenn es immer nur oder vornehmlich dazu herhalten muß, die private Frömmigkeit von Wohlstandsbürgern geschmacklich zu verfeinern und abzurunden. Es wird viel besser zeigen können, was in ihm steckt, wenn wir die konkrete kirchliche Gestalt des Glaubens nicht einfach kritiklos hinnehmen. Wenn uns die Kirche am Herzen liegt, wenn wir es gut mit ihr meinen: Müssen wir dann nicht ganz neu und viel radikaler danach fragen, wie die gesellschaftliche Verantwortung des Glaubens heute wahrzunehmen ist? Und dürfen wir uns um des lieben Friedens willen davon dispensieren, von der Sorge zu sprechen, die vielen Christen zu schaffen macht: Verschließt die Kirche bei uns nicht allzu gern die Augen vor der Erkenntnis, daß sie immer wieder dem Geist ihres konkreten Standortes, von dem sie geprägt ist, den Vorzug gibt vor dem Geist Jesu? Sie hat sich ja in dieser Weltregion sehr gut eingerichtet und arrangiert, sie hat ein Zuhause – und man kann spüren, daß sie „aus gutem Hause“ stammt. Sie ist Bestandteil eines Landes, das unter den reichsten Nationen unserer Erde eine führende Stellung innehat. Hier ist sie vielfältig eingebunden, achtet auf gutes Einvernehmen, und nach wie vor sprechen offensichtlich plausible politische Gründe dafür, ihre Dienste mit einem stattlichen Jahresgehalt zu honorieren (10 Milliarden DM Kirchensteuergelder für die beiden großen Kirchen).

Die bundesdeutsche Gesellschaft schätzt das Geld so hoch und versteht von ihm so viel – was wäre sie ohne ihre gute, harte Währung? Ihr verdankt sie so viel, und von ihr verspricht sie sich für die Zukunft das Entscheidende. Wird eine solche Gesellschaft nicht genau darauf achten (wollen und müssen!), daß ihre Investitionen sich auszahlen? Und entrichtet eine Kirche, die sich auf Kosten ihrer evangelischen Freiheit auf einen solchen Handel einläßt und in solche Verbindlichkeiten hineinbegibt, nicht einen hohen, *zu* hohen Preis?

Mancher Leser mag sich bei den zuletzt vorgetragenen Überlegungen gefragt haben: Gehören solche Argumentationen in einen Text über Spiritualität? Gegenfrage: Was ist von einer Spiritualität zu halten, die beiläufig und problemlos die fragwürdige Rolle übersieht (und damit gutheißt!), die das Geld in den reichen Kirchen spielt?

Eine unkritische, systemfromme, risikofreie Spiritualität fügt sich reibungslos in die bunte Warenwelt mit ihren üppigen Sortimenten ein, geht in ihr auf – und unter. So erfolgreich die kommerzialisierten Fernsehkirchen in den USA mit ihren Millionen-Umsätzen sein mögen: Diese religiöse Geschäftemacherei unterscheidet sich wesentlich von einer Spiritualität, die sich vom Medienmarkt und dem Wettbewerb um hohe Einschaltquoten fernhält. Denn sie würde sich selbst zerstören, wenn sie ihre beharrliche Weigerung aufgäbe, die Lieder des Herrn im fremden Land des Götzendienstes zu singen.[15]

Sie braucht andere Orte, um ihre Stimme erheben zu können. Eine Feststellung aus Lateinamerika: „Wie das Gesangbuch die Volksschichten im Europa des sechzehnten Jahrhunderts katechisierte und im evangelischen Glauben erzog, so gibt es auch dort, wo Basisgemeinden entstehen, viele neue Lieder, die den Kampf und die Hoffnung des Volkes besingen, das anfängt sich zu organisieren und das die Saat einer neuen Kirche und einer neuen Gesellschaft ausstreut“[16].

4. Grundlinien, Perspektiven einer neuen Spiritualität

In einer von Wandel und Umbrüchen bestimmten Welt kann die Kirche nicht einfach weitermachen wie bisher. In einem schmerzlichen Prozeß muß sie zur „Kirche in der Welt von heute“ (II. Vatikanisches Konzil) werden, um so die Voraussetzungen zu schaffen für die Kirche in der Welt von morgen. Geburtshilfe bei diesem Gestaltwandel leistet eine neue Spiritualität. Sie ist neu nicht in dem Sinn, daß man sich von aller Tradition lossagte. Es kommt vielmehr darauf an, die Tradition noch einmal neu zu bedenken, sie von den veränderten Voraussetzungen her, die für unser christliches Zeugnis heute maßgebend sind, zu sichten. Damit verbietet sich eine Verwendung der

15 Vgl. Ps 137.

16 *O. Beozzo,* Die Tradierung des Glaubens an die nächste Generation, in: Concilium 20 (1984) 285.

Tradition, die sie als Vor-Mund einsetzt, der dem neuen, prophetischen Zeugnis für unsere Gegenwart und Zukunft das Wort verbieten soll.

4.1. Subjekt-Werden: in den Lernfeldern sozialer Bewegungen

Immer mehr Menschen hören damit auf, sich auf dogmatisch zugelassenen Denkwegen über Glaubensfragen den Kopf zu zerbrechen. Sie gehen dazu über, sich auch religiös auf die eigenen Füße zu stellen. Sie sind nicht mehr zufrieden damit, nur Empfänger der Heilsbotschaft und Objekte der Seelsorge zu sein. Sie wollen nicht weiter den Wunsch unterdrücken, die eigenen Möglichkeiten religiöser Erfahrung zu erkunden und zu entfalten – in einer partnerschaftlichen, schöpferischen Gemeinsamkeit mit anderen. So kommt es zu einer Entklerikalisierung der Spiritualität; sie wird in den Laienstand versetzt: ein guter Ausgangspunkt, um sich von einer patriarchalischen Glaubenshaltung zu lösen, die so sehr an dem Übermaß ihrer oft ängstlich verkrampften Reflexion krankt. Vergeistigung und Verleiblichung treten nicht mehr als unvereinbare Gegensätze gegeneinander an, sinnliche Erfahrungen erscheinen nicht mehr als gefährliche und hinterlistige Anschläge, die den Menschen vom inneren Weg abbringen und in die Irre führen wollen.

Besonders die Frauen setzen neue Akzente. „Eine neue Frauenspiritualität wird sichtbar, in der Ich, Natur und Gesellschaft nicht mehr zu trennen sind, und die gerade in ihrer betonten Innerweltlichkeit religiöse Dimensionen hat ... Es ist ein Lebensstil von hohem persönlichen und politischen Anspruch, unfertig, undogmatisch, Prozessen ausgeliefert und die Kirchen sprengend. Er wächst in und unter Frauen, aber er könnte beispielhaft auch für Männer werden, für eine nachpatriachale Zeit, in der die Wiederkehr des Körpers und die Verantwortung für diese Erde mehr denn je unseren aufrechten Gang erfordert.“[17]

Spiritualität ist kein Weg *aus* dieser Welt *hinaus,* sondern ein Weg *in* sie *hinein* – in ihre Tiefe – und *über* sie *hinaus:* in die kommende Welt des Reiches Gottes. Das gilt auch für Glaubensprofile, die sich in anderen emanzipatorischen Bewegungen, z. B. der Vietnamkrieg-Gegner, der schwarzen Bürgerrechtler, der Studentenunruhen, in den sechziger Jahren herausgebildet haben.

In letzter Zeit hat sich bei uns nicht nur eine neuartige ökologische Frömmigkeit entwickelt, es ist nicht nur zu einer Glaubensbewährung in der Dritte-Welt-Solidaritätsarbeit gekommen, sondern viele haben auch den Kampf um Frieden und Abrüstung als Herausforderung erlebt, die ihren Glauben vertieft hat. Welche spirituellen Auswirkungen das christliche

[17] *E. Moltmann-Wendel,* in: Publik-Forum-Extra vom 30. 11. 1984, 24f.

Mittun in der Friedensbewegung der letzten Jahre (besonders seit dem Nato-Doppelbeschluß 1979) hatte und haben wird, läßt sich noch gar nicht abschätzen. Jedenfalls gab es ein viel breiteres und intensiveres Engagement von Christen als zuvor; es ging z. B. weit über den christlichen Beitrag zur Anti-Atom-Tod- und Ostermarsch-Bewegung der fünfziger Jahre hinaus. Gemeinden und Kirchenleitungen haben mit Verwunderung, Zurückhaltung, Unbehagen, Sorge und sogar Ärger dieses „Überlaufen" vieler, vorwiegend junger Christen zur Friedensbewegung registriert und darin in der Regel nicht ein Werk des heiligen Geistes in unserer Zeit sehen können. Aber sie haben auch festgestellt, daß die religiösen Begründungen, die von christlichen Mitgliedern der Friedensbewegung gegeben wurden, keine nachgereichten, aufgesetzten Rechtfertigungsfiguren waren, sondern das Engagement von innen her beseelten und vorantrieben.

4.2. Der Geist drängt auf ökumenische Entgrenzung

Die Spiritualität tritt heraus aus ihrer konfessionellen Engführung; sie möchte Spiritualität für die gesamte „Oikumene" (das heißt „bewohnte Welt") sein; daß dieser Weg, der Grenzen von Kulturen überschreitet, nicht nur beschwerlich, sondern auch riskant ist oder sein kann, versteht sich von selbst. Aber die Erinnerung an eine geschichtliche Erfahrung kann uns ermutigen. Im alten, vor-christlichen Israel der Weisheitslehrer und in der Frühen Kirche gab es gläubige Menschen, die mit wachem Einfühlungsvermögen und großer geistiger Kraft Samenkörner der Wahrheit in einer Umgebung aufspürten, die nicht vom biblischen Glauben geprägt war. Die Lehrer der ersten christlichen Gemeinden entdeckten in der Philosophie ihrer heidnischen Mitmenschen Spuren, die auf Christus verwiesen.
Es gibt in unserer Zeit bereits einige Christen, die in der Begegnung mit „Ungläubigen" überraschende Erfahrungen machten. Der französische Benediktiner-Pater Henri Le Saux (1910–1973), der lange in Indien lebte und dort den Namen Swami Abhishiktananda annahm, sagte rückblickend in einem Gebet: „Ich war hierhergekommen, um Dich (Jesus) meinen Hindu-Brüdern bekanntzumachen, doch bist Du es, der sich mir durch ihre Vermittlung zu erkennen gab."[18]
Die Französin Madeleine Delbrêl (1904–1964), die eine unverkennbar persönliche, eigenständige Spiritualität ausgeprägt und beschrieben hat, begegnete als engagiert katholische Sozialarbeiterin dem Marxismus; die praktische Zusammenarbeit erschloß ihr einen so tiefen Einblick in den Glauben und die Hoffnung der Marxisten, daß sie deren Großmut, ihre Selbstlosigkeit und ihre Opfer bewunderte. Sie schrieb: „Die Achtung und die Zunei-

[18] *G. Ruhbach/J. Sudbrack* (Hrsg.), Große Mystiker. Leben und Wirken, München 1984, 343.

gung, die ich ihnen zollte, habe ich nie zurückgenommen."[19] Diese Wertschätzung führte nicht dazu, daß Madeleine Delbrêl wesentliche Unterschiede zwischen marxistischer und christlicher Hoffnung übersehen oder bagatellisiert hätte. (Wenn sich eine solche differenzierende Sicht unter Christen weiter hätte verbreiten und durchsetzen können - ob uns dann der unerbittlich feindselige Antikommunismus, der bis heute im „christlichen Lager" viel Resonanz findet, erspart geblieben wäre?)

Virgil Elizondo hat kürzlich die Glaubensvermittlung in den Vereinigten Staaten von Amerika untersucht; er ist „überzeugt, daß wirkliche Bekehrungserfahrungen, solche, die bleibend zu einem Leben in christlicher Nachfolge führen, sich im allgemeinen in nichtkirchlichen Situationen ereignen"[20]. Er teilt eine weitere Beobachtung mit, die ein anderes Land betrifft: „Es ist erstaunlich, daß in Japan heutzutage mehr Bekehrte aus den Reihen der Anonymen Alkoholiker und Anonymen Drogenabhängigen gewonnen werden als bei allen vorherigen Anstrengungen seitens der Missionare"[21].

Eine ökumenische Entgrenzung scheint schließlich in Gang zu kommen gegenüber denjenigen Teilen der christlichen Geschichte, die bislang übergangen oder abgewertet wurden. Bisher verketzerte christliche Dissidenten-Gruppen werden endlich von Vorurteilen befreit, die ihnen durch die Jahrhunderte nachgingen. Man entdeckt: Ihre Traditionen werden doch ebenfalls von dem *einen* Lebensstrom gespeist, der von Christus kommt. Und es stellt sich die Frage: Gab es dort nicht hochrespektable christliche Haltungen, die von den großen Kirchen oft mit blutiger Unterdrückung und gehässiger Kontrovers-Theologie dem Vergessen überantwortet wurden? Es käme darauf an, die ins Abseits der Sekten und Ketzer abgedrängte Spiritualität noch einmal zu bedenken - nicht nur, um ein wenig Wiedergutmachung zu leisten! Zu unserem eigenen Nutzen sollten wir die Empfehlung des Paulus befolgen und auf bisher „nicht-hoffähige" Gruppen anwenden: „Prüfet alles; was gut ist, behaltet!" (1 Thess 5,21)

Wenn wir die christliche Tradition unter diesem Gesichtspunkt betrachten, wird sich herausstellen, daß es bereits Christen früherer Zeiten nicht genügte, sich nur in den „Glaubens-Bezirken" aufzuhalten, die von den zuständigen Autoritäten als rechtgläubig bezeichnet wurden. Dies läßt sich z. B. an dem spanischen Mystiker Johannes vom Kreuz (1542–1591) zeigen, der neuerdings wieder sehr beachtet wird. Seine Schriften mögen manchmal die Frage aufkommen lassen, ob er ein Buddhist oder ein Christ sei. Man könnte ihn aber auch als den Protestanten unter den Katholiken bezeichnen, denn

19 *A. Rotzetter* (Hrsg.), Seminar Spiritualität, Band 1, a.a.O., 253.
20 *V. Elizondo,* Die Tradierung des Glaubens an die nächste Generation, in: Concilium 20 (1984) 353.
21 Ebd., 356.

er hat eine größere Nähe zu dem reformatorischen Axiom „sola fide“, als man damals feststellen konnte; außerdem läßt sich eine große Nähe zu Luther und Kierkegaard in ihrem Verständnis vom Verhältnis der Seele zu Gott nachweisen.[22]

Eine Überwindung von Barrieren, die in der Vergangenheit aufgerichtet wurden, ist schon schwierig genug; noch mehr Mut braucht es, in einer ökumenisch entgrenzten Aufgeschlossenheit in die Zukunft hineinzugehen. Hugo M. Enomiya-Lassalle hat im Anschluß an den Kulturphänomenologen Jean Gebser versucht, für unsere Zeit, in der sich ein gewaltiger Umbruch vollzieht, eine Zukunftsorientierung zu entwerfen. Er beschreibt das Heraufkommen eines neuen Bewußtseins, das jenseits des rationalen, begrifflichen Denkens liegt; er schaut zunächst auf drei Bewußtseinsstufen zurück, die die Menschheit in ihrer Entwicklung schon durchlaufen hat: das archaische, das magische und das mythische Bewußtsein. Wie die Stufe beschaffen sein wird, die nach dem mentalen Bewußtsein kommt, in dem wir uns zur Zeit noch befinden, läßt sich mit „hiesigen“ Denkkategorien noch nicht genau ausmachen. Aber es zeichnen sich doch bereits Umrisse des Kommenden ab; besonders das „mystische Erkennen“ ist schon jetzt imstande, die neue Struktur zu erahnen. Die nicht-gegenständliche Meditation ist ein Weg, die Empfänglichkeit für das Kommende zu fördern.

Es gibt bereits Anzeichen der Mutation zum neuen Bewußtsein: Die Überwindung des begrifflichen Zeitverständnisses der mentalen Struktur durch Einstein („Der erste Ausdruck einer Konkretion des Geistigen“[23]); das Suchen nach Wahrnehmung der Ganzheit, die schlußfolgerndes Denken überwindet, sich der intuitiven Schau öffnet und zum Wesen der Dinge vordringt.[24]

Enomiya-Lassalle beschreibt ein Projekt in Indien, das sich der Aufgabe widmet, die unbewußt in der Materie schlummernden Kräfte des Geistes auf die Zukunft hin zu wecken. Er porträtiert Leben und Werk von Sri Aurobindo (1872–1950) und seiner Mitarbeiterin Mir Alsfassa, der „Mutter“ (1877–1973) in Pondicherry. Die letztgenannte gründete dort 1968 Auroville, die Stadt des Zukunftsmenschen.[25] Dort sollte nicht mehr die mentale Intelligenz dominieren, sondern das spirituell erfüllte Bewußtsein. Ein Text aus Auroville sieht das so: „Es ist eine junge und neue Welt, die jetzt im Entstehen ist, und es ist die Jugend, die sie gestalten muß; unser Ideal ist eine Geburt des Menschen im Geist, unser Leben muß eine spirituelle, inspi-

22 Vgl. *G. S. Wakefield* (Ed.), A Dictionary of christian Spirituality, London 1983, 363 und Vorwort.
23 Vgl. *H. M. Enomiya-Lasalle*, a.a.O., 85.
24 Vgl. ebd., 64–69.
25 Vgl. ebd., 96–101.

rierte Bemühung sein, einen Körper der Tat für die große Geburt und Schöpfung zu bilden."[26]

„Die Menschheit steht erst an ihrem Anfang . . . Der Mensch ist noch längst nicht in dem Maß ein Geistwesen, wie es ihm bestimmt ist."[27]

5. Konsequenzen für die Jugendarbeit

Wer mit jungen Menschen nach einer neuen Spiritualität sucht, wird im bisher Gesagten schon einige Anregungen – sicher auch manche „anstößige" – gefunden haben. All das soll an dieser Stelle nicht noch einmal aufgeführt werden. Es folgen hier einige zusätzliche Gesichtspunkte.

5.1. Spirituelle Animation: alles andere als Stimmungsmache

Jede Generation hat ihr besonderes lebensgeschichtliches Profil, ihre spezifische Geistbegabung, ihr Charisma. In der Jugendarbeit kommt es darauf an, diese Charismen zu fördern.

In den letzten Jahren gab es dazu vielfältige Ansätze und Versuche; einige Stichworte: Jugendgottesdienste und (charismatische) Gebetskreise; Rüstzeiten und Exerzitien; Wallfahrten und Gottesdienste zu politischen oder gesellschaftlichen Themen; Schweigeübungen, Meditation, Fasten; Frühschicht und liturgische Nacht; Kirchen- und Katholikentage; Neue geistliche Lieder.

Diese Auflistung deutet an, was durch eine ausführlichere Darstellung der einzelnen Stichworte detailliert belegt werden könnte: Die kirchliche Jugendarbeit hat in den letzten Jahren gelernt, die sich verändernden Lebens- und Glaubenssituationen als spirituelle Herausforderung zu begreifen und anzunehmen. Das gelang um so besser, je weniger die Kirche von der Sorge bestimmt war, sich selbst zu behaupten, sich selbst zu beweisen, sich selbst zu bewahren. Wenn sie sich statt dessen vom uneigennützigen Dienst an jungen Menschen beanspruchen läßt, erfährt sie am eigenen Leib (und wird damit mehr zum Leib Christi) die Wahrheit des evangelischen Grundsatzes: „Wer sein Leben zu bewahren sucht, wird es verlieren; wer es dagegen verliert, wird es gewinnen" (Lk 17,33).

Seit die Gruppenarbeit neu begründet und methodisch weiterentwickelt wurde, tun sich von diesem Ansatz her auch neue Möglichkeiten geistlicher Erfahrung auf. Wir verstehen das Pfingstereignis tiefer, wenn wir seine sozialpsychologische Dimension berücksichtigen: nicht nur in der theolo-

[26] Ebd., 105.
[27] Ebd., 134.

gisch reflektierenden Auslegung, sondern auch, indem wir es als Modell für die Praxis des Glaubens annehmen und uns *gemeinsam* nach den Gaben des Geistes ausstrecken.

Dabei ist es notwendig, sehr konkret die Lebensbedingungen zu berücksichtigen, die für junge Menschen heute maßgebend sind. In diesem Zusammenhang kann man auf sehr schwierige Fragen stoßen; etwa: Können Jugendlichen, die ausgiebig Zombie-Videos konsumieren, spirituelle Angebote gemacht werden, und wie müßten diese beschaffen sein?

Ein anderes Problem: Es gibt vorherrschende Trends, „Großwetterlagen" von Stimmungen und Verhaltensweisen, von denen das Bemühen um Spritualität nicht absehen kann; da liegt etwas in der Luft – ob man es aufgreifen, übernehmen und religiös reproduzieren sollte, wäre sehr genau zu überlegen. Ein Beispiel: Die Medien verbreiten massenhaft einen Zwang, von dem sie selbst weitgehend beherrscht sind; er treibt besonders im Freizeit- und Unterhaltungssektor sein Unwesen: Ansager und Moderatoren sind gehalten, auf jeden Fall ein lockeres, unbedingt angenehmes Feeling zu produzieren – eine Manie, die systematisch alles ausblendet, was zu ihr nicht paßt. Auch im kirchlichen Raum scheint man sich vielerorts darauf zu spezialisieren, die Leute bei Laune und damit bei der Stange zu halten. Man zündet religiöse Emotions-Strohfeuer an, die das Herz der Menschen, in denen sie aufflackern, zwar kurzfristig erwärmen, aber nicht nachhaltig erfassen. Es werden mollige spirituelle Kuschel-Ecken eingerichtet; dort darf sich die Redseligkeit frommer Gemüter breitmachen; ganz beglückt muß sie immer wieder ihre Überzeugung bekräftigen, Gott habe ein fasziniertes Interesse an der ausgiebigen Zelebration narzistischer und regressiver Selbstbespiegelung. Aber der Gott der biblischen Tradition, der Vater Jesu Christi, hat anderes und besseres zu tun. Denn dieser Gott ist immer auch der Gott des leidenden Hijob, der Gott des bedrängten Jeremia, der Gott der prophetischen Kritik und des anklagenden Protestes, der Gott „vor Ort", draußen, mitten in der Welt. Er schläfert den Befreiungswillen der Gefangenen nicht ein, sondern stachelt ihn an – bis sie sich endlich ermannen (und „erfrauen"!) und das Wagnis des Auszuges auf sich nehmen.

Die folgenden Fragen mögen als Hilfe dienen zur Unterscheidung der Geister: Können wir unser geistliches Leben vor der „Kirche der Armen" verantworten? Können wir damit bestehen, wenn wir sie, die Kirche der Armen, als geistlichen Führer, als „Exerzitienmeister" annehmen? Ist nicht mancher religiöse Zeitvertreib, mit dem wir uns vom Gott der Befreiung und vom „Volk der Seligpreisungen" entfernen, eine ärgerliche Zumutung?

5.2. Der Glaubensbegleiter

Für den „Glaubensbegleiter" (eine Wortprägung von Karl-Heinz Schmitt) ist es lebenswichtig, auf der Jagd nach neuen Ideen, nach Inhalten und Methoden, nach Arbeitshilfen und Meditationsanregungen sich unterbrechen zu lassen von der Frage: Was ereignet sich eigentlich spirituell bei mir selbst, für mich selbst, das nicht schon verzweckt ist: katechetisch, religionspädagogisch, homiletisch? Gibt es ein eigenes geistliches Leben, eine persönliche Lebensordnung, die nicht schon von vornherein von der Absicht überlagert ist, andere begleiten und fördern zu wollen? Ein liebevolles Besorgtsein um den spirituellen Fortschritt anderer kann oft mit einer barschen, verächtlichen Lieblosigkeit gegenüber dem Fortgang des eigenen inneren Weges verbunden sein. Bevor wir ausschwärmen und nach neuen Ufern ausschauen, uns von Praxisberichten, Werkbüchern und Zeitschriften beraten lassen, sollten wir fragen: Ist die „innere Bibliothek" der eigenen Erfahrung gut bestellt und schon ausgeschöpft? Gibt es dort nichts „Lesenswertes" mehr? Wie ließe sich der Bestand, wenn er nicht mehr ausreicht, aufstocken?

Geistliche Bildung geschieht bei uns zu sehr über das geschriebene Wort, das seine Aussagekraft gern zu steigern sucht durch die Beigabe von aufwendig gedruckten, bunten Meditationsbildern. Aber Papier taugt nicht als geistlicher Führer, und die gekonnt aufgemachten Bücher haben mit der Wirklichkeit des geistlichen Lebens unter den Bedingungen des Alltags oft so wenig zu tun wie die farbigen Werbeprospekte der Tourismus-Branche mit realen Lebensbedingungen der Länder, in die sie die Urlauber entführen möchten. - Ob es nicht der inneren Reinigung und Entschlackung dienen könnte, wenn wir im Gegensatz zum landläufigen Trend, der auf Ausweitung des Überangebotes setzt, uns von Zeit zu Zeit ein „Medien-Fasten" verordneten? - Jedenfalls kann es heilsam sein, den Habitus des „Profis" abzulegen und uns selbst ins Wort zu fallen - wie Paulus. Er sehnt sich danach, die Christen in Rom zu sehen, und schreibt: „Ich möchte euch geistliche Gaben vermitteln, damit ihr dadurch gestärkt werdet, oder besser: damit wir, wenn ich bei euch bin, miteinander Zuspruch empfangen durch euren und meinen Glauben" (Röm 1,11 f.). Für einen routinierten Glaubensbegleiter, der schon sehr in der Vermittlerposition (und -pose) gefestigt und gefangen ist, fällt die Bekehrung zum Besseren - „miteinander Zuspruch empfangen" - sicher schwer. Aber wenn ihm das Geschenk einer solchen Bekehrung zufällt, wird er erfahren: Im spirituellen Leben gibt es kein ergiebigeres Medium als dies, miteinander Zuspruch empfangen.

Zum Abschluß soll ein kleines Gespräch noch einmal daran erinnern, wie fragwürdig es ist, über Spiritualität lange Texte zu verfassen: „Als ein Guru von einem Schüler gefragt wurde, wie er Gott erreicht habe, antwortete er:

‚Dadurch, daß ich das Herz in schweigender Meditation weiß machte, und nicht dadurch, daß ich Papier mit religiösen Texten schwärzte‘.“[28]
Wieviel Meditation wird nötig sein, um die schwarzen Flecken zu tilgen, die der Verfasser dieses Aufsatzes zu verantworten hat?

Literatur

Concilium. Internationale Zeitschrift für Theologie, 18 (1982), November-Heft „Beten lernen“.

Enomiya-Lassalle, Hugo M., Wohin geht der Mensch?, Zürich/Einsiedeln/Köln 1977 (Benziger).

Metz, Johann Baptist, Zeit der Orden? Zur Mystik und Politik der Nachfolge, Freiburg/Basel/Wien 1977 (Herder).

Rotzetter, Anton (Hrsg.), Seminar Spiritualität, Band 1, Geist wird Leib. Theologische und anthropologische Voraussetzungen des geistlichen Lebens, Zürich/Einsiedeln/Köln 1979 (Benziger).

Ders. (Hrsg.), Seminar Spiritualität, Band 2, Geist und Geistesgaben. Die Erscheinungsformen des geistlichen Lebens in ihrer Einheit und Vielfalt, Zürich/Einsiedeln/Köln 1980 (Benziger).

Ders. (Hrsg.), Seminar Spiritualität, Band 3, Geist und Welt. Politische Aspekte des geistlichen Lebens, Zürich/Einsiedeln/Köln 1981 (Benziger).

Ders. (Hrsg.), Seminar Spiritualität, Band 4, Geist und Kommunikation. Versuch einer Didaktik des geistlichen Lebens, Zürich/Einsiedeln/Köln 1982 (Benziger).

Steffensky, Fulbert, Feier des Lebens. Spiritualität im Alltag, Stuttgart 1984 (Kreuz).

[28] *A. de Mello, a.a.O., 674.*

Arno Klönne

Tradition und Geschichte

1. Zum Begriff

Situationsdeutungen, Normen und Verhaltensweisen von Individuen, sozialen Gruppen und Gesellschaften werden in aller Regel von Traditionen beeinflußt, das heißt von geschichtlich überlieferten Ideen, Wertvorstellungen, Symbolen und Lebensformen, die als „geronnene" Erfahrungen Orientierungsangebote darstellen.
Der Umgang mit Traditionen ist dabei selbst ein Teilbereich individueller und gesellschaftlicher Konfliktaustragung; dies wird schon deutlich daran, daß die Berufung auf tradierte Sichtweisen und Lösungen von Problemen der Abwehr von Selbstzweifeln oder kritischen Argumenten bzw. Bewegungen dienen kann, andererseits die Auflösung oder Zerstörung von Tradition aber auch als Instrument der Durchsetzung von Interessen und der Herrschaftssicherung eingesetzt werden kann.
Die Klage über „Traditionalismus", der neuen Entwicklungen im Wege stehe, bleibt freilich ebenso leer wie die Rede vom „Verlust der Überlieferung", wenn nicht deutlich gemacht wird, welche Inhalte sich jeweils mit den Traditionen verbinden, die beiseitegeräumt oder bewahrt werden sollen.

2. Tradition in der kirchlichen Jugendarbeit

Kirchliche Jugendarbeit befindet sich, was ihren Umgang mit Traditionen angeht, in einer besonders schwierigen und in sich widersprüchlichen Lage. Um dies vorweg kurz anzudeuten: Jugendarbeit, oder anders gesagt: die jugendliche Gruppe als mehr oder weniger institutionalisierter Raum der Sozialisation des gesellschaftlichen „Nachwuchses", hat unter modernen Verhältnissen ihren Sinn eben darin, daß sie „Kulturpubertät" zuläßt und produktiv zu machen sucht; insofern ist sie auf unkonventionelle Ideen und Vorgehensweisen eingestellt, auf „soziale Experimente", auf den kritischen Blick gegenüber herkömmlichen Konzepten. Jugendbewegungen sind darauf aus, sich tradierten Lebens- oder Gesellschaftsentwürfen zu entziehen, mit ihnen zu brechen (wobei hier dahingestellt sein mag, inwieweit ihnen dies gelingen kann). Die Kirchen aber, im Vergleich zu anderen Institutionen der modernen Gesellschaft, sind in ihrem historischen Charakter eben dadurch bestimmt, daß sie in hohem Maße traditionsgeleitet existieren und sich auch als Verkörperung von Tradition verstehen. Dabei ist im einzelnen oft kaum auseinanderzuhalten, ob es sich bei den Traditionsinhalten der Kirchen um „originäre", das heißt in ihrer Substanz religiöse Auffassungen und Lebensäußerungen handelt oder ob es historisch-gesellschaftliche Orientierungsmuster sind, die aus vergangenen Epochen im Wege kirchlicher Überlieferung in die Gegenwart hinein vermittelt werden und hier wiederum für diese oder jene soziale oder politische Interessenposition nutzbar sind.

Für die kirchlichen Jugendverbände kommt hinzu, daß sie über eine eigene Tradition verfügen, die teils kirchlich, teils aber auch durch die Geschichte der Jugendbewegung geprägt ist, die insofern auch keineswegs homogen sich darstellt, sondern in die unterschiedlichen Richtungen der Jugendarbeit und ihrer historischen Ausformungen eingebunden sind, dies insbesondere in Deutschland. Schließlich darf nicht übersehen werden, daß Traditionen der Kirchen wie auch der Jugendarbeit sich je nach sozialem und regionalem Milieu recht verschiedenartig konkretisieren und in mancherlei Variationen auftreten. „Überlieferung" geschieht nicht nur auf der intellektuellen Ebene, sie dokumentiert sich nicht nur in programmatischen Äußerungen oder organisationsgeschichtlichen Abläufen, sondern mindestens ebenso in alltäglichen Lebenswelten; hier allerdings ist sie oft gar nicht so leicht zu identifizieren.

Mit welchen Traditionsbeständen hat es kirchliche Jugendarbeit in Deutschland zu tun? Und was bedeutete Tradition für die kirchliche Jugendarbeit in ihren jeweiligen historischen Richtungen und Phasen?

Wie wirkten gesamtgesellschaftliche Verhältnisse und Prozesse auf die Herausbildung und den Wandel von Traditionen in der kirchlichen Jugendarbeit ein? Wo liegen „Traditionsbrüche", und welche Folgen hatten diese für die Jugendarbeit?

Es versteht sich, daß Antworten auf solche Fragen hier nur skizzenhaft versucht werden können.

3. Traditionen: Kirchliche Jugendvereine vor 1914

Kirchliche Jugendarbeit als Reaktion auf die Probleme der „industriellen Massengesellschaft" entwickelte sich in Deutschland in durchaus beachtlichem Umfang bereits vor der Jahrhundertwende. Unter dem literarischen Einfluß der klassischen deutschen Jugendbewegung und ihrer rührigen Selbstdarstellung ist in vielen Publikationen zur Geschichte der Jugendverbände vernachlässigt worden, daß es ein reges „organisiertes Jugendleben"

schon in den Jahrzehnten nach der Reichsgründung gab, also längst bevor der „Wandervogel“ aufkam, und die kirchlichen Jugendvereinigungen hatten daran den größten Anteil.
Die Zielsetzungen damaliger kirchlicher Jugendarbeit entsprachen den Herausforderungen, die der rasch sich vollziehende gesellschaftliche Wandel für die Kirchen mit sich brachte: Industrialisierung und Urbanisierung brachten die herkömmlichen sozialen Strukturen und Bindungen in Auflösung und verunsicherten damit auch das gewohnte kirchliche Leben. Die Kirchen betrieben den Aufbau einer Vereinstätigkeit speziell für Jugendliche, naheliegenderweise in der Absicht, ihre Integrationsfähigkeit bei der nachwachsenden Generation durch neue Formen der religiösen Bildung, aber auch der Freizeitbetreuung und sozialpflegerischen Tätigkeit zu erhalten und kirchliche Einflußfelder in einer sich säkularisierenden Gesellschaft abzusichern. Dem damaligen Selbstverständnis nach ging es um Abwehr der „Liberalisierung“, worunter „weltliche“, das heißt kirchenfremde oder kirchenfeindliche Entwicklungstendenzen im öffentlichen Bewußtsein, in der Presse, in der aufkommenden „Vergnügungsindustrie“ und im Freizeitbetrieb verstanden wurden. Zugleich ging es um eine Gegenstrategie zu der Einflußnahme der damals sich anbahnenden und dann epochemachenden „neuen sozialen Bewegung“: nämlich der Arbeiterbewegung, deren Weltverständnis sich dem ideologischen Hegemonieanspruch der Kirchen entzog und „freidenkerisch“ wurde, jedenfalls der Haupttendenz nach, und dies gerade in Deutschland, wo die Sozialdemokratie und die Kirchen in eine deutliche Kontroverslage kamen.
Vor dem Ersten Weltkrieg bildeten sich in Deutschland jene gesellschaftlichen „Lager“ heraus, die dann für lange Zeit strukturbestimmend wurden und die sich ganz grob etwa so kennzeichnen lassen: Ein konservatives „Lager“ mit starker protestantischer Bindung; ein nationalliberales „Lager“ unter Einschluß der liberalen Richtung im Protestantismus; ein katholisches „Lager“; ein sozialdemokratisches „Lager“ abseits kirchlicher Orientierungen. Die kirchliche Jugendarbeit der damaligen Zeit war in diese „Lager“ einbezogen, und ihre Traditionen blieben lange Zeit hindurch von den historischen Prägungen der Konfliktkonstellation im wilhelminischen Deutschland bestimmt.
Für die evangelische wie für die katholische Jugendarbeit der Phase vor 1914 gilt, daß besondere Mühe darauf verwendet wurde, Jugendliche aus den Unterschichten in das kirchliche Vereinsleben zu integrieren. Dies entsprach auch dem Schwerpunkt der damaligen sozialen Umwälzungen; die massenhafte Wanderung aus ländlichen Lebensräumen in die rapide sich ausdehnenden Industriereviere bedeutete durchweg Lockerung oder Auflösung bisheriger - nicht zuletzt kirchlicher - Bindungen, und kirchliche Jugendarbeit versuchte, diese soziale und normative Mobilität aufzufangen.

Durch den Konkurrenzdruck der Sozialdemokratie wurde die Hinwendung der Kirchen zu den Jugendlichen der Unterschichten, von den Jungarbeitern bis zu den „weiblichen Dienstboten“, noch forciert, zumal bald nach der Jahrhundertwende eine sozialdemokratische Arbeiterjugendbewegung aufkam. Die kirchliche Jugendarbeit vor 1914 war also keineswegs „mittelschichtenorientiert“, sie hatte vielmehr, was ihre soziale Basis angeht, eine stark proletarische Komponente. Im Unterschied zur Sozialdemokratie allerdings war die gesellschaftliche Erziehungsabsicht der kirchlichen Jugendarbeit überwiegend von ständischen, an vorindustriellen Ordnungsmustern orientierten Ideen bestimmt. Diese Leitbilder boten Jahrzehnte später dem Nationalsozialismus zumindest teilweise Anknüpfungspunkte.
Auf Seiten der evangelischen Jugendarbeit vor 1914 verbanden sich sozialdiakonische mit volksmissionarischen Intentionen, die ihre Herkünfte in der Erweckungsbewegung hatten und „rationalistischen“ Tendenzen im Protestantismus entgegenarbeiteten. Jugendarbeit wurde hier als eine Möglichkeit betrachtet, ein nicht mehr „volksverbundenes“ kirchliches Leben von „unten her“ zu erneuern.
Für wichtige Zweige der evangelischen Jugendarbeit damals ist ferner kennzeichnend, daß sie sich durch ausländische, vor allem angelsächsische Erfahrungen anregen ließ, so durch die Arbeit des YMCA, aber auch durch den Scoutismus. Hierin lagen übrigens Traditionen, die einem pädagogisch-politischen Mystizismus, wie er sich später in der deutschen Jugendbewegung, auch der kirchlichen, weithin durchsetzte, entgegenstanden, was – trotz aller „patriotischen“ Ausrichtung – auch für den Scoutismus britischer Herkunft gilt. Auf katholischer Seite, wo „Volkskirchlichkeit“ sich ohnehin in viel größerem Ausmaß hatte erhalten können, zielte Jugendarbeit außer auf die Integration der Jugendlichen in der neuen Industriewelt vor allem auf die Stabilisierung kirchlicher Bindungen im ländlichen Milieu. Überkommene Formen kirchlicher Kongregationen verbanden sich mit einem modernen Vereinsleben, das Geselligkeit und „außerschulische Bildung“ anbot. Jugendbewegte Sichtweisen haben später dazu geführt, daß die sozialen und pädagogischen Vorzüge der kirchlichen „Jünglings-“ und „Jungfrauen“-Vereine aus der Zeit vor dem Ersten Weltkrieg kaum noch gewürdigt wurden – ein durchaus fragwürdiger Umgang mit einer recht ansehnlichen Frühgeschichte. Allerdings war kirchliche Jugendarbeit in der Zeit vor dem Ersten Weltkrieg ihrem Grundkonzept nach eine Veranstaltung der „Erwachsenen“-Kirchen *für* die Jugend, in der üblichen Unterscheidung also „Jugendpflege“, nicht „Jugendbewegung“, auch nicht Jugendverband. Dies schloß aber in der Praxis nicht aus, daß gewissermaßen unterhalb der programmatischen Ebene und bei Anerkennung der „Richtlinienkompetenz“ der Erwachsenen, die die kirchlichen Institutionen repräsentierten (der „Präsides“), selbständigem Agieren junger Leute schon Raum gegeben

wurde. Die gesellschaftspolitischen Leitbilder, die in dieser frühen Phase kirchlicher Jugendarbeit wirksam wurden, sind in ihrer Differenzierung durch die unterschiedlichen historischen Verortungen des Protestantismus und des Katholizismus in Deutschland bedingt.
In der evangelischen Jugendarbeit war damals wohl eher eine Orientierung am „konservativen Lager" als eine Zuordnung zum „nationalliberalen Lager" maßgeblich, was innerhalb des Wilhelminismus sozusagen das geringere Maß an Unvernunft bedeutete; der Nationalliberalismus war, nachdem er sich von bürgerlich-demokratischen Vergangenheiten gelöst und der politischen Machtphilosophie zugewandt hatte, für die ideologische Rechtfertigung imperialistischer Interessen noch weitaus anfälliger als der Altkonservativismus, bei dem gelegentlich noch Nüchternheit und politisches Augenmaß zu finden waren. Die Anerkennung obrigkeitsstaatlicher Verhältnisse war jedenfalls für die evangelische Jugendarbeit vor 1914 ebenso eine kulturelle Selbstverständlichkeit wie das Bekenntnis zum Nationalismus preußisch-deutscher Provenienz und die Verpflichtung auf das Ideal der „Wehrhaftigkeit". Kurzum: Kirchlich „erfaßte" evangelische Jugend war in ihrer großen Mehrheit „patriotisch" im Sinne der im Kaiserreich herrschenden politischen Kräfte. Auf der katholischen Seite lagen die Dinge komplizierter. Im deutschen Katholizismus herrschten konservative Politikauffassungen ebenfalls vor, aber im Zuge des Kulturkampfes hatte sich so etwas wie Distanz zum staatlichen Machtanspruch entwickelt, und die „kleindeutsche" Lösung der nationalen Frage (die das katholische Haus Habsburg aus dem Deutschen Reich verdrängte und das „protestantische Preußen" in die Führungsrolle brachte) fand bei vielen Katholiken keine Akzeptanz. Als Preußen-Deutschland zur nationalstaatlichen Realität geworden war und den Rahmen für den Aufbau einer industriekapitalistischen Wirtschaftsmacht bot, hatte das im Katholizismus zwiespältige Reaktionen zur Folge: Einerseits blieben staatskritische Strömungen virulent, andererseits traten auch Überanpassungen an den „nationalen Anspruch" auf, die von dem Wunsch geleitet waren, sich von dem Vorwurf der „nationalen Unzuverlässigkeit" zu entlasten, der in Preußen-Deutschland den „Ultramontanen" vielfach gemacht wurde. Insofern war der deutsche Katholizismus vor 1914 kein politisch einheitliches Gebilde; die gemeinsame Basis für die Zentrumspartei und das katholische Vereinswesen bildete vielmehr ein konfessionelles Schutzinteresse. Weniger in der Programmatik der katholischen Partei und der katholischen Verbände, sondern eher in deren Pragmatik (unter den spezifischen Bedingungen eines „protestantisch"-preußischen Obrigkeitsstaates) lagen Ansätze eines demokratischen Politikverhaltens, die dann auch später dazu führten, daß der politische Katholizismus zu erheblichen Teilen die Weimarer Republik mittrug und für die Sozialdemokratie koalitionsfähig wurde.

Für die katholische Jugendarbeit vor 1914 bedeutete dies, daß soziales, auf Bewahren vor der „Proletarisierung" gerichtetes Engagement sich vielfach mit einem rationalen Politikverhalten verband, dessen praktische Ausgangspunkte die Wahrnehmung von Grundrechten und die Organisation von Interessen im gesellschaftlichen Konflikt waren. Ich glaube, es ist nicht zu viel gesagt, wenn man hier von Lernprozessen in Richtung auf den demokratischen und sozialen Rechtsstaat spricht, und die Öffnung für Impulse der Jugendbewegung, die sich in der katholischen Jugendarbeit später vollzog, brachte nicht nur Chancen mit sich; sie überlagerte oder verdrängte, zum Teil zumindest, auch brauchbare Traditionen des katholischen Vereinswesens aus der Zeit vor 1914.

4. Traditionen: In der Weimarer Republik – vom Verein zur Bewegung

Die Weimarer Republik setzte der kirchlichen Jugendarbeit neue Handlungsbedingungen. Zunächst einmal warf der Umbruch des politischen Systems die Frage auf, wie denn kirchlich gebundene und organisierte Jugend sich gegenüber den nun verfassungsmäßig geltenden demokratischen Leitideen und Regelungen zu verhalten gedachte. Der unterschiedlichen jeweiligen politischen Geschichte entsprechend fielen die Antworten bei der Majorität des Protestantismus anders aus als bei der Majorität des Katholizismus, und die Jugendvereinigungen machten davon hier wie dort dem Gesamttrend nach keine Ausnahme.

Zwar gab es im hohen katholischen Klerus in Deutschland Stimmen, die den Übergang zur Republik 1918 als illegitim anklagten, aber die katholischen Vereine folgten überwiegend dem politischen Kurs der Zentrumspartei, der auf loyale Mitarbeit im neuen „Volksstaat" hinauslief. Sieht man von Besonderheiten der Bayerischen Volkspartei ab (die eher als die Zentrumspartei Übereinstimmungen mit der politischen Rechten pflegte), so waren direkt republikgegnerische Positionen im politischen Katholizismus der 20er Jahre nur vergleichsweise schwach vertreten. Das gilt auch für die organisierte katholische Jugend. Freilich blieb das Spektrum gesellschaftspolitischer Grundorientierungen weitgespannt und in sich unklar; es reichte von altkonservativ-föderalistischen oder reichsmythologischen Konzepten über Ideen eines sozial ausgleichenden Ständestaates bis zu linksdemokratischen Positionen. Bemerkenswert ist, daß in der katholischen Jugendarbeit nach 1918 – ähnlich wie in der katholischen Arbeiterbewegung – sozialreformerische und kriegsgegnerische, auf internationale Verständigung zielende Strömungen an Einfluß gewinnen konnten. Sie fanden ihren Ausdruck auch in Zeitschriften wie „Heiliges Feuer" und „Vom frohen Leben" oder in der

„Rhein-Mainischen Volkszeitung", im „Friedensbund Deutscher Katholiken" und in der jugendbewegt gestimmten „Christlich-sozialen Reichspartei" (Vitus Heller), die sich von der Zentrumspartei nach links hin abgelöst hatte, aber zum Teil auch im Windthorst-Bund, der Nachwuchsorganisation der Zentrumspartei.
Soweit die Weimarer Republik in der jungen Generation überhaupt eine Verankerung hatte, war es neben der Sozialistischen Arbeiterjugend (die mit der SPD verbunden war) ein erheblicher Teil der Katholischen Jugend, der dafür den nötigen Halt bot.
Auf der protestantischen Seite mußte der Sturz der wilhelminischen Monarchie sehr viel stärker als Zusammenbruch der eigenen gesellschaftspolitischen Hoffnungen empfunden werden. Das Konzept eines protestantisch geprägten, preußisch-deutschen Kaiserreiches „von Gottes Gnaden" war gescheitert, was Ressentiments freisetzte, die sich gegen die Republik und deren Träger richteten. Die republikgegnerische Deutschnationale Volkspartei galt nach 1918 weithin als politische Heimat kirchlich gebundener deutscher Protestanten. Der „Christliche Volksdienst" (später: Christlich-sozialer Volksdienst), der politisch interessierte evangelische Christen zusammenschloß, die sich „auf den Boden" des Weimarer Staates stellten, blieb gegenüber der protestantischen „nationalen Opposition" eindeutig in der Minderheit, und diejenigen evangelischen Gruppen, die (wie die „Religiösen Sozialisten") die Zusammenarbeit mit der sozialistischen Arbeiterbewegung suchten, kamen nicht über einen Randstatus hinaus. In der politischen Gefühlswelt der organisierten evangelischen Jugend der 20er Jahre dominierte diese oder jene Variante der „nationalen Opposition", wobei die Ideen der „konservativen Revolution" zunehmend Aufmerksamkeit fanden.
An dieser Stelle ist der Blick auf die Veränderungen zu richten, die der Einbruch der Jugendbewegung ab Mitte der 20er Jahre und dann gipfelnd zu Anfang der 30er Jahre im Traditionsbestand der kirchlichen Jugendarbeit bewirkte.
Die Wende vom „Verein" zur „Bewegung" erbrachte einen tiefgreifenden Wandel der Sozialformen und der Leitbilder kirchlicher Jugendverbände – im nachhinein wird man sagen müssen: mit recht ambivalenten Ergebnissen. Die klassische deutsche Jugendbewegung, mit dem „Wandervogel" beginnend und dann in das „Freideutschtum" übergehend, hat ohne Zweifel die Chancen von Jugendlichen, gesellschaftliche Normen und Verhaltensmuster nicht einfach zu übernehmen, sondern Sozialisation als einen selbst mitzugestaltenden, insofern emanzipatorischen Vorgang zu erfahren, entschieden ausgeweitet. Die eigentliche Entdeckung lag hierbei in der sozialen Gruppe Jugendlicher als relativ selbständigem Lebensraum, dem ein Eigenrecht gegenüber den Anforderungen der Erwachsenengesellschaft zugebilligt wurde. Vom „Wandervogel" wurden solche Möglichkeiten der jugendli-

chen Gruppe und ihres (begrenzten) Auszugs aus der Erwachsenenwelt gewissermaßen naiv praktiziert; in der „Freideutschen Jugend“ wurden sie intellektuell fundiert und ausgeweitet. Diese Anfänge der Jugendbewegung klassischen Stils lagen abseits der kirchlichen Jugendarbeit, wirkten aber kurz vor und nach dem Ersten Weltkrieg auf kleinere Gruppierungen kirchlich gebundener Jugend anregend; „Quickborn“, „Großdeutsche Jugend“ und „Kreuzfahrer“ waren die wichtigsten Bündigungen auf katholischer Seite, „Köngener“, „Neuwerk“, „Bund Deutscher Jugendvereine“ und „Christdeutsche Jugend“ die wichtigsten auf evangelischer Seite, in denen die erste Phase der Jugendbewegung ihre christliche Ausformung erfuhr. Hier fanden sich auch am eindeutigsten jugendliche Autonomieansprüche gegenüber den kirchlichen Institutionen, die zum Teil nachhaltige Konflikte erzeugten. In großem Umfang geschah die Überformung der kirchlichen Jugendarbeit durch Verhaltensmuster und Ideen der Jugendbewegung erst etliche Jahre später. Da war aber die Jugendbewegung selbst, in ihrer Mehrheit jedenfalls, in eine neue Phase eingetreten, nämlich die der „bündischen Jugend“. Gegenüber Wandervogel und Freideutscher Jugend bedeutet die „bündische“ Zeit einen folgenreichen Wandel, der sich symbolisch etwa so beschreiben läßt: An die Stelle der schweifenden „Horde“ trat die „Gefolgschaft“, an die Stelle der „Scholaren“ traten „Ritter“ und „Knappen“, an die Stelle der Wanderfahrt trat die marschierende Kolonne oder das Lager. Mit anderen Worten: Gestützt auf das damals vielbeschworene „Kriegserlebnis“ breitete sich eine „Straffung“ des jugendlichen Gruppen- und Bundeslebens aus, eine „heroische“ Interpretation jugendlicher Verhaltensmöglichkeiten, die sich in die zunehmende innere Militarisierung der Gesellschaft der Weimarer Republik in deren Krisenzeiten einfügte. Ein „männlich-kriegerisches“ Lebensgefühl löste in der „bündischen“ Jugend die Romantik der Wandervögel und Freideutschen ab, die nun vielfach als „weibisch“ abgetan wurden.

Die großen kirchlichen Jugendvereinigungen entwickelten sich, ihrem eigenen Verständnis nach, von Einrichtungen der „Jugendpflege“ zur katholischen oder evangelischen „Jugendbewegung“ gerade in der Phase, als diese „bündische“ Ausgestaltung des Jugendlebens weithin als attraktiv galt. Einerseits brachte die Öffnung zur Jugendbewegung hin den kirchlichen Verbänden zweifellos einen Zugewinn an Partizipation der Jugendlichen, an Eigenständigkeit jugendlichen Gruppenlebens, an „Selbsterziehung“ und sozialer Kompetenz; Kirchlichkeit und Jugendbewegung verbanden sich zu einem anziehungsfähigen Milieu, das Massen von Jugendlichen umschloß und eine Fülle von jugendkulturellen Lebensäußerungen hervorbrachte.

Andererseits transportierte die Jugendbewegung in ihrer „bündischen“ Phase gesellschaftspolitische Leitbilder, die teilweise in den ideologischen Vorraum des Dritten Reiches führten.

„Führer und Gefolgschaft“, „Nation und Sozialismus“, „Blut und Boden“, „Volksgemeinschaft“, „Aufartung“, „soldatische Tugenden“, „Das Neue Reich“ – das waren begriffliche Signale für eine Vorstellungswelt, die in der „bündischen“ Jugend um 1930 weit verbreitet war und die auch in die „bündisch“-kirchliche Jugendarbeit eindrang. Es verband sich damit ein vages Bedürfnis nach der Abkehr von der Weimarer Demokratie als dem „alten“ System, an dessen Stelle die „Erneuerung der Nation“ durch den „Aufbruch einer jungen Generation“ treten sollte – ein politischer Jugendkult, dem sozialbiologistische Auffassungen von Geschichte und Gesellschaft innewohnten. Die jugendbewegte Suche nach „natürlicher“ Lebensweise schlug nur zu oft um in eine Weltanschauung, die „Kampf“, „Auslese“ und „Recht des Stärkeren“ für „Naturgesetze“ im Umgang der Völker und „Rassen“ hielt.

Christliche Ethik enthielt Barrieren gegenüber den extremen Konsequenzen solcher Ideologien, wie sie etwa der völkische Flügel der NSDAP offen formulierte, aber sie schützte nicht völlig vor der Annäherung, vor der partiellen Übernahme; und bestimmte gesellschaftspolitische Traditionen, die auf je spezifische Weise im deutschen Protestantismus wie im Katholizismus wirksam waren, enthielten Schnittmengen mit dem ideologischen Angriff der Nationalsozialisten auf die Weimarer Demokratie.

Antiliberalismus und Antiparlamentarismus, Angst vor der „roten Gefahr“ oder vor dem „Kulturbolschewismus“, Volksgemeinschaftsseligkeit und Hoffnungen auf den „starken Staat“ drängten Teile auch der kirchlichen Jugend dahin, in einer „nationalen Revolution“, wie die NSDAP sie versprach, die Chance der Krisenlösung zu sehen. Aus den schon erwähnten historischen Gründen trat diese Tendenz auf evangelischer Seite stärker hervor und führte in großem Umfang über den Deutschnationalismus direkt ins Gefolge der Nationalsozialisten; bei der Jugendgeneration im Katholizismus waren ideologisch und organisationspolitisch die Abwehrkräfte besser fundiert. Aber immun gegenüber den demokratiefeindlichen Argumenten der „nationalen Revolution“ war auch die katholische Jugend nicht.

5. Traditionen und Traditionsbrüche: Das Dritte Reich

Die Machtergreifung der Nationalsozialisten bedeutete für die Geschichte der Jugendarbeit in Deutschland einen tiefgehenden Einschnitt. Der NS-Staat verschaffte der Hitler-Jugend Schritt um Schritt eine Monopolstellung bei der Erziehung Jugendlicher außerhalb von Elternhaus und Schule; 1936 wurde dieser Anspruch der NS-Jugendorganisation auch gesetzlich abgesichert.

Die Hitler-Jugend bemächtigte sich der Lebensformen der „bündischen“

Jugend, beraubte sie aber ihrer jugendbewegten Impulse; am Ende dieser Entwicklung stand der reglementierte Staatsjugenddienst mit Pflichtcharakter, der jeden Anspruch Jugendlicher auf ein Leben in „eigener Bestimmung“ zunichte machte.
Die Durchsetzung des Monopols der Hitler-Jugend setzte aber die Gleichschaltung, Auflösung oder Unterdrückung jeder anderen Richtung von Jugendarbeit voraus. Auf die mehrheitliche Zustimmung der organisierten evangelischen Jugend zur „nationalen Erhebung“ wurde bereits hingewiesen; dies mußte aber, in der eigenen Sicht, nicht die Selbstaufgabe der evangelischen Jugendverbände bedeuten. Das zeitweilige Übergewicht der „Deutschen Christen“ in den Leitungsgremien der Evangelischen Kirchen und die Politik des von Hitler favorisierten „Reichsbischofs“ Ludwig Müller führten jedoch im Dezember 1933 zu einem Abkommen zwischen der NS-Reichsjugendführung und der Evangelischen Reichskirchenleitung, wonach alle Mitglieder der evangelischen Jugendverbände unter 18 Jahren der Hitler-Jugend eingegliedert werden mußten. Mit diesem Akt, der gegen die Wünsche der Leitungen der evangelischen Jugendverbände zustande gekommen war, hatte der NS-Staat die evangelische Jugendarbeit schon früh auf den seelsorgerisch-kirchlichen Sektor zurückgedrängt, und selbst hier wurden die Grenzen vom Staat immer enger gezogen. Ein jugendbündisches Leben war infolgedessen auf evangelischer Seite ab 1934 legal kaum noch möglich. Wo freilich die kirchlichen Institutionen ihre Selbständigkeit gegenüber dem NS-Staat behaupteten und - im Kontext der Bekennenden Kirche - zunehmend weltanschaulichen Abstand vom Nationalsozialismus gewannen, bildete sich eine neue, stark gemeindlich und theologisch geprägte Form kirchlich-evangelischer Jugendarbeit heraus, die auch als Lebenszusammenhang Jugendlicher gegenüber dem NS-Regime resistent blieb und bis in die Kriegsjahre hinein viele Tausende von jungen evangelischen Christen erreichte. In der Zeitschrift „Junge Kirche“ kamen die Positionen dieser Richtung zum Ausdruck. Auch die organisierte katholische Jugend war, wie schon erwähnt, von der „nationalen Hochstimmung“ des Jahres 1933 nicht unberührt geblieben, und es gab auch hier Vorlieben für eine autoritäre Staatsform; bei einigen katholischen Bischöfen kam es 1933 zu Überlegungen, sich auf eine Eingliederung auch der katholischen Jugend in die Hitler-Jugend einzulassen, sofern diese dafür das Recht zur kirchlichen Betreuung ihrer katholischen Mitglieder garantiere.
Aber die weltanschauliche Ablehnung des Nationalsozialismus, die im deutschen Katholizismus vor 1933 dominiert hatte, war auch nach der Machtergreifung trotz mancher Anpassungsleistungen nicht einfach verschwunden; es blieben starke Vorbehalte gegenüber der NSDAP und gegenüber dem neuen Staat. Die katholischen Jugendverbände nahmen allen Eingliederungsideen gegenüber eine so eindeutig ablehnende Haltung ein, daß sich

rasch ein alltäglicher, emotionaler Gegensatz zwischen Hitler-Jugend und katholischen Jugendgruppen herausbildete. Der Abschluß des Reichskonkordats zwischen der Hitler-Regierung und dem Vatikan gab dann der katholischen Jugendverbandsarbeit zeitweise und teilweise einigen Schutz. So kam es, daß die katholischen Jugendorganisationen im Dritten Reich länger überleben konnten als alle anderen freien Jugendverbände, wenn auch durch Repressalien des Staates und der Hitler-Jugend immer wieder bedrängt, bis dann um 1937/38 auch diese Jugendorganisationen aufgelöst und verboten wurden. In den Jahren danach existierten aber im Zusammenhang mit der katholisch-kirchlichen Jugendseelsorge in großem Umfang, trotz Verbot, jugendbündische Lebensformen weiter. Der katholischen Jugendarbeit kam zugute, daß sie etliche Jahre halblegal hatte weitergeführt werden können; in dieser Phase nahm sie noch weitaus intensiver als vor 1933 Elemente jugendbewegten Milieus in sich auf und entwickelte eine moderne Form katholischer Jugendbewegung, die als attraktive Alternative zur Hitler-Jugend in Erscheinung trat. Die Zeitung „Junge Front" und die Zeitschrift „Die Wacht" sind Dokumente dieses „neuen Stils", die auch anschaulich machen, wie sich im jugendbündischen Raum, zunächst vom NS-Staat her erzwungen, ein im Ergebnis positiver Wandel vollzog (dies auch bei „bündischen" Gruppen außerhalb der katholischen Jugend, die illegal weiterlebten, sich zum Teil neu ausbreiteten). „Militanz" und „Demonstration" überließ man nun der Hitler-Jugend; das jugendbündische Leben abseits der Staatsjugend ähnelte wieder mehr dem „stillen", aber intensiven Milieu des alten Wandervogels, die selbstbestimmte Gruppe wurde zur Alternative gegenüber den Marschkolonnen und dem Drill des Staatsjugenddienstes. (Für die Mädchen in der kirchlichen Jugendarbeit bedeutete dies übrigens eine Erweiterung ihrer Möglichkeiten, jugendbündisch mit den Jungen gleichzuhalten; die sogenannten „männlichen" Formen der Jugendarbeit, die in der Zeit vor 1933 so dominant geworden waren, erwiesen sich nun als wenig haltbar.)
Für die katholische Jugendarbeit unter dem NS-Regime war die relativ starke Verankerung des Katholizismus im Arbeitermilieu und im agrarischen Milieu recht vorteilhaft; Verweigerungshaltungen gegenüber dem NS-Staat fanden hier den vergleichsweise günstigsten sozialen Boden.
Die vom damaligen Staat als systemoppositionell bekämpfte Existenzerhaltung evangelischer und katholischer Jugendarbeit im Dritten Reich darf freilich nicht ohne weiteres als politischer Widerstand begriffen werden. Diejenigen jungen Menschen, die aus christlicher Motivation heraus (oft gleichzeitig dank jugendbündischer Sozialisation) den Versuch machten, zum Umsturz des NS-Staates beizutragen, waren und blieben minoritär. Die Ambivalenz gruppierter Verweigerung evangelischer und katholischer junger Christen gegenüber dem totalitären Zugriff des NS-Staates oder der

Hitler-Jugend wird, soweit es um das Mehrheitsverhalten geht, an der Einstellung zum Krieg deutlich: Die meisten der jungen Männer, die aus der kirchlichen Jugendarbeit kamen, wurden Soldaten nicht nur, weil sie dazu gezwungen waren, sondern auch, weil sie darin ihre „nationale Pflicht" sahen, vor allem dann, als es gegen den „gottlosen Bolschewismus" ging. Erlebnisse im Krieg waren es dann oft, die allmählich an dieser Loyalitätsverpflichtung zweifeln ließen.

Alles in allem bedeutete das Dritte Reich für die kirchliche Jugendarbeit trotz ihrer zum Teil geglückten Existenzerhaltung eine nachhaltige Zerstörung von Tradition, zugleich auch ein Abdrängen vom kritischen Umgang mit Traditionen.

Der NS-Staat zerschlug nicht nur die freien Jugendverbände, er war auch, nicht ohne Erfolg, darauf aus, die Erinnerung an die Zeit vor 1933 aus dem kollektiven Gedächtnis zu tilgen. Die Hitler-Jugend konnte an die Formen der „bündischen" Jugend anknüpfen und diskreditierte damit aber zugleich auch die produktiven Momente, die in der Tradition der Jugendbewegung steckten. Die kirchliche Jugendarbeit im Dritten Reich war (bei der evangelischen Jugend früh, bei der katholischen Jugend um einiges später) aus dem öffentlichen Raum verdrängt, sie mußte sich nur zu oft sozusagen in die „Sakristei" zurückziehen.

Diese vom politischen System her erzwungene Umorientierung war in ihren Folgen ambivalent: Einerseits lag darin die Chance der Rückbesinnung auf die christliche Gemeinde, auch der theologisch-biblischen Erneuerung und der intensiveren Hinwendung zur Liturgie; zweifellos hat in der Zeit des Dritten Reiches die kirchliche Jugendarbeit in dieser Hinsicht einen Substanzgewinn erlebt, der sich auch auf die Entwicklung kirchlicher „junger Gemeinde" nach 1945 produktiv auswirkte. Zudem wurde nach 1933, als die kirchlichen Jugendverbände in ihren Betätigungsmöglichkeiten immer stärker eingeschränkt und schließlich generell aufgelöst waren, bei Kirchen und Kirchengemeinden das Bewußtsein für die Notwendigkeit gemeindlicher Jugendarbeit geschärft. Andererseits verband sich mit Auflösung und Verbot der kirchlichen Jugendverbände der erzwungene Verzicht auf Öffentlichkeit (auch auf offenen Diskurs über die Inhalte der Jugendarbeit), insofern auch ein Verlust an Gesellschaftszuwendung, in gewissem Sinn also Entpolitisierung. Nicht von ungefähr waren kirchliche Jugendgruppen in der Verbotszeit darum bemüht, gegen alle Repressionen des NS-Staates und im Verborgenen kirchliches Jugendleben über den „spirituellen" Raum hinaus aufrechtzuerhalten, so bei Jugendfreizeiten, Fahrten, Jugendtreffen und Wallfahrten. Eine umfassende Geschichte dieser illegalen kirchlichen Jugendbewegung im Dritten Reich ist immer noch nicht geschrieben . . .

6. Nach 1945: Geschichtslosigkeit als Problem

Als das Dritte Reich von außen her zu seinem Ende gebracht war und in den Westzonen Deutschlands bzw. später in der Bundesrepublik die Jugendverbände sich wieder frei entfalten konnten, blieben die Traditionen kirchlicher Jugendarbeit, ihre gesellschaftlich-historischen Zusammenhänge und ihre Probleme weitgehend undiskutiert. Versuche, an die Formen und Leitbilder aus den Zeiten vor der Auflösung oder dem Verbot wieder anzuknüpfen, standen oft unverbunden und unreflektiert neben Positionen, die von den Erfahrungen der „Jugendarbeit in der Sakristei", das heißt gemeindlich-innerkirchlichen Vorstellungen bestimmt waren. Der schwierigen Frage nach dem Verhältnis von Traditionen kirchlicher Jugendarbeit und Militarisierung bzw. Nationalisierung jugendlichen Denkens vor 1933 entging man häufig durch den Verweis auf die Unterdrückung und Verfolgung der kirchlichen Jugendverbände nach 1933. Das Bestreben nach „Entlastung" von jeder Mitverantwortung war – trotz einiger Schuldbekenntnisse – für die Zeit nach 1945 typisch, und es war nicht dazu angetan, sich die Geschichte der eigenen Jugendarbeit näher anzusehen. Daß auch die Verweigerung und Opposition junger christlicher Gruppen im Dritten Reich nach 1945 kaum näher untersucht und dokumentiert wurde, fügte sich im Grunde in dieselbe Tendenz ein: „Geschichtslosigkeit" als Flucht vor Fragen an die Geschichte.

Die Zeiten des „Wirtschaftswunders" schienen einem solchen Verhalten zunächst Recht zu geben. Die mit dem unerwarteten wirtschaftlichen Aufstieg der Bundesrepublik und den damit einhergehenden Veränderungen in den Lebensverhältnissen sich durchsetzende Gegenwartsfixierung ließ viele Erfahrungen und Probleme, aber auch politische Risiken der Zeit vor 1945 als obsolet gelten; eine Gesellschaft der „immerwährenden Prosperität" brachte zwar Anforderungen und Anfechtungen für die kirchliche Jugendarbeit mit sich, aber diese hatten, so schien es, mit den Fragen und Antworten aus der Vergangenheit kaum noch etwas zu tun.

In den 60er Jahren und danach vollzog sich im Feld der kirchlichen Jugendarbeit vielfach ein Bruch mit den „unreflektierten Traditionen" sowohl der mehr verbandlich-bündisch geprägten als auch der mehr kirchengemeindlichen, vor allem liturgisch oder biblisch bestimmten Form kirchlichen Jugendlebens. Die Ideen und Leitbilder der „antiautoritären Studenten- und Schülerbewegung" blieben nicht ohne Einfluß auch auf die kirchliche Jugendarbeit. Das überkommene Muster der auf Führer/Führerinnen oder Leiter/Leiterinnen ausgerichteten Gruppenstruktur wurde weitgehend in Frage gestellt. Zum Teil vollzog sich auch ein Perspektivenwechsel, der als Wahrnehmung eines gesellschaftskritischen, sozialen und politischen Mandats der Jugendarbeit begriffen wurde und beispielsweise in der Hinwen-

dung zu Problemen der Dritten Welt seinen Ausdruck fand. Im Ergebnis war dies teils Abstandnahme von Traditionen, teils aber auch Herausbildung neuer Traditionslinien kirchlicher Jugendarbeit. Solche Brüche und Umorientierungen hatten ihren Hintergrund gewiß auch im Wandel von „Lebenswelten", gerade für Jugendliche, der sich zwischen 1955 und 1975 in der westdeutschen Gesellschaft auf massive Weise herausstellte und der mit den Stichworten „Durchkapitalisierung des Alltags", „Abbau herkömmlicher Teilkulturen", „Massenmediatisierung der Kommunikation", „Bildungsexpansion" und „Mobilitätssteigerung" angedeutet sein mag. Freilich stand zu dieser Zeit der „Modernisierungsschub" noch im Zeichen einer Wohlstands- und Wachstumsphase.
Inzwischen ist die westdeutsche Gesellschaft ökonomisch und sozial verunsichert; der Problemdruck ist angestiegen, das Wertesystem ist in Bewegung geraten, von Krisen ist allenthalben die Rede. In dieser Situation wird die Bundesrepublik von ihrer Geschichte und ihrer Vorgeschichte eingeholt, und diese oder jene Interpretation der Vergangenheit wirkt mit bei der Auseinandersetzung um den Zukunftsentwurf unserer Gesellschaft – und der Kirchen in dieser Gesellschaft.
Da empfiehlt es sich, Traditionsbestände bewußt zu machen und zu überprüfen, nicht etwa, um an ihnen „Halt in der Krise" zu gewinnen, sondern um historische Erfahrungen zu vergegenwärtigen und Unterscheidungsfähigkeit zu schärfen.

7. Ansätze einer „Spurensicherung"

Seit einigen Jahren ist auch in der kirchlichen Jugendarbeit ein lebhaftes Interesse an der Aufarbeitung der eigenen Geschichte zu konstatieren, das sich in vielfältige Versuche der „Spurensicherung" umsetzt. Dies entspricht einem allgemeinen Bedürfnis, sich in Zeiten der gesellschaftlichen Verunsicherung der Vergangenheit zu vergewissern, „nach den eigenen Wurzeln zu graben", den Wegen in die Gegenwart nachzuspüren, „Identität" zu suchen. Wirksam wird hier auch der Blickwechsel in der Geschichtswissenschaft, also die neue Hinwendung zur „Alltagsgeschichte", zur „Geschichte von unten", die Abkehr von einem Geschichtsverständnis, das allzusehr auf Haupt- und Staatsaktionen fixiert war.
Für die kirchliche Jugendarbeit liegen hierin erhebliche Chancen, aber auch Risiken. Das Rückerinnern an Geschichte kann auch so etwas wie Flucht aus der Gegenwart bedeuten, also eine Tendenz enthalten, in der Historie Geborgenheit zu finden. Andererseits aber liegt in der „Spurensuche" die Möglichkeit, Aneignung von Geschichte und Tradition zugleich als Auseinandersetzung zu betreiben, forschendes historisches Lernen in die Jugendar-

beit einzubeziehen, Herkünfte gegenwärtiger Probleme zu identifizieren, Problemlösungskonzepte der Vergangenheit zu überprüfen, vergessene oder verdrängte produktive Ansätze und Erfahrungen in Kirche und Gesellschaft aus der Geschichte in die Gegenwart hineinzuholen.

Literatur

Henrich, Franz, Die Bünde katholischer Jugendbewegung, München 1968 (Kösel).

Jürgensen, Johannes, Die bittere Lektion. Evangelische Jugend 1933 (= aej-Studienband 7), Stuttgart 1984 (edition aej).

Klönne, Arno, Jugend im Dritten Reich. Die Hitler-Jugend und ihre Gegner, Düsseldorf und Köln 1984 (Diederichs).

Krafeld, Franz-Josef, Geschichte der Jugendarbeit, Weinheim 1984 (Beltz).

Riedel, Heinrich, Kampf um die Jugend, München 1976 (Claudius).

Schellenberger, Barbara, Katholische Jugend und Drittes Reich, Mainz 1975 (Grünewald).

Smidt, Udo (Hrsg.), Dokumente evangelischer Jugendbünde, Stuttgart 1975 (Evangelisches Verlagswerk).

Bernd Börger

Verbände

0. Vorbemerkung

Jederman und jede Frau war oder ist jung, und jederman, jede Frau war oder ist in einem Verein/Verband. Also weiß jede(r) Bescheid und kann mitreden. Das macht es von vornherein schwer, zum Stichwort „Verband" etwas zu sagen, was nicht sofort, weise oder unweise, mit Korrekturen aus der eigenen Erfahrung, der eigenen Praxis, der eigenen Wissenschaft versehen werden könnte oder als nicht zutreffend abgetan werden müßte. Im folgenden soll es nicht um die Selbstdarstellung von Verbänden anhand ihrer Satzungen, Ordnungen und Programme gehen. Es kann und soll auch nicht um diesen oder jenen einzelnen Verband gehen, allenfalls hin und wieder um die Arbeitsgemeinschaft/den Dachverband. Es geht auch nicht um die x-te Positionsbestimmung der konfessionellen Jugendverbände im Geflecht von Jugendpflege, Jugendarbeit, Jugendseelsorge, Jugendpastoral; dabei ist wohl zu beachten, daß Bemühungen, diese so oft synonym gebrauchten Definitionen auf ihre Begriffe und ihre Bedeutungen zu bringen, über die (anfängliche) germanistische Erbsenzählerei hinaus politisch sehr wichtig sein können. Es soll im folgenden ganz vorsichtig um eine Annäherung an Bewegungsabläufe im Feld der Jugendverbandsarbeit gehen, um Veränderungen feststellen und Positionsverschiebungen nachzeichnen und erläutern zu können.

1. Lexikalische Definition

Nun muß man/frau sich nicht ohne Not dumm stellen. Jugendverbände gelten als Institutionen der Jugendarbeit[1], die – mit Hilfe der erwähnten Erfahrungen – an so verschiedenen Dingen erkannt werden können wie örtlichen/überörtlichen Aktionen, einem gemeinsamen Lebensstil der Verbandsmitglieder, an Zeitschriften, Führungsstrukturen, mehr oder weniger profilierten Meinungsäußerungen und an Zusammenschlüssen zu Bünden,

[1] *L. Böhnisch* (Hrsg.), Jugendarbeit und politische Perspektiven, München 1973, 365.

Ringen, Arbeitsgemeinschaften, Dachverbänden. So ist vorab schon eine lexikalische Definition möglich, zumal sie guten Gewissens übernommen werden kann[2]:
Jugendverbände sind in der Bundesrepublik Deutschland neben kommunalen Ämtern und lokalen Initiativgruppen die bedeutsamsten Träger von Jugendarbeit. Unter dem unscharfen Begriff „Jugendverband" werden im allgemeinen Sprachgebrauch eine Vielfalt christlicher, gewerkschaftlicher, berufsständischer, politischer und freizeitbezogener Organisationen, Jugendwerke und Abteilungen von „Erwachsenenverbänden" zusammengefaßt, über die zahlreiche gesellschaftliche Gruppen ihre Interessen an Jugendliche weiterzuvermitteln suchen. Nur wenige Jugendverbände sind nicht zugleich Gliederungen oder Veranstaltungen einer Erwachseneninstitution oder -organisation (z. B. die traditionellen wie auch die progressiven Pfadfinderverbände, Gruppen der bündischen Jugend). Die Vielfalt von Zielen, Inhalten und Arbeitsformen der Jugendverbände verdankt sich sehr unterschiedlichen geschichtlichen Traditionen.
Anhaltspunkt für eine Einschätzung der Reichweite der Jugendverbände gibt die bundesrepräsentative Emnid-Umfrage unter 14–24jährigen „Jugendlichen", die 1976 im Auftrag des Landesjugendrings Rheinland-Pfalz durchgeführt worden ist.
Danach bezeichneten sich rund 31% der befragten Jugendlichen als Mitglieder eines Jugendverbandes, 11% als Mitglied mehrerer Verbände. Jugendverbände organisierten nach dieser Studie rund 4,2 Millionen Jugendliche. Die Prozentzahl der Jugendlichen, die nach eigenem Bekunden darüber hinaus an Veranstaltungen der Jugendverbände teilnahmen, lag sogar noch etwas höher.
Diese Emnid-Studie bestätigt auch Ergebnisse älterer Untersuchungen ..., wonach die Mitgliedschaft in Jugendverbänden mit steigendem Alter (von 14–24) abnimmt, Jungen stärker als Mädchen in Verbänden engagiert sind (38% gegenüber 24%). Auch die alte These, daß Jugendverbandsarbeit ein Mittelschichtunternehmen sei, wird im Groben bestätigt: die Prozentzahl der Engagierten steigt mit zunehmender Schulbildung, Hauptschüler sind nur zu 17% Mitglieder in Jugendverbänden.
Die grundlegende Organisations- und Arbeitsform der Jugendverbände ist die Jugendgruppe: Jugendliche in überschaubarer Zahl, die sich regelmäßig, meist wöchentlich, über Jahre hinweg treffen und über einen Kern von verbandlich-traditionellen Aktivitäten hinaus, ein breites Spektrum von Aktivitäten verfolgen – Geselligkeit, Diskussionen, Feten, Basteln, Ausflüge, Aktionen etc. Diese Jugendgruppen sind die Basis einer formalen, durch

[2] *W. Schefold/D. Damm,* Jugendverbände, in: H. Eyferth/H.-U. Otto/H. Thiersch (Hrsg.), Handbuch zur Sozialarbeit/Sozialpädagogik, Neuwied 1980, 611–623.

Satzung bestimmten Organisation, deren Positionen und Gremien den Verband auf Landes- und Bundesebene ausmachen und von Delegierten der jeweils unteren Ebene gewählt werden.
Jugendgruppen haben in der Regel auch einen Gruppenleiter: einen meist ehrenamtlich in der Verbandsarbeit tätigen Jugendlichen oder einen in der Erwachseneninstitution mit Jugendarbeit Befaßten, z.B. einen Sozialarbeiter, Pfarrer, Diakon oder Funktionär. In basisdemokratischen Verbänden wird der Gruppenleiter von den Jugendlichen gewählt, in anderen von der Erwachsenenorganisation oder älteren Mitarbeitern bestimmt. Manche Verbände verfügen auch über Doppelstrukturen: einen von den Jugendlichen gewählten Gruppenleiter und einen von der Erwachsenenorganisation bestimmten ...
Kern aller Jugendverbandsarbeit ist, daß Jugendlichen und Kindern die Chance des Zusammenseins mit Gleichaltrigen in Formen geboten wird, welche die in diesem Alter spezifischen Bedürfnisse nach Interaktion in der Gleichaltrigengruppe hinreichend aufnehmen. Jugendverbände als eine Form institutionell abgesicherter, gleichwohl zumindest teilweise selbstbestimmter, personenbezogener, egalitärer Interaktion mit Gleichaltrigen haben gegenüber Schule und Arbeitswelt, die primär hierarchisch, zweckbezogen und fremdbestimmt organisiert sind, eine Funktion sozialer Versorgung. Sie organisieren und gewährleisten für einen Teil von Jugendlichen ein altersspezifisch besonders bedeutsames Beziehungsgefüge.
Jugendverbände befriedigen, wenn auch in traditioneller Jugendarbeit oft nur als unbeabsichtigte Begleiterscheinung festgeschriebener Aktivitäten, zentrale Bedürfnisse nach sozialer Anerkennung, Sicherheit, Verständigung. Sie ermöglichen Freizeitaktivitäten, sie versorgen dadurch und darüber hinaus einen Teil der Bedürfnisse nach Erholung, Entspannung, Erlebnissen in der Freizeit und leisten damit einen Beitrag, daß Jugendliche die schwierige Balance zwischen den Anforderungen in Schule, Berufsausbildung und Arbeit und ihren persönlichen Bedürfnissen herstellen können.
Diese Versorgungsleistungen der Jugendverbände für Jugendliche bilden zwar die Grundlage für jede gesellschaftliche Wirkung der Jugendverbände, begrenzen diese jedoch nicht. Ihrem Selbstverständnis nach sind Jugendverbände soziale Systeme, die Aufgaben der Sozialisation- und Interessenvertretung übernehmen. Hier sei für viele, ähnlich lautende Zielformulierungen der Verbände eine Formulierung des Deutschen Bundesjugendrings zitiert: Durch Jugendarbeit sollen „junge Menschen in die Lage versetzt werden, ihren gesellschaftlichen Standort zu erkennen, zu eigenständigem Denken und solidarischem Handeln befähigt werden“.[3]

[3] Vgl. Stellungnahme des DBJR zum Diskussionsentwurf zum Bundesjugendplan, 1976.

2. Erfahrungen mit „dem Verein"

Es ist immer wieder einmal zu hören oder zu lesen, daß junge Leute gern in ihre Verbands-Gruppe gehen, wenn sie dort situationsbezogene Lebenshilfen bekommen, wenn es dort gegenüber gesellschaftlichen und kirchlichen Instanzen kritisch-solidarisch zugeht, wenn sie dem Dach-Verband anmerken, daß der zeitgerecht und zukunftsorientiert agiert, wenn junge Leute in ihrem Nahbereich (Stadtteil/Gemeinde/Umwelt) Engagement als Voraussetzung für ihr Zusammensein und als Ziel für ihre Aktivität zugleich erfahren und wenn sie in einer weiter zunehmenden technisch-wissenschaftlichen Welt den Sinn für Deutung von Zusammenhängen geschärft bekommen. Wenn Jugendliche darüber hinaus noch ihre Verbandsleitung zum Sprecher für ihre Sorgen und Probleme machen können, sind sie (fast) glücklich. Allerdings gebietet die Redlichkeit zu erwähnen, daß solche Sprecherfunktion nach Meinung vieler eher für die großen Themen dieser Zeit ausgeübt werden kann, für Frieden, Rüstung/Abrüstung, Entwicklungshilfe, Ökologie/Umwelt. Mit den Dingen des Lebens, die jungen Leuten näher sind, sieht es schon anders aus, mit Partnerschaft, Schule, Ausbildung, Arbeitswelt, Leben in der Kirche. Da hat doch so manche(r) den Eindruck, ihr Verein/Verband sei scheindemokratisch strukturiert, wenn ein formaler Parlamentarismus überhandnimmt, wenn die Bedeutung eines (kirchlichen Sendungs-) Auftrags wichtiger ist als eine individuelle Problemlösung, wenn finanzielle Abhängigkeiten das Geschehen diktieren. Junge Leute mögen es nicht so sehr, wenn Verbände sich als Elite sehen (z. B. ein Monopol für „sinnvolle Freizeit", für Interessenvertretung, für Aufnahmebewilligungen in Anspruch nehmen). Und gar nicht gut finden sie es, wenn kritische Reflexion erschwert wird, wenn der Konsens wichtiger als die Auseinandersetzung, die Ausgewogenheit wichtiger als die Einseitigkeit ist. Sinnvoll scheint ein Jugendverband in jedem Fall dann zu sein, wenn er über die Kirchturmgrenzen hinausschauen läßt, den religiösen Horizont erweitert, mit neuen Fragen, Problemen und Meinungen konfrontiert, eine Brücke zur Kirche darstellt, die Erfahrungen gemeinsamen Sprechens und Handelns vermittelt, durch Selbstorganisation von Freizeit- und Lerninteressen die Erfahrung von Selbstbestimmung vermittelt, im Feld der Interessenvertretung die Mitglieder durch Mitarbeit politisch denken und handeln lehrt. So pflegen es jedenfalls Verantwortliche in der kirchlichen Jugendverbandsarbeit zu sehen.[4] Sie machen in ihrem Metier aber auch folgende Erfahrungen:

- Verbände unterscheiden sich eher durch Programme als durch Praxis;

[4] Bund der Deutschen Katholischen Jugend im Bistum Münster, Jugendverbandsarbeit in der Diskussion, in: Das Schwarze Brett 5 (1980) 17-26.

Tagungen, Gruppenstunden, Projekte und Veranstaltungen sehen im wesentlichen gleich oder ähnlich aus.

- Jugendverbände müssen sich der Konkurrenz aus den Bereichen der Bildung und Freizeit auch im Wege der Anpassung stellen, damit im Zusammenleben Jugendlicher Glaube erfahrbar gemacht werden kann.
- Jugendverbände werden verantwortlich gemacht für die Jugendlichen, wie diese heute sind; dennoch wollen sie nicht die Hände in den Schoß legen.
- Überorganisation (Dachverband/mittlere Ebene) führt zu Erstarrung; kein Wunder, daß Jugendliche kein Interesse an solchen Institutionen haben. Mehr „Lockerheit" wäre angesagt.
- Motive, in einen Verband zu gehen, liegen mehr in der Freizeitgestaltung; berufliche, politische, kirchliche Orientierung scheint man von anderen Einrichtungen eher zu erwarten.
- Ältere Verantwortliche übertragen ihre Jugend-Erfahrungen auf die „neue" Jugend. Das führt zu Ungleichzeitigkeiten in der Alltags- Kommunikation. Womöglich muß die eigens gelernt werden.
- Je mehr Ebenen es gibt (Dachverband/mittlere Ebene), desto mehr verwaltungsmäßiges Handeln (Zuständigkeiten!) ist zu beobachten.
- Die Geschichte der Verbände, ihre Nähe zu Erwachsenen-Organisationen und deren finanzielle Förderung erschwert Jugendlichen selbstbestimmtes Handeln - sie werden behandelt.[5]

3. Reflex auf diese Erfahrungen

Womöglich geht es in den spontanen peergroups spontaner, selbstbestimmter, selbstorganisierter zu als in den Gruppen von Verbänden? Da die Felder enorm zugenommen haben, in welchen sich peergroups bilden können, läge hier ein Grund für das unaufhaltsam scheinende Abnehmen der Geltung von Verbänden. Viele verlassen den Verband[6], weil seine Struktur nicht hält, was sie verspricht. An sich sollte ein Verband nicht nur nach der jeweiligen Selbsteinschätzung, sondern auch konkret nachvollziehbar Interessen transportieren und Interessen vertreten. Im Bereich der konfessionellen Jugendverbände mehren sich jedoch die Stimmen, die davon sprechen, daß Interessen spiritualisiert werden, daß eher Karrieren eingeleitet, gefestigt und bestätigt werden und daß Inhalte der Arbeit eher kanalisiert und abgewiegelt werden; es werden halt keine Häuser besetzt, sondern es wird darüber geschrieben. Da gerade auch in konfessionellen Jugendverbänden, in katho-

[5] Vgl. ebd.

[6] Als ebenso instruktiver wie eindringlicher Bericht kann gelten: *B. Aumüller* u.a., Wir haben den Verband verlassen, in: deutsche jugend 30 (1984) 17–26.

lischen womöglich mehr noch als in evangelischen, Strukturen sich in Gremien und deren Tätigkeitsentfaltung manifestieren, müssen Stichworte wie Hierarchie, Geschäftsordnung, Konzepte, Zuständigkeiten hinzugefügt werden, um anzudeuten, wie schwer es einfachen Verbandsmitgliedern inzwischen fallen mag, Kampf und Kontemplation gleichermaßen zu erfahren. Der Verband als „Heimat" für Gruppen Gleichaltriger hat gerade im kirchlichen Bereich eine Bedeutungsveränderung erfahren. Vor noch nicht langer Zeit hat der Verband eher als Ort der Freizeitgestaltung mit allgemeinen Aufgaben (Fest und Feier, Fahrt und Lager, Basteln und Werken ...) gegolten, der Gleichaltrigen als Schutz- und Schonraum für die Herausbildung von personaler und sozialer Identität diente. Heute ist ein Verband eher ein Ort des Engagements mit Spezialaufgaben (z. B. Entwicklungshilfe, Rüstungskontrolle, Friedensdemonstrationen), den die Gruppe der Gleichaltrigen als Raum des Erprobens und Wagens nutzt. Nun sehen sich Jugendverbände vor die Aufgabe der Quadratur des Kreises gestellt, der Balance von Integration, Bindung und Autonomie.[7] Immerhin könnte schon ein Sechseck gezeichnet werden:

- Als Grundproblem wäre die „Gewohnheit" anzusehen, das Jugendalter weiterhin als besondere soziale Gruppe gesellschaftlich auszugliedern.
- Dabei wird der Jugend als sozialer Gruppe derzeit und bis auf weiteres keine Zukunftsbedeutung für die Gesellschaft zugeschrieben; es wird keine Hoffnung auf einen besseren Zustand der gesellschaftlichen Verhältnisse (mehr) auf sie gesetzt.
- Die Handlungs-, Entscheidungs- und Verantwortungsspielräume, die Jugendverbände haben, machen öffentliche Zugriffe erst möglich und rechtfertigen sie.
- Auf der anderen Seite hat Jugendarbeit konventionellen Zuschnitts das Image, ein historisch begrenztes Phänomen, sozusagen ein auslaufendes Modell zu sein.
- Eine bürgerliche Mittelschicht, die in sich ruht und sich deshalb engagieren kann, gibt es kaum noch; man/frau ist entweder aufstiegsorientiert (Schule!) oder abstiegsbedroht (Ausbildung; Arbeitsplatz!).
- Demgegenüber ist auch mit „revolutionärem Potential nicht zu rechnen; Arbeiter und Mädchen finden sich in den Jugendverbänden kaum wieder"[8].

[7] *H. Giesecke,* Vom Wandervogel bis zur Hitlerjugend. Jugendarbeit zwischen Politik und Pädagogik, München 1981, 211–222.
[8] Vgl. ebd.

4. Reflexionen und Reaktionen der Jugendverbände in der Bundesrepublik Deutschland

In den Jugendringen hat man sich angesichts solcher Tendenzen vor Zeiten/beizeiten etwas Delikates einfallen lassen: Man hat zwischen einem „harten“ und einem „weichen“ Mitgliederbegriff unterschieden. Zu den „Harten“ zählen dann die mit dem Mitgliedsbuch, die ihren Beitrag zahlen, regelmäßig in Gruppen mitarbeiten, zu Pflichtveranstaltungen kommen und das Pflichtexemplar einer Zeitschrift beziehen. Die „Weichen“ hingegen kommen gelegentlich zu Gruppenaktivitäten, je nach Angebot und Motivation, gelegentlich besuchen sie Einrichtungen und/oder Veranstaltungen der Verbände, machen in Gruppen mit, die nicht zum Verband gehören, aber von diesem betreut werden, und nehmen zu guter Letzt an zentralen Veranstaltungen teil, die von „ihrem“ Verband mitgetragen werden.[9] Eigentlich ist es kein Wunder, daß so vieles von den Jugendunruhen der letzten Jahre nichts mit den etablierten Jugendverbänden zu tun hat; sind diese doch in den Augen der Avantgarde „im strengen Sinn ihrer Bezeichnung keine selbstbestimmten Jugendorganisationen, sondern im Gegenteil fremdgeleitete Anschlußorgane an Erwachsenenverbände“; denn „nicht die eigentlichen Verbandsmitglieder, deren Einzelgruppen oder Delegierte kontrollieren und bestimmen die verbandlichen Entscheidungsprozesse mit, sondern erwachsene ehrenamtliche sowie hauptamtliche Funktionäre“[10]. Das läßt sich ein gestandener Vorsitzender nur einmal sagen ... Seitdem es solch herbe Kritik gibt, haben es gerade auch die konfessionellen Jugendverbände mit ihrer kirchen- und staatstragenden Selbst-Bestimmung besonders schwer. Die Bedeutung von konfessionellen Jugendverbänden könnte aber auch aus guten Gründen abgenommen haben: Die freiheitlich-demokratische Lebensform, wie sie in den ersten 15 Jahren in der Bundesrepublik Deutschland entwickelt und etabliert worden ist, ist nicht zuletzt „dem Gedankengut des politisch engagierten fortschrittlichen Teils der Kirche“ zu verdanken, wie immer man auch dazu stehen mag; der Adenauer-Ära wird ja, nun 30 Jahre später, eher Konventionalismus oder gar Devotionalismus attestiert. Aber damals – nachdem die neue Gesellschaft errichtet worden war – hatten die Bauleute ihre Schuldigkeit getan und konnten gehen. Scharf nachgefragt: „Waren Glaubensstunden und Jugendpredigten damals wirk-

[9] Neutral-freundlich wird dieser Vorgang beschrieben bei *W. Gernert*, Verwaltete Jugend. Jugendarbeit ohne Bevormundung, Darmstadt 1981, 40.

[10] *B. Rigauer*, Überlegungen zu gesellschaftlichen Strukturproblemen der Jugendverbände, in: deutsche jugend (1969) 458f.

lich nur eine Pflichtübung, oder liegt es an deren Inhalt, wenn heute keine Nachfrage mehr besteht?"[11]

Nun kommt die Frage auf und ist zu beantworten, wie sich die Jugendverbände in den vergangenen Jahrzehnten selbst verstanden haben. Wenige Markierungspunkte sollen ohne Zorn und Eifersucht wiedergegeben sein: 1962, nach Abschluß des Wiederaufbaus (des westlichen Teils) Deutschlands in der ersten Identitätskrise der Jugendverbände, stellte der Deutsche Bundesjugendring in einem Grundsatzgespräch unter anderem fest[12]:

- Jugendverbände streben kein autonomes Jugendreich an, sondern verstehen sich als Glieder der Gesellschaft.
- Jugendverbände erziehen in ihren Gemeinschaften durch und auf Gegenseitigkeit.
- Jugendverbände orientieren sich in ihrer Arbeit an Leitbildern und Aufgaben, die auf das Leben der Gesamtgesellschaft gerichtet sind.
- Jugendverbände bieten neben dem Ausfüllen der Freizeit dem jungen Menschen Einführung in seine späteren Aufgabenkreise.
- Jugendverbände sehen in der Gruppe Gleichaltriger den wirksamsten funktionalen Helfer auf dem Weg der politischen Bildung. Als soziologische Einheit ermöglicht sie am aussichtsreichsten Erziehungserfolge.
- Offene Formen der Arbeit erleichtern als Vorraum den Zugang zu Gruppen mit größerer Bindungsdichte.
- Jugendverbände übernehmen Aufgaben im sozialen und jugendpflegerischen Bereich für das Wohl der gesamten Jugend. Dabei ist Selbstbeschränkung wegen Überlastung das Gebot der Stunde.
- Jugendverbände wirken über die Jugendpolitik an der Gestaltung der Lebensverhältnisse der jungen Generation unseres Landes mit.[13]

1968, mitten in den legendären Zeiten der Außerparlamentarischen Opposition, bejahen die Jugendverbände „entschieden die Notwendigkeit von permanenten Veränderungen und sehen darin eine entscheidende Voraussetzung zur Sicherung unserer Zukunft in einer demokratischen Gesellschaft. Dem dient nicht die unkritische Anpassung junger Menschen an die bestehende Gesellschaft. Die Jugendverbände beziehen selbst gesellschaftskritische Positionen ... Die Jugendverbände lehnen es ab, die Jugend in einem Schonraum abdrängen zu lassen; engagierte Jugendliche müssen nicht nur auf die Übernahme von Verantwortung vorbereitet werden, sondern diese zum Beispiel in Familie, Schule, Jugendverband, Kirche, Staat, Betrieb,

[11] *P. Hastenteufel,* Verwöhnt – Verwaltet- Verunsichert. Kirchliche Jugendarbeit 1945–1975, in: R. Bleistein (Hrsg.), Kirchliche Jugendarbeit. Angebot oder Anbiederung?, Düsseldorf 1976, 11-24.

[12] Deutscher Bundesjugendring, Selbstverständnis und Wirklichkeit der heutigen Jugendverbandsarbeit. Grundsatzgespräch 1962 in Sankt Martin/Pfalz, Manuskript, Bonn 14. 9. 1962.

[13] Vgl. ebd.

Universität realisieren können"[14]. Ein Jahr später, 1969, formulierte Hermann Kumpfmüller, der damalige Präsident des Bayerischen Jugendrings, für eine weitere Diskussion der Jugendverbandsarbeit im DBJR unter anderem:
„Die Jugendarbeit versteht sich immer weniger als sogenannte ‚vergesellschaftete' Jugendarbeit, soweit darunter die möglichst reibungslose und unkritische Anpassung an die bestehende Gesellschaft verstanden wird. Heute zeichnet sich ziemlich klar eine gesellschaftskritische Position der Jugendverbände ab." Es sei die Aufgabe der Jugendverbände, zwischen der Rebellion der kritischen Jugend und dem Establishment eine Brücke zu schlagen. Dies schien Kumpfmüller „nur dann aussichtsreich zu sein, wenn die Jugendverbände den Brückenbau vom Ufer der Rebellion aus beginnen. Aussichtslos dürfte es sein, das erste Fundament auf der Seite des Establishments zu legen, das in jeder berechtigten Forderung nach Veränderung eine Bedrohung unserer freiheitlich-demokratischen Grundordnung sieht. Die Jugendverbände mit ihrer starken Verankerung bei Erwachsenenverbänden stehen außer Verdacht, diese Ordnung grundsätzlich in Frage stellen zu wollen." Und Kumpfmüller folgert: „Es könnte sein, daß es für die Zukunft der Jugendverbände entscheidend ist, ob und wie es ihnen gelingt, diese Rolle als Sprecher für junge Menschen zu übernehmen."[15]
Nicht erst 15 Jahre später hat sich die Aufforderung als ein aussichtsloser Kraftakt herausgestellt, als Jugendverband, der bei Erwachsenen verankert ist, den geforderten Brückenbau am Ufer der Rebellion zu beginnen ... Die traditionellen Grundfunktionen von Jugendverbänden, *Erzieher* der Jugend (durch diese selbst), *Mittler* zwischen der jungen Generation und der Gesellschaft der Erwachsenen und schließlich *Sprecher* der jungen Generation zu sein, haben sich inzwischen nachdrücklich als gegenseitig behindernd herausgestellt. Wie dem Dilemma beizukommen ist, das ist Gegenstand langwieriger Auseinandersetzungen geworden.[16] Vorhandene Analysen aus den Jugendverbänden nennen falsche Organisationsformen, Verselbständigung der Funktionärsebenen, uninteressante Angebote als Gründe für geringer gewordenen Zulauf. Es sieht allerdings mehr noch nach gesamtstrukturellen Schwierigkeiten aus, die die Jugendverbände haben.[17] In den ersten Jahren der Bundesrepublik Deutschland konnte jeder, der wollte, „seinen" Verband finden. Einige Jahre später begann der Überdruß an Integration und Anpas-

[14] Das Selbstverständnis des Deutschen Bundesjugendrings und seiner Mitgliederorganisation. Schlußerklärung der 35. Vollversammlung des DBJR vom November 1968, in: *H. Giesecke,* Die Jugendarbeit, München 1980, 37f.

[15] *H. Kumpfmüller,* Zehn Thesen zum Selbstverständnis der deutschen Jugendverbände, in: deutsche jugend 17 (1969) 13–14.

[16] *T. Schmieder,* Thesen zur Rolle und den Aufgaben der Jugendverbände, in: Landesjugendring Niedersachsen (Hrsg.), Jugend und Staat, Hannover 1984, 28–35 und 29f.

[17] *H. Giesecke,* Die Jugendarbeit, a.a.O., 23–42 und 79–84.

sung – das Konzept der Integrationshilfe konnte 1962 den Überdruß nur verstärken. Wieder einige Jahre später ging es um radikale Kritik – die Jugendverbände zogen nach. Das Konzept der Pluralität und der Toleranz nahm an Bedeutung in dem Maß ab, wie die Kirchen und andere sinnstiftende Institutionen ihren gesellschaftlichen (nicht ihren politischen!) Einfluß verloren. Neue weltanschauliche Positionen (Frieden, Frauen, Ökologie) konnten von den Jugendverbänden nicht ausreichend aufgenommen und vertreten werden; so bildeten sich neue Bewegungen ohne nennenswerten Einfluß von Jugendverbänden. Deren Chance liegt also wohl nicht in der Verstärkung von Vorhandenem, sondern im Entwickeln und Anbieten randscharf unterscheidbar anderer/neuer Formen eines als sinnvoll erfahrbaren Gemeinschaftslebens, das Hilfen zur Aufrechterhaltung der Identität und damit soziale Integration ermöglicht. Basisgruppen, Netzwerke, Erzählgemeinschaften scheinen von daher ihre Wirksamkeit zu entfalten. Jugendverbände bleiben aber, trotz aller Kritik und trotz aller kritischen Punkte, „der einzige gesellschaftliche Machtfaktor, der mit Aussicht auf öffentliche Resonanz die Probleme und Interessen von Jugendlichen öffentlich vertreten kann“[18]. Dazu verhelfen nicht zuletzt Kompetenzen als „mitverantwortliche Zentralstellen“ von Bundes- und Landesbehörden, mit denen unter anderem Jugendsozialarbeit, internationale Begegnung, freiwillige soziale Dienste, Mädchenbildung, Arbeit mit Problemgruppen und Jugendberatung betrieben werden können[19]; Dinge also, an denen auch außerhalb der Verbände ein hohes öffentliches Interesse besteht.

5. Theorien der Jugend(verbands)arbeit

Der kurze Rückblick in die Geschichte deutet an, daß der Widerspruch von Emanzipation und Integration Jugendlicher in die Gesellschaft für die Geschichte und die gegenwärtige Praxis der Jugendverbände konstitutiv ist[20]:
- Bewegung in den Verbänden wird vermißt, wenn sie auch in Gesellschaft und Kirche ausbleibt.
- Persönliche Anerkennung im Verband wird vermißt, wenn „mein Typ“ auch in Kirche und Gesellschaft „nicht gefragt ist“.
- Den Verbänden wird eine „geistige Mitte“ abgesprochen, wenn sie (auch) in den gesellschaftlichen Großorganisationen fehlt; und umgekehrt wird ein Spezifikum mit der Tendenz der Vereinnahmung gefordert, wenn so etwas auch anderswo verlangt wird (Wende-Zeit: zum Eigentlichen zurück . . .).

[18] Vgl. ebd.
[19] Vgl. ebd.
[20] *Chr. Bäumler,* Zwischen Integration und Emanzipation. Zur Geschichte der Jugendverbände seit 1945, in: deutsche jugend 20 (1972) 217-227.

– Selbstbestimmung/Selbstorganisation gibt es in Verbänden dann, wenn sie auch in den gesellschaftlichen Strukturen gegeben sind, die diese Verbände tragen.
– Das Verständnis von Jugendlichen als Subjekt oder Objekt in Jugendverbänden korrespondiert in der Regel mit dem, wie Jugendliche in der Welt der Erwachsenen eingeschätzt werden.
– Die Bedeutung des Gruppenleiters als Platzhalter gesellschaftlicher Gruppen entspricht den Wünschen jeweils dieser Gruppen: Wenn etwa Trümmerräumen verlangt ist, werden Trümmer geräumt, und ein Jugendverband ist gesellschaftlich nützlich. Wenn ungestörtes Geldmachen verlangt ist, können die Jugendverbände im gesellschaftlichen Schonraum ihren Ambitionen nachgehen. Wenn der Gürtel, wegen Arbeitslosigkeit z.B., enger geschnallt werden muß, werden den Jugendverbänden komplementäre Aktions- und Bildungsprogramme finanziert[21].

Die Grundfunktionen von Jugendverbänden wären gleichwohl die Sozialisation der Mitglieder, deren soziale Plazierung, ihre soziale Kontrolle und ihre soziale Mobilisierung als Interessen- und Konfliktgruppen.[22] Doch nach welcher Anschauung (griechisch: Theorie) sollen diese Funktionen in Bewegung gesetzt werden? Die in aller wohlaffektionierten Harmlosigkeit gestellte Frage gibt zu erkennen, daß eine Theorie der Jugendverbandsarbeit benötigt wird. Aber wer braucht welche Theorie? Erfahrungsgemäß brauchen und machen die Psychologen eine psychologische, die Soziologen eine soziologische, die Pädagogen eine pädagogische, die Theologen eine theologische Theorie der Jugendverbandsarbeit.[23] Demnach müßte von Theologen die Theorie der Jugendverbandsarbeit der Kirchen gemacht werden, wenn diese in der Theologie ihrer Kirchen ihren Wurzelgrund haben. Andererseits kann *eine* Theorie von *einem* Ansatz her der Komplexität des Feldes Jugend(verbands)arbeit kaum gerecht werden. Vermutlich müßte die Praxis „von einer komplexen Theorie angeleitet werden, in der Elemente einer pädagogischen Theorie mit dem erkenntnisleitenden Interesse der Emanzipation der Jugendlichen und Elemente einer politischen Theorie mit dem erkenntnisleitenden Interesse der Demokratisierung der Gesellschaft durch eine kritische funktional-strukturelle Analyse des Sozialisationsfeldes Jugendarbeit hinsichtlich der Realisierbarkeit veränderter Praxis miteinander

21 Vgl. ebd; Weitreichende Durchblicke verschafft in diesem Problemzusammenhang auch *A. Keil,* Jugendpolitik und Bundesjugendplan. Eine Analyse, München 1969.

22 Unverzichtbare Pflichtlektüre ist für das gesamte Kapitel *W. Schefold,* Die Rolle der Jugendverbände in der Gesellschaft. Eine soziologische Analyse, München 1972.

23 *M. Faltermaier,* Zum Verhältnis von Theorie und Praxis. Wozu macht und braucht man eine Theorie der Jugendarbeit?, in: ders., Nachdenken über Jugendarbeit. Zwischen den fünfziger und achtziger Jahren. Eine kommentierte Dokumentation mit Beiträgen aus der Zeitschrift „deutsche jugend", München 1983, 225–229.

verbunden sind"[24]. Mit solchen Forderungen in solchen Formulierungen wird das Tor zur Professionalisierung der Jugend(verbands)arbeit zweifellos sperrangelweit aufgestoßen. Eine Theorie der Jugendverbandsarbeit müßte sich einer allgemeinen Theorie der Jugendarbeit unterordnen lassen. Deren strukturbestimmende Grundkategorien[25] sind zunächst ganz allgemein Kommunikation, dann näherhin Information, daraus folgend Aufklärung, schließlich ein identifizierbarer Stil. Hinzutreten das Medium der Geselligkeit, die Freiwilligkeit der Teilnahme, das Ansetzen bei Interessen, Wünschen und Bedürfnissen sowie eine spezifische Didaktik: Die Jugendarbeit bringt ihre Inhalte in einem Bildungsprozeß erst selbst hervor.

Auf dem Boden dieser Annahmen sind in den letzten 15 Jahren im wesentlichen drei Theorie-Ansätze gewachsen, die auch für Jugendverbände eine wichtige Rolle gespielt haben[26]:

- der *sozial-integrative* Ansatz sieht Jugendarbeit als Bindeglied zwischen Kindheit und Erwachsensein. Jugendverbände begründen ihren Anspruch als Erziehungsinstitution von daher mit der Annahme, sie hätten neben Elternhaus und Schule ergänzende Erziehungsfunktionen.
- Der *emanzipatorische* Ansatz enthält für Jugendverbände den Anstoß, die Sozialisation ihrer Mitglieder reflektierend zu verarbeiten mit dem Ziel zunehmender Demokratisierung. Ihren Anspruch als Erziehungsinstitution leiten sie aus ihrem Beitrag ab, ihre Mitglieder zu Demokratisierungsprozessen in der Gesellschaft zu befähigen.
- Mit dem *antikapitalistischen* Ansatz wollen die Jugendverbände, die mit ihm umgehen, die Ungleichheiten überwinden helfen, die aus dem Grundwiderspruch von Lohnarbeit und Kapital resultieren, und zwar durch Mobilisierung revolutionären Potentials, etwa der Auszubildenden. Ihren Anspruch als Erziehungsinstitution sehen solche Jugendverbände in ihrem theoretischen und praktischen Beitrag zur gesellschaftlichen Analyse begründet.

Es wird deutlich, daß emanzipatorische und antikapitalistische Jugendarbeit jede sozialintegrative Perspektive ablehnen; sie wollen die Welt, in der wir leben, entweder von innen heraus reformieren oder sie von außen verändern. Die konfessionellen Jugendverbände befinden sich mehr oder weniger alle auf dem Weg vom sozialintegrativen zum emanzipatorischen Ansatz, wobei sie je nach dem Grad ihrer (Un-)Abhängigkeit zum Teil schon als

[24] *Chr. Bäumler,* Professionalisierung der Jugendarbeit? Aspekte einer soziologischen Analyse der Jugendverbände, in: deutsche jugend 21 (1973) 123ff.

[25] Anstöße zum Entwerfen von Theorien der Jugendarbeit, fürs Nachdenken und Ausprobieren, fürs Krachmachen und Anecken liefern seit 20 Jahren *C. W. Müller/H. Kentler/Kl. Mollenhauer/H. Giesecke,* Was ist Jugendarbeit? Vier Versuche zu einer Theorie, München 1964.

[26] *B. Meyer,* Jugendarbeit als dritte Erziehungsinstitution. Die Untersuchung eines Anspruchs auf der Grundlage programmatischer Zielaussagen und Publikationen der im Deutschen Bundesjugendring zusammengeschlossenen Verbände, Brühl 1974.

recht emanzipiert gelten können. Eine große Rolle spielt der Drang oder Zwang, sich gegenüber anderen Institutionen legitimieren zu müssen. In den Konzepten geht es dabei in der Regel emanzipatorischer zu als in der Praxis der jeweiligen Gruppenstunden oder der Zeitschriften.[27]
Alle diese Theorie-Ansätze und ihre Variationen, vom „harmonistischen" bis zum „bedürfnisorientierten", weisen die Verschränkung von Lernen und Handeln, von Aufklärung und Partizipation, von Bewußtseinsbildung und politischer Aktion auf. Sie verstehen den jeweiligen Zusammenhang als Wenn-Dann-Verhältnis im Sinn eines pädagogischen Handelns, das Folgen haben muß, um gesellschaftlich relevant zu sein und darüber hinaus akzeptiert zu werden.[28] Was die konfessionellen Jugendverbände betrifft, wird man/frau ihnen nicht zu nahe treten mit der Behauptung, daß sie, soweit sie sich als Erziehungsinstitution verstehen, sich in erster Linie als verstärkende Ergänzung zu anderen Sozialisationsinstanzen zeigen. Gleichwohl war und ist für sie die Diskussion solcher Theorie-Ansätze nicht folgenlos geblieben. Mitgliederschwund, Protestbewegungen (Frieden, Frauen, Jugend, Ökologie), Bildungsreformen hin und zurück, Arbeitslosigkeit, Konsumismus machen den Jugendverbänden das Leben schwer. Seitdem die Selbstverständnisdiskussionen nicht mehr nur auf den Führungsetagen stattfinden, sondern auch zu Strukturdebatten in Gruppen und Gemeinden geführt haben, sollen den Jugendverbänden im wesentlichen zwei Zuschreibungen das Leben erleichtern helfen: sie sollen ein Feld für emanzipatorische Lernprozesse sein[29], und sie sollen eine Basis für politische Aktionen abgeben[30]. Selbstfindung und -erziehung in Gruppen einerseits, aktionsorientierte Darstellung nach außen andererseits – diese Verschränkung ist von den jeweiligen Trägern vorformuliert, so daß beide Zuschreibungen eingelöst werden können. Die konfessionellen Jugendverbände haben dabei ein widersprüchliches Image. Bei nur wenigen scheinen noch Religion und kirchlich-spezifische Lebensformen die Gemeinschaft zu konstitutieren. Vielmehr scheinen es eher Interessen und Neigungen der Mitglieder zu sein. Dementsprechend scheinen die Kirchen eher durch institutionelle Vorgaben Gemeinschaft zu stiften, vom Haus der Offenen Tür bis zur Ferienmaßnahme, und weniger mit religiösen Zielen und Lebensformen. Was sich – fast zum Trotz – dennoch in diesem Bereich ansiedelt, hat dann eher den Charakter des Außenseiterischen.
Als Feld für emanzipatorische Lernprozesse haben Jugendverbände es aber schwer, weil sie im allgemeinen von Schule und Beruf abgekoppelt sind, weil

27 Vgl. ebd.
28 *W. Schefold,* Zur Situation der Jugendverbände, in: L. Böhnisch (Hrsg.), Jugendarbeit in der Diskussion. Pädagogische und politische Perspektiven, München 1973, 205–220.
29 Vgl. ebd.
30 Vgl. ebd.

sie in der Freizeit agieren und dort ein sehr heterogenes Publikum haben, weil sie mit scharfrandigen Unternehmungen im allgemeinen auf Kritik in ihrem von Erwachsenen geprägten Umfeld stoßen und weil sie über nicht so effektive Instrumente verfügen, konkrete Politik zu machen. Als Basis politischer Aktionen haben Jugendverbände es schwer, weil sie in aller Regel selten legitimiert sind, Forderungen vorzutragen, etwa in der Schule. Was in diesem Zusammenhang das politische Mandat betrifft, genügt ein Satz: Den Jugendverbänden wird ihr politisches Mandat nur dann bestritten, wenn ihre Auffassungen nicht im Einklang mit dem jeweiligen Anstoßnehmer sind. Davon zu unterscheiden sind bewußtseinsbildende Aktionen einerseits, die Lobbyisten-Tätigkeit von Funktionären andererseits. Ferner fehlt einer Basis für politische Aktionen oft das, was mehr als der nur kleinste gemeinsame Nenner wäre. Das Feld der Freizeit, die heterogene soziologische Zusammensetzung, die Abgetrenntheit von Schule, Ausbildung und Beruf, die so gern als pädagogische Möglichkeiten positiv gesehen werden, erweisen sich nach näherem Hinsehen als eher hinderlich für politisches Agieren: das Organisieren von Koalitionen. So überwiegt das Moment der Veranstaltung, das Angebot also; das Moment der Selbst-Organisation hat es gerade im Bereich der konfessionellen Jugendorganisationen nach wie vor nicht leicht.[31]

6. Möglichkeiten und Grenzen konfessioneller Jugendverbände

Angenommen[32], die Tätigkeit von Jugendverbänden lasse sich als Ausdruck von Partizipation, von Beteiligung an der Gestaltung und Regelung des Zusammenlebens in Kirche, Gesellschaft und Staat verstehen, dann sind seit dem Wiederaufbau von Jugendverbänden nach dem Ende der Hitlerzeit etwa drei Phasen der Veränderung dieser Partizipation festzustellen: In der ersten Phase des *Wiederaufbaus* bedeutete Partizipation im wesentlichen Einübung in die demokratische Kultur angelsächsisch-amerikanischer Prägung, also in die Umgangsformen und Stile demokratischen Verhaltens. Dabei sicherte der Arbeitskräftebedarf Chancen für jeden, ohne daß er darum hätte kämpfen müssen. In der anschließenden Phase der *Reformpolitik* ging es um die inhaltliche Beteiligung der Jugend an den Prozessen des Fortschritts in der Gesellschaft; die Modernisierung der Gesellschaft sollte durch Mobilisierung der Jugend vorangetrieben werden; da wurde die junge

[31] Vgl. ebd.

[32] *W. Hornstein,* Jugend und Staat – Anspruch und Wirklichkeit. Zum Zusammenhang von politischer Beteiligung und sozialer Lebenslage unter den Bedingungen staatlichen Handelns in der Gegenwart, in: Landesjugendring Niedersachsen (Hrsg.), Jugend und Staat, a.a.O., 4–21.

Generation in einem ungewohnt intensiven Sinn „gebraucht". In der jetzigen Phase der *Rezession,* in der Jugend weder als Arbeitskraft noch als Sinnstifter gebraucht wird, soll die Partizipation der Jugend den Charakter zupackender Mitarbeit haben.[33] In solchen Zeitläufen haben, so scheint es, konfessionelle Jugendverbände ihre geistige Mitte und ihre pädagogischen Leitbilder verloren.[34] Mit ihrer (natürlichen oder aufgezwungenen) Scheu vor kritisch-rationaler Aufklärung, mit ihrer hierarchisch orientierten Ordnung (Verkündigen/Hören) und mit der Nähe der Kirchen zu etablierten Obrigkcitsverhältnissen tun sie sich entsprechend schwer. Die Geschichte einzelner Mitgliedsverbände der Arbeitsgemeinschaft der Evangelischen Jugend (aej) wie des Bundes der Deutschen Katholischen Jugend (BDKJ) liefert für diese Annahme genügend Belege. Konfessionelle Jugendverbände gehen nun in ihren Programmen und Zielsetzungen – jedenfalls nach ihrem eigenen Bekunden – von den Interessen, Wünschen und Bedürfnissen ihrer Mitglieder und Veranstaltungsteilnehmer aus. Sie berücksichtigen damit das Bedürfnis der Jugendlichen nach selbstbestimmter Leistung, sehen und begleiten sie auf der Suche nach Orientierung, nach sozialer Anerkennung, Kommunikation und Solidarität. Nutzen sie nun das simple Befriedigen von Bedürfnissen als gesellschaftliches Alibi? Diesem Vorwurf entgehen sie dann, wenn sie ihre Mitglieder fördern, ihre Interessen zu erkennen und durchzusetzen.[35] Dabei gilt die Vorstellung, „daß man von unterschiedlichen Ansätzen her zu gemeinsamer Praxis zusammenfindet und so die Fähigkeit mehr und mehr herausgebildet wird, die Spannung zwischen möglicher Vielfalt und notwendiger Einheit als sinnvoll und hilfreich zu entdecken" – so das Ergebnis der Polarisierungsdebatte 1963–1973 im Bereich der evangelischen Jugendarbeit.[36] In katholischen Jugendverbänden orientiert sich diese Suchbewegung am Beschluß der Gemeinsamen Synode der Bistümer in der Bundesrepublik Deutschland über „Ziele und Aufgaben kirchlicher Jugendarbeit"[37]. Nach der Vorstellung von Jugendarbeit als sozialem Lernen[38] kann mit dem darin enthaltenen Konzept „Reflektierte Gruppe/Personales Angebot" eine kirchliche Jugendarbeit in und mit

33 Vgl. ebd.

34 *H. G. Binder,* Eine Herausforderung der Jugendverbände. Einige Gedanken zu den vier Versuchen einer Theorie der Jugendarbeit, in: deutsche jugend 13 (1965) 24–38.

35 *D. Damm,* An den Bedürfnissen ansetzen? Zur Kritik traditioneller Jugendarbeit, in: deutsche jugend (1974) 166ff.; vgl. auch *ders.,* An den Bedürfnissen ansetzen, in: deutsche jugend (1974) 212ff.

36 *J. Jürgensen,* Vom Jünglingsverein zur Aktionsgruppe. Kleine Geschichte der evangelischen Jugendarbeit, Gütersloh 1980, 146.

37 „Ziele und Aufgaben kirchlicher Jugendarbeit". Beschluß der Gemeinsamen Synode der Bistümer in der Bundesrepublik Deutschland, Bonn 1975.

38 Eine weitere unabdingbare Pflichtlektüre ist *H. Steinkamp,* Jugendarbeit als soziales Lernen. Ziele und Aufgaben kirchlicher Jugendarbeit. Zum Beschluß der Gemeinsamen Synode der Bistümer in der BRD, München/Mainz 1977.

Jugendverbänden entwickelt werden, welche die Interessen der Jugendlichen im Auge hat, ohne die Interessen der Mitarbeiter als für die Kirche und den Glauben Verantwortliche aus den Augen zu verlieren. Allerdings: Die Freiheit der Jugendlichen und der Mitarbeiter wird von der am Auftrag orientierten Bevormundung durch den kirchlichen Apparat auch weiterhin genügend strapaziert.[39]

Dietrich Bonhoeffer zufolge ist „die Zukunft der Kirche nicht die Jugend, sondern der Herr Jesus Christus allein“[40]. Hier wird der allgemeine Gegensatz Emanzipation/Integration für die konfessionellen Jugendverbände spezifisch: Theologische Vorgaben bestimmen Normen, Werte, Ziele - Die Pädagogik besteht darin, das Ziel möglichst wirkungsvoll zu erreichen - Pädagogik wird damit auf die Frage nach den besten Mitteln und Wegen reduziert. Dem steht das Selbstverständnis von Jugendverbänden gegenüber, mit Selbstorganisation/Selbstbestimmung an den Interessen, Wünschen und Bedürfnissen der Mitglieder anzusetzen und auf diese Weise die Ziele zu erreichen.[41] Das Beharren der Kirchen auf diesem ihrem eschatologischen Vorbehalt begründen sie mit ihrer Brückenkopf-Funktion in die neuzeitliche Gesellschaft hinein[42] und mit ihrer Überzeugung, daß Glauben ein Gemeinschaftserlebnis ist. Daher kommt ein gewisser Drang nach Bünden und Verbindungen, nach Verbänden, Vereinen und Gemeinschaften: In ihnen, mit ihnen und durch sie kann Glaube sichtbar gemacht und weitergegeben werden. Verbände stehen also immer unter einem Auftrag, haben immer eine geheime Tagesordnung. Mit dem Synodenbeschluß über Ziele und Aufgaben kirchlicher Jugendarbeit kann es nur darum gehen, „Spannungen zu erhellen und ertragbar zu machen, die jeder zu spüren bekommt in der Spannung zwischen Leib und Geist, zwischen Einzelmensch und Gesellschaft, zwischen Selbstverwirklichung und Weltgestaltung, zwischen Leben und Tod. Immer ist menschliches Dasein dabei zugleich auf sich selbst bezogen und über sich selbst hinausgewiesen.“[43]

Dieses Über-sich-selbst-hinausgewiesen-Sein führt in theologische Dimensionen, die aber auch ganz praktisch werden müssen. Mit unüberbietbarer Prägnanz und in mitreißender Eindeutigkeit heißt es im Synodenbeschluß über Ziele und Aufgaben kirchlicher Jugendarbeit: „Die Kirche dient dem jungen Menschen, indem sie ihm hilft, sich in einer Weise selbst zu verwirk-

39 Vgl. das Nachwort von *Chr. Bäumler,* in: H. Steinkamp, Jugendarbeit als soziales Lernen, a.a.O., 119.

40 *D. Bonhoeffer,* Acht Thesen über die Jugendarbeit der Kirche, in: M. Affolderbach (Hrsg.), Grundsatztexte zur evangelischen Jugendarbeit. Materialien zur Diskussion in Praxis, Lehre und Forschung, Münster 1978, 202f.

41 *Kl. Mollenhauer* u.a., Evangelische Jugendarbeit in Deutschland. Materialien und Analysen, München 1969, 34.

42 *H. Halbfas,* Jugend und Kirche. Eine Diagnose, Düsseldorf 1964, 317.

43 Vgl. „Ziele und Aufgaben kirchlicher Jugendarbeit“, a.a.O.

lichen, die an Jesus Christus Maß nimmt (Phil 2,6–11). Darin unterscheidet sich kirchliche Jugendarbeit von jeder anderen Jugendarbeit."[44] Das Spezifikum evangelischer Jugendarbeit bezeichnet Bäumler als die Vermittlung der Tradition der Verheißungsgeschichte mit der Situation junger Menschen in der Gesellschaft im Vollzug der Mitmenschlichkeit.[45]
Nach der Ordnung der Evangelischen Jugend Deutschlands von 1946 ist die Mitte evangelischer Jugend(verbands)arbeit „Jesus Christus, der Herr. Aller Dienst der Kirche an der Jugend muß das Ziel haben, sie in Lebensgemeinschaft mit dem Gekreuzigten und Auferstandenen zu bringen, wie er sie seiner Gemeinde durch Wort und Sakrament gibt."[46] Die konfessionellen Jugendverbände verfügen damit über eine Option für die „Entwicklung und Verwirklichung einer emanzipatorischen Jugendarbeit, die geschieht um der Jugendlichen willen und damit mittelbar um der Veränderung der Gesellschaft willen, in der sie leben"[47]. Nun sind Emanzipation und Herrschaft Jesu Christi keine Gegensätze, sondern Komplementationen geistig/weltlicher Art. Katholische Jugendverbände haben denn auch Plattformen, pastoraltheologische Entwürfe und politisch-pädagogische Konzepte gemacht, in denen „Jesus Christus Grund unseres Handelns" genannt wird. Für die evangelische Jugend(verbands)arbeit wächst aus der Herrschaft Christi ein Drang nach emanzipatorischen Prozessen, insofern die Herrschaft Christi als Signal der Freiheit aufgefaßt wird: Jesus hat Gesetz, Sünde und Tod überwunden, die den Menschen an seiner Selbstverwirklichung hindern. Dementsprechend muß Jugendarbeit im Reich Gottes emanzipatorisch geschehen, und evangelische Jugendarbeit nimmt die Anfrage der emanzipatorischen Jugendarbeit auf und interpretiert sie von Christus her. Von ihm her können menschliche Abhängigkeiten und angemaßte Herrschaft abgebaut werden. Die Befreiungserlebnisse, von denen die Bibel berichtet, drücken Glaubenserfahrungen aus, die das Denken und Handeln in Richtung auf Emanzipation beeinflussen können und sollen.[48]
Ob „katholischerseits" viel dagegen eingewandt werden kann? Der Emanzipationsbegriff kennzeichnet nicht nur Sozialisationsvorgänge, sondern – für den Christen – mehr noch geistig/geistliche Dimensionen (Paulus): Ein in Christus befreiter Mensch reflektiert seine eigene Sozialisationsgeschichte und erhält daraus Antriebe zum mündigen Menschsein. Zeugnis, Gemeinschaft und Dienst führen damit keineswegs in die Sackgasse der Innerlich-

44 Vgl. ebd.
45 *Chr. Bäumler,* Unterwegs zu einer Praxistheorie. Gesammelte Aufsätze zur kirchlichen Jugendarbeit, München 1977, 172.
46 Jugendkammer der EKD. Ordnung der Evangelischen Jugend Deutschlands, in: M. Affolderbach, Grundsatztexte zur evangelischen Jugendarbeit, a.a.O., 39f.
47 *O. Seydel,* Kirchliche Jugendarbeit. Freiraum und Konflikt, Stuttgart 1974, 8.
48 *D. Wittmann,* Emanzipation und Herrschaft Jesu Christi in der evangelischen Jugendarbeit, evangelische jugend information, Studientext 10 vom April 1974.

keit; jede Bekehrung wirkt sich sozial aus, wenn sie diese Bezeichnung verdient. Wenn man auch nicht (mehr) das Reich Gottes hier auf Erden bauen kann, ist es doch möglich, sinnlich erfahrbar zu machen, daß ein neuer Mensch sich entfalten und in der Freiheit bestehen kann, zu der Christus ihn befreit hat.[49]

So sollen und müssen konfessionelle Jugendverbände auch weiterhin weltanschaulich orientieren und weltanschaulich mobilisieren. Sie müßten im ureigensten Lebensbereich ihrer Mitglieder etwas riskieren, was die Veränderung der Lebensumstände betrifft. „In den Augen der Welt" hat die inhaltliche Substanz der Kirchen abgenommen; die weltanschauliche Bindungsfähigkeit hat nachgelassen; die Ausstrahlungskraft von Führergestalten ist (gottlob!) erlahmt; vieles, was in konfessionellen Jugendverbänden geschieht, wird von außen an sie herangetragen; man ist keine Autorität mehr, man braucht Autorität (Stimme aus dem BDKJ im Bistum Passau). Da liegt es eigentlich nah, nicht ständig etwas Neues anzufangen, sondern die Vermittlung von Sinn und Bindung zu verfestigen; Probleme am Ort sehen und lösen; den Mitgliedern selbst Heimat schaffen, die Mitglieder ihre Heimat selbst schaffen lassen, und nicht: die Mitglieder für andere Heimat schaffen lassen.[50] Selbstverständlich: Christ ist man/frau nur für andere. Aber es ist nur der ein Christ für andere, der (auch) ein Christ für sich ist; das ist ein dialektischer Vorgang. Und kein Jugendverband in den Kirchen braucht den Mut zu verlieren, sich der Sinnfrage zu stellen, nur weil die Kirchen in der traditionellen Rolle als Sinnagentur verbraucht erscheinen.[51] Wenn in Jugendverbänden Fragen nach dem Sinn (etwa des Lebens) beantwortet werden sollen, dann darf man vorher auch ein wenig über den Sinn des Wortes „Sinn" nachsinnen – öffentlich und privat. Wenn konfessionelle Jugendverbände Antworten auf die heutigen Sinnfragen junger Leute geben wollen, indem sie etwas weitergeben, was sie für wichtig halten, dann dürfen sie sich als Wissende in eine gemeinsame Suchbewegung mit denen begeben, die angeblich nichts wissen, und alle werden lernen. Wenn konfessionelle Jugendverbände sich ihres Angebots an Sinnvermittlung aber sicher sein können, dann können sie auch bescheiden auftreten. Die Zukunft liegt ohnehin in einem weiteren Gegensatz: in Netzwerken und Arbeitsgemeinschaften.

[49] Vgl. ebd.

[50] *G. Brenner,* Handlungsgrundsätze und erlebtes Territorium. Zur Belebung der weltanschaulich orientierten Jugendverbände, in: deutsche jugend 32 (1984) 217–226.

[51] *H. Steinkamp,* Kirchliche Jugendarbeit – Antworten auf Sinn- und Zeitfragen?, in: Thomas-Morus-Akademie (Hrsg.), Droht Spaltung der kirchlichen Jugendarbeit? Politisches Mandat und pastoralreligiöser Auftrag, Bensberger Protokolle Nummer 38, Bensberg 1982, 25–49.

Literatur

Bäumler, Christof, Zwischen Integration und Emanzipation. Zur Geschichte der Jugendverbände seit 1945, in: deutsche jugend 20 (1972) 217-227.

Brenner, Gerd, Handlungsgrundsätze und erlebtes Territorium. Zur Belebung der weltanschaulich orientierten Jugendverbände, in: deutsche jugend 32 (1984) 217-226.

Schefold, Werner, Die Rolle der Jugendverbände in der Gesellschaft. Eine soziologische Analyse, München 1972 (Juventa).

Ders./Damm, Diethelm, Jugendverbände, in: Eyferth, Hanns/Otto, Hans-Uwe/Thiersch, Hans (Hrsg.), Handbuch zur Sozialarbeit/Sozialpädagogik, Neuwied/Darmstadt 1984, 611-623 (Luchterhand).

Schmieder, Tilmann, Thesen zur Rolle und den Aufgaben der Jugendverbände, in: Landesjugendring Niedersachsen (Hrsg.), Jugend und Staat, Hannover 1984, 28-35.

Steinkamp, Hermann, Kirchliche Jugendarbeit - Antworten auf Sinn- und Zeitfragen?, in: Thomas - Morus - Akademie (Hrsg.), Droht die Spaltung der kirchlichen Jugendarbeit? Politisches Mandat und pastoral-religiöser Auftrag, Bensberger Protokolle Nummer 38, Bensberg 1982, 25-49.

Edmund Arens

Verkündigung

1. Problemstellung

Verkündigung ist zentrales Thema der Bibel und elementare Aufgabe der Kirche. In ihr geht es um die Ausrichtung einer Botschaft. Das Neue Testament nennt sie „Jesus Christus", „Evangelium" und „Wort Gottes". Sie beansprucht öffentlichen und verbindlichen Charakter. Sie ist darauf gerichtet, Menschen für das Verkündigte bzw. den Verkündigten zu gewinnen. „Kommunikation des Evangeliums", so charakterisiert Ernst Lange[1] treffend christliche Verkündigung. Wie diese geschieht und geschehen soll, was in ihr kommuniziert wird, wer ihr Adressat und was Ziel ist, inwiefern die kirchlich geübte Kommunikation des Evangeliums in der Lage ist, dieses einladend und überzeugend zu kommunizieren, ist umstritten.
Ebenso umstritten ist, welche Rolle die kirchliche Jugendarbeit im Blick auf Verkündigung spielt, ob sie überhaupt dazu da ist zu verkündigen und unter welchen Bedingungen sie dies gegebenenfalls zu leisten vermag.
Die Polarisierungsdebatte innerhalb der evangelischen Jugendarbeit sowie die Kontroversen um den Synodenbeschluß „Ziele und Aufgaben kirchlicher Jugendarbeit" auf katholischer Seite lassen sich lesen als Auseinandersetzungen zum einen über Intention, Interesse und Funktion kirchlicher Verkündigung, zum anderen über ihren Charakter, ihre Kriterien sowie ihren Modus. Dabei ist die biblische Begründung unkontrovers. Umstritten allerdings sind deren Kriterien und Konsequenzen.
Der biblische Befund scheint eindeutig. Das Thema Verkündigung durchzieht das gesamte Neue Testament. Es ist an die Person Jesu gebunden. Seine Verkündigung ist Grund, Orientierung und bleibender Bezugspunkt christlicher Verkündigung. Markus stellt zu Beginn seines Evangeliums heraus: Jesus verkündete das Evangelium Gottes und sprach: „Die Zeit ist erfüllt, das Reich Gottes ist nahe. Kehrt um, und glaubt an das Evangelium" (Mk 1,15). Lukas läßt Jesus sein Anliegen mit Worten Jesajas in seiner „Antrittspredigt" in Nazareth zusammenfassen: Der Geist des Herrn „hat mich gesandt, damit ich den Armen eine gute Nachricht bringe; damit ich

[1] Vgl. *E. Lange,* Kommunikation des Evangeliums, in: ders., Kirche für die Welt, München/Gelnhausen 1981, 101–129.

den Gefangenen die Entlassung verkünde und den Blinden das Augenlicht, damit ich die Zerschlagenen in Freiheit setze und ein Gnadenjahr des Herrn ausrufe“ (Lk 4,18 f.). Das Evangelium des Matthäus kulminiert und endet mit dem Verkündigungsauftrag des Auferstandenen an seine Jünger: „Darum geht zu allen Völkern und macht alle Menschen zu meinen Jüngern; tauft sie auf den Namen des Vaters und des Sohnes und des Heiligen Geistes, und lehrt sie, alles zu befolgen, was ich euch geboten habe“ (Mt 28,19 f.). Die Apostelgeschichte sieht es als die erste Aufgabe der Apostel und Jünger an, „Jesus Christus“ (Apg 8,5) bzw. das „Wort Gottes“ (Apg 13,5) zu verkündigen. Paulus weiß sich gesandt, „das Evangelium zu verkünden“ (1Kor 1,17), „Christus als den Gekreuzigten“ (1Kor 1,23), „Jesus Christus als den Herrn“ (2Kor 4,5).

Für das Neue Testament ist Jesus der Verkünder der anbrechenden Gottesherrschaft schlechthin. Er beauftragt seine Jünger, mit ihm diese Botschaft auszurichten. In den urchristlichen Gemeinden wird er zugleich zum Gegenstand der Verkündigung, zum Verkündigten. Was Jesu Verkündigung und die von Jesus Christus heute bedeuten und beinhalten, darauf sind unterschiedlichste Antworten gegeben worden.

„Die Frage nach dem Verhältnis von Jugendarbeit und Verkündigung“ sowie die „nach dem Was und Wie der Verkündigung“[2] ist exemplarisch in der Polarisierungsdebatte[3] von den beiden polar einander gegenüberstehenden Positionen - emanzipatorisch orientierte versus missionarisch-evangelische Jugendarbeit - her angegangen und kontrovers beantwortet worden. Da diese Diskussion abgebrochen wurde und auch die ähnlich gelagerte katholische Auseinanderstzung um den Synodenbeschluß noch auf eine Entfaltung ihrer theologischen Prämissen und Kriterien wartet, ist es angebracht, einige geschichtliche Hintergründe zu benennen, die in diese Kontroversen geführt haben, um anschließend eine biblisch-theologisch fundierte Weiterführung zu versuchen.

2. Hintergründe

Wie Verständnis und Praxis der Verkündigung in der Jugendarbeit sich in den letzten vierzig Jahren verändert haben und mit welchen gesellschaftlichen Entwicklungen dieser Wandel einhergegangen ist, hat Affolderbach[4] aufgezeigt.

2 Vgl. Jugendkammer der Evangelischen Kirche im Rheinland, in: *M. Affolderbach* (Hrsg.), Grundsatztexte zur evangelischen Jugendarbeit, Stuttgart/Gelnhausen[2]1982, 150.

3 Vgl. ebd., 121-176.

4 Vgl. *M. Affolderbach,* Kirchliche Jugendarbeit im Wandel. Analysen zur Bibelfrömmigkeit, München/Mainz 1977.

Seine „Analysen zur Bibelfrömmigkeit“, die den in der evangelischen Jugendarbeit aufweisbaren Paradigmenwechsel in der Bibelarbeit und ihre Krise zum Gegenstand haben, können als exemplarisch auch in bezug auf das umstrittene Verhältnis von Jugendarbeit und Verkündigung gelten. In der Entwicklung innerhalb der katholischen Jugendarbeit sind äquivalente Veränderungen auszumachen, hier freilich nicht bezogen auf Bibelarbeit im engeren Sinn. Diese Veränderungen sind bisher kaum in einer praktisch-theologischen Theorie reflektiert worden, abgesehen von Halbfas' Analyse der religiösen und kirchlichen Situation der Jugend. Diese wurde bereits 1964 vorgenommen; darin will er, allerdings nur im Blick auf Schulkatechese und Predigt, auch „Hinweise für eine zeitgemäße Glaubensverkündigung“[5] gewinnen. Wegen der Äquivalenz der Entwicklungen und des Fehlens einer historisch-genetischen Theorie auf katholischer Seite bietet es sich an, die geschichtlichen Hintergründe der heutigen Problematik entlang Affolderbachs historischem Phasenmodell zu skizzieren.
Die formelle Bibelarbeit nach 1945, die an Erfahrungen aus der Gemeindejugendarbeit während des Nationalsozialismus anknüpfte und zugleich versuchte, Verbandsformen aus der Zeit vor 1933 wieder aufzunehmen, sah in der Bibelarbeit die Mitte evangelischer Jugendarbeit. Lag deren Funktion nach Affolderbach in der „institutionellen Selbstrepräsentation“, so war die durch Gespräch, Meditation und gemeinsame Erarbeitung geschehende „Kenntnisnahme des biblischen Textes und die Aneignung seiner Inhalte das vordringliche Ziel“[6]. Die als Lebensgemeinschaft verstandene Jugendgruppe orientierte sich an der „Substanz“ christlichen Glaubens, nicht an seiner und ihrer „möglichen und tatsächlichen gesellschaftlichen Funktion“[7].
In der um 1960 einsetzenden Phase der informellen Bibelarbeit, die sich mit der Tendenz zur „offenen Jugendarbeit“ entwickelte, wurde die nicht mehr selbstverständliche Bibelarbeit nach Affolderbach zum Gegenstand eines operativen Konsenses, in dem man sich einig war über ihre Notwendigkeit, deren Verfahren und Inhalt aber konzeptionell und methodisch verschieden erarbeitet wurden. In dieser durch den einsetzenden „religiös-biblischen Sprachverlust“[8], der faktischen „Emanzipation von christlich-kirchlicher Binnenorientierung“[9] und die beide reflektierenden pluralistischen Konzeptions- und Theorieversuche widersprüchlichen Phase tritt die biblische Legitimation der offenen Jugendarbeit offen hervor. Sie wurde betrieben mit den

[5] *H. Halbfas,* Jugend und Kirche. Eine Diagnose, Düsseldorf 1964, 237.
[6] *M. Affolderbach,* Kirchliche Jugendarbeit im Wandel. Analysen zur Bibelfrömmigkeit, a.a.O., 94.
[7] Ebd., 126.
[8] Ebd., 181.
[9] Ebd., 182.

„beiden charakteristischen Schlüsselbegriffen“[10] „Verkündigung“ und „Diakonie“.
Mit der Schüler- und Studentenbewegung der 60er Jahre kam es zu einer neuen Phase, der handlungsorientierten Jugendarbeit. Kennzeichnend für sie ist nach Affolderbach die „legitimierende Verwendung biblischer Motive“[11]. In dieser Phase verschiebt sich der Akzent auf den gesellschaftspolitischen Bereich. Getragen von einem traditions- und institutionskritischen Impuls werden kirchliche Aussagen am Anspruch engagierten Handelns bemessen. Veränderungen werden nicht nur gefordert, sondern zu realisieren versucht. Es erfolgt „eine explizite Abweisung und Kritik an Formen verbaler Verkündigung“[12]. Der Rückgriff auf die Bibel verlagert sich von der Gruppenarbeit auf die Theoriediskussion. Die Bibel bzw. bestimmte biblische Motive wie der Verweis auf das Vorbild Jesu, das des Reiches Gottes, der Agape sowie das Friedensmotiv bekommen eine legitimatorische Funktion. Dieser legitimierende Rückbezug dient laut Affolderbach a) dazu, „Verdächtigungen gegenüber emanzipatorischer Jugendarbeit in bezug auf die Vernachlässigung des Verkündigungsauftrags abzuweisen“, und b) „bestimmte Strukturen des Handlungsfelds Jugendarbeit zur Darstellung (zu) bringen“[13].
Der Begriff „Verkündigung“ wird seinem Inhalt nach über den biblischen Bereich hinaus ausgeweitet, von seiner Funktion her zur „Integrationsformel“[14] und Legitimationsfigur für verschiedenste Handlungsvollzüge. Diese werden gekennzeichnet mit Termini wie: „indirekte Verkündigung“, „Verkündigung als Interaktion“, „schweigende Verkündigung“ usw.[15]
Angang der 70er Jahre setzt sich nach der gesellschaftlich-politischen Desillusionierung der Schüler- und Studentenbewegung mit der Profilierung biblisch-missionarischer Gruppen und dem Aufschwung missionarischer Jugendarbeit zum einen die alte Bibelarbeitstradition fort, auf der anderen Seite kommt es in Anknüpfung an die handlungsorientierte Phase zu einer verstärkten Aufmerksamkeit auf das soziale Lernen. Dazu richtet sich das Interesse primär auf die Gruppe der Jugendlichen, die über die Thematisierung ihrer elementaren Bedürfnisse und der in der Gruppe ablaufenden Prozesse zu einem Raum sozialer Erfahrung und sozialen Lernens wird, zur „reflektierten Gruppe“[16]. Für diese Phase lassen sich Konvergenzen in der

[10] Ebd., 180.
[11] Ebd., 182.
[12] Ebd., 187.
[13] Ebd., 194.
[14] Ebd., 204.
[15] Vgl. ebd., 203f.
[16] Vgl. *H. Steinkamp,* Jugendarbeit als soziales Lernen. Ziele und Aufgaben kirchlicher Jugendarbeit, München/Mainz 1977.

Entwicklung innerhalb der evangelischen und katholischen Jugendarbeit feststellen im Blick auf die funktionale Verwendung biblischer Texte. Auf Grund der situativen Verankerung der Lerninhalte wird die Selbstgenügsamkeit biblischer Aussagen in Frage gestellt; es kommt zu einer Veränderung des Bibelgebrauchs, wobei sich Affolderbach zufolge drei Verwendungsformen biblischer Texte ausmachen: „1. Im Kontext von Aktion und Reflexion wird biblischen Inhalten die Funktion der Handlungsmotivation zugeschrieben; 2. In bezug auf Konfliktsituationen in der Gruppe oder im Alltag des Jugendlichen bieten biblische Texte Entscheidungshilfen bei der Suche nach Lösungen; 3. In Situationen alltagsweltlicher Kontingenzerfahrung bieten biblische Texte Artikulationshilfen“.[17]
Die mit den Stichworten „funktionale Verwendung biblischer Texte“ und „reflektierte Gruppe“ markierte Phase kirchlicher Jugendarbeit ist nun Gegenstand heftiger Kontroversen in der Polarisierungsdebatte einerseits, der Auseinandersetzung um den Synodenbeschluß andererseits geworden. Darin schlägt den Vertretern der genannten Konzeptionen der Verdacht entgegen, das spezifisch Christliche kirchlicher Jugendarbeit aus dem Blick zu verlieren, sie von humanitär-emanzipatorischen Ansprüchen statt vom Evangelium her bestimmen zu lassen und die biblische Botschaft jesulogisch zu verkürzen. Durch die von evangelikaler und episkopaler Seite vorgebrachte Kritik sieht sich so orientierte kirchliche Jugendarbeit verschärft vor die Frage gestellt, ob sie ihre Konzeption theologisch legitimieren und biblisch begründen kann und wie dies möglich ist.

3. Herausforderungen

Inwiefern kann bzw. muß kirchliche Jugendarbeit den Verkündigungsauftrag des Evangeliums wahrnehmen? Ist mit Mollenhauer[18] zu konstatieren, der Diakoniebegriff scheine für die Bestimmung des Auftrags evangelischer (und katholischer) Jugendarbeit ergiebiger als der der Verkündigung? Oder ist mit Mennig[19] Verkündigen neu zu bestimmen als Handeln an Christi Statt, welches, der Sitation angemessener als den Lehrsätzen der Dogmatik, wesentlich Verkündigung in Aktionen statt zur Kanzelrede verkümmerte Verkündigung meint? Umfaßt Verkündigung nicht vielmehr „das ganze Leben und setzt überall dort ein, wo wir uns mit dem Leben auseinanderset-

[17] *M. Affolderbach,* Kirchliche Jugendarbeit im Wandel. Analysen zur Bibelfrömmigkeit, a.a.O., 235f.
[18] Vgl. *Chr. Bäumler,* Unterwegs zu einer Praxistheorie. Gesammelte Aufsätze zur kirchlichen Jugendarbeit, München 1977, 212.
[19] Vgl. *H. Mennig/G. Stoll/I. Überschär,* Verkündigung in der Jugendarbeit, Gelnhausen/Berlin/Freiburg 1975.

zen“[20]? Kommt es mit Stückrath[21] auf den wortlosen Vollzug der Verkündigung an? Oder kann mit Affolderbach unter den Bedingungen der „reflektierten Gruppe“ Bibelfrömmigkeit als Reflexionsfrömmigkeit Gestalt bekommen, die, vom Erlebnishorizont und den Bedürfnissen der Jugendlichen ausgehend, Wirklichkeit sprachlich verfügbar macht als aus biblisch-christlicher Tradition gewonnenes „deutendes, lösendes, anklagendes, entlarvendes, aufforderndes Wort“[22]? Läßt sich das Lernen aus dem Gruppenprozeß mit dem Begriff der „situativen Verkündigung“ verbinden, wie es Steinkamp[23] mit Bezug auf die situationsorientierte Verkündigung der Praxis Jesu exemplarisch unternimmt?

Meines Erachtens braucht und sollte auf den Begriff der Verkündigung zur Bestimmung des Auftrags und Anliegens kirchlicher Jugendarbeit nicht verzichtet werden. Er sollte nicht der evangelikalen missionarischen Jugendarbeit und solchen Bischöfen und Theologen überlassen werden, die ihn restriktiv im Sinn traditioneller Wortverkündigung definieren und verwenden. Die Alternative dazu ist ebenfalls nicht seine insbesondere in der handlungsorientierten Jugendarbeit geschehene expansive Verwendung für alle möglichen Handlungsvollzüge, wobei dann gar nicht mehr entscheidbar ist, was nicht mehr als Verkündigung zu gelten hat. Meiner Ansicht nach geht es auch nicht darum, das nachträglich quasi-theologisch zu legitimieren, was ohnehin schon geschieht. Es kommt vielmehr darauf an, ein biblisch-theologisch fundiertes Verständnis von Verkündigung zu entwickeln, das in Korrelation und Konfrontation mit Erfahrungen und Einsichten kirchlicher Jugendarbeit Kriterien liefert nicht, nur für die theologische Kritik ihrer Praxis[24], sondern zugleich für deren Begründung.

Ein solches Verständnis soll im folgenden versuchsweise skizziert werden. Dabei machen wir uns zentrale Erkenntnisse gegenwärtiger Sprach- und Handlungstheorien zu eigen und entfalten diese in biblisch-theologischer Perspektive.

4. Grundlegung

Verkündigen ist kommunikatives Handeln. Von der Analyse der Struktur kommunikativen Handelns her läßt sich präzisieren, was Verkündigen meint, wie es funktioniert, was es intendiert und wie es vor sich geht. Für eine

[20] Ebd., 9
[21] Vgl. *Stückrath,* in: Chr. Bäumler, a.a.O., 177f.
[22] *M. Affolderbach,* Kirchliche Jugendarbeit im Wandel. Analysen zur Bibelfrömmigkeit, a.a.O., 246.
[23] Vgl. *H. Steinkamp,* a.a.O., 40ff.
[24] So *Chr. Bäumler,* a.a.O.

solche Analyse haben die in den vergangenen Jahrzehnten entwickelten Sprach- und Handlungstheorien das Instrumentarium bereitgestellt.[25] Im Zuge der pragmatischen Theoriebildung sind dabei vier fundamentale Einsichten gewonnen worden.

Die erste Grundeinsicht betrifft das Verhältnis von Sprache und Wirklichkeit. Sie besagt, daß Wirklichkeit nicht etwas Sprachunabhängiges darstellt und daß es somit keinen vorsprachlichen Zugang zu ihr gibt. Wirklichkeit ist vielmehr immer schon sprachlich bestimmt und ausgelegt, so daß sie sprachlich vermittelt erfahren, erkannt, in Frage gestellt und verändert wird.

Die zweite Grundeinsicht reflektiert den intersubjektiven Charakter der Sprache. Sprache ist etwas, das ein Individuum immer schon mit anderen teilt. Indem es eine bestimmte Sprache lernt, wird es zugleich in eine Kommunikationsgemeinschaft integriert, in der grundlegende Annahmen über und Zugänge zur äußeren, gesellschaftlichen sowie inneren „Welt" geteilt werden. Diese sind vom einzelnen zu übernehmen in einer Weise, daß er sich zugleich mit anderen identifizieren lernt (als Angehöriger einer Familie, einer Gruppe, einer Glaubensgemeinschaft, eines Volkes . . .) und die Fähigkeit erwirbt, sich von ihnen abzugrenzen und als Subjekt zu begreifen, also lernt, „Ich" zu sagen.

Eine dritte fundamentale Einsicht betrifft den Handlungscharakter der Sprache. Auf ihn ist die Sprechakttheorie aufmerksam geworden. Sie besagt, daß wir mit Worten und Sätzen etwas tun, nämlich Handlungen vollziehen. Wie jemand in einer passenden Situation mit der Äußerung des Satzes „Ich bitte dich" nicht nur etwas sagt, sondern zugleich etwas tut, die Handlung einer Bitte vollzieht, so vollzieht er unter geeigneten Umständen mit der Äußerung „Ich warne dich" die Handlung der Warnung, mit der Äußerung „Ich befehle dir" die Handlung des Befehlens . . . Auch wenn solche handlungsvollziehenden, das heißt performativen Sätze bzw. Äußerungen verkürzt sein sollten, so daß das „Ich . . .dich" bzw. „Ich . . .dir" nicht ausdrücklich genannt wird, so werden mit entsprechenden Äußerungen wie „Komm her!", „Geh nicht in den Wald" . . . in geeigneten Situationen Handlungen des Befehlens, Warnens, Bittens . . . vollzogen. Werden diese mit der Übersetzung in die erste Person explizit gemacht, so läßt sich an ihnen die Struktur von Sprechhandlungen ablesen. Diese Struktur wird in der Theorie kommunikativen Handelns auf den Begriff gebracht.

[25] Vgl. *H. Peukert,* Wissenschaftstheorie – Handlungstheorie – Fundamentale Theologie. Analysen zu Ansatz und Status theologischer Theoriebildung, Frankfurt ²1978; *ders.,* Sprache und Freiheit. Zur Pragmatik ethischer Rede, in: F. Kamphaus/R. Zerfaß (Hrsg.), Ethische Predigt und Alltagsverhalten, München/Mainz 1977, 44–75; *E. Arens,* Kommunikative Handlungen. Die paradigmatische Bedeutung der Gleichnisse Jesu für eine Handlungstheorie, Düsseldorf 1982; *ders.,* Elementare Handlungen des Glaubens, in: O. Fuchs (Hrsg.), Theologie und Handeln, Düsseldorf 1984, 80–101.

In ihr wird – die vierte fundamentale Einsicht – ein Verständnis kommunikativen Handelns erarbeit, mit dem eine entscheidende Differenzierung im Handlungsbegriff einhergeht. Sie macht sich daran fest, ob Handlungen im Blick auf andere Subjekte erfolgen, mit denen eine Verständigung über etwas (einen Sachverhalt) zu etwas (das heißt in bezug auf eine herzustellende, aufrechtzuerhaltende oder zu verändernde interpersonale Beziehung) intendiert ist, oder ob sie instrumentell auf die Ausübung von Kontrolle mit dem Zweck der manipulativen Verfügbarmachung und Beherrschung ausgerichtet sind. In einer Reflexion auf die Bedingungen der Möglichkeit sprachlicher Kommunikation bzw. die Grundlagen sprachlicher Verständigung weisen Karl-Otto Apel und Jürgen Habermas[26] auf dem Grund des verständigungsorientierten kommunikativen Handelns eine an Solidarität, Egalität und Reziprozität orientierte normative Grundstruktur auf. Diese ist in der faktischen Kommunikation innerhalb der realen Kommunikationsgemeinschaft immer schon vorausgesetzt, damit Verständigung überhaupt zustande kommt; sie zielt zum anderen auf die Realisierung dieser Grundstruktur in einer idealen Kommunikationsgemeinschaft bzw. Sprechsituation. Diese Grundstruktur ist im strategischen Umgang mit anderen außer Kraft gesetzt. Darin wird die auf Konsens gerichtete Verständigung zugunsten der Erfolgsorientierung aufgegeben. Strategisches Handeln als verzerrte Form des kommunikativen Handelns herauszustellen und ideologiekritisch als solches zu entlarven sowie auf Verständigung zielendes kommunikatives Handeln aufzuweisen und in seiner Struktur zu explizieren als eines, das die Basis menschlichen Zusammenlebens ausmacht, weil und so daß wir uns darüber verständigen müssen, was wir in bezug auf die äußere Welt, die soziale Welt und uns selbst wollen, was wir sollen und was wir im Licht der normativen Grundstruktur von Interaktion wollen sollen, das ist das Ziel kommunikativer Handlungstheorie.

Die Überlegungen und Einsichten gegenwärtiger Handlungstheorien sind für das Verständnis christlicher Verkündigung meines Erachtens folgenreich in mehrfacher Hinsicht. Sie besagen zum ersten, daß Verkündigung als ein Sprachgeschehen auf eine sprachlich bestimmte und ausgelegte Wirklichkeit trifft und in sie eingreift, sie entweder stabilisiert, legitimiert, sanktioniert oder aber in Frage stellt, kritisiert und verändert.

Sie besagen zum zweiten, daß Verkündigung ein intersubjektives Geschehen ist, das Menschen in die Gemeinschaft hinein zu integrieren versucht – und zwar nach Möglichkeit so, daß sie sich zugleich mit der Gemeinschaft identifizieren lernen als auch die Fähigkeit entwickeln, sich unter Berück-

[26] Vgl. *H. Peukert,* Wissenschaftstheorie – Handlungstheorie – Fundamentale Theologie, a.a.O., 262–288; *E. Arens,* Kommunikative Handlungen. Die paradigmatische Bedeutung der Gleichnisse Jesu für eine Handlungstheorie, a.a.O., 265–307.

sichtigung eigener Bedürfnisse, Interessen und Ansichten davon abzugrenzen, also lernen, „Ich" bzw. „Wir" zu sagen.
Zum dritten kommt der Handlungscharakter der Verkündigung in den Blick. Wenn Verkündigen heißt, etwas tun, nämlich mit Sprache handeln, dann ist das aktionistische Insistieren auf dem wortlosen Vollzug der Verkündigung[27] ebenso als unzureichend abzuweisen wie das evangelikale auf der reinen Wortverkündigung.[28]
Zum vierten lassen sich von der kommunikativen Handlungstheorie her Forderungen an die Kommunikationsstruktur christlicher und kirchlicher Verkündigung stellen.[29] Verkündigung als kommunikatives Handeln zu begreifen, heißt zu erkennen, daß sie zugleich auf intersubjektiver Ebene, auf der jemand jemandem verkündigt, geschieht als auch auf der sachlichen Ebene dessen, worüber die Rede ist. Jemand verkündigt jemandem etwas in einer Situation, in die er durch seine Verkündigung eingreift und die er beeinflussen will im Blick auf ihre Stabilisierung, Fortschreibung, Kritik oder Veränderung. Bei einem kommunikativen Verständnis von Verkündigung geht es in ihr um Verständigung auf zwei Ebenen, um intersubjektive Verständigung zu etwas, zu einer bestimmten Form intersubjektiver Beziehung und zugleich um sachbezogene Verständigung über etwas, das ihr Gegenstand ist.
Das Worüber und Wozu christlicher bzw. kirchlicher Verkündigung ist freilich nicht den sich Verständigenden überlassen, sondern ihnen vorgegeben. Es muß von ihnen in ihre jeweilige Situation eingebracht und darin zur Geltung gebracht werden. Das Worüber und Wozu hat ihr Kriterium in Jesus Christus. Die Verkündigung Jesu liefert Kriterien im Blick auf ihr Was, Wie und Wozu. Was schon aus der Perspektive philosophischer Handlungstheorie deutlich wird, daß Verkündigung kommunikativ, an Verständigung orientiert ist, das heißt zugleich, daß sie mißbraucht wird, wo sie, strategisch verstanden, als Instrument zur Kontrolle und Beherrschung der zu Objekten degradierten Adressaten benutzt wird, dies wird aus biblisch-theologischer Perspektive vollends offenbar: von den aus der Verkündigung Jesu zu gewinnenden Kriterien für christlich-kirchliche Verkündigung.

27 Vgl. *Stückrath,* in: Chr. Bäumler, a.a.O., 177f.

28 Vgl. z.B. die Arbeitsgemeinschaft MBK, in: *M. Affolderbach,* Grundsatztexte, a.a.O., 138: „Im Sinne der Reformation (Evangelium als dynamis theou, viva vox) sehen wir in der verbalen Verkündigung, die unter Verheißung der aktuellen Gottespräsenz (Geist) geschieht, das für die Jugendarbeit Konstitutive."

29 Vgl. *R. Zerfaß,* Herrschaftsfreie Kommunikation – eine Forderung an die kirchliche Verkündigung?, in: Diakonia 4 (1973) 339–350.

5. Kriterien

„Die Verkündigung Jesu läßt für das Konzept herrschaftsfreier Kommunikation nicht nur Raum, sondern man gewinnt den Eindruck, daß die Sache, um die es Jesus geht, gar nicht anders als in herrschaftsfreier Kommunikation vermittelt werden könne."[30] Die Sache, um die es Jesus in seiner Verkündigung geht, ist nach einhelliger Auskunft der synoptischen Evangelien zentral die hereinbrechende Gottesherrschaft. Diese sehen sie mit ihm an seine Person und Praxis gebunden. Sie stellen Jesus dar als einen, den die Erfahrung der Nähe Gottes und seiner Herrschaft fundamental bestimmt. An Jesu kommunikativem Handeln, das er von Gott her begreift, mit dessen Willen begründet und als Anbruch von dessen Herrschaft versteht, läßt sich ablesen, was Gottes Herrschaft für ihn bedeutet und bewirkt, was den Kern seiner Verkündigung ausmacht, wie sie sich vollzieht und worauf sie zielt.
Drei hauptsächliche Adressatenkreise der Verkündigung Jesu lassen sich unterscheiden. Ihnen gegenüber tritt jeweils ein Akzent der Botschaft von der Gottesherrschaft besonders hervor.
Adressaten der Verkündigung Jesu sind zum einen „Bedürftige", das heißt aus dem normalen gesellschaftlichen Verkehr Ausgeschlossene und aus unterschiedlichen Gründen mit Exkommunikation Belegte. Darunter fallen sowohl Kranke, Aussätzige und Besessene als auch gesellschaftlich Diskriminierte wie Gesetzesbrecher, Sünder, Zöllner und Dirnen. Jesus hat Umgang mit Besessenen und anderen Kranken, er befreit im Einzelfall solche Menschen von ihrem Leiden durch Krankenheilung und Exorzismus und erklärt gerade darin die Gottesherrschaft für gekommen. Indem er Kontakt mit Randexistenzen aufnimmt, holt er sie aus ihrer sozialen Isolation heraus, hebt ihre Exkommunikation - wenigstens partiell und zeichenhaft - auf und solidarisiert sich mit ihnen im Zeichen der Gottesherrschaft. Er hält Tischgemeinschaft mit Sündern, verkehrt mit den verhaßten Zöllnern, nimmt auch ihre Gastfreundschaft in Anspruch, und darin sieht Jesus eine Vorwegnahme der endzeitlichen Tischgemeinschaft. Solches Verhalten gegenüber gesellschaftlich Diskriminierten bedeutet eine Solidarisierung mit ihnen; darin spricht ihnen Jesus Gottes Solidarität, seine zuvorkommende Güte aus und macht sie ihnen erfahrbar. Dabei beinhaltet Jesu Solidarität sowohl praktisch-tätigen Beistand und Heilung als auch die Eröffnung der Möglichkeit, anders zu werden, sie beseitigt gesellschaftlich-religiös verhängte Exkommunikation und schafft Gemeinschaft.
Den zweiten Adressatenkreis der Verkündigung Jesu bilden seine Anhänger, insbesondere solche Leute, die er in eine dauernde Lebensgemeinschaft mit sich beruft. Er macht die ihm als Wanderprediger Nachfolgenden, die

[30] Ebd., 345.

wie er Heimat, Familie, Beruf und Besitz verlassen, zu Mitarbeitern in seiner Sammlungsbewegung auf die Herrschaft Gottes hin. Vermutlich zogen auch Jüngerinnen mit Jesus, worin sich dann auch die niemanden – und sei es auf Grund des Geschlechts – exkommunizierende Intention und Praxis seiner Sammlungsbewegung zeigte. In der Zusammensetzung des Jüngerkreises, der Zöllner und Zelot, Todfeinde ihrer Herkunft nach, umfaßt, werden die Konturen einer Bewegung sichtbar, in der „vorurteilsloses und zwangsfreies Miteinander eingeübt und ein Stück weit realisiert"[31] werden. Allein die Zusammensetzung des Jüngerkreises läßt auf eine Handlungsstruktur schließen, die im Sinn der Intention der Bewegung antagonistische Herrschaftsstrukturen zu sprengen versucht und im realen Zusammenleben die Botschaft von der hereinbrechenden Gottesherrschaft in der Praxis der Basileia handelnd erfahrbar werden läßt.

Den dritten Adressatenkreis der Verkündigung Jesu bilden seine Gegner, Angehörige konkurrierender religiös-politischer Bewegungen, die Zeloten, Essener und Sadduzäer, insbesondere aber die Opponenten, mit denen Jesus in Galiläa am meisten zu tun hatte, die Pharisäer. Vor allem mit ihnen streitet Jesus um sein und ihr Wirklichkeitsverständnis sowie beider Handlungsorientierung, darin um die Auslegung des Willens Gottes und um die Wirklichkeit Gottes selbst. Jesus sucht das Gespräch mit Pharisäern und sie mit ihm, er nimmt auch ihre Gastfreundschaft in Anspruch und kommuniziert mit ihnen. Dabei setzt er freilich ihrem Verständnis der Gottesherrschaft, deren Joch es jetzt durch Buße, Halten der Gebote, Torastudium und Wohltätigkeit, das heißt durch die Heiligung des Alltags, auf sich zu nehmen gelte, was die Absonderung von allem und allen Unreinen beinhaltet, die zuvorkommende Güte seines Vaters entgegen. Dieser sucht gerade die Verlorenen, Unreinen und Sünder. Vornehmlich an Pharisäer sind Jesu Gleichnisse gerichtet. Sie haben die Intention, die zwischen ihm und seinen Gesprächspartnern bestehenden Konflikte offenzulegen und beizulegen.

In Jesu Konflikten mit pharisäischen Opponenten geht es um einen Streit um die „Prinzipien der ‚gesellschaftlichen Konstruktion der Wirklichkeit' (Berger/Luckmann[32]), und (dieser) ist als solcher ein Streit darum, wie die Wirklichkeit Gottes und seine Herrschaft verstanden werden müssen. Der Streit um eine bestimmte Weise kommunikativen Handelns ist zugleich ein Streit um die Wirklichkeit Gottes"[33]. In Jesu Gleichnissen wird dieser Streit offengelegt und angegangen mit dem Ziel, über ihn hinweg zu einer Verständigung zu gelangen. Dies geschieht mittels fiktionaler, metaphorischer Kom-

[31] *H. Kessler,* Erlösung als Befreiung, Düsseldorf 1972, 66, 88.

[32] Vgl. *P. L. Berger/Th. Luckmann,* Die gesellschaftliche Konstruktion der Wirklichkeit. Eine Theorie der Wissenssoziologie, Frankfurt 1971.

[33] *H. Peukert,* Wissenschaftstheorie – Handlungstheorie – Fundamentale Theologie, a.a.O., 328.

munikation, in der Jesus versucht, sein Wirklichkeitsverständnis und seine Handlungsorientierung narrativ einsichtig zu machen, zugleich das Wirklichkeitsverständnis und die Handlungsorientierung seiner Opponenten ideologiekritisch zu entlarven im Licht der „Selbstverständlichkeit" der Güte Gottes und seiner herrschaftsfreien und befreienden Herrschaft. In Jesu Gleichnissen verbindet sich also mit einer kommunikativen Orientierung auf ihre Adressaten eine theologische Zentrierung. Beide zusammen machen sie die narrativ und praktisch zur Sprache gebrachte Gottesherrschaft zum Paradigma jesuanischer Theologie und Verkündigung. Deren Kern läßt sich meines Erachtens so formulieren: Gott handelt dort, wo Menschen in seinem Sinn agieren und interagieren, wo sie wie Jesus von der Erfahrung seiner Nähe her ihrerseits anderen Menschen näherkommen, wo sie von der Erfahrung seiner Solidarität her sich ihrerseits solidarisch verhalten, von der Erfahrung seiner Güte her ihrerseits gut sind und so Gottes Nähe, Solidarität und Güte vermitteln und erfahrbar machen. Eben darin wird Gottes Herrschaft gegenwärtig.

Ein Moment der Verkündigung der Gottesherrschaft ist durchaus, daß, wo Gott herrscht, Menschen nicht mehr über Menschen herrschen können. Und Gottesherrschaft ist mit Jesus schon da, weil in seinem kommunikativen Handeln herrschaftsfreie Kommunikation sich Bahn bricht; sie liegt noch in der Zukunft, weil sie in seinem Handeln und im Handeln derer, die ihm nachfolgen, zwar angelegt ist, zugleich aber noch weit von ihrer alles „beherrschenden" Realisierung entfernt ist, die allein Gott möglich ist und durch ihn Wirklichkeit wird. Insofern steht Gottes Herrschaft noch aus als zukünftige, zum einen, weil noch nicht alle Menschen sich in ihrem Handeln durch Gott beherrschen lassen und weil die gesellschaftlichen Verhältnisse noch keineswegs durch Herrschaftsfreiheit gekennzeichnet sind, zum anderen, weil beides erst vollkommen in einem von Gott selbst herbeigeführten Zustand möglich sein wird, in einer neuen Wirklichkeit, der eschatologischen Gottesherrschaft.

Jesus hat sein Ziel, daß seine Verkündigung der Wirklichkeit und der Herrschaft Gottes geteilt werde in der Praxis der Basileia, nicht erreicht. Nachdem er nach Jerusalem gezogen war, um dort die letzte, entscheidende Phase des Hereinbrechens der Gottesherrschaft zu erwarten, nachdem er mit seinen Jüngern ein Abschiedsmahl gefeiert hatte, das zur Summe seines symbolischen Handelns wurde, wurde er von den herrschenden Sadduzäern gefangengenommen und in deren Zusammenspiel mit der römischen Besatzungsmacht zum Tod verurteilt und hingerichtet.

Das gewaltsame Ende dieses Mannes, der in seinem kommunikativen Handeln Gott als die niemanden von seiner Liebe ausschließende, gütige und befreiende Wirklichkeit verkündet hatte, mußte „seinen Jüngern die elementare Frage aufdrängen: Galt diese Behauptung für ihn selbst in seinem

Tod nicht? ... Kann man Gott als rettende Wirklichkeit für ihn in seinem Tod behaupten?"[34]. Oder hat Jesu schändlicher Kreuzestod seine Verkündigung der Wirklichkeit und Herrschaft Gottes ebenso widerlegt, wie er seine kommunikative Praxis als „tödlich" entlarvt hat?
In ihrer Verkündigung, in ihrem kommunikativen Handeln, geben die Jünger Jesu nach seinem Tod Antwort auf diese Fragen. Sie tun dies in Form des Bezeugens.[35] Bezeugen aber ist ein kommunikatives Handeln, in dem jemand das bezeugt, was er gesehen und eingesehen hat. Er teilt es anderen mit, so daß es ihnen ebenso zugänglich und einsehbar wird, von ihnen geteilt werden kann. Entscheidend ist nun, daß das, was bezeugt werden kann und muß, nicht anders als über die Person des Zeugen zugänglich ist; es ist an seine Wahrhaftigkeit und Glaubwürdigkeit gebunden. Bezeugen geschieht, indem sich einer mit seiner eigenen Existenz für die Wahrheit des Zeugnisses verbürgt und dadurch das Bezeugte in seiner eigenen Person sichtbar macht. Er tut dies in der Absicht, zu überzeugen, Einverständnis zu erzielen. Jesu Jünger bezeugen und verkündigen darin, was sie durch ihn, mit und an ihm erfahren haben. Sie verkündigen und bezeugen damit Jesus selbst als einen Zeugen, der in seinem kommunikativen Handeln die Wirklichkeit Gottes präsent und erfahrbar gemacht hat. Mit Jesu Hinrichtung wurden sein Handeln, das von ihm Verkündigte und Bezeugte und er selbst nicht zunichte gemacht, sondern - so lautet die Verkündigung und das Zeugnis der Jünger - von Gott endgültig bestätigt und gerettet.
Gottes Handeln in Jesus und an ihm öffentlich zu machen, das ist das Interesse und die Absicht der Jünger. Diese führen sie in ihrem Verkündigen und Bezeugen aus, indem sie Jesu Verkündigung der Gottesherrschaft und Gottes Handeln an ihm mitteilen in der Absicht, daß sie geteilt werden. Dazu erzählen sie Jesu Geschichte und ihre mit ihm, auf daß sie anderen einleuchte und einsichtig werde als Geschichte Gottes mit Jesus und ihnen, dazu handeln sie erfüllt mit seinem Geist.
Alle weitere christliche und kirchliche Verkündigung hat in Jesu kommunikativem Handeln und in der Antwort seiner Jünger darauf ihren Maßstab, in seiner situations-, adressaten- und sachbezogenen Verkündigung der hereinbrechenden Herrschaft Gottes. Darum hat sich alle weitere Verkündigung daran messen zu lassen, inwieweit sie einer jesuanischen Praxis der Gottesherrschaft Raum gibt, diese bezeugt und in sie einlädt. Darin liegt also das Kriterium christlicher und kirchlicher Verkündigung: Jesu kommunikatives Handeln zu erinnern und zu bezeugen, sein und Gottes Handeln an ihm zu erzählen und es ihm nachzutun in der Praxis der Nachfolge.

[34] Ebd., 329.
[35] Vgl. *E. Arens,* Elementare Handlungen des Glaubens, a.a.O., 93 f.

6. Konsequenzen

Das skizzierte Verständnis von Verkündigung als an der kommunikativen Praxis Jesu und der ihm Nachfolgenden orientiertes kommunikatives Handeln führt auf der Folie der gegenwärtigen Situation kirchlicher Jugendarbeit, ihrer Hintergründe und Herausforderungen, zu Konsequenzen, die hier zumindest formal angedeutet werden sollen:

- Wird Verkündigung als eine Verbales wie Nichtverbales umfassende kommunikative Praxis begriffen, so eignet sich dieser Begriff nicht nur zur Bestimmung des Auftrags und Anliegens kirchlicher Jugendarbeit auf der theoretischen Ebene ihrer Legitimation, vielmehr drückt sich darin zugleich aus, was in der Jugendarbeit geschehen soll und geschieht – eine bestimmte Form kommunikativer Praxis.
- So verstandene Verkündigung ist situativ; sie geschieht in konkreten Handlungssituationen in Gruppen, Kreisen und Verbänden angesichts konkreter Schwierigkeiten, Fragen und Perspektiven. Von daher kann ihr Interesse nicht theologische Vollständigkeit sein, sondern sie ist darauf bedacht, den Kern der biblischen Botschaft in solche Handlungssituationen einzubringen und darin fruchtbar werden zu lassen. Dies geschieht in bestimmten kommunikativen und symbolischen Handlungen.
- So verstandene Verkündigung ist kommunikativ. Ihr geht es am Maßstab ihres jesuanischen Kriteriums darum, Kommunikation zu stiften, Exkommunikation aufzuheben, Kommunikationssperren offenzulegen und zu beseitigen, Kommunikationsverweigerung ideologiekritisch zu hinterfragen ... Dies kann im Sinn des zu kommunizierenden Evangeliums nur nichtindoktrinierend, herrschaftsfrei geschehen. Nur so vermag die biblische Botschaft in die Situation ihrer Adressaten hineinzusprechen, situationserschließend, -verändernd und überzeugend zu wirken.
- So verstandene Verkündigung ist informativ, hat sie doch die Absicht, über die kommunikative Praxis Jesu, seiner Jünger und der Kirche in seiner Nachfolge zu informieren und mit ihr bekanntzumachen, dies freilich nicht im Sinn neutraler Information, sondern einer engagierten Mitteilung, die auf Teilen aus ist, also in Form des Bezeugens.
- So verstandene Verkündigung ist einladend, geht es ihr doch darum, von der Praxis der Gottesherrschaft zu überzeugen und für sie zu gewinnen, dazu einzuladen, sich diese Praxis gemeinsam kommunikativ zu eigen zu machen und weiterzutragen.
- So verstandene Verkündigung ist zugleich provokativ, weil sie eingespielte Kommunikationslosigkeit, Herrschaftsstrukturen und verzerrte Interaktionsverhältnisse im Licht der jesuanischen Praxis in Frage stellt, kritisiert und herausfordert.
- So verstandene Verkündigung ist schließlich innovativ, sie ist auf Neuwer-

dung und Umkehr aus und stößt dazu an, Gottes mit Jesus hereingebrochener Herrschaft in der Praxis der Umkehr und der Nachfolge Jesu Raum zu geben.

Literatur

Affolderbach, Martin, Kirchliche Jugendarbeit im Wandel. Analysen zur Bibelfrömmigkeit, München/Mainz 1977 (Chr. Kaiser/Grünewald).

Arens, Edmund, Kommunikative Handlungen. Die paradigmatische Bedeutung der Gleichnisse Jesu für eine Handlungstheorie, Düsseldorf 1982 (Patmos).

Ders., Elementare Handlungen des Glaubens, in: Ottmar Fuchs (Hrsg.), Theologie und Handeln, Düsseldorf 1984 (Patmos).

Bäumler, Christof, Unterwegs zu einer Praxistheorie. Gesammelte Aufsätze zur kirchlichen Jugendarbeit, München 1977 (Chr. Kaiser).

Lange, Ernst, Kommunikation des Evangeliums, in: ders., Kirche für die Welt, München/Gelnhausen 1981, 101–129 (Chr. Kaiser/Burckhardthaus Laetare).

Peukert, Helmut, Wissenschaftstheorie – Handlungstheorie – Fundamentale Theologie. Analysen zu Ansatz und Status theologischer Theoriebildung, Frankfurt ^{2}1978 (Suhrkamp).

Peukert, Helmut, Sprache und Freiheit. Zur Pragmatik ethischer Rede, in: Franz Kamphaus/Rolf Zerfaß (Hrsg.), Ethische Predigt und Alltagsverhalten, München/Mainz 1977, 44–75 (Chr. Kaiser/Grünewald).

Steinkamp, Hermann, Jugendarbeit als soziales Lernen. Ziele und Aufgaben kirchlicher Jugendarbeit, München/Mainz 1977 (Chr. Kaiser/Grünewald).

Autorennachweis

Martin Affolderbach, geb. 1947, Dr. theol., Referent für Grundsatz- und Studienarbeit bei der Arbeitsgemeinschaft der Evangelischen Jugend (aej), Stuttgart.
Veröffentlichungen u.a.: Evangelische Jugendarbeit. Ziele – Arbeitsfelder – Strukturen, 1980; Jugend und Kirche. Materialien zum Hauptthema der EKD-Synode, 1980; Grundsatztexte zur evangelischen Jugendarbeit, ^{2}1982.

Edmund Arens, geb. 1953, Dr. theol., Wiss. Mitarbeiter für Systematische Theologie an der Universität Frankfurt.
Veröffentlichungen u.a.: Kommunikative Handlungen, 1982; Elementare Handlungen des Glaubens, in: Theologie und Handeln (hrsg. von O. Fuchs), 1984.

Christof Bäumler, geb. 1927, Dr. theol., Professor für Praktische Theologie in München.
Veröffentlichungen u.a.: Die Lehre von der Kirche in der Theologie Karl Barths, 1964; Unterwegs zu einer Praxistheorie. Gesammelte Aufsätze zur kirchlichen Jugendarbeit, 1977; Kommunikative Gemeindepraxis. Eine Untersuchung ihrer Bedingungen und Möglichkeiten, 1984.

Martin Blachmann, geb. 1951, zuerst Hauptschullehrer, dann hauptamtlich in der katholischen Jugendarbeit tätig, 3 Jahre Beauftragter für Jugendsekten der Erzdiözese Köln, heute freier Journalist.
Veröffentlichungen: Fernsehbeiträge für den WDR, Redaktion ‚Gott und die Welt'; Aufsätze über Jugendreligionen, Jugendarbeit und Jugendszene.

Bernd Börger, geb. 1938, Soz.Arb. (grad.), Dipl. Dok., Journalist, Referent für Dokumentation beim Bundesvorstand des Bundes der Deutschen Katholischen Jugend (BDKJ) in Düsseldorf.
Veröffentlichungen: seit 1964 zahlreiche Zeitschriftenartikel zu Fragen der außerschulischen Jugendbildung; Redaktion von Zeitschriften und Sammelwerken; Ausstellungen.

Norbert Copray, geb. 1952, Dipl. theol., Dr. phil., M.A. phil., B.A. theol.; Leiter der Fachstelle für Schülerarbeit des Bistums Limburg und des Schülerzentrums ‚Haus der Begegnung' in Frankfurt am Main.
Veröffentlichungen u.a.: Kommunikation und Offenbarung, 1983; Basisgemeinden in Europa (zus. mit H. Meesmann und T. Seiterich), 1982; regelmäßig Aufsätze und Rezensionen in Zeitungen, Fachzeitschriften und Rundfunk.

Wolfgang Deresch, geb. 1940, Dr. theol., Professor für Praktische Theologie in Hamburg.
Veröffentlichungen u.a.: Predigt und Agitation der religiösen Sozialisten, 1971; Der Glaube der religiösen Sozialisten, 1972; Handbuch für kirchliche Erwachsenenbildung, 1973; Kirchliche Jugendarbeit. Wege zu personaler, sozialer und religiöser Identität, 1984.

Rolf Hanusch, geb. 1943, Dr. theol., Pfarrer und Leiter des Studienzentrums für evangelische Jugendarbeit ‚Josefstal' in Schliersee.
Veröffentlichungen u.a.: Grenzüberschreitungen. Perspektiven evangelischer Jugendarbeit zwischen solidarischer Teilnahme und pädagogischer Versorgung (aej

Studientext 20), 1982; Erinnerung, Geschichte und Zeitbewußtsein von Jugendlichen, in: Zeichen ohne Botschaft (hrsg. von G. C. Tholen/R. M. Winheim), 1985; Wir suchen das ganze Leben. Über Alltagserfahrungen Jugendlicher und die Chancen der Jugendarbeit (hrsg. zus. mit M. Affolderbach), 1985.

Hartmut Heidenreich, geb. 1950, Dipl. päd., Lic. theol., 3 Jahre Diözesanvorsitzender des BDKJ in Bamberg, seit 1983 Wiss. Mitarbeiter für Religionspädagogik an der Ruhr-Universität Bochum. Supervisionsausbildung im Bereich Jugendarbeit.
Veröffentlichungen: Jugendreligionen und Identitätskrise, in: Katechetische Blätter 4/1981; Handlungstheorie und Handlungsrisiko. Versuch einer pädagogischen Mikroanalyse zum pädagogischen Paradox, in: Kommunikation und Solidarität (hrsg. von H. V. v. Brachel/N. Mette), 1985.

Walter Hornstein, geb. 1929, Dr. phil., Professor für Sozialisationsforschung und Sozialpädagogik im Fachbereich Pädagogik der Universität der Bundeswehr München.
Veröffentlichungen u. a.: Jugendberatung, in: W. Hornstein u. a., Funkkolleg Beratung in der Erziehung, Bd. 2, 1977; Situation und Perspektiven der Jugend, 1982 (zus. mit W. Bäuerle u. a.); Unsere Jugend. Über Liebe, Arbeit, Politik, 1982; Neue soziale Bewegungen und Pädagogik, in: Z.f.Päd. 1/1984.

Arno Klönne, geb. 1931, Dr. phil., Professor für Soziologie an der Gesamthochschule Paderborn.
Veröffentlichungen u. a.: Jugend im Dritten Reich. Die Hitlerjugend und ihre Gegner, 1984; Die betrogene Generation. Jugend in Deutschland unter dem Faschismus - Quellen und Dokumente (zus. mit M. v. Hellfeld), 1985.

Ferdinand W. Menne, geb. 1941, Dr. phil., Professor für Sozialpädagogik und Leiter des Instituts für Sozialpädagogik an der Universität Dortmund.
Veröffentlichungen u. a.: Kirchliche Sexualethik gegen gesellschaftliche Realität. Zu einer soziologischen Anthropologie menschlicher Fruchtbarkeit, 1971; (Hrsg.), Neue Sensibilität. Alternative Lebensmöglichkeiten, 1974; zus. mit J. Lell (Hrsg.), Religiöse Gruppen. Alternativen in Großkirchen und Gesellschaft, 1976.

Norbert Mette, geb. 1946, Dr. theol., Professor für Praktische Theologie an der Gesamthochschule Paderborn.
Veröffentlichungen u. a.: Theorie der Praxis, 1978; Kirchlich distanzierte Christlichkeit, 1982; Voraussetzungen christlicher Elementarerziehung, 1983; Sozialwissenschaften und Praktische Theologie (zus. mit H. Steinkamp), 1983.

Klaus Mollenhauer, geb. 1928, Dr. phil., Professor für Pädagogik an der Universität Göttingen.
Veröffentlichungen u. a.: Ursprünge der Sozialpädagogik in der industriellen Gesellschaft, 1959; Was ist Jugendarbeit? (zus. mit H. Giesecke, H. Kentler, W. Müller), 1964; Erziehung und Emanzipation, 1968; Theorien zum Erziehungsprozeß, 1972; Vergessene Zusammenhänge - Über Kultur und Erziehung, 1983.

Peter Müller, geb. 1943, Dipl. theol., Dipl. päd., Pädagogischer Leiter des Katholischen Bildungswerkes Kreis Rottweil.
Veröffentlichungen u. a.: Chancen der Umkehr (Hrsg.), 1978; Methoden in der

kirchlichen Erwachsenenbildung, 1982; Begegnen, Verstehen, Verändern. Kirchliche Jugendarbeit mit Eltern und Familien, 1984.

Richard Münchmeier, geb. 1944, Dr. rer. soc., Wiss. Assistent für Sozialwissenschaften in Tübingen und Amsterdam (bis 1976), seit 1976 Referent für Jugendhilfe/Jugendpolitik am Deutschen Jugendinstitut, seit 1981 Leiter des Arbeitsbereichs Jugendforschung am DJI.
Veröffentlichungen: Zugänge zur Geschichte der Sozialarbeit, 1981; Mitarbeit bei zahlreichen Veröffentlichungen des Deutschen Jugendinstituts, München.

Michael Schibilsky, geb. 1946, Dr. theol., Pfarrer der Evang. Kirchengemeinde Bottrop-Altstadt, Lehrbeauftragter für Praktische Theologie an der Ruhr-Universität Bochum.
Veröffentlichungen u.a.: Religiöse Erfahrung und Interaktion, 1976; Alltagswelt und Sonntagskirche. Gemeindearbeit im Industriegebiet, 1983; Zu heilen, was verwundet ist. Stationen des Leidens (mit Chr. Schibilsky), 1985.

Tilman Schmieder, geb. 1944, Pfarrer der Prot. Landeskirche der Pfalz; Berufsschulpfarramt 1968–1973, Referent für Ökumene und Entwicklungspolitik der Arbeitsgemeinschaft der Evangelischen Jugend (aej) in Stuttgart 1973–1980; seitdem Generalsekretär der aej.
Veröffentlichungen u.a.: Jugend und Ökumene, in: Ökumenische Rundschau 3/1979; Mut zum Frieden (zus. mit P. Schreiner), 1982; Jung sein und evangelisch, 1984.

Gert Schneider, geb. 1938, Dr. theol., Pfarrer in Warstein-Suttrop.
Veröffentlichungen: Grundbedürfnisse und Gemeindebildung, 1982; Gemeinde im Lernprozeß mit einer Kindergruppe, in: N. Mette (Hrsg.), Wie wir Gemeinde wurden, 1982; Stichwort Landpastoral, in: Diakonia 4/1985.

Hermann Steinkamp, geb. 1938, Dr. theol., Professor für Pastoraltheologie und Religionspädagogik in Münster.
Veröffentlichungen u.a.: Gruppendynamik und Demokratisierung, 1973; Jugendarbeit als soziales Lernen, 1977; Sozialwissenschaften und Praktische Theologie (zus. mit N. Mette), 1983; Diakonie – Kennzeichen der Gemeinde, 1985.

Heinz-Günther Stobbe, geb. 1948, Dr. theol., Wiss. Mitarbeiter am Katholisch-ökumenischen Institut der Universität Münster.
Veröffentlichungen u.a.: Theologischer Konsens und Kirchenspaltung (zus. mit P. Lengsfeld), 1981; Hermeneutik – ein ökumenisches Problem. Eine Kritik der katholischen Gadamer-Rezeption, 1981.

Christoph Stückelberger, geb. 1951, Pfarrer, 1979–1985 theol. Beauftragter der Jungen Kirche Schweiz, seit 1985 Chefredakteur des Kirchenboten für den Kanton Zürich.
Veröffentlichungen: Aufbruch zu einem menschengerechten Wachstum, 1979; Die Jugendunruhen – Herausforderung an die Kirchen, 1981; (Hrsg.), Partizispatz. Zur Partizipation Jugendlicher in der Kirche, 1985.

Heinz-Georg Surmund, geb. 1943, Dr. theol., Studentenpfarrer an der Kath. Studentengemeinde in Münster.

Veröffentlichungen: Untersuchungen zu Erfahrung und Deutung des Todes bei Augustinus, 1978; Predigttexte und Aufsätze.

Ludger Veelken, geb. 1938, Dr. päd., Dipl. theol., Professor für Soziale Gerontologie und Geragogik im Fach Soziologie an der Universität Dortmund.
Veröffentlichungen u. a.: Kirchliche Jugendarbeit. Programm und Wirklichkeit (zus. mit U. Sielert), in: Deutsche Jugend, 1972; Einführung in die Identitätstherapie, 1978; Dialektische Identität, in: H. A. Herchen (Hrsg.), Aspekte der Sozialpädagogik, 1983.